Hagenmüller/Jacob · Der Bankbetrieb III

Professor Dr. Karl Friedrich Hagenmüller
Dr. Adolf-Friedrich Jacob

Der Bankbetrieb

Band III

Rechnungswesen
Bankpolitik

5., völlig überarbeitete Auflage

GABLER

CIP-Titelaufnahme der Deutschen Bibliothek

Hagenmüller, Karl Fr.:
Der Bankbetrieb / Karl Friedrich Hagenmüller;
Adolf-Friedrich Jacob. — Wiesbaden : Gabler.
Früher verf. von Karl Fr. Hagenmüller. —
Früher mit d. Verl.-Angabe:
Betriebswirtschaftl. Verl. Gabler, Wiesbaden
NE: Jacob, Adolf-Friedrich:

Bd. 3. Rechnungswesen, Bankpolitik. —
5., völlig überarb. Aufl. — 1988
ISBN 3-409-42143-2

1. Auflage 1964
2. Auflage 1969
3. Auflage 1970
4. Auflage 1976

Der Gabler Verlag ist ein Unternehmen der Verlagsgruppe Bertelsmann.

Satz: FEMOSET GmbH, Wiesbaden
Druck: Wilhelm & Adam, Heusenstamm
Buchbinderei: Osswald + Co., Neustadt/Weinstr.

ISBN 3-409-42143-2

Vorbemerkung zur fünften Auflage des dritten Bandes „Der Bankbetrieb" – Teil V: Rechnungswesen

Die Dekade, die seit Erscheinen der vierten, überarbeiteten Auflage vergangen ist, hat bemerkenswerte bankbetriebswirtschaftliche Veröffentlichungen auf dem Gebiet des Rechnungswesens, mit dem Schwerpunkt „Controlling", hervorgebracht, einschneidende bankbetriebliche Veränderungen in den Rahmenbedingungen für das Rechnungswesen sind erfolgt. Hierzu gehören die Ausgestaltung neuer Instrumente der Steuerung und Kontrolle ebenso, wie die Auswirkungen des Bilanzrichtlinien-Gesetzes auf die Rechnungslegung und Publizität der Banken.

Die Ergebnisse bankbetriebswirtschaftlicher Forschung, bankbetrieblicher Praxis und die veränderten Rahmenbedingungen zwingen zu einem gegenüber der vierten Auflage grundlegend geänderten Aufbau dieses Teils „Rechnungswesen".
Ersatzlos fortgefallen sind die Ausführungen über die Bankbuchhaltung; sie sind in Inhalt und Form durch die Entwicklung überholt.

Für die Neuauflage wird eine zweigliedrige Form gewählt: im ersten Abschnitt wird der funktionale Charakter des Rechnungswesens dargestellt: Rechnungslegung und Publizität, im zweiten Abschnitt wird der instrumentale Charakter des Rechnungswesens behandelt, Instrumente des operationalen Controlling: das Rechnungswesen als Steuerungs- und Kontrollinstrument.

Der dritte Aspekt: das Rechnungswesen im Rahmen der Bankpolitik, im Kern also die Verwendung des Rechnungswesens in bankbetrieblicher Bilanzpolitik, wird im Teil VI dieses Bandes zu behandeln sein.

Inhaltsverzeichnis

Fünfter Teil

Rechnungswesen

Sechster Teil

Bankpolitik

Fünfter Teil

Rechnungswesen

A. Das funktionale Rechnungswesen: Rechnungslegung und Publizität

I. Der institutionelle Rahmen

Der institutionelle Rahmen für die Rechnungslegung und Publizität von Banken wird durch drei Rechtsinstitute gezogen:

1) Die besonderen Vorschriften des KWG über die Rechnungslegung,
2) die Richtlinien zur Bankenstatistik der Deutschen Bundesbank,
3) das dritte Buch des Handelsgesetzbuches – „Bilanzrichtlinien-Gesetz" – sowie die vom Ministerrat der europäischen Gemeinschaften am 8. 12. 1986 verabschiedete Richtlinie über den Jahresabschluß und den konsolidierten Abschluß von Banken und anderen Finanzinstituten.

Die allgemeine Bilanzrichtlinie der §§ 238–335 HGB gilt für den Jahresabschluß 1987 und den Konzernabschluß 1990, die EG-Bankbilanzrichtlinie ist spätestens für das am 1. Januar 1993 oder das im Laufe des Jahres 1993 beginnende Geschäftsjahr anzuwenden.

Noch nicht an diese neuen Regelungen angepaßt sind jedoch die

- Verordnung über Formblätter für die Gliederung des Jahresabschlusses von Kreditinstituten,
- Richtlinien des Bundesaufsichtsamtes für das Kreditwesen über die Aufstellung des Jahresabschlusses der Kreditinstitute,
- Vorschriften für die Meldungen zur Monatlichen Bilanzstatistik der Deutschen Bundesbank,
- Einzelbestimmungen wie etwa Mindestreservebestimmungen und die Grundsätze II und III KWG.

Insoweit wird im folgenden auf Einflüsse hinzuweisen sein, die von diesem dritten Rechtsinstitut auf Rechnungslegung und Publizität der Banken ausgehen.

1. Die Vorschriften des KWG

Die Vorschriften des KWG über Rechnungslegung und Publizität enthalten die für die Banken branchenspezifischen Bestimmungen der §§ 25 bis 31.

In zusammenfassender Form kann ihr Inhalt wie folgt dargestellt werden:[1]

[1] Szagunn, V./Wohlschieß, K.: Gesetz über das Kreditwesen, 4. Aufl., Stuttgart, Berlin, Köln, Mainz 1986, S. 429-489

§ 25

Mit § 25 erhält die Deutsche Bundesbank die rechtliche Grundlage zur Anforderung von Monatsausweisen, die in Verbindung mit § 18 des Gesetzes über die Deutsche Bundesbank mit den Monatlichen Bilanzstatistiken identisch sind.

Diese Einreichungspflicht gilt auch für die übergeordneten Kreditinstitute nach § 13 a KWG sowie § 10 a KWG hinsichtlich der Konsolidierung.

Interessanterweise wird der Kreis der einbezogenen gruppenangehörigen Institute auch auf Leasing- und Factoring-Institute ausgedehnt, obwohl diese selbst keine Monatsausweise erstellen müssen.

Die Bundesbank ist verpflichtet, diese Monatsausweise = Monatliche Bilanzstatistik mit Stellungnahme an das Bundesaufsichtsamt für das Kreditwesen weiterzuleiten.

§ 25 a

Mit dieser Bestimmung wird die Aufstellung, Prüfung, Feststellung und Veröffentlichung der Jahresabschlüsse der Kreditinstitute vereinheitlicht.

Wesentlich ist, daß Bestimmungen des Bilanzrichtlinien-Gesetzes, die einzeln aufgeführt werden, nicht anzuwenden sind; an deren Stelle treten die durch Rechtsverordnungen erlassenen Formblätter und andere Vorschriften.

Wesentlich ist ferner, daß die Rechtsverordnungen über die Formblätter und andere Vorschriften generell für alle Kreditinstitute gelten, unabhängig von ihrer Rechtsform: eine Ausweitung des § 330 HGB.

§ 25 b

Konzernobergesellschaften werden den Kreditinstituten gleichgestellt; sie müssen die entsprechenden Formblätter für den Konzernabschluß verwenden und diesen der Bundesbank und dem Bundesaufsichtsamt einreichen. Die Freistellungsbestimmungen des § 26 a werden auch für Konzernabschlüsse übernommen.

§ 26

Mit dieser Bestimmung wird die Vorlage von Jahresabschluß, Lagebericht und Prüfungsvermerken bei Bundesbank und Bundesaufsichtsamt „unverzüglich" verfügt.

„Unverzüglich" meint:[2]

„Der aufgestellte Jahresabschluß,	sofort nach Aufstellung
der festgestellte Jahresabschluß mit Prüfungsvermerk und der Lagebericht sowie erforderlichenfalls die Bilanzanlage,	sobald die sofort nach der Feststellung des Jahresabschlusses herzustellenden Mehrfertigungen des Abschlusses den Geschäftsleitern vorliegen
der Konzernabschluß und der Konzernlagebericht,	sobald die Unterlagen einem Aufsichtsorgan zugeleitet werden, ansonsten nach Aufstellung

[2] Szagunn, V./Wohlschieß, K.: a. a. O., S. 448

der Prüfungsbericht und erforderlichenfalls die ergänzende Vollständigkeitserklärung sowie der Konzernprüfungsbericht,	sobald der unterschriebene Prüfungsbericht der Geschäftsleitung vorgelegt wird
der Einlagensicherungs-Prüfungsbericht	nach Ablauf der zur Niederschrift der Prüfungsfeststellungen, zur Berichtskritik und zur Herstellung der Mehrfertigungen des Berichts erforderlichen Zeitspanne.“

§ 26 a
Diese in Literatur und Praxis heftig umstrittene Bestimmung erlaubt die stille Bildung und stille Auflösung von Reserven: § 26 a regelt Wertansätze in der Bilanz und Erläuterungen der Bewertung.

Verrechnet werden dürfen: Abschreibungen und Wertberichtigungen mit Zuschreibungen bei Forderungen und Wertpapieren oder Eingängen aus abgeschriebenen Forderungen. Nach Abs. 3 Satz 2 braucht der Vorstand einer Aktiengesellschaft darüber keine Auskunft zu erteilen.

§ 26 b
regelt Bewertungsverstöße.

Bei Kreditinstituten, die in der Rechtsform der AG und der KGaA betrieben werden, bewirkt ein Verstoß gegen die Bewertungsvorschriften nur dann Nichtigkeit des Jahresabschlusses, „wenn Aktivposten zu einem höheren Wert oder Passivposten mit einem niedrigeren Betrag als nach § 253 des HGB zulässig, angesetzt worden sind.“ Diese Bestimmung engt § 256 Abs. 5 AktG ein, der auch die Unterbewertung von Aktivposten und die Höherbewertung von Passivposten umfaßt.

§ 27
bestimmt, daß Kreditinstitute den Jahresabschluß vor Feststellung prüfen lassen müssen, daß diese Prüfung innerhalb von fünf Monaten nach dem Bilanzstichtag vorzunehmen ist und daß der Jahresabschluß „unverzüglich“ (ohne schuldhaftes Zögern) nach der Prüfung festzustellen ist.

§ 28
Das Bundesaufsichtsamt hat bei der Bestellung des Prüfers ein begrenztes, durchsetzbares Interventionsrecht, wenn ihm die Qualität des Prüfers für die Erreichung des Prüfungszweckes nicht ausreichend erscheint. Ausgenommen von dieser Bestimmung sind der genossenschaftliche Prüfungsverband und die Prüfungsstelle eines Sparkassen- und Giroverbandes, für die eine entsprechende Qualitätsvermutung gilt.

§ 29
Der Prüfer muß die wirtschaftlichen Verhältnisse prüfen und feststellen, ob die Anzeigepflichten des KWG erfüllt worden sind.

Der Prüfer ist gehalten, bei zu erwartender Einschränkung des Bestätigungsvermerkes oder dessen Versagung oder bei Verstößen der Geschäftsleiter gegen Gesetz, Satzung oder Gesellschaftsvertrag dies unverzüglich der Bundesbank und dem Bundesaufsichtsamt mitzuteilen.

§ 30
behandelt die Depotprüfung.

§ 31
Feststellungsmöglichkeiten mittels Rechtsverordnung oder durch Verwaltungsakt.

2. Die Bankenstatistik der Deutschen Bundesbank

Auf der Grundlage des § 18 BBankG hat die Deutsche Bundesbank folgende Statistiken angeordnet.[3]

Monatliche Bilanzstatistik

6.12.1968	Anordnung für die Monatliche Bilanzstatistik
3.12.1969	Neuabgrenzung der Berichtspflicht zur Regionalstatistik
17. 3.1970	Neuregelung der Kompensationen
30. 6.1972	Meldung der Kreditinstitute, die Zweigstellen in fremden Wirtschaftsgebieten unterhalten
15.11.1973	Änderung der Berichtspflicht der Kreditgenossenschaften sowie zusätzliche Angaben der Bausparkassen über die Entwicklung des Bauspargeschäftes.
5. 6.1974	Meldung über Devisenterminengagements.
25. 3.1975	Meldung über Termingeschäfte in Gold und anderen Edelmetallen.
8.10.1984	Erweiterung der Berichtspflicht der Kreditgenossenschaften einschl. Anordnung in der geltenden Fassung vom 31. Dezember 1985.

Kreditnehmerstatistik

6.12.1968	Anordnung für die Vierteljährliche Kreditnehmerstatistik
16.12.1969	Neuabgrenzung der Berichtspflicht zur Regionalstatistik
30. 6.1972	Meldung der Kreditinstitute, die Zweigstellen in fremden Wirtschaftsgebieten unterhalten einschl. Anordnung in der geltenden Fassung vom 31. Juli 1972

Kreditzusagenstatistik

22. 7.1976	Anordnung für die Kreditzusagenstatistik

Zinsstatistik

5. 6.1967	Anordnung für die Zinserhebung
18.10.1973	Einmalige Sondererhebung über Zinsbindung

Depotstatistik

6.12.1968	Anordnung für die Jährliche Depotstatistik
27.10.1970	Änderung der Einreichungsfrist

[3] Deutsche Bundesbank: Bankenstatistik, Richtlinien, Dezember 1985, S. 211 f

Emissionsstatistik

11. 6.1968 Anordnung für die Emissionsstatistik für festverzinsliche Wertpapiere

Statistik über Kapitalanlagegesellschaften

4. 6.1970 Anordnung für die Statistik über Kapitalanlagegesellschaften

Auslandsstatus

9.12.1968	Anordnung für den Auslandsstatus der Kreditinstitute
30. 6.1972	Meldungen der Kreditinstitute, die Zweigstellen in fremden Wirtschaftsgebieten unterhalten
17.12.1979	Meldungen der Kreditinstitute, die Zweigstellen in fremden Wirtschaftsgebieten unterhalten
19. 5.1981	Änderung der Meldung über den Auslandsstatus der Kreditinstitute einschl. Anordnung in der geltenden Fassung vom 30. Juni 1982
15.12.1983	Änderung der Anordnung für den Auslandsstatus der Kreditinstitute

Statistik der Auslandstöchter

30.10.1972	Anordnung für die Statistik über ausländische Kreditinstitute im Mehrheitsbesitz deutscher Kreditinstitute
15.12.1983	Anordnung für die Statistiken über ausländische Kreditinstitute im Mehrheitsbesitz deutscher Kreditinstitute (Monatliche Bilanzstatistik und Beziehungen zu Geschäftspartnern außerhalb der Bundesrepublik Deutschland).

Vorläufer der Monatlichen Bilanzstatistik war die Halbmonatliche Bankenstatistik:

Als Teilerhebung bei 480 Kreditinstituten des Bundesgebietes wurden seit Juni 1950 jeweils zum 15. und Ende eines Monats bis zum März 1965 die *kurzfristigen Kredite und die Einlagen* erfaßt. Die Ergebnisse waren im „Statistischen Teil" der Monatsberichte der Deutschen Bundesbank enthalten. Die Ergebnisse wurden letztmals im Monatsbericht der Deutschen Bundesbank Oktober 1965 mit den Zahlen per Ende März 1965 veröffentlicht.

Einbezogen waren die kurzfristigen Kredite an Wirtschaftsunternehmen und Private insgesamt, sowie die darin enthaltenen Akzeptkredite, Kontokorrentkredite und Wechselkredite, ferner die kurzfristigen Kredite an öffentliche Stellen und der Bestand an Geldmarktpapieren. Den kurzfristigen Krediten und Geldmarktpapieren waren die Einlagen von Nichtbanken insgesamt, sowie die Sicht- und Termineinlagen, getrennt nach „Wirtschaftsunternehmen und Private" und „öffentliche Stellen", und die Spareinlagen gegenübergestellt.

Da die Ergebnisse dieser Statistik in der Regel etwa eine Woche nach dem Stichtag vorlagen und einen Repräsentationsgrad von rund 65 % aller Kredite und Einlagen an bzw. von Nichtbanken erreichten, kam ihnen als Orientierungsmittel und Unterlage für kreditpolitische Entscheidungen des Zentralbankrats eine große Bedeutung zu.

) *Der Aufbau der Statistiken*

aa) Monatliche Bilanzstatistik

Die *Meldungen* der Kreditinstitute zur Monatlichen Bilanzstatistik bestehen aus zwei Hauptvordrucken

- Monatliche Bilanzstatistik – Aktiva/Passiva
- Monatliche Bilanzstatistik der Auslandstöchter – Aktiva/Passiva

sowie Anlagen;

Anlagen zur Monatlichen Bilanzstatistik sind beispielsweise

- Forderungen und Verbindlichkeiten gegenüber Kreditinstituten
- Forderungen an Nichtbanken
- Verbindlichkeiten gegenüber Nichtbanken
- Spareinlagen
- Wertpapiere
- Zusatzangaben für Institute, die Inhaberschuldverschreibungen emittieren
- Zusatzangaben für Institute mit eigenen Häusern im Ausland/mit Goldgeschäft

Anlagen zur Monatlichen Bilanzstatistik für Auslandstöchter:

- Forderungen und Verbindlichkeiten der Auslandstöchter gegenüber Kreditinstituten
- Forderungen und Verbindlichkeiten der Auslandstöchter gegenüber Nichtbanken
- Wertpapiere im Bestand der Auslandstöchter.

Die Hauptpositionen der Monatlichen Bilanzstatistik – ohne Zusatzangaben zu Aktiva/Passiva – sind:

AKTIVA

Kassenbestand
Guthaben bei der Deutschen Bundesbank
Postgiroguthaben

Schecks, fällige Schuldverschreibungen, Zins- und Dividendenscheine sowie zum Einzug erhaltene Papiere

Wechsel
- bundesbankfähige Wechsel
- bei der Deutschen Bundesbank refinanzierte Solawechsel
- sonstige Wechsel

Summe

Forderungen an Kreditinstitute (einschl. Namensschuldverschreibungen)
Schatzwechsel und unverzinsliche Schatzanweisungen
Anleihen und Schuldverschreibungen
Wertpapiere, soweit sie nicht unter anderen Positionen auszuweisen sind
Forderungen an Kunden (einschl. Namensschuldverschreibungen)

Ausgleichsforderungen gegen die öffentliche Hand
durchlaufende Kredite (nur Treuhandgeschäfte)
Beteiligungen
Grundstücke und Gebäude
Betriebs- und Geschäftsausstattung
nicht eingezahltes Kapital
eigene Aktien (Geschäftsanteile)
Anteile an einer herrschenden oder mit Mehrheit beteiligten Gesellschaft
Eigene Schuldverschreibungen

Sonstige Aktiva
- ausgewiesener Verlust
- Rechnungsabgrenzungsposten für Sparbriefe u. ä. Abzinsungspapiere
- Aktivsaldo der schwebenden Verrechnungen
- übrige Aktiva

Summe

PASSIVA

Verbindlichkeiten gegenüber Kreditinstituten (einschl. Namensschuldverschreibungen) (für Bausparkassen: einschl. Bauspareinlagen)

Verbindlichkeiten aus dem Bankgeschäft gegenüber anderen Gläubigern (einschl. Namensschuldverschreibungen)

Spareinlagen (für Bausparkassen: einschl. Bauspareinlagen)
andere Verbindlichkeiten

Summe

Inhaberschuldverschreibungen im Umlauf
(einschl. verkaufter, noch zu liefernder Inhaberschuldverschreibungen)

eigene Akzepte und Solawechsel im Umlauf
durchlaufende Kredite (nur Treuhandgeschäfte)
Rückstellungen

Wertberichtigungen
Einzelwertberichtigungen
Sammelwertberichtigungen

Summe

Sonderposten mit Rücklagenanteil
Grund- oder Stammkapital bzw. Geschäftsguthaben
offene Rücklagen (gem. § 10 KWG)

Sonstige Passiva
Verbindlichkeiten aus Warengeschäften u. aufgenommenen Warenkrediten

Passivsaldo der schwebenden Verrechnungen
übrige Passiva

Summe

Summe der Passiva

den Kreditnehmern abgerechnete eigene Ziehungen im Umlauf
Indossamentsverbindlichkeiten aus rediskontierten Wechseln

aus dem Wechselbestand vor Verfall zum Einzug versandte Wechsel (ohne Inkassowechsel)

Geschäftsvolumen

Geldaufnahme gegen Sicherheiten
durch eigene Aktiva
durch sonstige Sicherheiten

Summe

Zur Ergänzung der Monatlichen Bilanzstatistik haben die Kreditinstitute monatlich die Anlagen A bis H auszufüllen.

Die *Anlage A* enthält spezielle Angaben über die Struktur der Forderungen (einschl. Wechselkredite und durchlaufende Kredite) und Verbindlichkeiten gegenüber Kreditinstituten sowohl nach Befristungen als auch nach Schuldnern und Einlegergruppen (Trennung von inländischen und ausländischen Banken, Bausparkassen, zuständigen Girozentralen/Zentralkassen bzw. angeschlossenen Sparkassen/Kreditgenossenschaften).

In den *Anlagen B und C* werden die Forderungen und Verbindlichkeiten an Nichtbanken mit einer breiteren Aufteilung nach Kredit- und Einlegergruppen erfragt, wobei analog der Anlage A verfahren wird. Bei Anlage B kommt noch die Zusammenfassung der Kredite insgesamt nach Fristen und bei Anlage C die Aufteilung der Spareinlagen hinzu.

Anlage D – Zusatzangaben zu „Verbindlichkeiten" – erfaßt die Sparbriefe/Namensschuldverschreibungen gegenüber Nichtbanken (Unternehmen und Privatpersonen, öffentliche Haushalte sowie ausländische Nichtbanken) sowie die monatlichen Umsätze und Zinsen der Spareinlagen.

Die *Anlage E* behandelt die Schatzwechsel, Wertpapiere und Beteiligungen eines Kreditinstituts. Die Aufgliederung erfolgt einmal nach inländischen/ausländischen Emissionen oder Beteiligungen, zum anderen nach Laufzeiten; Wertpapiere mit konsortialen Bindungen (Teile der früheren Bilanzposition „Konsortialbeteiligungen") werden ebenfalls erfragt. Die Bestände an Emissionen des Bundes, seiner Sondervermögen (Bahn, Post), des Lastenausgleichsfonds, der Länder sowie der Gemeinden und Gemeindeverbände sind zu spezifizieren.

Bei der *Anlage G* handelt es sich um Zusatzangaben für Institute mit eigenen Häusern im Ausland (G 1) und über Positionen in Gold und anderen Edelmetallen (G 2).

Eigene Häuser im Ausland sind:
- bei inländischen Zweigstellen ausländischer Kreditinstitute:
  Zentrale und Schwesterfilialen im Ausland,
- bei inländischen Kreditinstituten: rechtlich unselbständige Zweigstellen im Ausland.

In der Meldung G 1 werden die Forderungen und Verbindlichkeiten erhoben, die gegenüber eigenen Häusern im Ausland innerhalb der „Aktiva" und „Passiva" bestehen und der Verrechnungssaldo.

In der Meldung G 2 haben diejenigen Kreditinstitute, die zur monatlichen Meldung „Auslandsstatus" herangezogen werden, Angaben über Aktiv-, Passiv- und Terminpositionen in Gold und anderen Edelmetallen zu machen. Zu den Terminpositionen gehören auch die Abnahme- und Lieferverpflichtungen aus Termingeschäften, sofern sie mindestens 0,5 Mio DM ausmachen.

Die *Anlage H* wurde mit Wirkung vom 30. Juni 1986 eingeführt, um den neuen Instrumenten der Aktiv- und Passivseite und den bilanzunwirksamen Geschäften statistisch Rechnung zu tragen.

In dieser Anlage werden unter anderem erfaßt:

- Einlagenzertifikate, Commercial papers – Begebung im Inland/Ausland an inländische/ausländische Unternehmen und Privatpersonen sowie inländische/ausländische Kreditinstitute
- Leasingforderungen
- Zins- und Währungsswaps
- Plazierungsverpflichtungen/Übernahmeverpflichtungen
  – RUFs, NIFs u. ä. –
  darunter: in Anspruch genommene Verpflichtungen (übernommene Euronotes, gewährte Standby-Kredite).

bb) Kreditnehmerstatistik

Gegenstand der Kreditnehmerstatistik, die vierteljährlich erhoben wird, ist die Aufgliederung der in der Monatlichen Bilanzstatistik enthaltenen ausstehenden Kredite an inländische Unternehmen und Privatpersonen einschließlich Organisationen ohne Erwerbszweck nach Kreditnehmergruppen.

Sie trennt sich nach kurz- und mittelfristigen Krediten (Forderungen und Wechselkredite) sowie langfristigen Krediten (Forderungen, durchlaufende Kredite, Hypothekarkredite).

Die Kreditnehmer werden wie folgt differenziert – in zusammengefaßter Form –:

Unternehmen und wirtschaftlich selbständige Privatpersonen	
Land und Forstwirtschaft, Fischerei	110
Energie- und Wasserversorgung, Bergbau	120
verarbeitendes Gewerbe	130
Baugewerbe	140
Handel	150
Verkehr und Nachrichtenübermittlung	160
Finanzierungsinstitutionen (ohne Kreditinstitute) und Versicherungsunternehmen	170
Dienstleistungen (einschl. freie Berufe)	180

Unternehmen und wirtschaftlich selbständige Privatpersonen (110 bis 180)	**100**
wirtschaftlich unselbständige und sonstige Privatpersonen	
Ratenkredite (ohne Kredite für den Wohnungsbau)	210
Nichtratenkredite (ohne Kredite für den Wohnungsbau)	220
Kredite für den Wohnungsbau	230
wirtschaftlich unselbständige und sonstige Privatpersonen (210 bis 230)	**200**
Organisationen ohne Erwerbszweck	**300**
Summe inländischer Unternehmen und Privatpersonen (100 + 200 + 300)	**400**

mit den folgenden Zusatzangaben:

Pos. 130 verarbeitendes Gewerbe setzt sich aus folgenden Branchen zusammen:	
Chemische Industrie, Herstellung und Verarbeitung von Spalt- und Brutstoffen, Mineralölverarbeitung	131
Herstellung von Kunststoff- und Gummiwaren	132
Gewinnung und Verteilung von Steinen und Erden: Feinkeramik, Glasgewerbe	133
Metallerzeugung und -bearbeitung	134
Stahl-, Maschinen- Fahrzeugbau; Herstellung von Büromaschinen, Datenverarbeitungsgeräten und -einrichtungen	135
Elektrotechnik, Feinmechanik, Optik; Herstellung von Eisen-, Blech- und Metallwaren, Musikinstrumenten, Sportgeräten, Schmuck; Foto- und Filmlabors	136
Holz-, Papier- und Druckgewerbe	137
Leder-, Textil- und Bekleidungsgewerbe	138
Ernährungsgewerbe, Tabakverarbeitung	139
Summe (131 bis 139)	**130**

in Pos. 170 Finanzierungsinstitutionen (ohne Kreditinstitute) und Versicherungsunternehmen enthalten	
Finanzierungsleasing-Gesellschaften	171
in Pos. 180 Dienstleistungen (einschl. freier Berufe) enthalten	
Wohnungsunternehmen	181
Beteiligungsgesellschaften	182
in Pos. 100 Unternehmen und wirtschaftlich selbstständige Privatpersonen enthalten	
Handwerk	108
Kredite für den Wohnungsbau	109
in Pos. 220 Nichtratenkredite an wirtschaftlich unselbständige und sonstige Privatpersonen (ohne Kredite für den Wohnungsbau) enthalten	
Debetsalden auf Lohn-, Gehalts-, Renten- und Pensionskonten	221
in Pos. 300 Organisationen ohne Erwerbszweck enthalten	
Kredite für Wohnungsbau	309
Abstimmsumme (171 bis 309)	**907**

cc) Monatliche Kreditzusagenstatistik

Die Kreditzusagenstatistik erhebt Kreditzusagen an inländische Unternehmen und Privatpersonen einschließlich Organisationen ohne Erwerbszweck *und* deren Inanspruchnahme.

Als Kreditzusage wird die Mitteilung an den einzelnen Kunden, der ein Antrag des Kunden zugrunde liegen soll, verstanden, daß er sein Konto bis zu einer bestimmten Höhe überziehen kann. Nicht als Kreditzusage in diesem Zusammenhang gelten pauschale Angebote eines Kreditinstituts an seine Kunden, die Konten bis zu einer bestimmten Höhe überziehen zu können oder Einlösungsverpflichtungen aus ausgegebenen Scheckkarten.

Die Zusagen werden nach Fristigkeiten – kurz, mittel, lang – und nach Kreditarten in zwei Gruppen differenziert:

Kontokorrent-, Wechsel- und sonstige Kredite mit wechselnder Inanspruchnahme		Darlehen mit festem Betrag und fester Laufzeit
Stand der Kreditzusage	Stand der Inanspruchnahme der zugesagten Kredite	Stand der noch nicht durch Auszahlung erledigten Kreditzusagen

dd) Zinsstatistik

„Zinsstatistik" ist der Kurztitel für die „Erhebung über Soll- und Habenzinsen ausgewählter Kredit- und Einlagenarten". Erhoben werden die Zinskonditionen für die inländische Nichtbankenkundschaft. Die Kredit- und Einlagearten werden nach dem Kriterium der Normiertheit der Kondition ausgewählt. Erfragt wird der häufigste Satz/Auszahlungskurs. Die Systematik baut sich wie folgt auf:

---

1 Kontokorrentkredite

11 unter 1 Mio DM

12 1 Mio DM bis unter 5 Mio DM

---

2 Wechseldiskontkredite
(bundesbankfähige Abschnitte in Höhe von 5 000 DM bis unter 20 000 DM)

---

3 Ratenkredite
(nur soweit zu p.M.-Sätzen verzinst)

von 5 000 DM bis unter 10 000 DM
mit Laufzeit von über 24 Monaten bis 48 Monate einschl.

nachrichtlich: einmalige Bearbeitungsgebühr .... %

---

4 Erststellige Hypotheken, Grund- und Rentenschulden auf Wohngrundstücke
mit Vereinbarung

41 fester Zinsen für zwei Jahre
42 fester Zinsen für fünf Jahre
43 fester Zinsen für zehn Jahre

Zeitraum, nach dem der Zinsvorteil aus dem Disagio für den Kunden wegfällt

44 variabler Zinsen

---

5 Festgelder mit vereinbarter Laufzeit von 3 Monaten

51 unter 1 Mio DM

52 1 Mio DM bis unter 5 Mio DM

6	**Spareinlagen mit gesetzlicher Kündigungsfrist**	
7	**Spareinlagen mit vereinbarter Kündigungsfrist**	von 12 Monaten
8	**Spareinlagen mit vereinbarter Kündigungsfrist**	von 4 Jahren und darüber
9	**Sparbriefe mit laufender Zinszahlung** 91 vierjährige Laufzeit 92 fünfjährige Laufzeit	

ee) Depotstatistik

Gegenstand der Depotstatistik sind Anzahl und Bestände der Wertpapierdepots, die von den Kreditinstituten am Jahresende für die inländische Nichtbankenkundschaft wie für die ausländische Kundschaft geführt werden.

Erfaßt werden auf DM lautende Wertpapiere inländischer und auf DM lautende Anleihen ausländischer Emittenten.

Die Gliederung der Deponentengruppen – ohne inländische Kreditinstitute –:

Inländische Nichtbanken

Fonds von Kapitalanlagegesellschaften
Versicherungsunternehmen
sonstige Unternehmen

Unternehmen
wirtschaftlich selbständige Privatpersonen
wirtschaftlich unselbständige Privatpersonen
sonstige Privatpersonen

Privatpersonen

Organisationen ohne Erwerbszweck
Sozialversicherung
sonstige öffentliche Haushalte

Öffentliche Haushalte

Inländische Nichtbanken

Ausländer

Gemeldet werden muß die Anzahl der Depots der Deponentengruppen. Die Höhe der Depotbestände wird erhoben für

- Schuldverschreibungen inländischer Emittenten (ohne Namensschuldverschreibungen) im Nominalwert
  - Anleihen des Bundes, der Länder, der Gemeinden
  - Bundesschatzbriefe
  - Anleihen der Bundesbahn, der Bundespost
  - Bankschuldverschreibungen
  - Industrieobligationen
- Aktien inländischer Emittenten im Nominalwert
- Investmentzertifikate der Fonds inländischer Kapitalanlagegesellschaften in der Stückzahl
- Anleihen ausländischer Emittenten, Nominalwert der DM-Wertpapiere

ff) Emissionsstatistik

Die Statistik bezieht sich auf die Emission festverzinslicher Wertpapiere:

1) Schuldverschreibungen inländischer Kreditinstitute (Auflegung, Emissionsbedingungen, Erstabsatz, Tilgung, Umlauf, Eigen- und Treuhänderbestand)
2) Schuldverschreibungen inländischer Nichtbanken (Auflegung, Emissionsbedingungen, Erstabsatz, Tilgung)
3) Schuldverschreibungen ausländischer Emittenten
   (a) begeben unter Federführung eines deutschen Kreditinstituts (Auflegung, Emissionsbedingungen, übernommener Betrag, Tilgung)
   (b) begeben unter Beteiligung deutscher Kreditinstitute an Konsortien unter ausländischer Federführung (Emissionsbedingungen und übernommener Teilbetrag)
4) die Aufteilung des Erstabsatzes nach Käufergruppen beim Verkauf von Schuldverschreibungen in- und ausländischer Emittenten.

Die Erhebungssystematik soll am Beispiel des Meldebogens für Inhaberschuldverschreibungen verdeutlicht werden:

Emittent

falls Ausland: Sitz des Emittenten

Wertpapier-Kenn-Nr.
Landeszentralbankbereich
Emissionsbetrag
Emissionskurs

Bezeichnung des Wertpapiers
Reihe/Serie
Genehmigung des Bundesfinanzministeriums vom

Kleinste handelbare Einheit
Stückeausdruck : ja/nein

Zinssatz
Zinstermin(e)
Erste Zinsfälligkeit

Laufzeitbeginn
Erste Rückzahlungsmöglichkeit
Letzter Rückzahlungstermin
Rückzahlungskurs

○ Planmäßige Tilgung

- durch Gesamtrückzahlung bei Fälligkeit (gesamtfällige Schuldverschreibungen)
- durch Teilrückzahlungen in (etwa) gleichhohen Jahresraten
  - nach Reihen/Serien
  - am einzelnen Stück
- auf andere Weise

○ Keine planmäßige Tilgung
○ Kündigungsmöglichkeit für Schuldner frühestens zum .....
○ Gläubigerkündigungsrecht oder Recht zur vorzeitigen Rückgabe der Schuldverschreibungen

---

○ Börseneinführung beabsichtigt in: Berlin – Düsseldorf – Hamburg – München – Bremen – Frankfurt – Hannover – Stuttgart

- zur amtlichen Notierung
- zum geregelten Freiverkehr
- lombardfähig
- mündelsicher

Prospekt (Verkaufsangebot liegt bei)

---

gg) Statistik über Kapitalanlagegesellschaften

Erhoben werden monatlich Angaben über die von Kapitalanlagegesellschaften gebildeten Wertpapier- und Immobilienfonds:

1) die Höhe des Sondervermögens, die Zahl der umlaufenden und der abgesetzten Anteile, die Ausgabe- und Rücknahmepreise der Anteile sowie das Mittelaufkommen,

2) das Mittelaufkommen der Publikumsfonds, gegliedert nach Einzelanlagen und Sparprogrammen,
3) die Zusammensetzung der einzelnen Sondervermögen bei Wertpapierfonds.

Als Beispiel für die Systematik soll die Meldung über die Zusammensetzung des Fondsvermögens von Wertpapierfonds gewählt werden:

Für jeden Fonds (Publikums-/Spezialfonds) sind zu melden:

- *Name des Fonds*
- *Zusammensetzung*
- Wertpapiere inländischer Emittenten
  Renten
  Aktien
- Wertpapiere ausländischer Emittenten
  Renten
  Aktien
- Barreserve, Forderungen und sonstiges Vermögen
- aufgenommene Kredite

hh) Auslandsstatus

Die Meldungen der Kreditinstitute über ihren Auslandsstatus werden in dreifacher Form angefordert:

A. Monatlicher Auslandsstatus
   Auslandsaktiva/Auslandspassiva
B. Wöchentlicher Auslandsstatus
   Ergänzungsmeldung
   - der inländischen Zweigstellen ausländischer Kreditinstitute über den Stand der Geschäftsbeziehungen zur Zentrale und zu den Schwester-Filialen im Ausland
   - der deutschen Kreditinstitute über den Stand der Geschäftsbeziehungen zu ihren Zweigstellen im Ausland

C. Monatlicher Status der Auslandstöchter gegenüber Geschäftspartnern außerhalb der Bundesrepublik Deutschland
   Aktiva/Passiva

Zu berichten sind Aktiva/Passiva gegenüber Kreditinstituten und Nichtbanken (Unternehmen und Privatpersonen – einschließlich Organisationen ohne Erwerbszweck – und Öffentliche Haushalte) im Ausland. Als Ausland gelten alle Gebiete außerhalb der Bundesrepublik Deutschland und Berlin (West) sowie des Währungsgebiets der M-DDR.

Ausländer sind Gebietsfremde im Sinne des Außenwirtschaftsgesetzes: natürliche oder juristische Personen mit gewöhnlichem Aufenthalt, Hauptniederlassung oder Sitz im Ausland.

Der Monatliche Auslandsstatus erfaßt:

AUSLANDSAKTIVA

Ausländische Noten und Münzen

Forderungen
  an ausländische Kreditinstitute
    Tagesgelder sowie Gelder mit täglicher Kündigung („call money")
    andere täglich fällige Forderungen
    befristete Forderungen bis zu 1 Jahr einschl.
    befristete Forderungen von mehr als 1 Jahr
  an ausländische Unternehmen und Privatpersonen
    täglich fällige und befristete Forderungen bis zu 1 Jahr einschl.
    befristete Forderungen von mehr als 1 Jahr
  an ausländische öffentliche Haushalte
    täglich fällige und befristete Forderungen bis zu 1 Jahr einschl.
    befristete Forderungen von mehr als 1 Jahr

Forderungen an Ausländer

Durchlaufende Kredite (nur Treuhandgeschäfte)
  an ausländische Kreditinstitute
  an ausländische Unternehmen und Privatpersonen
  an ausländische öffentliche Haushalte

Durchlaufende Kredite an Ausländer

Auslandswechsel

Ausländische Schatzwechsel und unverzinsliche Schatzanweisungen

Ausländische Wertpapiere
  Anleihen und Schuldverschreibungen
  Aktien und sonstige Wertpapiere

Beteiligungen im Ausland

Betriebskapital in ausländischen Zweigstellen

Sonstige Auslandsaktiva

Summe der Auslandsaktiva

Zusatzangaben

in den Pos. enthalten
  Forderungen an ausländische Währungsbehörden/Notenbanken
    täglich fällige Forderungen
    befristete Forderungen bis zu 1 Jahr einschl.
    befristete Forderungen von mehr als 1 Jahr

in Pos. enthalten
  durchlaufende Kredite an ausländische Währungsbehörden/Notenbanken

in Pos. enthalten
  Auslandswechsel, die von inländischen a forfait oder direkt von Ausländern angekauft wurden

Wechseldiskontkredite
  an ausländische Kreditinstitute
  an ausländische Unternehmen und Privatpersonen
  an ausländische öffentliche Haushalte

AUSLANDSPASSIVA

Verbindlichkeiten (ohne Spareinlagen)

gegenüber ausländischen Kreditinstituten
Tagesgelder sowie Gelder mit täglicher Kündigung („call money")
andere täglich fällige Verbindlichkeiten
befristete Verbindlichkeiten bis zu 1 Jahr einschl.
befristete Verbindlichkeiten von mehr als 1 Jahr

gegenüber ausländischen Unternehmen und Privatpersonen
täglich fällige Verbindlichkeiten
befristete Verbindlich bis zu 1 Jahr einschl.
befristete Verbindlichkeiten von mehr als 1 Jahr

gegenüber ausländischen öffentlichen Haushalten
täglich fällige Verbindlichkeiten
befristete Verbindlichkeiten bis 1 Jahr einschl.
befristete Verbindlichkeiten von mehr als 1 Jahr

Verbindlichkeiten gegenüber Ausländern (ohne Spareinlagen)

Spareinlagen
von ausländischen Unternehmen und Privatpersonen
von ausländischen öffentlichen Haushalten

Spareinlagen von Ausländern

durchlaufende Kredite (nur Treuhandgeschäfte)
von ausländischen Kreditinstituten
von ausländischen Unternehmen und Privatpersonen
von ausländischen öffentlichen Haushalten

durchlaufende Kredite von Ausländern

Betriebskapital von inländischen Zweigstellen ausländischer Banken
Sonstige Auslandspassiva

Summe der Auslandspassiva

Zusatzangaben

in Pos. enthalten
Verbindlichkeiten gegenüber ausl. Währungsbehörden/Notenbanken
täglich fällige Verbindlichkeiten
befristete Verbindlichkeiten bis zu 1 Jahr einschl.
befristete Verbindlichkeiten von mehr als 1 Jahr

in Pos. enthalten
Verbindlichkeiten aus der Begebung von Schuldscheindarlehen aufgrund eigener Plazierungen oder angezeigter Abtretungen Dritter
gegenüber ausländischen Kreditinstituten
gegenüber ausländischen Unternehmen und Privatpersonen
gegenüber ausländischen öffentlichen Haushalten

Indossamentsverbindlichkeiten aus im Ausland rediskontierten Wechseln (einschl. eigener Ziehungen im Umlauf)

Verbindlichkeiten gegenüber Ausländern – sofern nicht in Pos. auszuweisen – im Falle der Rücknahme von in Pension gegebenen
Auslandsaktiva sowie Beständen an Gold und anderen Edelmetallen
Inlandsaktiva

Hinzukommen noch Angaben über Fremdwährungsaktiva/-passiva gegenüber Inländern.

b) Die Richtlinien zu den Statistiken

Um die Vergleichbarkeit der Angaben und die Addierfähigkeit der gemeldeten Zahlen über alle meldepflichtigen Institute hinweg formal zu begründen, hat die Deutsche Bundesbank ein umfangreiches Richtlinienwerk herausgegeben, das die notwendigen Definitionen und Eingruppierungsmerkmale enthält.[4]

Nachdem davon ausgegangen werden kann, daß sämtliche zur Bankenstatistik meldende Institute diese Statistik mit Hilfe der Datenverarbeitung ermitteln, dürfte auch die materielle Vergleich- und Addierbarkeit gegeben sein.

Dennoch müssen beispielsweise die Angaben zur Branchenzugehörigkeit (Branchenschlüssel) bei Kontoeröffnung manuell eingegeben werden. Da für diese Branchenschlüssel keine maschinelle Plausibilitätskontrolle vorgenommen wird, ist die materielle Richtigkeit in eben dem Maße gegeben, wie die Sorgfalt bei der statistischen Merkmalseingabe geübt (und kontrolliert) wird.

Um die Komplexität der Richtlinien zu verdeutlichen, soll der Aufbau der „Richtlinien für die Meldungen der Kreditinstitute zur Monatlichen Bilanzstatistik" dargestellt werden:[5]

I. Allgemeine Richtlinien

A. Wirtschaftssektoren

Inland

1. Inländische Kreditinstitute
2. Inländische Unternehmen und Privatpersonen
   20 Unternehmen
   21 Privatpersonen
   22 Organisationen ohne Erwerbszweck
3. Inländische Öffentliche Haushalte
   30 Gebietskörperschaften
   31 Sozialversicherung

Ausland

1. Ausländische Kreditinstitute
2. Ausländische Unternehmen und Privatpersonen
3. Ausländische Öffentliche Haushalte

[4] Deutsche Bundesbank: Bankenstatistik, Richtlinien, Frankfurt/Main, zuletzt: Dezember 1985
[5] ebenda, S. 5-41

B. Fristengliederung

C. Allgemeine Ausweisfragen
Wertpapiere
Pensionsgeschäfte
Sicherheiten
Kompensationen
Gemeinschaftsgeschäfte
Periodenabgrenzung

II. Richtlinien zu den einzelnen Positionen des Hauptvordruckes

A. Aktiva mit sämtlichen Positionen
B. Passiva mit sämtlichen Positionen

III. Richtlinien zu den Anlagen zur Monatlichen Bilanzstatistik

7 Anlagen mit Definitionen der Inhalte

IV. Ergänzende Richtlinien für die Meldungen der Bausparkassen zur Monatlichen Bilanzstatistik
– Hauptvordrucke mit 5 Anlagen –

3. Das Bilanzrichtlinien-Gesetz und das EG-Bilanzrecht für Banken

a) *Das Bilanzrichtlinien-Gesetz*

„Mit der Verabschiedung des Bilanzrichtlinien-Gesetzes vom 19. 12. 1985 (BiRiLiG) wurde eine Reform der Rechnungslegung von säkularer Bedeutung für das deutsche Handelsrecht vollzogen".[6]

Formal ist das Bilanzrichtlinien-Gesetz identisch mit dem Dritten Buch des Handelsgesetzbuches („Handelsbücher"), so daß materiell damit die Grundlage für die Aufstellung des Jahresabschlusses aller Kaufleute geschaffen worden ist. Insoweit gelten die Bestimmungen des Dritten Buches auch für Kreditinstitute.

Dennoch greifen die Bestimmungen nicht unmittelbar auf die Vorschriften zur Rechnungslegung von Kreditinstituten durch, da die Spezialbestimmungen des KWG – Abschnitt 5 a: Besondere Vorschriften über die Rechnungslegung (§ 25 a – 26 b) – vorgehen.

„Gleichwohl ergeben sich auch für die Rechnungslegung der Kreditinstitute insoweit Änderungen, als allgemeine Vorschriften z. B. des Aktiengesetzes oder des Pu-

[6] Busse von Colbe, W.: „Die neuen Rechnungslegungsvorschriften aus betriebswirtschaftlicher Sicht", in: ZfbF, 39. Jg. 1987, Heft 3/4, S. 191

blizitätsgesetzes, die von Kreditinstituten bisher schon aufgrund ihrer Rechtsform anzuwenden waren, durch das Bilanzrichtlinien-Gesetz modifiziert oder erweitert worden sind".[7]

Die wesentlichen Auswirkungen sind:[8]

§ 264 Abs. 1
Sofern das Kreditinstitut in der Rechtsform einer Aktiengesellschaft geführt wird, besteht der Jahresabschluß aus Bilanz, Gewinn- und Verlustrechnung und Anhang. Außerdem ist ein Lagebericht nach § 289 zu erstellen und im Bundesanzeiger offenzulegen. Privatbankiers bleiben auch weiterhin von der Offenlegungspflicht der Gewinn- und Verlustrechnung frei.

§ 264 Abs. 2
Der Jahresabschluß eines Kreditinstituts, das in der Rechtsform einer Kapitalgesellschaft betrieben wird, „hat unter Beachtung der Grundsätze ordnungsmäßiger Buchführung ein den tatsächlichen Verhältnissen entsprechendes Bild der Vermögens-, Finanz- und Ertragslage der Kapitalgesellschaft zu vermitteln."

§ 248 Abs. 2
Aus dem Aktivierungswahlrecht bei entgeltlich erworbenen immateriellen Vermögensgegenständen ist eine Aktivierungspflicht geworden.

§ 249 Abs. 1
Passivierungspflicht für Verpflichtungen aus Neuzusagen von Pensionsrechten.

§ 249 Abs. 2
„Rückstellungen dürfen außerdem für ihrer Eigenart nach genau umschriebene, dem Geschäftsjahr oder einem früheren Geschäftsjahr zuzuordnende Aufwendungen gebildet werden, die am Abschlußtag wahrscheinlich oder sicher, aber hinsichtlich ihrer Höhe oder des Zeitpunktes ihres Eintrittes unbestimmt sind". Dies ist ein Wahlrecht einer bisher nicht bekannten Aufwandsrückstellung.

§ 252 Abs. 1
Nunmehr gehört der Grundsatz der Bewertungsstetigkeit zu den Grundsätzen ordnungsmäßiger Buchführung.

§ 253 Abs. 4
„Abschreibungen sind außerdem im Rahmen vernünftiger kaufmännischer Beurteilung zulässig".
Damit haben auch Kreditinstitute, die in Form einer Privatbank betrieben werden, eine Möglichkeit, stille Reserven analog § 26 a KWG zu bilden.

[7] Köllhofer, D.: Vorwort zu „Bilanzrichtlinien-Gesetz, Arbeitsmaterialien zu den Auswirkungen des Bilanzrichtlinien-Gesetzes (BiRiLiG) auf die Rechnungslegung von Banken", hrsg.: Kommission für Bilanzierungsfragen des Bundesverbandes Deutscher Banken e. V., Köln 1987

[8] vgl. ebenda, S. III-V, §-Zitate beziehen sich auf das HGB

§ 266

Der Ausweis der freien Rücklagen bei Kreditinstituten muß in Form der „Kapitalrücklagen" und der „Gewinnrücklagen" erfolgen. Insoweit wird die Formblattverordnung modifiziert.

§ 284–288

Das Institut des Anhanges ist neu und gilt auch für Kreditinstitute.

Die Bestimmungen des Zweiten Unterabschnittes: Konzernabschluß und Konzernlagebericht gelten erst ab 1. Januar 1990.

Von wesentlicher praktischer Bedeutung wird die Aufhebung des Maßgeblichkeitsprinzips im Konzernabschluß sein; an dessen Stelle tritt die Norm des § 297 Abs. 3: „Im Konzernabschluß ist die Vermögens-, Finanz- und Ertragslage der einbezogenen Unternehmen so darzustellen, als ob diese Unternehmen insgesamt ein einziges Unternehmen wären." Damit sind die bisher praktizierten Bilanzansatz- und Bewertungsregeln im Konzernabschluß neu gefaßt worden.[9]

Bei der Behandlung der Rechnungslegung/Publizität wird auf die Auswirkungen des Bilanzrichtlinien-Gesetzes ebenso eingegangen werden müssen, wie auf die Einflüsse aus der EG-Bankenbilanzgesetzgebung.

b) *Das EG-Bilanzrecht für Banken*[10]

Die am 31. 12. 1986 im EG-Amtsblatt verkündete Bankbilanzrichtlinie regelt die Abweichungen in der Rechnungslegung für Banken von der Vierten und Siebten Bilanzrichtlinie.

Im Gegensatz zum BiRiLiG, das nicht in die Formblattverordnung und in die KWG-Bewertungsvorschriften eingreift, müssen die Spezialregelungen an die Bankbilanzrichtlinie angepaßt werden.

Formal sind folgende Gliederungen von Bilanz und Gewinn- und Verlustrechnung vorgesehen:

9 gl. Reintges, H.: „Die einheitliche Bewertung im Konzernabschluß", in: ZfbF, 39. Jg. 1987, Heft 3/4, S. 282

vgl. Rixen, H.-H.: EG-Bilanzrecht für Banken, in: Die Bank 2/87, S. 76-81

Gliederung der Bilanz – gemäß Artikel 4 –

Aktiva

1. Kassenbestand, Guthaben bei Zentralnotenbanken und Postgiroämtern.
2. Schuldtitel öffentlicher Stellen und Wechsel, die zur Refinanzierung bei der Zentralnotenbank zugelassen sind:
   a) Schuldtitel öffentlicher Stellen und ähnliche Wertpapiere;
   b) zur Refinanzierung bei der Zentralnotenbank zugelassene Wechsel (sofern nicht die einzelstaatlichen Rechtsvorschriften deren Aufnahme unter die Aktivposten 3 und 4 vorsehen).
3. Forderungen an Kreditinstitute:
   a) täglich fällig;
   b) sonstige Forderungen
4. Forderungen an Kunden.
5. Schuldverschreibungen im Bestand:
   a) von öffentlichen Emittenten;
   b) von anderen Emittenten,
   darunter:
   eigene Schuldverschreibungen (sofern nicht die einzelstaatlichen Rechtsvorschriften vorsehen, daß sie von den Passiva abgesetzt werden).
6. Aktien und andere nicht festverzinsliche Wertpapiere.
7. Beteiligungen,
   darunter:
   an Kreditinstituten (sofern nicht die einzelstaatlichen Rechtsvorschriften vorsehen, daß sie im Anhang angegeben werden).
8. Anteile an verbundenen Unternehmen,
   darunter:
   an Kreditinstituten (sofern nicht die einzelstaatlichen Rechtsvorschriften vorsehen, daß sie im Anhang angegeben werden)
9. Immaterielle Anlagewerte gemäß Aktiva B und C 1 von Artikel 9 der Richtlinie 78/660/EWG)
   darunter:
   - Aufwendungen für die Errichtung und Erweiterung des Unternehmens, wie in den einzelstaatlichen Rechtsvorschriften festgelegt, und soweit diese eine Aktivierung gestatten (sofern nicht die einzelstaatlichen Rechtsvorschriften vorsehen, daß sie im Anhang angegeben werden);
   - Geschäfts- oder Firmenwert, soweit er entgeltlich erworben wurde (sofern nicht die einzelstaatlichen Rechtsvorschriften vorsehen, daß er im Anhang angegeben wird).
10. Sachanlagen gemäß Aktiva C II von Artikel 9 der Richtlinie 78/660/EWG,
    darunter:
    Grundstücke und Bauten, die vom Kreditinstitut im Rahmen seiner eigenen Tätigkeit genutzt werden (sofern nicht die einzelstaatlichen Rechtsvorschriften vorsehen, daß sie im Anhang angegeben werden).
11. Ausstehende Einlagen auf das gezeichnete Kapital,
    darunter:
    eingefordert (sofern nicht die einzelstaatlichen Rechtsvorschriften den Ausweis des eingeforderten Kapitals auf der Passivseite vorsehen. In diesem Fall muß derjenige Teil des Kapitals, der eingefordert, aber noch nicht eingezahlt ist, entweder unter dem vorliegenden Posten oder in Posten 14 auf der Aktivseite ausgewiesen werden).

Passiva

1. Verbindlichkeiten gegenüber Kreditinstituten:
   a) täglich fällig;
   b) mit vereinbarter Laufzeit oder Kündigungsfrist.
2. Verbindlichkeiten gegenüber Kunden:
   a) Spareinlagen,
   darunter
   täglich fällig oder mit vereinbarter Laufzeit oder Kündigungsfrist, wenn die einzelstaatlichen Rechtsvorschriften diese Aufgliederung vorsehen (sofern nicht die einzelstaatlichen Rechtsvorschriften eine solche Angabe im Anhang vorsehen);
   b) sonstige Verbindlichkeiten:
   ba) täglich fällig,
   bb) vereinbarter Laufzeit oder Kündigungsfrist.
3. Verbriefte Verbindlichkeiten:
   a) begebene Schuldverschreibungen;
   b) andere.
4. Sonstige Verbindlichkeiten.
5. Rechnungsabgrenzungsposten.
6. Rückstellungen:
   a) Rückstellungen für Pensionen und ähnliche Verpflichtungen;
   b) Steuerrückstellungen;
   c) sonstige.
7. Gewinn des Geschäftsjahres (sofern nicht die einzelstaatlichen Rechtsvorschriften den Ausweis in Posten 14 auf der Passivseite vorsehen).
8. Nachrangige Verbindlichkeiten.
9. Gezeichnetes Kapital (sofern nicht die einzelstaatlichen Rechtsvorschriften den Ausweis des eingeforderten Kapitals unter diesem Posten vorsehen. In diesem Fall müssen das gezeichnete und das eingezahlte Kapital gesondert ausgewiesen werden).
10. Agio.
11. Rücklagen.
12. Neubewertungsrücklage.
13. Ergebnisvortrag.
14. Ergebnis des Geschäftsjahres (sofern nicht die einzelstaatlichen Rechtsvorschriften den Ausweis in Posten 16 auf der Aktivseite oder in Posten 7 auf der Passivseite vorschreiben).

Summe der Passiva.

12. Eigene Aktien oder Anteile (unter Angabe ihres Nennbetrags oder, wenn ein Nennbetrag nicht vorhanden ist, ihres rechnerischen Wertes, soweit die einzelstaatlichen Rechtsvorschriften eine Bilanzierung gestatten).	
13. Sonstige Vermögenswerte.	
14. Gezeichnetes Kapital, das eingefordert, aber noch nicht eingezahlt ist (sofern nicht die einzelstaatlichen Rechtsvorschriften den Ausweis des eingeforderten Kapitals in Posten 11 auf der Aktivseite vorsehen).	1. Eventualverbindlichkeiten, darunter: – Akzepte und Indossamentsverbindlichkeiten aus weitergegebenen Wechseln, – Verbindlichkeiten aus Bürgschaften und Haftung aus der Bestellung von Sicherheiten.
15. Rechnungsabgrenzungsposten.	
16. Verlust des Geschäftsjahres (sofern nicht die einzelstaatlichen Rechtsvorschriften den Ausweis in Posten 14 auf der Passivseite vorsehen).	2. Kreditrisiken, darunter: Verbindlichkeiten aus Pensionsgeschäften.
Summe der Aktiva.	

Gliederung der Gewinn- und Verlustrechnung

In materieller Sicht werden Eingriffe in die bestehenden Regelungen in folgenden Punkten wirksam werden: Gliederungs- und Bewertungsvorschriften, Publizität.

aa) Gliederungsvorschriften

Gemäß Artikel 40 Abs. 3 sind befristete Forderungen und befristete Verbindlichkeiten in Bilanz oder Anhang nach *Restlaufzeiten* zu gliedern

Aktivposten

	3 b):	sonstige Forderungen an Kreditinstitute
	4:	Forderungen an Kunden
Passivposten	1 b):	Verbindlichkeiten mit vereinbarter Laufzeit oder Kündigungsfrist gegenüber Kreditinstituten
	2 a):	Spareinlagen
	2 b)	
	2 bb)	wie 1 b) gegenüber Kunden
	3 b):	sonstige verbriefte Verbindlichkeiten.

Als Fristengliederungsmerkmale sind vorgeschrieben:

- bis 3 Monate
- mehr als 3 Monate bis 1 Jahr
- mehr als 1 Jahr bis 5 Jahre
- mehr als 5 Jahre

Zu Schwierigkeiten wird es kommen, wenn die Bundesbank an der *ursprünglich vereinbarten Laufzeit* als Gliederungsmerkmal für die Monatliche Bilanzstatistik festhalten sollte. Der Anpassungsspielraum für diese gravierende Änderung ist allerdings komfortabel: eine Umstellung muß bis 31. 12. 1997 erfolgt sein.

Gemäss Artikel 40 und 41 sind u. a. folgende Angaben im Anhang zu machen:

- Art. 41 Abs. 2 a
  Aufgliederung börsenfähiger Wertpapiere nach börsennotierten und nicht börsennotierten Papieren
- Art. 41 Abs. 2 b
  Angabe der börsenfähigen Wertpapiere, die gemäß Artikel 35 wie Anlagevermögen bewertet werden
- Art. 41 Abs. 2 c
  Angaben über das Volumen getätigter Leasing-Geschäfte
- Art. 41 Abs. 2 d
  Aufgliederung der „Sonstigen Aktiva/Passiva" der „Sonstigen betrieblichen Aufwendungen/Erträge" und der „Außerordentlichen Erträge/Aufwendungen"
- Art. 41 Abs. 2 h
  Angaben über noch nicht abgewickelte Termingeschäfte
- Art. 40 Abs. 5
  Aufgliederung der Zinserträge, der Erträge aus Wertpapieren, der Provisionserträge und des Saldos der Erträge und Aufwendungen aus Finanzgeschäften nach geograpischen Märkten
- Art. 40 Abs. 2
  Angaben über die Konditionen nachrangiger Verbindlichkeiten.

bb) Bewertungsvorschriften

Grundsätzlich wird die Möglichkeit, Stille Reserven nach § 26 a Abs. 1 KWG zu bilden, beibehalten, jedoch in eingeschränkter Form:
Eine Unterschreitung des Wertes nach § 253 Abs. 1 Satz 1 HGB („Vermögensgegenstände sind höchstens mit den Anschaffungs- oder Herstellungskosten vermindert um Abschreibungen... anzusetzen") darf künftig nur für diejenigen Wertpapiere des Umlaufvermögens vorgenommen werden, die nicht dem Handelsbestand zuzurechnen sind.

Nach Artikel 38 ist für die ausgeübte Option, Bewertungsreserven offen auszuweisen, eine gesonderte Position in die Bilanz aufzunehmen:„Rückstellungen für allgemeine Bankrisiken".

Die „Überkreuzkompensation" nach § 26 a Abs. 3 KWG und § 4 der Formblattverordnung – Zulässigkeit der Verrechnung bestimmter Aufwendungen und Erträge –

wird ebenfalls nur einschränkend beibehalten: Art. 33 Abs. 2 läßt Kompensationen mit Aufwendungen und Erträgen von Wertpapierhandelsbeständen nicht mehr zu.

Artikel 39 enthält Regelungen der Bewertung von auf eine ausländische Währung lautenden Bilanzpositionen sowie von Devisentermingeschäften. Sofern es sich um offene Positionen handelt, brauchen Buchgewinne aus der Bewertung nicht erfolgswirksam erfaßt zu werden.

cc) Publiziät

Jahresbilanz, Gewinn- und Verlustrechnung sowie Anhang und Lagebericht müssen von allen Kreditinstituten, unabhängig von ihrer Rechtsform, aufgestellt werden. Das gilt auch für Privatbankiers – mit Ausnahme des Einzelbankiers–.

Handelt es sich bei einem Kreditinstitut nicht um eine Kapitalgesellschaft (= Personenhandelsgesellschaft), genügt es nach Art. 44 Abs. 1, daß Gewinn- und Verlustrechnung und Lagebericht am Sitz der Gesellschaft zur Einsichtnahme bereitgehalten werden.

II. Rechnungslegung

1. Aufgaben und Grundlagen der Rechnungslegung – Zusammenfassender Überblick –

Bilanzen und Erfolgsrechnungen werden von den Kreditinstituten in regelmäßigen Zeitabständen aufgestellt. Nach dem Zeitpunkt ihrer Erstellung lassen sich z. B. Tages-, Monats-, Zweimonats-, Vierteljahres-, Halbjahres- und Jahresbilanzen unterscheiden. Ferner können Sonderbilanzen oder eine bilanzähnliche Aufstellung (Status) für einen speziellen Zweck erforderlich werden. Das zentrale Problem besteht in der Aufstellung der Jahresbilanzen einschließlich der Gewinn- und Verlustrechnung und Anhang, die deshalb den Gegenstand der folgenden Ausführungen bilden.

Zweck der Rechnungslegung ist es, der Geschäftsleitung einen Überblick über die Vermögens- und Ertragslage des Instituts zu verschaffen und diejenigen Teilhaber, die von der direkten Geschäftsführung ausgeschlossen sind (Kommanditisten, GmbH-Gesellschafter, Publikumsaktionäre), zu unterrichten. Darüber hinaus sollen die Jahresbilanzen der Kreditinstitute wie alle Handelsbilanzen nach dem besonderen Willen des Gesetzgebers der Information und dem Schutz der Gläubiger sowie der Wahrung des Interesses der Allgemeinheit dienen.

Das Interesse der Beteiligten richtet sich nicht nur auf einzelne Unternehmen, sondern ebenso auf die Gesamtheit von Unternehmen, die in einem Konzern unter einheitlicher Leitung stehen. Aus diesen Gründen schrieb das Aktiengesetz von 1965 erstmalig neben der Erstellung von Einzelbilanzen die Erarbeitung von Konzernabschlüssen vor.[11]

[11] vgl. § 329 AktG; durch das BiRiLiG aufgehoben, nunmehr § 290 HGB

Die besondere Bedeutung der Rechnungslegung der Kreditinstitute macht jedoch eine weitergehende Publizität als bei den übrigen Wirtschaftszweigen erforderlich, die sich in einem tieferen Einblick in die Vermögens- und Erfolgslage sowie in kürzeren Zeiträumen der Berichterstattung auswirken muß.

Daher bestehen für die Aufstellung der Bilanzen und Gewinn- und Verlustrechnungen der Kreditinstitute zahlreiche Spezialvorschriften, die erhebliche Unterschiede zwischen Bankabschlüssen und Abschlüssen von Unternehmen anderer Wirtschaftszweige bedingen. Abgesehen von besonderen Gliederungsvorschriften *(Formblätter für den Jahresabschluß)* sind für den Bilanzausweis der einzelnen Positionen spezielle *Richtlinien für die Aufstellung der Jahresbilanz* erlassen worden. Ferner sind bei den Kreditgenossenschaften und Sparkassen *Anlagen zur Jahresbilanz* zu erstellen, in denen Angaben über besonders interessierende Sachverhalte bei den einzelnen Bilanzpositionen gemacht und die Kredite nach Größenklassen gegliedert werden müssen. Außerdem besteht *Prüfungspflicht für die Jahresabschlüsse* sämtlicher Kreditinstitute. Die Kreditinstitute sind nach § 26 KWG grundsätzlich verpflichtet, den festgestellten Jahresabschluß und den Lagebericht sowie die Anlage zum Jahresabschluß und den Prüfungsbericht dem Bundesaufsichtsamt für das Kreditwesen und der Deutschen Bundesbank nach Abschluß des Geschäftsjahres einzureichen *(Einreichungspflicht)*.

Die Rechtsgrundlage der gesetzlichen *Prüfungspflicht* aller Bankabschlüsse ist der § 27 KWG. Materielle Vorschriften zur Prüfung der Jahresabschlüsse enthält das KWG selbst nicht; es legt jedoch ausdrücklich fest, daß die entsprechenden gesellschaftsrechtlichen, insbesondere aktienrechtlichen Vorschriften sinngemäß anzuwenden sind.

Die materielle Prüfung der *Aktienbanken* richtet sich nach den §§ 162–169 AktG bzw. §§ 316–324 HGB. Sie verlangen die Prüfung von Jahresabschluß und Buchführung sowie des Erläuterungsberichtes durch Abschlußprüfer, bevor der Jahresabschluß dem Aufsichtsrat vorgelegt wird. Die Prüfung des Jahresabschlusses hat sich nicht nur auf die Einhaltung der formellen Vorschriften zu erstrecken, sondern auch die materielle Richtigkeit zu überwachen, die sich insbesondere auf die Vollständigkeit des Ausweises und eine ordnungsmäßige Bewertung bezieht. Durch die Richtlinien für den Inhalt der Prüfungsberichte, die als Bekanntmachung des Bundesaufsichtsamtes für das Kreditwesen am 20. 12. 1968 erlassen wurden [12], wird festgelegt, daß in den Prüfungsberichten zu den Jahresabschlüssen von Kreditinstituten über die wirtschaftliche Lage der Institute zu berichten ist. Damit sich die Bankaufsichtsbehörde ein Bild von der wirtschaftlichen Lage des Kreditinstituts machen kann, sind die rechtlichen und wirtschaftlichen Grundlagen sowie die geschäftliche Entwicklung im Berichtsjahr, die Vermögens-, Liquiditäts- und Ertragslage und das Kreditgeschäft darzustellen sowie die Kreditengagements zu beurteilen. Nach dem BiRiLiG wird diese Funktion zukünftig von dem Lagebericht ausgefüllt werden (§§ 284 – 288 HGB). Der Berufsauffas-

[12] vgl. Hammer, K. und Montag, W.: Prüfungsrichtlinien für den Jahresabschluß der Kreditinstitute, Frankfurt/Main 1969

sung des Wirtschaftsprüferstandes entspricht es ebenfalls, daß bei der aktienrechtlichen Pflichtprüfung die wirtschaftliche Lage darzustellen ist.[13] Dagegen hat der aktienrechtliche Pflichtprüfer nicht die Zweckmäßigkeit der von der Geschäftsleitung getroffenen Entscheidungen zu beurteilen.

Für die Abschlußprüfung der Privatbankiers (Kreditinstitute in der Rechtsform der Einzelfirma, der OHG und der KG) sowie der GmbH-Banken gelten die aktienrechtlichen Prüfungsvorschriften gemäß § 27 Abs. 2 KWG sinngemäß.

Die Prüfungsvorschriften für *Kreditgenossenschaften* beruhen zunächst auf § 53 GenG, der bestimmt, daß die Einrichtungen, die Vermögenslage sowie die Geschäftsführung der Genossenschaften zur Feststellung der wirtschaftlichen Verhältnisse und der Ordnungsmäßigkeit der Geschäftsführung mindestens in jedem zweiten Jahr zu prüfen sind. Bei Genossenschaften, deren Geschäftsvolumen (Bilanzsumme zuzüglich Eventualverbindlichkeiten) 350 000 DM erreicht oder überschreitet, ist die Prüfung mindestens einmal jährlich vorzunehmen. Nach der Verordnung über die Prüfung der Jahresabschlüsse von Kreditinstituten vom 7. 7. 1937, deren Artikel 2 (§§ 5, 6) von der in § 53 Abs. 2 GenG enthaltenen Ermächtigung Gebrauch machte, ist „der Jahresabschluß von Genossenschaften, die Bank- oder Sparkassengeschäfte im Inland betreiben, unter Einbeziehung der zugrundeliegenden Buchführung zu prüfen, bevor er der Generalversammlung zur Beschlußfassung vorgelegt wird“. Diese Regelung galt bis zum Erlaß des neuen KWG für Zentralkassen sowie Kreditgenossenschaften mit einer Bilanzsumme von 5 Mio DM oder mehr. Durch § 27 Abs. 1 KWG wurde diese Bilanzsummengrenze auf 10 Mio DM erhöht. Träger der Prüfungen sind kraft Gesetzes die genossenschaftlichen Prüfungsverbände.[14] Im Vergleich zur aktienrechtlichen Pflichtprüfung ist die genossenschaftliche Pflichtprüfung umfassender, denn sie beurteilt auch die Geschäftsführung und mündet gleichzeitig in eine Betreuungstätigkeit durch den Prüfungsverband ein.

Die Regelungen für die Prüfung der Jahresabschlüsse der Sparkassen gründen sich auf den Erlaß des Reichs- und Preußischen Wirtschaftsministers vom 2. 2. 1937, der die Prüfungstätigkeit zwar grundsätzlich der Sparkassenaufsicht zuwies, jedoch ihre Delegierung auf die Sparkassen- und Giroverbände bzw. deren Prüfungsstellen zuließ. Die neuere Ländergesetzgebung überträgt die gesetzliche Abschlußprüfung der Sparkassen den Prüfungseinrichtungen der Sparkassen- und Giroverbände. Für die Prüfung selbst gelten die Grundsätze der aktienrechtlichen Prüfung entsprechend. Der Prüfungsumfang bei den öffentlich-rechtlichen Kreditinstituten geht wie bei den Kreditgenossenschaften über den Rahmen der aktienrechtlichen Pflichtprüfung hinaus. Die Prüfung erstreckt sich auf die gesamten wirtschaftlichen Verhältnisse der Institute und umfaßt auch die Beurteilung der Zweckmäßgkeit der getroffenen geschäftspolitischen Entscheidungen. Entsprechend hat der Bestätigungsvermerk den Zusatz zu tragen, „daß

[13] vgl. Ludewig, R.: Die Darstellung der wirtschaftlichen Lage im Bericht über die aktienrechtliche Jahresabschlußprüfung, Düsseldorf 1955

[14] vgl. §§ 53-64 c GenG

im übrigen auch die wirtschaftlichen Verhältnisse zu wesentlichen Beanstandungen keinen Anlaß gegeben haben".

Die *Pflicht zur Einreichung der Jahresabschlüsse,* Geschäftsberichte, Anlagen zur Jahresbilanz und Prüfungsberichte der Kreditinstitute beim Bundesaufsichtsamt und bei der Deutschen Bundesbank ist in § 26 KWG verankert. Aktiengesellschaften und Kommanditgesellschaften auf Aktien sind verpflichtet, ihren Jahresabschluß innerhalb von vier bzw. fünf Monaten festzustellen, je nachdem, ob Vorstand und Aufsichtsrat oder die Hauptversammlung als bilanzfeststellendes Organ fungieren.[15] Durch die Satzung können diese Fristen um jeweils zwei Monate verlängert werden. Bei den Privatbankfirmen hat die Aufstellung und Prüfung des Jahresabschlusses innerhalb von drei Monaten, ausnahmsweise sechs Monaten, nach Ablauf des Geschäftsjahres zu erfolgen.[16] Kreditinstitute in der Rechtsform der GmbH müssen ihren Jahresabschluß innerhalb von drei Monaten bzw. von sechs Monaten, wenn der Gesellschaftsvertrag dies vorsieht, feststellen.[17] Für die Kreditgenossenschaften gilt eine Frist von sechs Monaten nach Ablauf des Geschäftsjahres.[18] Öffentlich rechtliche Kreditinstitute, insbesondere die Sparkassen, unterliegen einer Frist von neun Monaten.[19]

In bezug auf die Publizitätspflicht können folgende Gruppen von Kreditinstituten unterschieden werden:

1) Die Privatbankiers müssen nur dann einen kompletten Jahresabschluß mit Jahresbilanz und Gewinn- und Verlustrechnung zum Zweck der Veröffentlichung aufstellen, wenn ihr erweitertes Geschäftsvolumen (§ 1 Abs. 3 PublG) an drei aufeinanderfolgenden Abschlußstichtagen 300 Mio DM übersteigt.[20] Die Verpflichtung zur Offenlegung bezieht sich grundsätzlich nur auf eine modifizierte Bilanz. Sofern sie keine Gewinn- und Verlustrechnung bekanntgeben, müssen sie in einem Anhang zur Bilanz einige zusätzliche Angaben machen.

2) Die Banken in der Rechtsform der GmbH müssen gemäß § 41 Abs. 4 GmbHG ihre Bilanz publizieren; darüber hinaus haben sie entsprechend dem Publizitätsgesetz die Gewinn- und Verlustrechnung nebst Lagebericht zum Handelsregister einzureichen und den gesamten Jahresabschluß im Bundesanzeiger bekanntzumachen.[21]

[15] vgl. §§ 148 und 171-173 AktG; an die Stelle von § 148 AktG tritt § 242 HGB

[16] vgl. Art. 3 § 7 Abs. 2 VO über die Prüfung der Jahresabschlüsse von Kreditinstituten vom 7. 7. 1937

[17] vgl. § 41 GmbHG

[18] vgl. § 33 GenG

[19] vgl. §§ 5, 6 VO zur Durchführung von Vorschriften über die Prüfungspflicht der Wirtschaftsbetriebe der öffentlichen Hand vom 30. 3. 1933 (RGBl I S. 180)

[20] vgl. § 1 Abs. 3 Gesetz über die Rechnungslegung von bestimmten Unternehmen und Konzernen vom 15. 8. 1969 (= sogenanntes Publizitätsgesetz) (BGBl I S. 1189). Da gemäß § 23 dieses Gesetz erstmals für das nach dem am 31. 12. 1970 beginnende Geschäftsjahr nach diesen Vorschriften Rechnung zu legen ist, mußte frühestens im Jahre 1972 ein Jahresabschluß nach Publizitätsgesetz bekanntgemacht werden.

[21] § 267 gilt auch für Kreditinstitute, nach § 25a KWG gelten für Kreditinstitute in der Rechtsform der Kapitalgesellschaft stets die Vorschriften für große Kapitalgesellschaften

3) Voll publizitätspflichtig sind Kreditbanken in der Rechtsform der Aktiengesellschaft (Kreditaktienbanken), Hypotheken- und Schiffspfandbriefbanken, Genossenschaftsbanken, Sparkassen, kommunale Bankinstitute und alle übrigen öffentlich-rechtlichen Kreditinstitute. Sie haben einen Jahresabschluß zu veröffentlichen sowie einen Geschäftsbericht aufzustellen und in geeigneter Weise bekanntzumachen.

Für die Offenlegung von Jahresabschluß und Lagebericht gilt nunmehr § 325 HGB. Die Gegenüberstellung zum bisherigen Recht (Tabelle 1) zeigt die Änderungen.[22]

2. Jahresbilanz

Bei der Aufstellung der Jahresbilanz, die aus der Sicht des Gesetzgebers die Aufgabe hat, die Vermögens- und Kapitalverhältnisse des bilanzierenden Unternehmens am Bilanzstichtag darzustellen, werden im allgemeinen zwei Bilanzierungsprobleme unterschieden, nämlich

1) die Frage nach dem Inhalt der Bilanz und deren richtiger Gliederung;
2) die Frage nach der richtigen Bewertung der Bilanzpositionen.

a) Gliederung und Inhalt der Jahresbilanz

Notwendiges Erfordernis der Bilanzgliederung ist, daß sie die wesentlichen Züge der Vermögens- und Kapitalstruktur erkennen läßt, ohne die Bilanz jedoch unübersichtlich werden zu lassen.

In der Verordnung über Formblätter für die Gliederung des Jahresabschlusses von Kreditinstituten vom 20. 12. 1967[23] wurde von der Ermächtigung des § 161 AktG Gebrauch gemacht, für die Gliederung des Jahresabschlusses Formblätter vorzuschreiben oder andere Vorschriften zu erlassen, die von den §§ 151 Abs. 1 und 157 Abs. 1 AktG abweichen oder sie ergänzen. Mit der gleichen Verordnung wurden aufgrund des § 33 g GenG und des erwähnten Gesetzes über Formblätter die §§ 33 d Abs. 1 und 33 f Abs. 1 GenG außer Kraft gesetzt und Gliederungsschemata für die Jahresbilanz der Kreditgenossenschaften und der Zentralkassen erlassen. Ferner wurde ein Bilanzformblatt für die Privatbankfirmen zur Pflicht gemacht.

Die Verordnung vom 20. 12. 1967 galt u. a. nicht für Sparkassen, denen Muster für die Jahresabschlüsse aufgrund verschiedener Länderrunderlasse und Verordnungen im Jahre 1968 vorgeschrieben wurden. Die Jahresabschlüsse der Hypothekenbanken wurden durch die Verordnung über Formblätter für die Gliederung des Jahresabschlusses der Hypothekenbanken und der Schiffspfandbriefbanken vom 27. 5. 1969 neu gefaßt.

[22] Kommission für Bilanzierungsfragen des Bundesverbandes deutscher Banken e. V.: Bilanzrichtlinien-Gesetz, a. a. O., Teil II, S. 13
[23] Birck, H./Meyer. H.: Die Bankbilanz 3. Aufl., Wiesbaden 1976 ff. Teil VIII.

Tabelle 1: **Jahresabschluß und Lagebericht nach neuem und altem Recht**

<table>
<tr><th rowspan="2">Kapitalgesellschaft</th><th colspan="2">neues Recht</th><th colspan="2">bisheriges Recht</th></tr>
<tr><th>Handelsregister</th><th>Bundesanzeiger</th><th>Handelsregister</th><th>Bundesanzeiger</th></tr>
<tr><td>kleine AG</td><td>Bilanz
–
Anhang
–</td><td>–
–
–
–</td><td rowspan="3">Bilanz
GuV
Geschäftsbericht</td><td rowspan="3">Bilanz
GuV</td></tr>
<tr><td>mittelgroße AG</td><td>Bilanz
GuV
Anhang
Lagebericht</td><td>–
–
–
–</td></tr>
<tr><td>große AG</td><td colspan="2">Bilanz
GuV
Anhang
Lagebericht</td></tr>
<tr><td>kleine GmbH</td><td>Bilanz
–
Anhang
–</td><td>–
–
–
–</td><td colspan="2" rowspan="3">(Publizität nur oberhalb der Größenmerkmale des PublG wie AG)</td></tr>
<tr><td>mittelgroße GmbH</td><td>Bilanz
GuV
Anhang
Lagebericht</td><td>–
–
–
–</td></tr>
<tr><td>große GmbH</td><td colspan="2">Bilanz
GuV
Anhang
Lagebericht</td></tr>
</table>

Für Kreditinstitute nur „große" AG, GmbH nach § 25a KWG

In Verbindung mit den Formblättern für den Jahresabschluß der Kreditinstitute wurde eine Reihe von Bilanzierungsrichtlinien erlassen, die den Inhalt der einzelnen Bilanzpositionen regeln.[24]

Somit sind allen Kreditinstituten mit Ausnahme der Deutschen Bundesbank und weniger Kreditinstitute mit Sonderaufgaben (Kreditanstalt für Wiederaufbau, Lastenausgleichsbank) Bilanzformblätter vorgeschrieben, die nach folgenden Banktypen differenziert sind:

1) Aktienbanken (Kreditinstitute in der Rechtsform der Aktiengesellschaft, der Kommanditgesellschaft auf Aktien und der Gesellschaft mit beschränkter Haftung);

2) Genossenschaftsbanken (Kreditinstitute in der Rechtsform der eingetragenen Genossenschaften sowie Zentralkassen in der Rechtsform der Aktiengesellschaft);

3) Privatbankiers (Kreditinstitute in der Rechtsform der Einzelfirma, der offenen Handelsgesellschaft und der Kommanditgesellschaft);

4) Sparkassen;

5) Wertpapiersammelbanken in der Rechtsform der Aktiengesellschaft;

6) öffentlich-rechtliche Kreditanstalten;

7) Hypothekenbanken (die Anwendung dieses Bilanzformblattes wurde gleichzeitig den öffentlich-rechtlichen Grundkreditanstalten vorgeschrieben);

8) Schiffspfandbriefbanken.

Die Gliederung der Bilanzen der ersten sechs Bankengruppen, von denen insbesondere die ersten drei als Kreditinstitute mit überwiegend kurzfristigem Geschäft bezeichnet werden können, erfolgt weitgehend nach denselben Grundsätzen. Das gleiche trifft für die letzten beiden, überwiegend das langfristige Geschäft betreibenden Bankgruppen zu.

Als Gliederungskriterien der Bilanzformblätter der Banken mit überwiegend kurzfristigem Geschäft können die Liquiditätsverhältnisse, die Risikoverhältnisse und die Ertragsverhältnisse angesehen werden.[25] Als Beispiel für die Formblätter dieser Banken wird auf Seite 52 bis 53 das Bilanzformblatt für die *Aktienbanken* aufgeführt, nach der (noch) geltenden Formblattverordnung.

[24] vgl. Bekanntmachung Nr. 1/68 des Bundesaufsichtsamtes für das Kreditwesen v. 22. 7. 1968 (BAnz Nr. 161, Beilage); sie enthält Richtlinien für die Aufstellung des Jahresabschlusses der Kreditinstitute in der Rechtsform der Einzelfirma, OHG, KG, AG, KGaA, GmbH und der eingetragenen Genossenschaft

[25] vgl. Birck, H./Meyer, H.: Die Bankbilanz, 3. Aufl. 1976, S. II/26

Formblatt für den Jahresabschluß der
der Aktiengesellschaft,
auf Aktien und der Gesellschaft

Jahresbilanz zum

Aktivseite

		DM	DM
1. Kassenbestand			....
2. Guthaben bei der Deutschen Bundesbank			....
3. Postscheckguthaben			....
4. Schecks, fällige Schuldverschreibungen, Zins- und Dividendenscheine sowie zum Einzug erhaltene Papiere			....
5. Wechsel			....
darunter:			
a) bundesbankfähig	DM		
b) eigene Ziehungen	DM		
6. Forderungen an Kreditinstitute			
a) täglich fällig		....	
b) mit vereinbarter Laufzeit oder Kündigungsfrist von			
ba) weniger als drei Monaten		....	
bb) mindestens drei Monaten, aber weniger als vier Jahren		....	
bc) vier Jahren oder länger		....	....
7. Schatzwechsel und unverzinsliche Schatzanweisungen			
a) des Bundes und der Länder		....	
b) sonstige		....	....
8. Anleihen und Schuldverschreibungen			
a) mit einer Laufzeit bis zu vier Jahren			
aa) des Bundes und der Länder	DM		
ab) von Kreditinstituten	DM		
ac) sonstige	DM	....	
darunter: beleihbar bei der Deutschen Bundesbank DM			
b) mit einer Laufzeit von mehr als vier Jahren			
ba) des Bundes und der Länder	DM		
bb) von Kreditinstituten	DM		
bc) sonstige	DM	....	....
darunter: beleihbar bei der Deutschen Bundesbank DM			
9. Wertpapiere, soweit sie nicht unter anderen Posten auszuweisen sind			
a) börsengängige Anteile und Investmentanteile		....	
b) sonstige Wertpapiere		....	....
darunter: Besitz von mehr als dem zehnten Teil der Anteile einer Kapitalgesellschaft oder bergrechtlichen Gewerkschaft ohne Beteiligungen	DM		
10. Forderungen an Kunden mit vereinbarter Laufzeit oder Kündigungsfrist von			
a) weniger als vier Jahren		....	
b) vier Jahren oder länger		....	....
darunter:			
ba) durch Grundpfandrechte gesichert	DM		
bb) Kommunaldarlehen	DM		
11. Ausgleichs- und Deckungsforderungen gegen die öffentliche Hand			....
12. Durchlaufende Kredite (nur Treuhandgeschäfte)			....
13. Beteiligungen			....
darunter: an Kreditinstituten	DM		
14. Grundstücke und Gebäude			....
15. Betriebs- und Geschäftsausstattung			....
16. Ausstehende Einlagen auf das Grundkapital (Stammkapital)			....
17. Eigene Aktien (Geschäftsanteile) Nennbetrag: DM			....
18. Anteile an einer herrschenden oder mit Mehrheit beteiligten Gesellschaft Nennbetrag: DM			....
19. Eigene Schuldverschreibungen Nennbetrag: DM			....
20. Sonstige Vermögensgegenstände			....
21. Rechnungsabgrenzungsposten			....
22. Bilanzverlust			....
Summe der Aktiven			....

23. In den Aktiven und in den Rückgriffsforderungen aus den unter der Passivseite vermerkten Verbindlichkeiten sind enthalten		
a) Forderungen an verbundene Unternehmen		....
b) Forderungen aus unter § 15 Abs. 1 Nr. 1 bis 6, Abs. 2 des Gesetzes über das Kreditwesen fallenden Krediten, soweit sie nicht unter a) vermerkt werden		....

Kreditinstitute in der Rechtsform der Kommanditgesellschaft mit beschränkter Haftung

der ....

Passivseite

	DM	DM	DM
1. Verbindlichkeiten gegenüber Kreditinstituten			
a) täglich fällig			
b) mit vereinbarter Laufzeit oder Kündigungsfrist von			
ba) weniger als drei Monaten			
bb) mindestens drei Monaten, aber weniger als vier Jahren			
bc) vier Jahren oder länger			
darunter: vor Ablauf von vier Jahren fällig DM			
c) von der Kundschaft bei Dritten benutzte Kredite			
2. Verbindlichkeiten aus dem Bankgeschäft gegenüber anderen Gläubigern			
a) täglich fällig			
b) mit vereinbarter Laufzeit oder Kündigungsfrist von			
ba) weniger als drei Monaten			
bb) mindestens drei Monaten, aber weniger als vier Jahren			
bc) vier Jahren oder länger			
darunter: vor Ablauf von vier Jahren fällig DM			
c) Spareinlagen			
ca) mit gesetzlicher Kündigungsfrist			
cb) sonstige			
3. Schuldverschreibungen mit einer Laufzeit von			
a) bis zu vier Jahren			
b) mehr als vier Jahren			
darunter: vor Ablauf von vier Jahren fällig DM			
4. Eigene Akzepte und Solawechsel im Umlauf			
5. Durchlaufende Kredite (nur Treuhandgeschäfte)			
6. Rückstellungen			
a) Pensionsrückstellungen			
b) andere Rückstellungen			
7. Wertberichtigungen			
a) Einzelwertberichtigungen			
b) vorgeschriebene Sammelwertberichtigungen			
8. Sonstige Verbindlichkeiten			
9. Rechnungsabgrenzungsposten			
10. Sonderposten mit Rücklageanteil			
11. Grundkapital (Stammkapital)			
12. Offene Rücklagen			
a) gesetzliche Rücklage			
b) andere Rücklagen			
13. Bilanzgewinn			
Summe der Passiven			

	DM
14. Eigene Ziehungen im Umlauf	
darunter: den Kreditnehmern abgerechnet DM	
15. Indossamentsverbindlichkeiten aus weitergegebenen Wechseln	
16. Verbindlichkeiten aus Bürgschaften, Wechsel- und Scheckbürgschaften sowie aus Gewährleistungsverträgen	
17. Verbindlichkeiten im Falle der Rücknahme von in Pension gegebenen Gegenständen, sofern diese Verbindlichkeiten nicht auf der Passivseite auszuweisen sind	
18. Haftung aus der Bestellung von Sicherheiten für fremde Verbindlichkeiten	
19. Sparprämien nach dem Sparprämiengesetz	
20. In den Passiven sind an Verbindlichkeiten (einschließlich der Verbindlichkeiten unter 14 bis 18) gegenüber verbundenen Unternehmen enthalten	

Das Formblatt für die Aktienbanken ist in erster Linie nach *Liquiditätsgesichtspunkten* aufgebaut. Die Reihenfolge der Aktiva richtet sich nach der Realisierbarkeit, z. B. bei Forderungen nach den vertraglich bedungenen Laufzeiten. Ebenso sind die fremden Mittel der Passivseite nach ihren Fälligkeiten gegliedert. Ein Überblick über die Liquiditätssituation läßt sich aus den Bankbilanzen jedoch nur bedingt gewinnen. Erstens erfolgt die Fristengruppierung nach der Gesamtlaufzeit und nicht nach der Restlaufzeit der Forderungen und Verbindlichkeiten, so daß nicht ersichtlich wird, wann die ausgewiesenen Beträge oder Teile von ihnen tatsächlich fällig werden (Änderung durch EG-Bankbilanzrecht). Ein am 2. Januar fälliges langfristiges Darlehen wird z. B. in der Bilanz am 31. Dezember des Vorjahres unter „Forderungen ... von weniger als vier Jahren" bilanziert. Zweitens sind in der Bilanz die keinerlei Bindungen unterliegenden debitorischen und kreditorischen Kontensalden des gleichen Kunden saldiert; die Kunden können aber über ihre (kreditorischen) Guthaben, die in der Bilanz infolge der Saldierung nicht mehr erscheinen, jederzeit verfügen. Drittens fehlt in der Bankbilanz die Angabe der zugesagten, aber von den Kunden noch nicht ausgenutzten Kredite.

Die Bilanz gibt also keinen Aufschluß darüber, in welchem Maße sich die Bank gegen jederzeit mögliche Zahlungsansprüche ihrer Kundschaft durch die Bereitstellung von Geld oder kurzfristig realisierbaren Werten gesichert hat.

In Bezug auf die Liquiditätsbetrachtungen beschränkt sich die Angabe der Bankbilanz darauf, einen ungefähren Eindruck von der Liquiditätsstruktur zum Bilanzstichtag zu geben und den Betrachter in die Lage zu versetzen, durch Vergleiche mit Vorjahreszahlen oder Zahlen anderer Banken unter Umständen liquiditätswirksame Veränderungen zu erkennen. Das Liquiditätsbild der Bilanz ist statistisch und weicht von der tatsächlichen Liquiditätssituation ab, die sich aufgrund der Ein- und Auszahlungsströme ergibt (dynamische Liquidität).

Die Bilanzgliederung erlaubt darüber hinaus, die *Risikoverhältnisse* zu beurteilen, also bestimmte Risiken zu erkennen, die einzelnen Vermögenswerten innewohnen. Die bonitätsmäßige Beurteilung wird durch das technische Mittel der Untergliederung bzw. Ausgliederung ermöglicht. Untergliederungen einer Position ergeben zusammengefaßt stets den Gesamtbetrag der Position, während Ausgliederungen, die durch das Vorwort „darunter" gekennzeichnet werden, sich inhaltlich überschneiden können und nicht mit dem Gesamtbetrag der Position übereinstimmen.[26]

Gewisse Aufschlüsse im Hinblick auf die Bonität des Kreditinstituts bieten z. B. die Untergliederungen und Ausgliederungen der Wechsel- und Wertpapierpositionen, die Untergliederung der langfristigen Forderungen, die Angabe der Forderungen und Verbindlichkeiten gegenüber verbundenen Unternehmen sowie die Eventualverbindlichkeiten aus der Weitergabe von Wechseln und aus Avalkrediten unter dem Strich der Bilanz.

[26] vgl. Birck, H./Meyer, H.: a. a. O., S. II 48 f

Eine systematische Behandlung der Bilanzpositionen unter dem Gesichtspunkt der auftretenden Risiken und der vorhandenen Sicherheiten fehlt ebenso wie eine funktionale Untergliederung von Bilanzpositionen (z. B. Unterteilung der Wechselposition nach Diskontwechseln – diese wiederum nach Handelswechseln und Finanzwechseln – und Privatdiskonten) in den Bankbilanzen der Institute mit vorwiegend kurzfristigem Geschäft.

Nur mittelbar werden die *Ertragsverhältnisse* bei der Bilanzgliederung berücksichtigt. Anhaltspunkte für die Höhe der Erträge bietet die Gliederung der Aktivseite, die mit den ertraglosen Forderungsrechten beginnt, ertragsschwache Positionen enthält (Ausgleichsforderungen) und ertragreiche Geschäftszweige im Bilanzausweis untergliedert (Wertpapiere, kurz- und langfristige Forderungen).

Über die Höhe der Aufwendungen geben die Unter- und Ausgliederungen auf der Passivseite der Bilanz bei den Verbindlichkeiten gewisse Aufschlüsse. Der Aussagewert der Bankbilanz im Hinblick auf die Ertragskraft des Instituts ist, insgesamt gesehen, sehr bescheiden.

Im folgenden wird der Bilanzinhalt der Aktivpositionen (bezeichnet mit I) und Passivpositionen (bezeichnet mit II), zusammengefaßt zu Positionsgruppen, unter Heranziehung der Bilanzrichtlinien für Aktienbanken in seinen Grundzügen dargestellt.

aa) Aktivseite der Bilanz

(1) Positionen des Zahlungs- und Inkassoverkehrs

Zu den Gruppen *Zahlungs- und Inkassoverkehr* gehören folgende Bilanzpositionen:

I/1. Kassenbestand
I/2. Guthaben bei der Deutschen Bundesbank
I/3. Postscheckguthaben
I/4. Schecks, fällige Schuldverschreibungen, Zins- und Dividendenscheine sowie zum Einzug erhaltene Papiere
I/6a. täglich fällige Forderungen an Kreditinstitute.

Die Bestände des baren und unbaren Zahlungsverkehrs dienen in erster Linie der Aufrechterhaltung des finanziellen Gleichgewichts (Liquidität) der Kreditinstitute.

Unter *Kassenbestand* werden die Bestände an inländischem Bargeld (Banknoten und Scheidemünzen) und an Sorten (ausländische Banknoten und Münzen) sowie darüber hinaus an Wechselsteuer- und Gerichtsgebührenmarken und Postwertzeichen bilanziert.

Die *Guthaben bei der Deutschen Bundesbank* umfassen alle Giroguthaben (auch in ausländischer Währung) bei der Bundesbank und den Landeszentralbanken (Bundesbank-Hauptverwaltungen). Dies gilt ebenfalls für die Guthaben zur Mindestreservehaltung. Die bei der Bundesbank in Anspruch genommenen Lombardkredite sind nicht vom Guthaben abzusetzen, sondern unter den Passivpositionen 1 einzustellen.

Unter „*Postscheckguthaben*“ sind die (saldierten) Guthaben bei den Postscheckämtern innerhalb des Währungsgebietes DM auszuweisen. Von Kunden eingereichte und ihnen gutgeschriebene Postscheck-Überweisungen, die sich noch im Bestand der Bank befinden, sind unter I/4. auszuweisen.

Geldmittel, die der Abwicklung des Zahlungsverkehrs dienen, u. U. jedoch auch zur kurzfristigen Geldanlage herangezogen werden, sind die *täglich fälligen Forderungen an Kreditinstitute.* Auszuweisen sind in dieser Position auch Sollsalden auf Konten, die ausschließlich der Abrechnung des gegenseitigen Austausches von Schecks, Wechseln und Überweisungen und der laufenden Abwicklung ähnlicher Zahlungsvorgänge dienen und die kurzfristig ausgeglichen werden (Verrechnungskonten). Ebenfalls sind hier Währungsguthaben für gestellte Akkreditive und Garantien einzubeziehen sowie Forderungen, die darauf beruhen, daß anderen Kreditinstituten Kredite gewährt werden. Hierunter fallen sowohl die für einen Tag hinausgelegten „Tagesgelder“ als auch die einer Kündigungsfrist von einem Tag unterliegenden „täglichen Gelder“.[27]

Aus dem Inkassoverkehr herrührende Bestände sind in der Position „*Schecks, fällige Schuldverschreibungen, Zins- und Dividendenscheine sowie zum Einzug erhaltene Papiere*“ erfaßt. Schecks, Inkassowechsel und sonstige Inkassopapiere (z. B. Reiseschecks) sind hier auszuweisen, wenn sie innerhalb von dreißig Tagen ab Einreichung zur Vorlage bestimmt und dem Einreicher bis zum Bilanzstichtag unter Vorbehalt des Eingangs gutgeschrieben sind. Inkassopapiere, die nicht innerhalb von dreißig Tagen vorzulegen sind, müssen unter Forderungen bilanziert werden. Schecks und Wechsel, die nur zum Einzug und zur Gutschrift nach Eingang des Gegenwertes eingereicht sind, dürfen in der Bilanz nicht eingesetzt werden. Rückschecks und protestierte Inkassowechsel sind nicht hier, sondern unter Forderungen zu aktivieren. Unter fälligen Schuldverschreibungen, Zins- und Dividendenscheinen sind nach den Bilanzierungsrichtlinien solche Stücke zu verstehen, die am Bilanzstichtag noch nicht eingelöst waren, aber bei Vorlage von einer Zahlstelle eingelöst worden wären, sowie Stücke, die am ersten auf den Bilanzstichtag folgenden Werktag einlösbar sind.

(2) Positionen der Geldmarktkredite

Zu der Gruppe der *Geldmarktkredite* gehören folgende Bilanzpositionen:

I/5. Wechsel (Privatdiskonten, Vorratsstellenwechsel)
I/6ba. Forderungen an Kreditinstitute mit vereinbarter Laufzeit oder Kündigungsfrist von weniger als drei Monaten
I/6bb. Forderungen an Kreditinstitute mit vereinbarter Laufzeit oder Kündigungsfrist von mindestens drei Monaten, aber weniger als vier Jahren
I/7. Schatzwechsel und unverzinsliche Schatzanweisungen
I/8a. Anleihen und Schuldverschreibungen mit einer Laufzeit bis zu vier Jahren darunter: beleihbar bei der Deutschen Bundesbank

[27] vgl. Birck, H./Meyer, H.: a. a. O., S. II 185

Im Zusammenhang mit dem Geldhandel sind unter „*Wechsel*" die Bestände an Privatdiskonten und Vorratsstellenwechsel sowie andere am Geldmarkt gehandelte Wechsel zum Nettowert einzustellen. Da eine funktionale Untergliederung (Kreditgeschäft, Inkassoverkehr, Geldhandel) der Wechselposition fehlt und auch keine Ausgliederungen erfolgen, läßt sich der Anteil des Wechselbestandes, der auf das Geldhandelsgeschäft entfällt, aus der Bilanz nicht erkennen.

Forderungen an Kreditinstitute mit vereinbarter Laufzeit oder Kündigungsfrist von weniger als drei Monaten/mindestens drei Monaten, aber weniger als vier Jahren.

Diese Positionen nehmen nicht in Wertpapieren verbriefte Forderungen an andere Kreditinstitute auf.

„Kreditinstitute" sind nach den Bilanzierungsrichtlinien als Institute im Sinne der §§ 1 und 2 KWG definiert; damit wird der engste Begriffsinhalt zugrunde gelegt.

In der Vergangenheit mußten diese beiden Positionen in Debitoren und Nettoguthaben getrennt werden, so daß deutlich wurde, inwieweit diese Gelder den Charakter von Krediten und von Geldanlagen hatten.

Namensschuldverschreibungen und Orderschuldverschreibungen, die nicht Teile einer Gesamtemission sind, gelten nicht als Wertpapiere und sind hier auszuweisen, sofern sich die Ansprüche aus diesen Papieren gegen Kreditinstitute richten.[28]

In die Position *„Schatzwechsel und unverzinsliche Schatzanweisungen"* sind Schatzwechsel und Schatzanweisungen und alle sonstigen Schuldtitel staatlicher Stellen mit einer vereinbarten Laufzeit von höchstens 2 Jahren, die nicht mit einem festen Zins ausgestattet, sondern unter Diskontabzug hereingenommen worden sind, einzustellen. „Die Papiere sind mit dem Betrag auszuweisen, der sich nach Kürzung des Nominalwertes um den auf die Folgeperioden entfallenden Teil des Diskontabzuges ergibt".[29] Schatzwechsel und unverzinsliche Schatzanweisungen (U-Schätze) des Bundes und der Länder müssen ausgegliedert werden. Dadurch wird der Umfang, in dem ein Institut von ausländischen Regierungen emittierte Schwatzwechselbestände erworben hat, erkennbar (z. B. US-Treasury Bonds).

Zu den *Anleihen und Schuldverschreibungen* mit einer Ursprungslaufzeit bis zu 4 Jahren gehören Kassenobligationen, wie sie in der Bundesrepublik erstmalig im April 1958 ausgegeben wurden. Ferner werden hier ausländische Geldmarktpapiere staatlicher und privater Stellen ausgewiesen (Treasury Notes, Certificates of Deposit). Emittenten von Kassenobligationen sind neben dem Bund insbesondere die Kreditinstitute mit Sonderaufgaben. Dementsprechend ist die Position 8 a nach drei Emittentengruppen in Bund und Länder, Kreditinstitute und sonstige Emittenten untergliedert. Die unter diesen Positionen zu bilanzierenden Schuldverschreibungen können als längerfri-

[28] vgl. Birck, H./Meyer, H.: a. a. O., S. II 185
[29] vgl. Birck, H./Meyer, H.: a. a. O., S. II 192

stige Geldmarktpapiere, die bereits dem Kapitalmarkt nahestehen, charakterisiert werden.

Die Ausgliederungsangabe gibt zusammen mit der Ausgliederung der Position 8 b die Höhe der bei der Bundesbank lombardierbaren Bestände an. Die Bilanzierungsrichtlinien bestimmen dazu: „Als beleihbar bei der Deutschen Bundesbank sind nur solche Wertpapiere auszuweisen, die nach dem Verzeichnis der bei der Deutschen Bundesbank beleihbaren Wertpapiere (Lombardverzeichnis) zum Lombardverkehr zugelassen sind.“ Dazu zählen insbesondere Anleihen und verzinsliche Schatzanweisungen des Bundes und der Länder, amtlich notierte festverzinsliche Schuldverschreibungen und Kassenobligationen. Diese für beleihbar erklärten Werte erfüllen für die Kreditinstitute die Funktion von Liquiditätsreserven. Sie sind mit ihrem Bilanzwert, also einschließlich der anteiligen Zinsen, anzusetzen.

(3) Positionen des Effektengeschäftes

Zu der Gruppe *Effektengeschäft* gehören folgende Bilanzpositionen:

I/8b. Anleihen und Schuldverschreibungen mit einer Laufzeit von mehr als vier Jahren

1/9 Wertpapiere, soweit sie nicht unter anderen Posten auszuweisen sind

Die Bestände des Effekteneigenhandels und der Wertpapieranlage, die in diesen beiden Positionen ihren Ausdruck finden, dienen der Ertragserzielung der Kreditinstitute, sollen aber gleichzeitig die Funktion einer Liquiditätsreserve erfüllen.

Die Position *„Anleihen und Schuldverschreibungen“* weist drei Untergliederungen und eine Ausgliederung auf:

ba) des Bundes und der Länder
bb) von Kreditinstituten
bc) sonstige

darunter: beleihbar bei der Deutschen Bundesbank.

In die Unterposition *„Anleihen und Schuldverschreibungen des Bundes und der Länder“* sind diejenigen festverzinslichen Wertpapiere mit einer Laufzeit von mehr als vier Jahren einzustellen, die vom Bund, den Sondervermögen des Bundes oder einzelnen Bundesländern emittiert wurden. In diese Position gehören auch verzinsliche Schuldbuchforderungen gegen Bund und Länder mit entsprechender Laufzeit.[30] Die von den Kreditinstituten emittierten langfristigen und festverzinslichen Wertpapiere wie z. B. Hypothekenpfandbriefe und Kommunalobligationen, stehen in der nächsten Unterposition. In der Position „Sonstige Anleihen und Schuldverschreibungen“ werden im wesentlichen Obligationen und Wandelschuldverschreibungen der Industrie erfaßt.

[30] vgl. Birck, H./Meyer, H.: a. a. O., S. II 204

Die Position „*Wertpapiere*“ umfaßt:

- Aktien, Zwischenscheine, Investmentanteile, Zins- und Gewinnanteilscheine – gleichgültig ob börsengängig oder nicht –
- Anleihen und Schuldverschreibungen sowie Schatzanweisungen anderer Emittenten als Bund und Länder.

Sie wird zweifach untergliedert und enthält eine Ausgliederung:

- börsengängige Anteile und Investmentanteile
- sonstige Wertpapiere

darunter:
Besitz von mehr als dem zehnten Teil der Anteile einer Kapitalgesellschaft oder bergrechtlichen Gewerkschaft ohne Beteiligungen.

Börsengängig sind nach den Bilanzierungsrichtlinien „Wertpapiere, die an einer deutschen Börse zum amtlichen Handel zugelassen oder in den geregelten Freiverkehr einbezogen sind, außerdem Wertpapiere, die an ausländischen Börsen zugelassen sind oder gehandelt werden“.

Börsengängig sind nicht die im Telefonverkehr gehandelten Papiere.[31]

Übersteigt der Gesamtnennbetrag der Anteile an einer Kapitalgesellschaft 10 % des Nennkapitals dieser Gesellschaft, so ist der Besitz anzugeben, soweit er nicht unter der Position „Beteiligungen “ ausgewiesen wird.

In dem Ausgliederungsvermerk waren einschließlich der Jahresabschlüsse 1985 der Großbanken „größere Aktienpakete mangels Beteiligungsabsicht“[32] ausgewiesen. Die Absicht einer Beteiligung liegt „immer dann vor, wenn die Gesellschaft bestrebt ist, mit Hilfe der ihr zustehenden Rechte aktiv einen Einfluß auf das Beteiligungsunternehmen auszuüben, um eine mehr oder weniger enge wirtschaftliche Verbindung mit dem Unternehmen herbeizuführen. Aber auch eine weniger weit gesteckte Zielsetzungen kann für die Beteiligungsabsicht genügen. Entscheidend ist, daß die Gesellschaft mit der Beteiligung mehr verfolgt als die Absicht einer Kapitalanlage gegen angemessene Verzinsung“.[33]

§ 271 Abs. 1 HGB definiert als „Beteiligung“ Anteile von mehr als 20 % des Nennkapitals einer Kapitalgesellschaft, „die bestimmt sind, dem eigenen Geschäftsbetrieb durch die Herstellung einer dauernden Verbindung zu jenen Unternehmen zu dienen“.

[31] vgl. Birck, H./Meyer, H.: a. a. O., S. II 99
[32] ebenda, S. II 208
[33] Adler, Düring, Schmaltz: Rechnungslegung und Prüfung der Aktiengesellschaft, Handkommentar, 4. Aufl. Anm. 28 zu § 152, zit. Birck, H./Meyer, H.: a. a. O., S. II 258 f.

Die Kommission für Bilanzierungsfragen des Bundesverbandes Deutscher Banken e. V. kommentiert:[34]

„Für Kreditinstitute korrespondiert die Definition der Beteiligung nach neuem Recht mit ihrer bisherigen praktischen Ausweishandhabung. Denn ihre Entscheidungskriterien hinsichtlich des Ausweises von Anteilsbesitz als Beteiligung sind grundsätzlich

- die Absicht der Herstellung einer dauerhaften Verbindung und
- die Ergänzung des bankgeschäftlichen Leistungspotentials.

Unter der Position Beteiligungen wird daher nur Anteilsbesitz an solchen Unternehmen ausgewiesen, welche die eigene Angebotspalette sinnvoll ergänzen bzw. abrunden, z. B.

1. inländische Banken, die die Interessen der Mutterbank regional vertreten (z. B. die Berliner Tochterinstitute der drei Großbanken),
2. inländische Banken, die das Geschäft der Mutterbank materiell ergänzen, wie Hypotheken- und Teilzahlungsbanken,
3. ausländische Banken, die die Interessen der Banken international vertreten (z. B. die Luxemburger Tochterbanken),
4. ausländische Banken und Finanzierungsgesellschaften, die – besonders in Entwicklungsländern – des Kapitals und Rates deutscher Banken bedürfen, wobei der Kapitalanteil nicht selten unter erheblichem Risiko steht,
5. inländische Verwaltungsgesellschaften, die als selbständige Hilfsbetriebe zu betrachten sind und die Bank von nicht banktypischen Verwaltungsaufgaben entlasten.

Anteilsbesitz an branchenfremden Unternehmen wird in der Regel allenfalls das Kriterium der Dauerhaftigkeit erfüllen und insofern als bloße Finanzanlage zu klassifizieren sein.

(Vgl. auch Köllhofer, D.: Beteiligungen im Jahresabschluß der Kreditinstitute, in: Die Bank 1977, S. 13 ff. und Mertin, K.: Das Beteiligungskonto der Banken, in: ZfgK, 1976)“

In den Jahresabschlüssen 1986 hat eine Umwidmung stattgefunden; so schreibt die Dresdner Bank in ihrem Geschäftsbericht 1986 (S. 87): „Zum 31. Dezember 1986 haben wir Aktienbesitz von 25 % oder mehr des jeweiligen Grundkapitals und anderen, nicht in Wertpapieren verbrieften Anteilsbesitz von der Bilanzposition Wertpapiere, soweit sie nicht unter anderen Posten auszuweisen sind, bzw. von der Position Sonstige Vermögensgegenstände auf die Position Beteiligungen umgebucht. Insgesamt haben sich dadurch die Beteiligungen um 1 544 Mill DM ausgeweitet. Soweit wir Vorjahreszahlen nennen oder auf solche Bezug nehmen, haben wir sie – von der Entwicklung

[34] Kommission für Bilanzierungsfragen des Bundesverbandes deutscher Banken e. V.: „Bilanzrichtlinien-Gesetz, Arbeitsmaterialien zu den Auswirkungen des Bilanzrichtlinien-Gesetzes (BiRiLiG) auf die Rechnungslegung von Banken“, Köln 1987, I/36

des Beteiligungsausweises (siehe unten) abgesehen – aus Gründen der Vergleichbarkeit entsprechend angepaßt.

Bisher hatten wir als Beteiligungen grundsätzlich Gesellschaften bilanziert, die in dem für sie jeweils typischen Aufgabenbereich der Ausweitung oder der Ergänzung unseres Bankgeschäftes dienen. Zu der Ausweisänderung hat uns ein Urteil des Bundesgerichtshofes vom 9. Februar 1987 veranlaßt, das Anteilsquote und Rechtsform als Indikatoren für eine Beteiligungsvermutung stärker als bisher hervortreten läßt. Dies ändert nichts daran, daß wir im Anteilsbesitz an branchenfremden Gesellschaften nach wie vor nur eine Vermögensanlage sehen."

(4) Ausgleichs- und Deckungsforderungen

Die Position I/11 „*Ausgleichs- und Deckungsforderungen gegen die öffentliche Hand*" stellt einen durch die Währungsreform des Jahres 1948 bedingten Fremdkörper in den Bankausweisen dar.

Hier sind sowohl zugeteilte als auch angekaufte *Ausgleichsforderungen* auszuweisen. Weiterhin müssen auch Ausgleichsforderungen eingestellt werden, die z. B. bei der Deutschen Bundesbank zur Sicherheitsleistung verwendet werden. In dieser Position werden ebenfalls noch nicht zugeteilte Ausgleichsforderungen erfaßt.[35]

Ausgleichsforderungen gegen die öffentliche Hand wurden den Kreditinstituten nach der Umstellung ihrer Reichsmark-Aktiven und -Passiven in Deutsche Mark in Höhe des Überschusses ihrer Verbindlichkeiten über die Vermögenswerte sowie zur Einstellung eines angemessenen DM-Eigenkapitals zugestanden. Ihre Verzinsung richtet sich nach der 15. Durchführungsverordnung zum Umstellungsgesetz. Der Normaltyp der Ausgleichsforderungen ist mit 3 % verzinslich; in einer Reihe von Sonderfällen kommen auch Zinssätze zur Anwendung, die von 0 % bis 4 1/2 % reichen.[36] Die Tilgung dieser minderverzinslichen Forderungen gegen Bund und Länder hat der Bund übernommen (bis zum Jahr 2002).

Weiterhin sind *Deckungsforderungen* auszuweisen, die gemäß § 11 WAG bzw. § 19 ASpG oder aus der Freigabe von Spareinlagen gemäß LAG-Hauptentschädigung entstanden sind. Die Kreditinstitute erhielten Deckungsforderungen, wenn sie entweder aufgrund des Währungsausgleichsgesetzes berechtigten Vertriebenen oder aufgrund des Altsparergesetzes den berechtigten Vertriebenen oder aufgrund des Altsparergesetzes den berechtigten Konten- und Wertpapier-Altsparern Gutschriften erteilten.

(5) Positionen des Kreditgeschäftes

Zu der Gruppe *Kreditgeschäfte* zählen folgende Bilanzpositionen:

I/5. Wechsel (Diskontwechsel)

[35] Birck, H./Meyer, H.: a. a. O., S. II 245
[36] Birck, H./Meyer, H.: a. a. O., S. II 245 ff.

I/6bc. Forderungen an Kreditinstitute mit vereinbarter Laufzeit oder Kündigungsfrist von vier Jahren oder länger
I/10a. Forderungen an Kunden mit vereinbarter Laufzeit oder Kündigungsfrist von weniger als vier Jahren
I/10b. Forderungen an Kunden mit vereinbarter Laufzeit oder Kündigungsfrist von vier Jahren und länger
I/12. Durchlaufende Kredite (nur Treuhandgeschäfte).

Der Bestand an Diskontwechseln wird zusammen mit den Privatdiskonten in der *Wechsel*position ausgewiesen. Das gilt auch für Wechsel, die das Kreditinstitut lombardiert hat. Untergliederungen, aus welchen der jeweilige aus dem Diskontkreditgeschäft resultierende Anteil am Wechselbestand ersichtlich würde, sind bei der Wechselposition nicht vorhanden. Wohl aber sind in Form der Ausgliederung erstens die *bundesbankfähigen* Wechsel und zweitens die *eigenen Ziehungen* der Bank anzugeben.

Bundesbankfähig sind nach den Bilanzierungsrichtlinien „alle im Bestand befindlichen Wechsel, ... die nach dem Gesetz über die Deutsche Bundesbank zum Ankauf zugelassen sind, falls nicht ein Ankauf durch bekanntgegebene besondere Regelungen der Deutschen Bundesbank ausgeschlossen ist". Als bundesbankfähig sind auch die über Plafond A der AKA Ausfuhrkredit-Gesellschaft mbH und den Plafond I der GeFi Gesellschaft zur Finanzierung von Industrieanlagen mbH finanzierten Solawechsel deutscher Exporteure auszugliedern, obwohl diese von der Bundesbank nur lombardiert werden.

Eigene Ziehungen (Debitorenziehungen) sind nur unter der Voraussetzung in der Wechselposition und den entsprechenden Ausgliederungen auszuweisen, daß es sich um echte Wechselforderungen handelt. Erforderlich ist deshalb, daß die eigenen Ziehungen dem Kunden gegenüber abgerechnet sind.

Depotwechsel, die lediglich der Sicherung einer bestehenden Forderung dienen, und nicht abgerechnete Mobilisierungstratten, die die Forderungen gegenüber dem Kunden ebenfalls nicht berühren, sind nicht in die Wechselposition einzustellen. Dagegen müssen die im Umlauf befindlichen eigenen Ziehungen in einer besonderen Position auf der Passivseite unter dem Bilanzstrich angegeben werden, wobei eine Aufgliederung der den Kreditnehmern abgerechneten Abschnitte vorzunehmen ist (II/14). In dieser Position sind auch ausländische vergleichbare Papiere ebenso auszuweisen wie prommissory notes und commercial papers[37] wie auch die forfaitierten Solawechsel.[38]

Zur Erläuterung der Wechselposition sei abschließend darauf hingewiesen, daß das gesamte sich auf Wechselbasis abwickelnde Kreditgeschäft erst dann ersichtlich wird, wenn neben den im Umlauf befindlichen eigenen Ziehungen noch die Indossamentsverbindlichkeiten aus weitergegebenen Wechseln (Pos. II/15 unter dem Bilanzstrich) in die Betrachtung einbezogen werden.

[37] vgl. Birck, H./Meyer, H.: a. a. O., S. II 175
[38] ebenda, S. II 177

Die Position „Forderungen an Kreditinstitute mit einer Laufzeit von vier Jahren oder länger" ist inhaltlich – mit Ausnahme der Laufzeit – analog den Positionen I 6 b) ba)/bb) definiert.

Nicht in Wertpapieren verbriefte bankgeschäftliche Forderungen an Nichtkreditinstitute bilden den Inhalt der Position „Forderungen an Kunden". Sie wird nach Laufzeiten untergliedert, derzeit noch nach Ursprungslaufzeiten, nach dem BiRiLiG künftig nach Restlaufzeiten.

Birck/Meyer nennen folgenden Katalog, der hier auszuweisenden Forderungen:[39] „Als Kundschaftsforderungen sind die unterschiedlichsten Kreditarten zusammengefaßt. Im wesentlichen handelt es sich um

- Kontokorrentkredite, seien sie eingeräumt oder nicht (Überziehungen),
- kurz- und mittelfristige Darlehen, z. B. Ratenkredite (Teilzahlungskredite, Kleinkredite, Anschaffungsdarlehen) und sonstige Tilgungsdarlehen, Bau- und andere Zwischenkredite, Schuldscheindarlehen sowie weitergeleitete Haftungsdarlehen aus zentralgesteuerten Mitteln,
- Akzeptkredite,
- Lombardkredite, insbesondere Waren- und Effektenbeleihungen,
- Warenvorschüsse, insbesondere Rembourskredite,
- Forderungen an Kunden aus der Abwicklung von Wertpapiergeschäften,
- im Wege des Factoring, der Forfaitierung oder in sonstiger Weise angekaufte Forderungen,
- über die handelsübliche Frist hinaus gestundete Forderungen aus nicht bankmäßigen Handelsgeschäften, insbesondere Warengeschäfte (§ 19 Abs. 1 Nr. 3 KWG),
- Partizipations-Barkredite (Konsortialkredite, Metakredite),
- partiarische Darlehen (Darlehen mit Gewinnbeteiligung),
- langfristige Darlehen wie Realkredite (Hypotheken-, Grund- und Rentenschulden), Kommunalkredite sowie langfristige Geschäfts- und sonstige Kredite,
- Namensschuldverschreibungen und solche Orderschuldverschreibungen, die nicht Teile einer Gesamtemission sind,
- Rückwechsel, Rückschecks und Lastschriftenretouren sowie nicht durchgebuchte Schecks auf das eigene Institut,
- den Einreichern (Nichtkreditinstituten) bis zum Bilanzstichtag gutgeschriebene Inkassopapiere, soweit sie erst nach Ablauf von 30 Tagen seit ihrer Einreichung zur Vorlage bestimmt sind,
- fällige, anteilige und rückständige Zinsen sowie fällige Tilgungen,
- andere in laufender Rechnung oder im sonstigen bankgeschäftlichen Verkehr mit Kunden bestehende Soll-Salden."

Die Gesamtposition wird nach *Laufzeiten* untergliedert:

a) weniger als 4 Jahre

b) vier Jahre oder länger,

[39] ebenda, S. II 211 f.

wobei in der Position b) auch die Forderungen auszuweisen sind, so die Bilanzierungsrichtlinien, wenn sie vor Ablauf von vier Jahren kündbar sind.

Aus der Untergliederung b) werden ausgegliedert:
ba. durch Grundpfandrechte gesichert
bb. Kommunaldarlehen.

Bei den *durch Grundpfandrechte gesicherten Forderungen* handelt es sich um solche langfristigen Ausleihungen, für die dem bilanzierenden Institut Hypotheken, Grund- und Rentenschulden bestellt, verpfändet oder abgetreten wurden. Dabei liegen größtenteils reine Objektkredite vor, d. h. die Verzinsung und Rückzahlung werden grundsätzlich nicht überwiegend von dem Erfolg einer gewerblichen Tätigkeit abhängen, sondern durch das Beleihungsobjekt gewährleistet.

Als *Kommunaldarlehen* sind alle langfristigen Ausleihungen an den Bund, die Länder, Gemeinden und Gemeindeverbände sowie sonstige Körperschaften des öffentlichen Rechts zu erfassen. In dieser Position sind ferner alle langfristigen Ausleihungen zu bilanzieren, die durch eine der genannten Gebietskörperschaften bzw. sonstige Körperschaften öffentlichen Rechts gewährleistet sind (Bürgschaften und Garantien).

Durchlaufende Kredite (nur Treuhandgeschäfte) sind Kredite, die im eigenen Namen, aber für Rechnung eines Treugebers gegeben werden. Die ausgeliehenen Mittel werden dem bilanzierenden Institut vom Auftraggeber voll zur Verfügung gestellt. Die Haftung des bilanzierenden Instituts beschränkt sich auf die ordnungsgemäße Verwaltung der Ausleihungen und die Abführung der Tilgungs- und Zinsbeträge.

Die Treuhandkredite stammen überwiegend aus zweckgebundenen öffentlichen Mitteln, die von der Bank im eigenen Namen, aber unter voller Risikoübernahme des Geldgebers weitergeleitet werden. Den auf der Aktivseite ausgewiesenen Forderungen entsprechen Verpflichtungen gegenüber dem Treugeber in gleicher Höhe, die auf der Passivseite in einer gleichnamigen Position ausgewiesen sind (II/5). Übernimmt die weiterleitende Bank dagegen ein partielles Kreditrisiko, dann sind die Weiterleitungskredite in voller Höhe unter „Forderungen an Kunden" auszuweisen. Verwaltungskredite, d. h. in fremden Namen und für fremde Rechnung zu verwaltende Kredite, z. B. die für die öffentliche Hand verwaltete Hypothekengewinnabgabe, sind nicht zu bilanzieren.[39]

(6) Beteiligungen

In der Position I/13 „Beteiligungen" sind alle Anteilsrechte zu bilanzieren, bei denen eine Beteiligungsabsicht vorliegt, unabhängig davon, ob sie in Wertpapieren verkörpert sind oder nicht, also Aktien, GmbH-Anteile, Anteile als persönlich haftender Gesellschafter an Offenen Handelsgesellschaften, Kommanditgesellschaften und Kom-

[39] Über ihren Vermerk in der Vorspalte der Position „Durchlaufende Kredite" bzw. ihre Angabe unter dem Bilanzstrich vgl. Birck, H./Meyer, H.: a. a. O., S. II 253

manditgesellschaften auf Aktien, Anteile als Kommanditist, Beteiligungen als stiller Gesellschafter, Geschäftsguthaben bei Genossenschaften. Eine Beteiligung an Kapitalgesellschaften liegt im Zweifel dann vor, wenn das bilanzierende Kreditinstitut einen Anteil von insgesamt 25 % des Grund- bzw. Stammkapitals des anderen Unternehmens erreicht; entscheidend kommt es aber darauf an, ob die Absicht einer dauerhaften Beteiligung besteht. Fehlt diese Absicht, sind die Kapitalanteile unter „Wertpapiere" zu erfassen.

Eigene Aktien bzw. Geschäftsanteile sowie Aktien bzw. Geschäftsanteile an einer herrschenden oder mit Mehrheit beteiligten Gesellschaft werden nicht unter „Beteiligungen", sondern in den speziell dafür vorgesehenen Positionen (I/17 und I/18) ausgewiesen.

Gesondert anzugeben sind in Form einer Aufgliederung die Beteiligungen an anderen Kreditinstituten. Die Sparkassen haben an Stelle der erwähnten Ausgliederung die Beteiligungen bei der eigenen Girozentrale und beim Sparkassen- und Giroverband aufzuführen.

(7) Positionen des Sachanlagevermögens

In die Gruppe *Sachanlagevermögen* gehören folgende Bilanzpositionen:

I/14. Grundstücke und Gebäude
I/15. Betriebs- und Geschäftsausstattung.

Die Position *„Grundstücke und Gebäude"* enthält dem eigenen Geschäftsbetrieb dienende und sonstige Grundstücke und Gebäude. Sonstige Grundstücke und Gebäude sind betriebsfremder Immobilienbesitz, d. h. überwiegend bebaute und unbebaute Grundstücke, die die Bank im Rahmen der Abwicklung notleidender Kreditengagements erworben hat.

Wird die Erstellung von Gebäuden einer Tochtergesellschaft (Grundstücksgesellschaft) übertragen, die von der Muttergesellschaft finanziert wird, so sind in der Bilanz der Muttergesellschaft dann lediglich die an die Tochtergesellschaft gewährten Darlehen als Forderungen an verbundene Unternehmen zu bilanzieren.[40]

Zur *Betriebs- und Geschäftsausstattung* zählen insbesondere die Büroeinrichtung, die Büromaschinen, Kraftwagen, Telefon-, Tresor- und Leuchtanlagen. Der Wert der Drucksachen und Formularbestände wird in der Regel nicht aktiviert.

(8) Kapitalerläuterungs-Positionen

Hierzu zählen:

I/16. Ausstehende Einlagen auf das Grundkapital
I/17. Eigene Aktien

[40] vgl. Birck, H./Meyer, H.: a. a. O., S. II 274

I/18. Anteile an einer herrschenden oder mit Mehrheit beteiligten Gesellschaft
I/19. Eigene Schuldverschreibungen.

„Ausstehende Einlagen auf das Grundkapital“ sind nicht eingezahltes Kapital, das – im Gegensatz zum Handelsrecht (§ 272 Abs. 1 Satz 2 HGB, ehemals § 151 Abs. 1 Nr. I AktG) – bei Kreditinstituten nicht untergliedert werden muß („davon eingefordert“), so daß bei Kreditinstituten nicht zu erkennen ist, ob es sich um Forderungen oder um einen Korrekturposten zum Grundkapital handelt.

„Eigene Aktien“ dürfen gemäß § 71 Abs. 1 AktG nur erworben werden:

1. wenn der Erwerb notwendig ist, um einen schweren, unmittelbar bevorstehenden Schaden von der Gesellschaft abzuwenden,
2. wenn die Aktien den Arbeitnehmern der Gesellschaft oder eines mit ihr verbundenen Unternehmens zum Erwerb angeboten werden sollen,
3. wenn der Erwerb geschieht, um Aktionäre nach § 305 Abs. 2 oder § 320 Abs. 5 abzufinden,
4. wenn der Erwerb unentgeltlich geschieht oder ein Kreditinstitut mit dem Erwerb eine Einkaufskommission ausführt,
5. durch Gesamtrechtsnachfolge oder
6. aufgrund eines Beschlusses der Hauptversammlung zur Einziehung nach den Vorschriften über die Herabsetzung des Grundkapitals.

Der Gesamtnennbetrag darf nach § 71 Abs. 2 zehn vom Hundert des Grundkapitals nicht übersteigen. Dies gilt auch für im Rahmen des Kreditgeschäftes in Pfand genommene eigene Aktien.

Unter *„Anteile an einer herrschenden oder mit Mehrheit beteiligten Gesellschaft“* sind nicht nur Anteile an Kapitalgesellschaften auszuweisen, sondern Anteile an Gesellschaften aller Rechtsformen, soweit sie das bilanzierende Institut beherrschen oder mit Mehrheit an ihm beteiligt sind.[41]

Die Position *„Eigene Schuldverschreibungen“* enthält bei Realkreditinstituten zurückgekaufte Schuldverschreibungen eigener Emissionen, soweit ein Wiederverkauf nicht ausgeschlossen ist (dies ist bei echten Tilgungsstücken der Fall, die passivisch abzusetzen sind); es gilt ein Wahlrecht für die dem Treuhänder vorübergehend zurückgegebenen Stücke.

Bei Geschäftsbanken, Privatbankiers, genossenschaftlichen Instituten und Sparkassen müssen zurückgekaufte Stücke („Rückflußstücke“) aktiviert werden, „ein Wahlrecht sie entweder zu aktivieren oder von den passivierten Schuldverschreibungen abzusetzen, besteht nicht“.[42]

[41] ebenda, S. II 277
[42] ebenda, S. II 278 mit Verweis auf Stellungnahme des Bankenfachausschusses des Instituts der Wirtschaftsprüfer in Deutschland e. V. (BFA)

Entwertete oder vernichtete Stücke können nicht mehr bilanziert werden.

(9) Bilanzverlust

In der Regel, da gegenstandslos, wird diese Position nicht ausgewiesen.

(10) Bilanzvermerke der Aktivseite

Unter dem Strich (der Bilanz) sind Angaben über besondere finanzielle Beziehungen zu machen; sie sind ausnahmslos Ausgliederungsangaben zu den entsprechenden Bilanzpositionen über dem Strich:

I/23a) Forderungen an verbundene Unternehmen
I/23b) Forderungen aus unter § 15 Nr. 1 bis 6 Abs. 2 des KWG fallende Krediten („Organkredite").

(11) Sonstige Vermögensgegenstände und Rechnungsabgrenzungsposten

Die beiden Sammelpositionen

I/20. Sonstige Vermögensgegenstände
I/21. Rechnungsabgrenzungsposten

haben in der Bilanz spezielle Funktionen zu erfüllen.

Der Ausweis unter *„Sonstige Vermögensgegenstände"* erfolgt, wenn Forderungen und Vermögenswerte einer anderen Position nicht zugeordnet werden können. Er ist möglichst niedrig zu halten. Hierzu gehören auch Goldmünzen.

Rechnungsabgrenzungsposten dienen einerseits der Richtigstellung des Periodenerfolges, andererseits der Korrektur der Vermögenssituation. Die aktivischen Rechnungsabgrenzungsposten umfassen ausschließlich die transitorischen Rechnungsabgrenzungsposten. Dazu zählen von der Bank bereits für das nächste Jahr gezahlte Zinsen, Provisionen, Gehälter, Mieten und sonstige Ausgaben.

bb) Passivseite der Bilanz

(1) Positionen der Bankverschuldung

Die Positionen der *Bankverschuldung* nehmen alle nicht in Wertpapieren verbrieften Verbindlichkeiten einer Bank gegenüber anderen Kreditinstituten auf. Die Bilanzposition zeigt folgenden Aufbau:

II.1. Verbindlichkeiten gegenüber Kreditinstituten

a) täglich fällig
b) mit vereinbarter Laufzeit oder Kündigungsfrist von
   ba) weniger als drei Monaten

bb) mindestens drei Monaten, aber weniger als vier Jahren
bc) vier Jahren oder länger
darunter: vor Ablauf von vier Jahren fällig
c) von der Kundschaft bei Dritten benutzte Kredite

Zu den täglich fälligen Verbindlichkeiten gegenüber Kreditinstituten zählen Habensalden auf Verrechnungskonten, Mittel, die von Kreditinstituten für „durchlaufende Kredite" am Bilanzstichtag schon zur Verfügung gestellt, aber dem Kunden noch nicht weitergeleitet wurden, sowie eingegangene Zins- und Tilgungsbeträge, die am Bilanzstichtag an den Berechtigten noch nicht abgeführt sind. Weiterhin schlägt sich in den oben genannten Positionen entsprechend der Laufzeit die Verschuldung am Geldmarkt nieder. Kreditaufnahmen bei Banken, die nicht innerhalb von vier Jahren seit ihrer Entstehung fällig werden bzw. deren planmäßige Tilgung sich über einen Zeitraum von wenigstens vier Jahren erstreckt, werden in der Position der vierjährigen oder längerfristigen Verbindlichkeiten bilanziert. Beträge, deren Restlaufzeit vier Jahre unterschreitet, werden ausgegliedert.

(2) Positionen der Verbindlichkeiten gegenüber der Nicht-Bankenkundschaft

Die Einlagenverbindlichkeiten sind in allen Formblättern in einer Bilanzposition zusammengefaßt, die für Aktienbanken, Privatbankfirmen und Genossenschaftsbanken folgenden Aufbau zeigt:

II.2. Verbindlichkeiten aus dem Bankgeschäft gegenüber anderen Gläubigern
a) täglich fällig
b) mit vereinbarter Laufzeit oder Kündigungsfrist von
ba) weniger als drei Monaten
bb) mindestens drei Monaten, aber weniger als vier Jahren
bc) vier Jahren oder länger
darunter: vor Ablauf von vier Jahren fällig
c) Spareinlagen
ca) mit gesetzlicher Kündigungsfrist
cb) sonstige

Innerhalb der befristeten Verbindlichkeiten, die den Kreditinstituten als Fest- oder Kündigungsgelder vor allem von Wirtschaftsunternehmen und öffentlichen Stellen zufließen, ist eine Untergliederung für die Einlagen „mit vereinbarter Laufzeit oder Kündigungsfrist" von weniger als drei Monaten, mindestens drei Monaten, aber weniger als vier Jahren und vier Jahren oder länger vorgeschrieben. Hier kommt – wie bei den Spareinlagen – im Text der Positionsbezeichnungen selbst zum Audruck, daß ausschließlich die vereinbarte Laufzeit oder Kündigungsfrist und nicht etwa die Restlaufzeit am Bilanzstichtag für die Eingruppierung maßgeblich ist.

Langfristige Darlehen stellen Verpflichtungen gegenüber Nichtbanken dar, die nicht innerhalb von vier Jahren seit ihrer Entstehung fällig werden bzw. deren planmäßige

Tilgung sich über einen Zeitraum von wenigstens vier Jahren erstreckt. Sie werden unter der Position „Verbindlichkeiten aus dem Bankgeschäft gegenüber anderen Gläubigern mit vereinbarter Laufzeit oder Kündigungsfrist von vier Jahren oder länger“ passiviert. Beträge mit Restlaufzeiten von unter vier Jahren sind auszugliedern.

Unter den Verbindlichkeiten gegenüber der Nicht-Bankenkundschaft werden entsprechend der Laufzeit auch Namensschuldverschreibungen und Sparbriefe ausgewiesen.

Als *Spareinlagen* gelten nur solche Einlagen, die den Erfordernissen des § 21 KWG entsprechen, d. h. also nicht zur Verwendung im Geschäftsbetrieb oder für den Zahlungsverkehr bestimmt sind, und durch Ausfertigung einer Urkunde, insbesondere eines Sparbuches, als solche gekennzeichnet sind. Sie sind untergliedert in Spareinlagen mit gesetzlicher Kündigungsfrist und sonstige. Die gesetzliche Kündigungsfrist beträgt drei Monate.

(3) Positionen der Wertpapierverschuldung

Die Bilanzposition der Wertpapierverschuldung, die zweifach untergliedert ist und eine Ausgliederung besitzt, hat folgenden Aufbau:

II/3. Schuldverschreibungen mit einer Laufzeit von
- a) bis zu vier Jahren
- b) mehr als vier Jahren
  darunter: vor Ablauf von vier Jahren fällig

Bei den Wertpapieren mit einer Laufzeit bis zu vier Jahren handelt es sich vor allem um Kassenobligationen. Die Position „... mit einer Laufzeit von mehr als vier Jahren“ hat bei den privaten Hypothekenbanken, öffentlich-rechtlichen Grundkreditanstalten sowie den Girozentralen Bedeutung. In ihr schlagen sich die von diesen Instituten emittierten Pfandbriefe bzw. Kommunalobligationen nieder.

(4) Eigene Akzepte und Solawechsel im Umlauf

In dieser Position sind sämtliche im Umlauf befindliche noch nicht eingelöste eigene Akzepte und Solawechsel aufzuführen. Dabei gelten diejenigen eigenen Akzepte und Solawechsel, die nur lombardiert oder in das Pfanddepot gegeben worden sind, nicht als im Umlauf befindlich, sondern werden als eigener Bestand abgesetzt. Im Umlauf befinden sich Akzepte immer dann, wenn sie an den Akzeptkreditnehmer ausgehändigt worden sind.

Im wechselrechtlichen Sinne wird durch die Akzeptierung eine echte Verbindlichkeit der Bank begründet, die ihren bilanzmäßigen Ausdruck in der Passivierungspflicht findet. Im wirtschaftlichen Sinne entsteht jedoch bei Akzeptkreditgewährung lediglich eine Eventualverbindlichkeit.

(5) Durchlaufende Kredite

Die Summe dieser Position muß mit dem Betrag übereinstimmen, der in der gleichlautenden Aktivposition der Bilanz ausgewiesen ist.

(6) Rückstellungen

An die Stelle des § 152 Abs. 7 AktG ist § 249 HGB getreten:

(1) Rückstellungen sind für ungewisse Verbindlichkeiten und für drohende Verluste aus schwebenden Geschäften zu bilden. Ferner sind Rückstellungen zu bilden für
1. im Geschäftsjahr unterlassene Aufwendungen für Instandhaltung, die im folgenden Geschäftsjahr innerhalb von drei Monaten, oder für Abraumbeseitung, die im folgenden Geschäftsjahr nachgeholt werden,
2. Gewährleistungen, die ohne rechtliche Verpflichtung erbracht werden.

Rückstellungen dürfen für unterlassene Aufwendungen für Instandhaltung auch gebildet werden, wenn die Instandhaltung nach Ablauf der Frist nach Satz 2 Nr. 1 innerhalb des Geschäftsjahres nachgeholt wird.

(2) Rückstellungen dürfen außerdem für ihrer Eigenart nach genau umschriebene, dem Geschäftsjahr oder einem früheren Geschäftsjahr zuzuordnende Aufwendungen gebildet werden, die am Abschlußstichtag wahrscheinlich oder sicher, aber hinsichtlich ihrer Höhe oder des Zeitpunkts ihres Eintritts unbestimmt sind.

(3) Für andere als die in den Absätzen 1 und 2 bezeichneten Zwecke dürfen Rückstellungen nicht gebildet werden. Rückstellungen dürfen nur aufgelöst werden, soweit der Grund hierfür entfallen ist.

Nach den geltenden Formblättern haben alle Institutsgruppen mit Ausnahme der Kreditgenossenschaften eine Untergliederung vorzunehmen in:

a) Pensionsrückstellungen
b) andere Rückstellungen.

Für Pensionsrückstellungen bestand bisher nach BGH-Urteil vom 27. 2. 1961 ein Passivierungswahlrecht. Nunmehr besteht nach § 249 Abs. 1 Satz in Verbindung mit Art. 28 Einführungsgesetz zum HGB (EGHGB) eine Passivierungspflicht.

Baetge bezeichnet dies als die bedeutendste Änderung im HGB.[43]

Diese Passivierungspflicht besteht jedoch nur für Neuzusagen nach dem 31. 12. 1986, während Erhöhungen von Altzusagen nach Art. 28 Abs. 1 EGHGB nicht passivierungspflichtig sind, auch für mittelbare Zusagen – etwa in Form von Ansprüchen gegen eine rechtlich selbstständige Unterstützungskasse – bleibt es beim Passivierungswahlrecht.

[43] Baetge, J.: Die neuen Ansatz- und Bewertungsvorschriften, in: ZfbF, 39. Jg. 1987, Heft 3/4, S. 211

Grundsätzlich unterscheidet § 249 HGB zwischen

- Verbindlichkeitsrückstellungen
- Aufwandsrückstellungen.

Die Verbindlichkeitsrückstellungen, zu denen auch die Pensionsrückstellungen rechnen, entsprechen dem Rückstellungsinhalt traditioneller Form: nach § 152 AktG. Diesen Rückstellungen liegen ungewisse Verbindlichkeiten – in der Höhe und/oder im Entstehen oder Noch-Bestehen – zugrunde oder drohende Verluste aus schwebenden Geschäften.

Bei Kreditinstituten kommen folgende Verbindlichkeitsrückstellungen typischerweise vor:

- Steuern
- Abschlußvergütungen
- die Inanspruchnahme aus Avalkrediten, sonstigen Bürgschaften oder Garantien sowie aus Indossamentsverbindlichkeiten
- unrealisierte Verluste aus schwebenden Devisentermingeschäften und Pensionsgeschäften
- Prozeßrisiken und Schadensersatzverpflichtungen
- die nach Ablauf von Mietverträgen über Geschäftsräume ggf. erforderliche Wiederherstellung des früheren Zustandes
- Kosten des Jahresabschlusses (Prüfung und Veröffentlichung).

§ 152 AktG kannte daneben bereits zwei Arten von Aufwandsrückstellungen:

- im Geschäftsjahr unterlassene Aufwendungen für Instandhaltung, die im folgenden Geschäftsjahr nachgeholt werden
- Gewährleistungen, die ohne rechtliche Verpflichtungen – Kulanz-Gewährleistungen – erbracht werden.

Für beide Arten galt bisher ein Wahlrecht, so daß die Bildung für die Steuerbilanz nicht relevant war.

Nunmehr kennt § 249 HGB drei passivierungspflichtige Aufwandsrückstellungen:

- Kulanzrückstellungen
- unterlassene Instandhaltung
- Abraumbeseitigung.

Daneben gibt § 249 Abs. 2 das handelsrechtliche Wahlrecht für die Bildung weiterer Rückstellungen für Aufwendungen:

1. die ihrer Eigenart nach genau bekannt ist
   (Aufwandsumschreibung)
2. die den bereits abgelaufenen Jahren zuzurechnen sein müssen
   (Aufwandsverursachung)

3. die wahrscheinlich oder sicher im Eintritt sein müssen (Aufwandserwartung)
4. Höhe des Aufwands und Zeitpunkt des Aufwands müssen unbestimmt sein (Aufwandsunsicherheit)

Die Voraussetzungen müssen sämtlich erfüllt werden.

Die Kommission für Bilanzierungsfragen kommt in der Anwendung für Kreditinstitute zu einer sehr zurückhaltenden Interpretation, wobei im wesentlichen die mangelnde steuerliche Anerkennung Beachtung findet:[44]

„Einigkeit im Schrifttum besteht weitgehend darüber, daß das ‚allgemeine Unternehmerrisiko' die Kriterien für die Bildung einer Aufwandsrückstellung nicht erfüllt. Anders stellt sich der Sachverhalt bei umschreibbaren, ‚allgemeinen' Risiken dar, z. B. Steuernachforderungen aufgrund künftiger Außenprüfungen; Mindestreserveprüfungen.

Die Beschränkung der Aufwandsrückstellungen auf Großreparaturen, wie sie teilweise im Schrifttum vorgenommen wird, erscheint insoweit zu eng; der Anwendungsbereich ist danach weiter zu ziehen.

Das allgemeine Zinsänderungsrisiko ist wohl kein Anwendungsfall für die Bildungsmöglichkeit von Aufwandsrückstellungen.

Ist aus bestehenden offenen Festzinspositionen am Bilanzstichtag ein Verlust zu erwarten, besteht eine Rückstellungspflicht nach § 249 Abs. 1 (drohende Verluste aus schwebenden Geschäften), die vom Grundsatz her auch steuerlich anzuerkennen ist. Ist dies nicht der Fall, ergibt sich aufgrund einer Anwendung der vier Kriterien keine Möglichkeit zur Rückstellungsbildung. Der Aufwand aufgrund einer bloßen Rentabilitätseinbuße, selbst wenn er zu erwarten ist, ist jedoch nicht durch frühere Geschäftsjahre verursacht, sondern durch Entwicklungen nach dem Bilanzstichtag. Kriterium 2 ist dadurch nicht erfüllt."

(7) Wertberichtigungen

Die Position „Wertberichtigungen" stellt einen Korrekturposten zu aktivierten, zu hoch ausgewiesenen Beständen dar. Einzelwertberichtigungen zu Sachanlagen, Beteiligungen und Wertpapieren des Anlagevermögens und vorgeschriebene Sammelwertberichtigungen, soweit sie sich nicht auf Bilanzpositionen unter dem Strich beziehen, können grundsätzlich entweder in einer besonderen Position auf der Passivseite ausgewiesen (indirekte Abschreibung) oder von den korrespondierenden Aktivpositionen für diese Posten abgesetzt werden (direkte Abschreibung). Einzelwertberichtigungen und versteuerte Pauschalwertberichtigungen zu Wechseln, Forderungen und Wertpapieren des Umlaufvermögens sind von den entsprechenden Aktivposten abzusetzen.

[44] Kommission für Bilanzierungsfragen des Bundesverbandes deutscher Banken e. V.: a. a. O., Teil I/S. 13

Auf die materiellen Inhalte ist im Zusammenhang mit der Bewertung in der Jahresbilanz einzugehen.

Formal verdeutlicht Süchting die Systematik an einem Schaubild (Abbildung 1).[45]

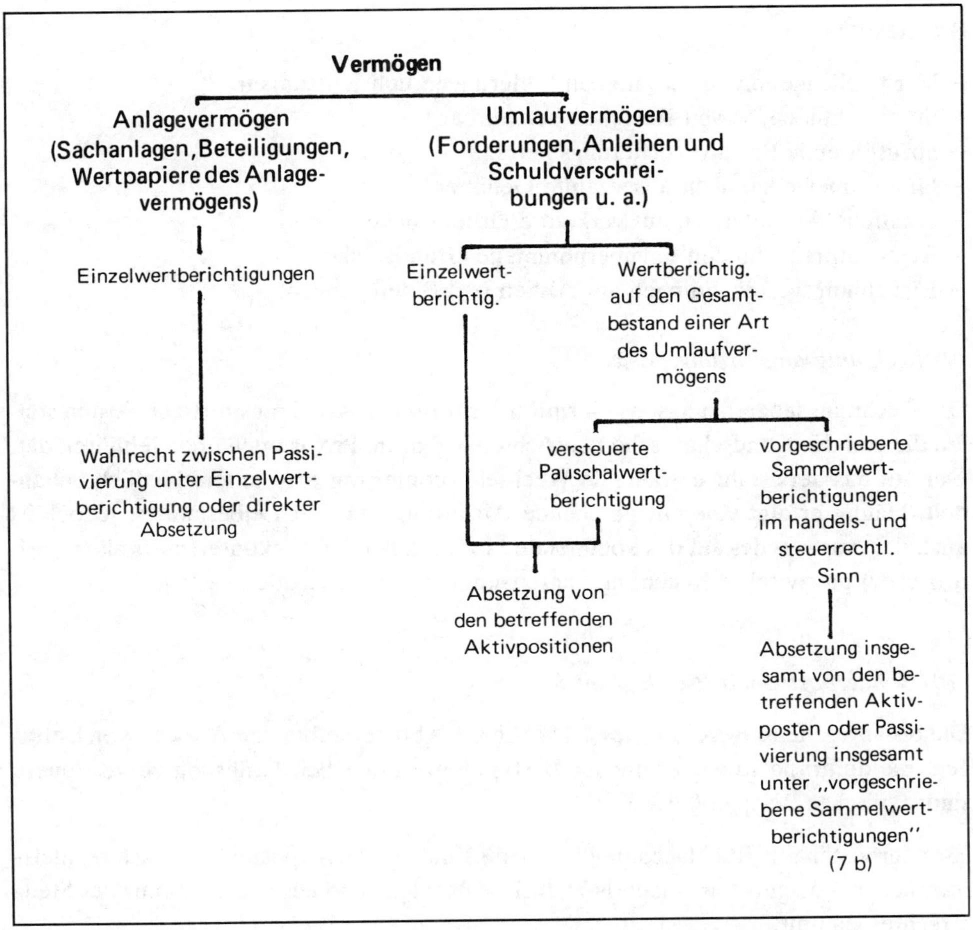

Abbildung 1: Die Berücksichtigung von Wertberichtigungen bei der Korrektur der Vermögensansätze

(8) Sonstige Verbindlichkeiten

Zu dieser Gruppe gehören die Positionen

II/8. Sonstige Verbindlichkeiten
II/9. Rechungsabgrenzungsposten

Entsprechend der korrespondierenden aktivischen Positionen („Sonstige Vermögensgegenstände", „Rechnungsabgrenzungsposten") sind auch die sonstigen Verbindlich-

[45] Süchting, J.: Bankmanagement, Stuttgart 1982, S. 113

keiten und die passivischen Rechnungsabgrenzungsposten wegen ihres wenig aussagefähigen Sammelcharakters möglichst klein zu halten.

Sonstige Verbindlichkeiten enthalten Posten, die einer anderen Position nicht zugeordnet werden können.

Beispiele:[46]

- Verbindlichkeiten aus erhaltenen Lieferungen und Leistungen
- Steuerschulden, soweit sie genau bezifferbar sind
- abzuführende Sozialversicherungsbeiträge
- fällige, aber noch nicht ausgezahlte Gehälter
- erhaltene Anzahlungen auf verkaufte Grundstücke
- Restkaufpreisschulden für übernommene Grundstücke
- Einzahlungsverpflichtungen auf Aktien und Beteiligungen.

(9) Rechnungsabgrenzungsposten

Die Rechnungsabgrenzungsposten sind transitorischer Art. Transitorische Posten stellen die von der Kundschaft schon entrichteten Zinsen, Provisionen und Gebühren dar. Der auf das neue Jahr entfallende Wechseldiskontertrag wird unterschiedlich behandelt. Häufig erfolgt eine entsprechende Abzinsung des Wechselbestandes; jedoch ist auch der Ausweis des auf das kommende Jahr entfallenden Diskontertrages als (transitorischer) passivischer Rechnungsabgrenzungsposten anzutreffen.

(10) Sonderposten mit Rücklageanteil

Die bislang geltene Regelung des § 152 Abs. 5 AktG erlaubte den Ausweis von Beträgen, die aufgrund steuerrechtlicher Bestimmungen erst bei Auflösung zu versteuern sind: typisches Beispiel § 6 b EStG.

„Sonderposten mit Rücklageanteil" ist demgemäß ein Passivposten, der nach handelsrechtlichen Vorschriften „eigentlich" nicht zulässig ist und aus der Erlaubnis des Steuerrechtes stammt.

§ 273 HGB macht künftig die Bildung eines Sonderpostens mit Rücklageanteil gem. § 247 Abs. 3 HGB bei Kapitalgesellschaften davon abhängig, daß „das Steuerrecht die Anerkennung des Wertansatzes bei der steuerrechtlichen Gewinnermittlung davon abhängig macht, daß der Sonderposten in der (Handels-)/Bilanz gebildet wird („Grundsatz der umgekehrten Maßgeblichkeit").

[46] vgl. Birck, H./Meyer, H.: a. a. O., S. II 332

(11) Eigenmittel nach altem/neuem Recht

Der Eigenkapitalausweis im gegenwärtigen Bilanzformblatt der Aktienbanken setzt sich aus folgenden Positionen zusammen:

II/10. Sonderposten mit Rücklageanteil
II/11. Grundkapital (Stammkapital)
II/12. Offene Rücklagen
a) gesetzliche Rücklagen
b) andere Rücklagen
II/13. Bilanzgewinn

Als negative Korrekturposten sind zu berücksichtigen

I/16. Ausstehende Einlagen auf das Grundkapital (Stammkapital)
I/17. Eigene Aktien (Geschäftsanteile)
Nennbetrag: DM
I/22. Bilanzverlust

Wenn auf der Passivseite Beträge ausgewiesen werden, die aufgrund steuerlicher Vorschriften erst bei ihrer Auflösung zu versteuern sind, so müssen diese gemäß § 152 Abs. 5 AktG unter Sonderposten mit Rücklageanteil eingestellt werden.

Die Kapitalposition wird je nach der Rechtsform des Kreditinstituts in den Bilanzformblättern verschieden bezeichnet, nämlich

bei den Aktienbanken (Muster 1): Grundkapital

bei den GmbH-Banken (Muster 1): Stammkapital

bei den Genossenschaftsbanken (Muster 2): Geschäftsguthaben

bei den Privatbankfirmen (Muster 3): Kapital.

Der Ausweis des *Grundkapitals der Aktienbanken* hatte bislang nach den Vorschriften des § 152 AktG zu erfolgen. Danach waren die Gesamtnennbeträge der Aktien jeder Gattung gesondert anzugeben; sofern Mehrstimmrechtsaktien ausgegeben sind, ist ihre Gesamtstimmenzahl sowie die der übrigen Aktien zu vermerken. Ausstehende Einzahlungen auf das Grundkapital sowie im Bestand befindliche eigene Aktien wurden auf der Aktivseite gesondert ausgewiesen; sie durften deshalb von der Höhe des nominellen Grundkapitals nicht abgesetzt werden. Ferner war beim Grundkapital als Vermerk ein bestehendes bedingtes Kapital § 152 Abs. 3 AktG (z. B. wegen ausgegebener Wandelschuldverschreibungen)anzugeben.

Als *Geschäftsguthaben der Genossenschaftsbanken* galten nur die auf die Geschäftsanteile tatsächlich eingezahlten Beträge, die nach verbleibenden und ausscheidenden Mitgliedern zu untergliedern sind. Bei Zentralkassen in der Rechtsform der AG trat an die Stelle der Geschäftsguthaben das Grundkapital zum Nennbetrag. Ausstehende

Einzahlungen auf das Grundkapital waren ausgegliedert unter der Position „Sonstige Vermögensgegenstände" auszuweisen.

Das *Kapital der Privatbankiers* war in der Vorspalte danach zu untergliedern, ob es sich um Einlagen des Inhabers oder der unbeschränkt haftenden Gesellschafter bzw. um Einlagen der Kommanditisten und der stillen Gesellschafter handelt. Nach den Bilanzierungsrichtlinien für Privatbankfirmen waren stille Einlagen nur einzusetzen, wenn sie bis zur vollen Höhe am Verlust teilnehmen oder wenn die Gesellschafter sich vertraglich verpflichtet hatten, ihre Einlagen bis zur vollen Befriedigung der Gläubiger des Kreditinstituts nicht zurückzufordern. Andernfalls waren sie unter Verbindlichkeiten (1, 2) auszuweisen. Ausstehende Einzahlungen auf das Kapital mußten in der Position „Nicht eingezahltes Kapital" aktiviert werden. Den Sparkassen fehlte ein entsprechender Kapitalposten. Soweit ihnen Eigenkapital durch Dotationen oder durch die Eigenkapitalfestsetzung nach der Währungsreform zugewiesen wurde, fanden sich diese Beträge unter „Rücklagen".

Die Rücklagen waren im Bilanzausweis nach dem Gesichtspunkt aufgegliedert, ob sie gesetzliche Rücklagen im Sinne des § 150 AktG waren oder nicht.

Bei den Sparkassen trägt die gesetzliche Rücklage die Bezeichnung „Sicherheitsrücklage" und fällt unter die Oberposition der Rücklagen nach § 10 KWG. Bei den Privatbankiers entfällt eine Untergliederung. Bei den Genossenschaftsbanken wird die satzungsgemäße Rücklage separat ausgewiesen.

Ein in der Bilanz ausgewiesener Bilanzverlust stellte einen Abzugsposten zu den passivierten Eigenkapitalgrößen dar. Im unmittelbaren Zusammenhang mit den Eigenkapitalpositionen stehen der in den Formblättern für die Aktienbanken und die Privatbankiers vorgesehene Ausweis *des nicht eingezahlten Kapitals* und die Position *„eigene Aktien"* im Formblatt der Aktienbanken auf der Aktivseite der Bilanz.

§ 272 HGB führt den neuen Begriff „Eigenkapital" ein, ein Gruppenbegriff, der zunächst umfaßt

- Gezeichnetes Kapital
- Kapitalrücklage
- Gewinnrücklage
- Rücklage für eigene Anteile.

Nach § 152 Abs. 1 Satz 1 AktG ist das Grundkapital in der Bilanz nunmehr als „gezeichnetes Kapital" auszuweisen. Der materielle Inhalt ist diejenige Teilkomponente des Eigenkapitals, auf welche die Haftung der Eigner der Kapitalgesellschaft gegenüber den Gläubigern beschränkt ist (§ 272 Abs. 1 Satz 1 HGB).

Die Gesamtnennbeträge der Aktien sind für jede Gattung gesondert anzugeben (Satz 2). Bedingtes Kapital ist mit dem Nennbetrag zu vermerken (Satz 3). Bestehen Mehrstimmrechtsaktien, so sind Gesamtstimmenzahl der Mehrstimmrechtsaktien und die der übrigen Aktien zu vermerken (Satz 4).

Die nicht eingeforderten, ausstehenden Einlagen auf das gezeichnete Kapital können entweder

- der bisherigen Übung bei dem Grundkapital folgend, auf der Aktivseite ausgewiesen werden
- oder aber von dem Posten „gezeichnetes Kapital" offen abgesetzt werden (§ 282 Abs. 1 Satz 3).

§ 272 Abs. 2 definiert den neuen Begriff „Kapitalrücklage".

Als Kapitalrücklage sind auszuweisen:

1. Der Betrag, der bei der Ausgabe von Anteilen einschließlich von Bezugsanteilen über den Nennbetrag hinaus erzielt wird;
2. der Betrag, der bei der Ausgabe von Schuldverschreibungen für Wandlungsrechte und Optionsrechte zum Erwerb von Anteilen erzielt wird;
3. der Betrag von Zuzahlungen, die Gesellschafter gegen Gewährung eines Vorzugs für ihre Anteile leisten;
4. der Betrag von anderen Zuzahlungen, die Gesellschafter in das Eigenkapital leisten.

Nach § 150 AktG Abs. 1 AktG ist eine „gesetzliche Rücklage" zu bilden, die sich zusammensetzt aus:

- der Kapitalrücklage nach § 272 Abs. 2 Nr. 1 – 3
  = Agios, Optionsrechte, Zuzahlungen
- der Zuweisung aus dem Jahresüberschuß bis die gesetzliche Rücklage 10 % oder den nach Satzung höheren Anteil des Grundkapitals erreicht (das Ausmaß der gesetzlichen Rücklage ist damit unverändert geblieben).

§ 272 Abs. 2 definiert den Begriff „Gewinnrücklage":

Als Gewinnrücklage dürfen nur Beträge ausgewiesen werden, die im Geschäftsjahr oder in einem früheren Geschäftsjahr aus dem Ergebnis gebildet worden sind. Dazu gehören aus dem Ergebnis zu bildende gesetzliche oder auf Gesellschaftsvertrag oder Satzung beruhende Rücklagen und andere Gewinnrücklagen.

§ 272 Abs. 4 definiert die Rücklage für eigene Anteile (entsprechend § 150 a AktG alter Fassung):

In eine Rücklage für eigene Anteile ist ein Betrag einzustellen, der dem auf der Aktivseite der Bilanz für die eigenen Anteile anzusetzenden Betrag entspricht. Die Rücklage darf nur aufgelöst werden, soweit die eigenen Anteile ausgegeben, veräußert oder eingezogen werden oder soweit nach § 253 Abs. 3 auf der Aktivseite ein niedrigerer Betrag angesetzt wird. Die Rücklage, die bereits bei der Aufstellung der Bilanz vorzunehmen ist, darf aus vorhandenen Gewinnrücklagen gebildet werden, soweit diese frei verfügbar sind. Die Rücklage nach Satz 1 ist auch für Anteile eines herrschenden oder eines mit der Mehrheit beteiligten Unternehmens zu bilden.

Danach ergibt sich eine Systematik der Rücklagen (Abbildung 2), die nach AktG alter Fassung unter dem Oberbegriff *„offene Rücklagen“* zusammengefaßt waren.

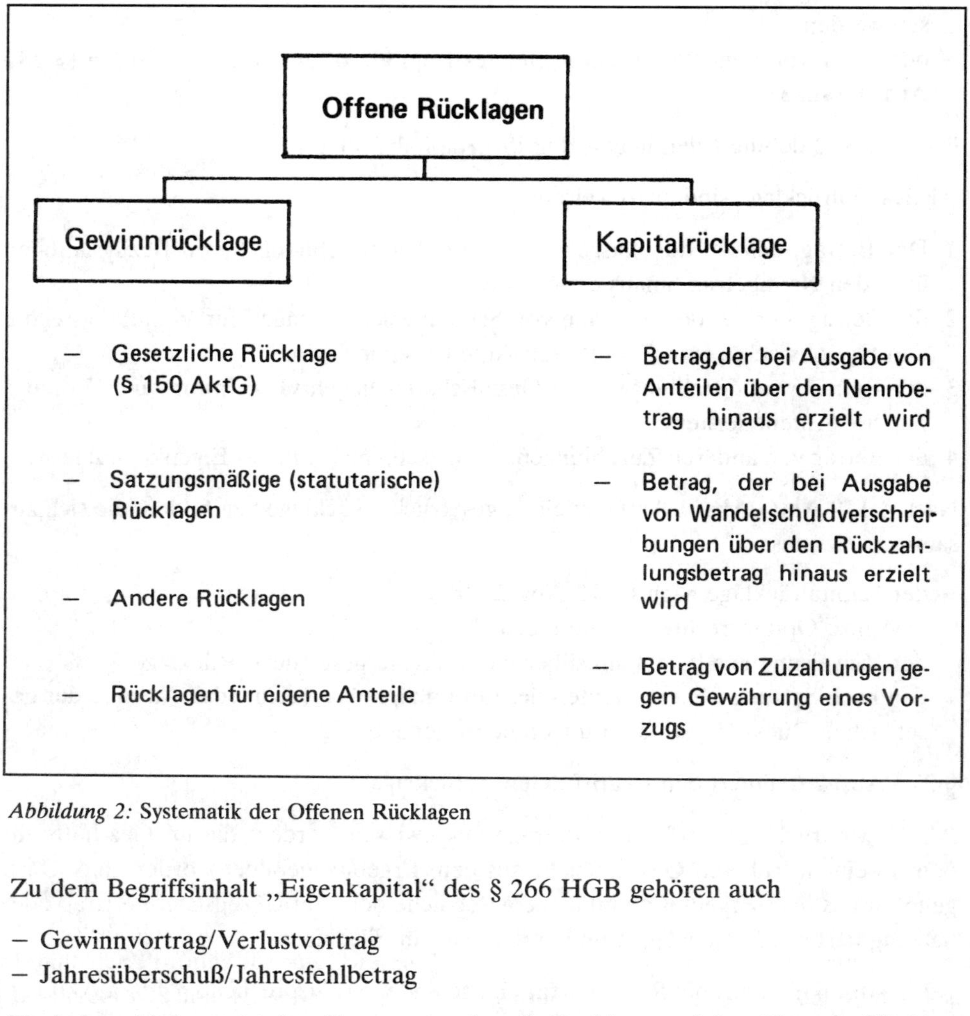

Abbildung 2: Systematik der Offenen Rücklagen

Zu dem Begriffsinhalt „Eigenkapital“ des § 266 HGB gehören auch

- Gewinnvortrag/Verlustvortrag
- Jahresüberschuß/Jahresfehlbetrag

Nach dem Aktienrecht alter Fassung wurden die Positionen „Jahresüberschuß/Jahresfehlbetrag“ und „Gewinnvortrag/Verlustvortrag“ in der Gewinn- und Verlustrechnung ausgewiesen und in der Bilanz in der Position „Bilanzgewinn/Bilanzverlust“ zusammengefaßt.

cc) Angaben unter dem Bilanzstrich

Der bisher erläuterte und in der Bilanzsumme zusammengefaßte Bilanzinhalt erfährt eine wichtige Ergänzung durch die Angaben, die nach den Bilanzformblättern zwar außerhalb der Bilanzrechnung, aber im Rahmen des Bilanzausweises zu machen sind.

Die Positionen unter dem Bilanzstrich zerfallen in drei Kategorien:[47]

1. Eventualverbindlichkeiten
2. Angaben über besondere finanzielle Beziehungen
3. Sonstige, in den Bilanzformblättern vorgeschriebene Angaben.

(1) Eventualverbindlichkeiten

Die Eventualverbindlichkeiten werden in folgenden Positionen unter dem Bilanzstrich ausgewiesen:

II/14. Eigene Ziehungen im Umlauf
darunter: den Kreditnehmern abgerechnet
II/15. Indossamentsverbindlichkeiten aus weitergegebenen Wechseln
II/16. Verbindlichkeiten aus Bürgschaften, Wechsel- und Scheckbürgschaften sowie aus Gewährleistungsverträgen
II/18. Haftung aus der Bestellung von Sicherheiten für fremde Verbindlichkeiten

In diesen vier Positionen sind jedoch keineswegs sämtliche Verbindlichkeiten der Bank erfaßt, die erst beim Eintritt besonderer Bedingungen entstehen. Dazu gehören bei wirtschaftlicher Betrachtung auch die eigenen Akzepte, die jedoch aus formalrechtlichen Gründen – die Bank ist Hauptschuldner – in der Bilanzrechnung stehen. Ferner erfolgt in allen Fällen, in denen eine Inanspruchnahme aus unter dem Strich ausgewiesenen Eventualverbindlichkeiten zu befürchten ist, die Bildung von Rückstellungen unter gleichzeitiger Kürzung der Eventualverbindlichkeiten. In gleicher Weise wird bei der Bildung von „Sammelwertberichtigungen" auf die den Eventualverbindlichkeiten entsprechenden Eventualforderungen eine Verminderung der Eventualverbindlichkeiten bewirkt.

Eigene Ziehungen stellen Wechsel des ausstellenden Kreditinstituts auf ihre Kunden (Debitorenziehungen) oder auf ein anderes Kreditinstitut (Bank-auf-Bank-Ziehungen) dar. Unter *„Eigene Ziehungen im Umlauf"* sind nur solche Wechsel des ausstellenden Kreditinstituts zu bilanzieren, die sich nicht im eigenen Bestand befinden, unabhängig davon, ob sie den Kreditnehmern abgerechnet werden oder nicht.

In einer Ausgliederungsangabe sind in der Vorspalte diejenigen im Umlauf befindlichen eigenen Ziehungen, die den Kreditnehmern abgerechnet wurden, zu erfassen. Bei den eigenen Ziehungen im Umlauf handelt es sich stets um Eventualverbindlichkeiten, die aus einem Rediskontgeschäft herrühren (zur Refinanzierung weitergegebene Depotwechsel, Mobilisierungstratten).

Unter *„Indossamentsverbindlichkeiten aus weitergegebenen Wechseln"* sind laut Bilanzierungsrichtlinien nur die wechselrechtlichen Eventualverbindlichkeiten aus zur Rediskontierung weitergirierten, nicht aber aus lombardierten oder in Pension gegebenen Wechseln aufzunehmen.

[47] Birck, H./Meyer, H.: a. a. O., S. II 353 ff.

Für den Bilanzvermerk ist es wichtig, wie die Höhe der jeweiligen Indossamentsverbindlichkeiten ermittelt werden soll.

Während die Zugänge ohne Schwierigkeiten exakt am Tage der Weitergabe der Wechsel dem Wechselobligo zugerechnet werden können, dürften die Absetzungen strenggenommen erst am Tage der Einlösung der Abschnitte erfolgen. Da der genaue Einlösungszeitpunkt der Bank aufgrund der banktechnischen Gepflogenheiten unbekannt bleibt, ist die Bankpraxis dazu übergegangen, weitergegebene Wechsel an deren Verfalltag vom Wechselobligo abzusetzen.[48]

Die Position *„Verbindlichkeiten aus Bürgschaften, Wechsel- und Scheckbürgschaften sowie aus Gewährleistungsverträgen“* repräsentiert in erster Linie das Avalkreditgeschäft im Sinne von § 1 Abs. 1 Nr. 8 KWG der Kreditinstitute.

Neben den meist selbstschuldnerischen Bürgschaften und den Garantien ist in dieser Position auch der volle Betrag der Ausfallbürgschaften einzusetzen, wie überhaupt die Avalverpflichtungen mit ihrem Höchstbetrag zu bilanzieren sind, auch wenn eine Inanspruchnahme der Bank aus den Bürgschaften bzw. den Garantien ungewiß oder unwahrscheinlich ist.

Bei Konsortial-Avalkrediten richtet sich der Vermerk der Höhe der Avalverbindlichkeiten nach den Bestimmungen des Kreditvertrages.[49] Haften die Konsortialbanken dem Bürgschaftsgläubiger nur jeweils mit ihrem eigenen Anteil, so haben sie wie bei der Geldleihe nur diesen Anteil unter dem Bilanzstrich einzusetzen. Haften die Konsortialbanken dagegen gesamtschuldnerisch, so hat jede Bank die volle Avalverbindlichkeit zu vermerken. Neben Konsortialbürgschaften kommen ferner Bürgschaften für Weiterleitungskredite mit oder ohne Risikoübernahme des weiterleitenden Instituts, Wechsel- und Scheckbürgschaften sowie Kreditaufträge vor, die als Bürgschaftsverbindlichkeiten zu vermerken sind.

Unter *Verbindlichkeiten aus Gewährleistungsverträgen* fallen insbesondere die Verpflichtungen aus ungedeckten Avalkrediten. Darunter sind Akkreditiv-Eröffnungen und -Bestätigungen zu verstehen, für die keine unter den Einlagen auszuweisenden zweckgebundenen Deckungsguthaben vorhanden sind.

Unter Akkreditiv-Eröffnungen sind Import-Akkreditive zu verstehen, die von einer Inlandsbank im Auftrag des inländischen Importeurs gegenüber dem ausländischen Exporteur oder Ablader entweder direkt oder durch Vermittlung einer ausländischen Korrespondenzbank (Bank des Exporteurs) eröffnet worden sind.

[48] Dieses Verfahren wurde von der Vorgängerin der Deutschen Bundesbank, der Bank deutscher Länder, gebilligt und zur einheitlichen Anwendung empfohlen. Vgl. Rundschreiben der BdL Nr. 66/51 vom 18. 4. 1951 an die Landeszentralbanken und die Berliner Zentralbank

[49] vgl. Birck, H./Meyer, H.: a. a. O., S. II 151 f

Akkreditiv-Bestätigungen sind Export-Akkreditive , die dem inländischen Exporteur von seiner Bank im Auftrag des ausländischen Importeurs direkt oder durch Vermittlung einer ausländischen Korrespondenzbank (Bank des Importeurs) bestätigt worden sind.

Als Verbindlichkeiten aus Gewährleistungsverträgen sind ferner zu vermerken: Anzahlungsgarantien, Lieferungs- und Leistungsgarantien, Bietungsgarantien, Einlagengarantien und Dividendengarantien.[50]

In direktem Zusammenhang mit einer Verweispflicht auf Ausführungen im Geschäftsbericht stehen allgemeine, unbezifferte Sonderfälle von Patronatserklärungen der Konzernmutter zugunsten der Konzerntöchter.[51]

So findet sich im Geschäftsbericht 1986 der Dresdner Bank AG (Jahresbilanz zum 31. Dezember 1986):

„Verbindlichkeiten aus Bürgschaften, Wechsel- und Scheckbürgschaften sowie aus Gewährleistungsverträgen", (auf Seite 87)

„Darüber hinaus stellen wir unsere Konzerngesellschaften, die unter unserer einheitlichen Leitung stehen und das Bankgeschäft betreiben oder das Bankgeschäft ergänzende Funktionen wahrnahmen, auf den Seiten 112 f dar. In diesen Fällen tragen wir, von politischen Risiken abgesehen, im Rahmen unserer Anteilsquote dafür Sorge, daß die Gesellschaften ihre Verbindlichkeiten erfüllen können."

In Position *„Haftung der Bestellung von Sicherheiten für fremde Verbindlichkeiten"* gehören im einzelnen Sicherungsübereignungen, Sicherungsabtretungen und Kautionen für fremde Verbindlichkeiten sowie Haftungen aus der Bestellung von Pfandrechten an beweglichen Sachen und Rechten ebenso wie aus Grundpfandrechten für fremde Verbindlichkeiten.

(2) Ausgliederungspositionen

Angaben über besondere in den Aktiven und in den Passiven bereits enthaltene Forderungs- und Verpflichtungsverhältnisse enthalten folgende Positionen unter dem Bilanzstrich:

I/23. In den Aktiven und in den Rückgriffsforderungen aus den unter der Passivseite vermerkten Verbindlichkeiten sind enthalten:
- a) Forderungen an verbundene Unternehmen
- b) Forderungen aus unter § 15 Abs. 1 Nr. 1 bis 6, Abs. 2 des KWG fallende Krediten, soweit sie nicht unter a) vermerkt werden.

[50] vgl. Birck, H./Meyer, H.: a. a. O., S. II 393 ff.
[51] ebenda, S. II 398 ff./VI 26

II/20. In den Passiven sind enthalten
Verbindlichkeiten gegenüber verbundenen Unternehmen (einschließlich der Verbindlichkeiten unter Passiva 14 bis 18).

Forderungen und Verpflichtungen gegenüber verbundenen Unternehmen sind sowohl auf der Aktivseite als auch auf der Passivseite unter dem Bilanzstrich gesondert zu vermerken.

Als verbundene Unternehmen gelten gemäß §§ 15 ff. AktG rechtlich selbständige Unternehmen, die im Verhältnis zueinander

1) in Mehrheitsbesitz stehende Unternehmen und mit Mehrheit beteiligte Unternehmen (§ 16 AktG),
2) abhängige und herrschende Unternehmen (§ 17 AktG),
3) Konzernunternehmen (§ 18 AktG),
4) wechselseitig beteiligte Unternehmen (§ 19 AktG) oder
5) Vertragsteile eines Unternehmensvertrages (§§ 291 und 292 AktG)

sind.

In der gleichen Weise wie die Forderungen an verbundene Unternehmen sind unter dem Bilanzstrich die bereits in der Bilanz erfaßten *Forderungen* sowie Rückgriffsforderungen *an bestimmte Personenkreise* zu vermerken. Dazu gehören Kredite an:

1) Mitglieder des Vorstandes von Aktienbanken, genossenschaftlichen Kreditinstituten und Sparkassen, Geschäftsführer von GmbH-Banken, Geschäftsinhaber und Gesellschafter von Privatbankfirmen;
2) Mitglieder des Aufsichtsrates oder Verwaltungsrates; alle bei dem Kreditinstitut tätigen Beamten und Angestellten (§ 15 Abs. 1 Ziff. 3 und 4 KWG);
3) Ehegatten oder minderjährige Kinder von Geschäftsleitern, Aufsichts- und Verwaltungsratsmitgliedern, Beamten und Angestellten; Dritte, die für Rechnung einer dieser Personen handeln (§ 15 Abs. 1 Ziff. 5 und 6 KWG);
4) Unternehmen, bei denen ein Geschäftsleiter oder ein Mitglied des Verwaltungsträgers des Kreditinstituts Inhaber oder persönlich haftender Gesellschafter ist.

Der Bilanzvermerk vereinfacht sich erheblich bei den Privatbankiers, die hier nur die Forderungen an die Geschäftsinhaber und Gesellschafter einschließlich der Kommanditisten und stillen Gesellschafter anzugeben haben, während auf der Passivseite unter dem Bilanzstrich entsprechend die Verbindlichkeiten gegenüber diesem Personenkreis auszuweisen sind.

(3) Sonstige in den Bilanzformblättern vorgeschriebene Angaben

II/17. „Verbindlichkeiten im Falle der Rücknahme von in Pension gegebenen Gegenständen, sofern diese Verbindlichkeiten nicht auf der Passivseite auszuweisen sind“

Entsprechend den allgemeinen Bilanzierungsrichtlinien zu Pensionsgeschäften sind in dieser Position die Beträge einzustellen, die bei dem Rückerwerb von in Pension gegebenen Vermögensgegenständen zu zahlen sind, sofern nicht eine Rückgabepflicht des Pensionsnehmers besteht (echtes Pensionsgeschäft).

Es handelt sich um[52]

- alle Verbindlichkeiten aus unechten Pensionsgeschäften, also aus Geschäften, bei denen der Vertragspartner das Recht, aber nicht die Pflicht zur Rückgabe der verpensionierten Gegenstände hat,

  und

- denjenigen Teil der Verbindlichkeiten aus echten Pensionsgeschäften, der nicht bereits über dem Bilanzstrich passiviert ist.

Eine Systematisierung der Pensionsgeschäfte gibt Süchting (Abbildung 3).[53]

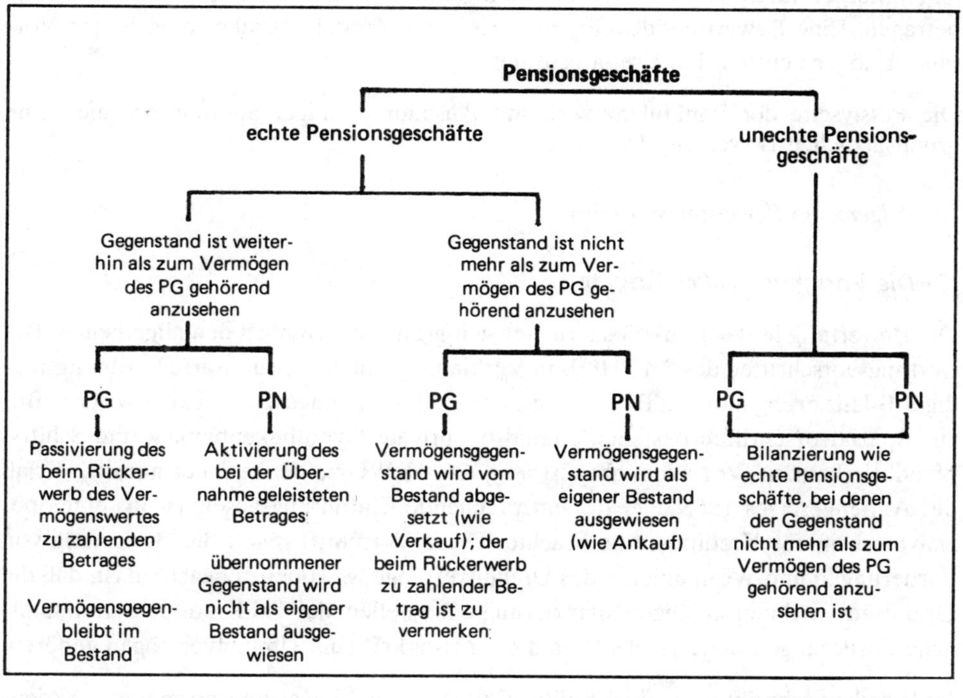

Abbildung 3: Bilanzielle Darstellung verschiedener Pensionsgeschäfte beim Pensionsgeber (PG) und Pensionsnehmer (PN)

[52] ebenda, S. II 417
[53] Süchting, J.: Bankmanagement, a. a. O., S. 115

II/19. „Sparprämien nach dem Sparprämiengesetz“

In diesem Vermerk sind die von den Finanzämtern auf Antrag der Sparer gewährten Prämien einschließlich der auf diese Prämien bis zum Bilanzstichtag aufgelaufenen Zinsen auszuweisen (seit 1. 7. 1987 abgelaufen).

b) Bewertung in der Jahresbilanz.

Die besonderen Bewertungsprobleme der Kreditinstitute umfassen insbesondere zwei Bereiche:

1) Die Bewertung von Forderungen aus den Kreditgeschäften,
2) die Bewertung von Effektenbeständen.

Demgegenüber spielt die Bewertung des Sachanlagevermögens, zu dem im Kreditwesen neben den Bankgebäuden lediglich die Betriebs- und Geschäftsausstattung zählt, eine untergeordnete Rolle, da die Sachanlagen selten mehr als 3 % der Bilanzsumme betragen. Eine Bewertung des für Industrie- und Handelsbetriebe so wichtigen Vorratsvermögens entfällt bei Kreditinstituten.

Die Passivseite der Bankbilanz wirft mit Ausnahme einiger Spezialprobleme keine grundsätzlichen Bewertungsfragen auf.

aa) Allgemeine Bewertungsvorschriften

(1) Die Vorschriften alter Fassung

Die Bewertung in der Bankbilanz richtet sich grundsätzlich nach den allgemeinen Bewertungsvorschriften des § 40 HGB in Verbindung mit den Grundsätzen ordnungsmäßiger Bilanzierung und den Bewertungsnormen des Aktiengesetzes. Kreditwirtschaftliche Spezialvorschriften bestehen einmal für private Hypothekenbanken und Schiffspfandbriefbanken. Vor allem aber ist an § 26 a KWG zu denken, der mit dem Erlaß des Aktiengesetzes 1965 über das entsprechende Einführungsgesetz (§ 36) eine Spezialvorschrift für Kreditinstitute brachte. Diese Vorschrift regelt die Bewertung von Forderungen und Wertpapieren des Umlaufvermögens, wobei zu beachten ist, daß die Grundsätze ordnungsmäßiger Bilanzierung unterstellen, daß bei Kreditinstituten sämtliche Forderungen ohne Rücksicht auf die Fristigkeit zum Umlaufvermögen gehören.

Im Wortlaut schreibt diese für Kreditinstitute wichtige Bewertungsnorm vor: „Aktiengesellschaften und Kommanditgesellschaften auf Aktien, die Kreditinstitute sind, können Forderungen und Wertpapiere des Umlaufvermögens mit einem niedrigeren als dem nach § 155 AktG vorgeschriebenen oder zugelassenen Wert ansetzen, soweit dies nach vernünftiger kaufmännischer Beurteilung zur Sicherung gegen die besonderen Risiken des Geschäftszweiges der Kreditinstitute notwendig ist“.[54] Da man aus der „vernünftigen kaufmännischen Beurteilung“ weder theoretisch noch praktisch eine Bewer-

[54] § 26 a Abs. 1 KWG

tungsuntergrenze herleiten kann, ergibt sich bei den Kreditinstituten ein Bewertungsspielraum nach unten, der im wesentlichen von der Ertragskraft im Zusammenhang mit einer geplanten Dividendenpolitik begrenzt wird; er ist erheblich weiter als bei Unternehmen anderer Wirtschaftszweige, die grundsätzlich zu Anschaffungs- oder Herstellungkosten zu bewerten haben, wenn sie nicht den am Abschlußstichtag niedrigeren Wertansatz zulassen (§ 155 AktG). Da diese Bewertungsvorschriften als kodifizierte Grundsätze ordnungsmäßiger Bilanzierung gelten, haben sie normalerweise auch für Kreditinstitute anderer Rechtsform Gültigkeit.[55]

(2) Die Vorschriften neuer Fassung

Diese Gültigkeit „normalerweise" ist nun ersetzt worden durch eine rechtsformunabhängige generelle Kodifizierung der Allgemeinen Bewertungsgrundsätze in § 252 Abs. 1 HGB, für Kapitalgesellschaften gelten zusätzlich die § 279 – 283 HGB.

§ 252 Abs. 1 HGB kennt sechs Allgemeine Bewertungsgrundsätze (= Grundsätze ordnungsmäßiger Bilanzierung = GoB) (Abbildung 4)

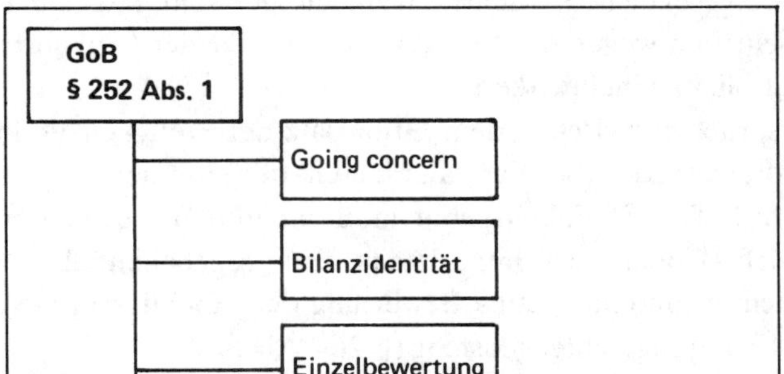

Abbildung 4: Allgemeine Bewertungsgrundsätze nach § 252 Abs. 1 HGB

[55] vgl. z. B. für Sparkassen: Stannigel, Bewertungspolitische Überlegungen zum Jahresabschluß 1966, in: Betriebswirtschaftliche Blätter, Sonderheft November 1966, S. 1-7, insbes. S. 2

Von wesentlicher Bedeutung ist die Kodifizierung des bisher umstrittenen Prinzips des Going concern, die Bewertung nach dem Prinzip der Fortführung des Unternehmens; damit ist eine Bewertung mit Zerschlagungswerten – Konkurs und Liquidation sachentsprechend ausgenommen – unzulässig.[56]

Neu ist die Kodifizierung des Stetigkeitsgrundsatzes.

„Er besagt, daß an aufeinanderfolgenden Stichtagen nach denselben Methoden zu bewerten ist. Eine einmal gewählte Vorgehensweise zur Wertermittlung ist im Zeitablauf beizubehalten. Dazu gehört, daß bestimmte Ausgangsdaten, die der Wertermittlung zugrunde liegen, beibehalten werden sollen, wie Nutzungsdauerschätzungen bei Anlagegegenständen, Ausfallwahrscheinlichkeiten bei Forderungen usw. Ferner impliziert der Grundsatz der Bewertungsstetigkeit, daß gesetzlich eingeräumte Bewertungswahlrechte nur einmal ausgeübt werden sollen."[57]

Abweichungen sind zulässig:[58]

„1) wenn andere gesetzliche Vorschriften zu befolgen sind, insbesondere wenn steuerliche Vorschriften wegen der Maßgeblichkeit oder der Umkehrmaßgeblichkeit in die Handelsbilanz hineinwirken,
2) bei Widersprüchen zwischen dem Grundsatz der Stetigkeit und anderen Bewertungsgrundsätzen oder (bei Kapitalgesellschaften) mit der Generalnorm des § 264 Abs. 2 Satz 1. Das Stetigkeitsgebot muß anderen Bewertungsgrundsätzen, z. B. dem Vorsichts- oder dem Imparitätsprinzip, gegebenenfalls weichen. Weichen muß es auch, wenn eine stetige Bewertung dem Einblick in die Vermögens-, Finanz-und Ertragslage entgegensteht (§ 264 Abs. 2),
3) bei Änderung der Daten des Sachverhaltes, die der Entscheidung für eine Bewertungsmethode zugrunde lagen. Ein solcher Fall liegt z. B. vor, wenn der Werteverzehr an einem abnutzbaren Anlagegut anders verläuft als angenommen, weil die Verwendung des Gegenstandes geändert wurde."

Abweichungen sind im Anhang anzugeben und zu begründen. Lediglich bei Aktiengesellschaften war eine Angabe bei Unterbrechung der Stetigkeit nach § 160 Abs. 2 AktG alter Fassung notwendig; davon waren Kreditinstitute jedoch befreit.

Kreditinstitute in der Rechtsform der Kapitalgesellschaft brauchen auch nach neuem Recht die Angabe einer Stetigkeitsunterbrechung nach § 284 Abs. 2 Nr. 3 HGB nicht zu machen: hier gilt § 25a KWG als lex specialis.

Praktisch relevante Auswirkungen hat § 253 Abs.2/Abs. 3 HGB (Wertansätze für Vermögensgegenstände und Schulden):[59]

[56] vgl. Baetge, J.: Die neuen Ansatz- und Bewertungsvorschriften, a. a. O., S. 212
[57] ebenda, S. 212/213
[58] ebenda, S. 214
[59] Kommission für Bilanzierungsfragen des Bundesverbandes deutscher Banken e. V.: a. a. O., I 19 f.

§ 253 Abs. 2 in Verbindung mit § 279 Abs. 1 HGB läßt für Kreditinstitute in der Rechtsform der Kapitalgesellschaft das gemilderte Niederstwertprinzip („außerplanmäßige Abschreibungen, um die Vermögensgegenstände mit dem niedrigeren Wert anzusetzen, der ihnen am Abschlußtag beizulegen ist") nur noch für Finanzanlagen zu. Für Privatbankiers bleibt es bei der bisherigen Rechtslage.

§ 253 Abs. 4 HGB gibt den Privatbankiers die Möglichkeit, analog zu § 26 a KWG stille Reserven zu bilden. Privatbankiers können § 26 a KWG nicht mehr in Anspruch nehmen, da das neue Publizitätsgesetz § 5 Abs. 2 Nr. 6, der auf das KWG verwies, nicht mehr enthält.

Für Kapitalgesellschaften verbietet § 279 Abs. 1 HGB die Anwendung von § 253 Abs. 4. Für sie gilt hingegen die Regelung nach § 26 a KWG als lex specialis.

Die Bewertungsvorschriften des Vierten Teils des Dritten Buches (§§ 279 – 283) bringen für Kreditinstitute keine praktisch relevanten Auswirkungen.

bb) Bewertungsverfahren bei Forderungen

Während Industrie- und Handelsunternehmen sich häufig damit begnügen können, für etwaige Forderungsausfälle eine Wertberichtigung zu bilden, die global in einem Prozentsatz der Gesamtforderungen ermittelt wird, müssen die Banken zum Jahresabschluß jedes einzelne Kreditengagement auf etwa darin enthaltene Risiken prüfen. Erforderlich ist diese Überprüfung, weil die Forderungen aus Kreditgeschäften normalerweise weit mehr als die Hälfte der gesamten Aktiven ausmachen.

Grundsätzlich gilt bei der Bilanzierung von Forderungen handels- wie steuerrechtlich das Prinzip der *Einzelbewertung,* mit dem allerdings die pauschale Vornahme von Abschreibungen auf völlig gleichartige Vermögensgegenstände vereinbar ist. Für die Kreditinstitute ist daneben die Verpflichtung charakteristisch, auf die nicht einzelwertberichtigten Forderungen *Sammelwertberichtigungen* zu bilden.

Sammelwertberichtigungen auf Forderungen können nach geltendem Recht* sowohl direkt als auch indirekt gebildet werden. Während bei der direkten Abschreibungsmethode die Wertminderung unmittelbar vom Nominalbetrag abgezogen und nur der Restbuchwert aktiviert wird, erscheinen bei der indirekten Abschreibungsmethode die Forderungen aktivisch in ursprünglicher Höhe, wobei der Betrag der Wertminderung als Wertberichtigung gesondert auf der Passivseite ausgewiesen wird. Einzelwertberichtigungen auf Forderungen sind generell aktivisch abzusetzen.

(1) Einzelwertberichtigungen

Durch die Bildung von Einzelwertberichtigungen sollen die Kreditinstitute akuten Risiken hinsichtlich der Kapital- und Zinsforderungen sowie der vereinbarten Minder- oder Unverzinslichkeit Rechnung tragen. Deshalb muß der Bewertung selbst eine kriti-

* Stand Frühjahr 1988

sche Bonitätsprüfung vorausgehen, die an die jeder Kreditgewährung vorausgehende Kreditwürdigkeitsprüfung anknüpft.

Der Bilanzwert einer Forderung hängt außer von der Zahlungsfähigkeit des Schuldners auch von der Art der gestellten Sicherheiten ab. Lassen diese erwarten, daß der Kredit voll zurückgeführt werden kann, so bestehen keine Bedenken, die Forderungen zum Nominalbetrag in der Bilanz anzusetzen.

Weiterhin tritt die Frage auf, welche Verlustereignisse im Jahresabschluß zu berücksichtigen sind. Ganz eindeutig muß vor dem Bilanzstichtag entstandenen und bekanntgewordenen Verlusten an Forderungen durch eine Wertberichtigung Rechnung getragen werden. Ebenso unbestritten ist, daß vor dem Bilanzstichtag eingetretene, aber erst später bekanntgewordene Wertminderungen bei der Bilanzaufstellung zu berücksichtigen sind.[60]

Die Grundsätze ordnungsmäßiger Bankbilanzierung machen Wertberichtigungen zu Forderungen erforderlich, wenn Zinsausfälle zu erwarten sind bzw. eine Minder- oder Unverzinslichkeit der Forderungen vereinbart wurde.

(2) Sammelwertberichtigungen

Wegen der überragenden Bedeutung, die den Forderungen in der Bankbilanz zukommt, sind die Kreditinstitute verpflichtet, zu allen jenen Kreditengagements, die ein akutes Risiko nicht erkennen lassen und daher auch nicht einzelwertberichtigungsbedürftig sind, Wertberichtigungen zu bilden, deren Höhe durch einen Prozentsatz der verbleibenden Kredite pauschal bestimmt ist (Sammelwertberichtigungen).[61] Im Gegensatz zu Einzelwertberichtigungen sollen Sammelwertberichtigungen also nicht den bei einer bestimmten Forderung erwarteten Verlust vorwegnehmen, sondern den latenten Risiken Rechnung tragen, die den intakten Forderungen innewohnen.

Als sammelwertberichtigungspflichtig gelten nach der Anordnung der Bankaufsichtsbehörde über die Bildung von Sammelwertberichtigungen folgende Bilanzpositionen:[62]

(1) Wechsel,
(2) Forderungen an Kunden,
(3) Eventualforderungen

[60] vgl. Fachgutachten Nr. 2/36 des Instituts der Wirtschaftsprüfer, in: Die Fachgutachten und Stellungnahmen des Instituts der Wirtschaftsprüfer auf dem Gebiet der Rechnungslegung und Prüfung, Düsseldorf 1956, S. 109

[61] vgl. Kunze, O.: Die Sammelwertberichtigungen der Kreditinstitute, in: Betriebsberater 1963, S. 223

[62] vgl. Anordnung über die Bildung von Sammelwertberichtigungen bei Kreditinstituten; Bekanntmachung des Bundesaufsichtsamtes für das Kreditwesen vom 17. September 1974 (BAnz Nr. 180/1974)

a) aus eigenen den Kreditnehmern abgerechneten Ziehungen im Umlauf,
b) aus Bürgschaftsverbindlichkeiten, Wechsel- und Scheckbürgschaften, aus Gewährleistungsverträgen sowie aus Indossamentsverbindlichkeiten aus weitergegebenen Wechseln.

Für diese Forderungspositionen werden die verbindlich vorgeschriebenen Mindestsätze für Sammelwertberichtigungen auch steuerlich ohne weitere Nachprüfung anerkannt. Sammelwertberichtigungen, die die im einzelnen festgelegten Mindestsätze übersteigen, können steuerlich nur anerkannt werden, wenn aufgrund der tatsächlichen Verhältnisse bei dem einzelnen Kreditinstitut, insbesondere aufgrund der Forderungsausfälle der letzten Jahre, eine höhere Wertberichtigung erforderlich erscheint.[63]

Die Bankaufsichtsbehörden haben von der Verpflichtung zur pauschalen Wertberichtigung folgenden Kreis von Forderungen ausgenommen:

1) Forderungen gegen den Bund, ein Land, eine Gemeinde oder gegen eine sonstige Körperschaft oder Anstalt des öffentlichen Rechts, für die eine Gebietskörperschaft als Gewährsträger haftet,
2) Forderungen gegen ausländische Staaten, ausländische Gebietskörperschaften oder sonstige ausländische Körperschaften und Anstalten des öffentlichen Rechts,
3) Forderungen gegen Kreditinstitute,
4) Forderungen, die durch eine der unter Nummern 1 bis 3 genannten Stellen verbürgt oder in anderer Weise gewährleistet sind,
5) Forderungen, für die eine Delkredereversicherung durch das Kreditinstitut abgeschlossen ist,
6) Forderungen, für die Einzelwertberichtigungen zu bilden sind.

Nicht sammelwertberichtigungspflichtig und im steuerlichen Sinne auch nicht sammelwertberichtigungsfähig sind damit zunächst solche Forderungen oder Teile von Forderungen, die als risikofrei anzusehen sind (Forderungen gegen die öffentliche Hand) oder die durch ihre Besicherung kein Kreditrisiko mehr enthalten (staatsverbürgte Kredite, kreditversicherte Forderungen, durch Guthaben gedeckte Forderungen). Ferner besteht keine Verpflichtung zur Sammelwertberichtigung für Forderungen gegen Kreditinstitute. Forderungen an Dritte, die von einem Kreditinstitut verbürgt oder gewährleistet sind, müssen sammelwertberichtigt werden.

Die Höhe der Sammelwertberichtigungssätze, die im handelsrechtlichen Sinne als Mindestsätze, steuerrechtlich dagegen als Höchstsätze anzusehen sind, wurde nach folgenden Gesichtspunkten differenziert:

1) Rechtsform (Privatbankiers bzw. alle übrigen Kreditinstitute),
2) Art der Forderung.

[63] vgl. Allgemeine Verwaltungsvorschrift über die steuerliche Anerkennung von Sammelwertberichtigungen bei Kreditinstituten vom 23. 7. 1974 (BAnz Nr. 137), siehe jedoch unten: Auswirkungen des Steuerreformgesetzes 1990

Für die *Privatbankiers* schreiben die Bankaufsichtsbehörden Sätze vor (Tabelle 2), die nicht ganz doppelt so hoch sind wie diejenigen für die übrigen Kreditinstitute.

Tabelle 2: Sammelwertberichtigungssätze in Prozent

Art der Forderung	Privatbankfirmen	Übrige Kreditinstitute
1. Wechselkredite		
a) Eigene Ziehungen	1,8	1,05
b) Alle übrigen Wechsel	0,9	0,525
2. Sonstige Forderungen an Kunden mit vereinbarter Laufzeit oder Kündigungsfrist von weniger als 4 Jahren	1,8	1,05
3. Langfristige Forderungen an Kunden		
a) Gegen Grundpfandrechte	0,1	0,1
b) Sonstige	0,5	0,5
4. Eventualforderungen aus eigenen Ziehungen im Umlauf, die den Kreditnehmern abgerechnet sind	1,8	1,05
5. Eventualforderungen aus Bürgschaftsverbindlichkeiten, Wechsel- und Scheckbürgschaften, aus Gewährleistungsverträgen sowie aus Indossamentsverbindlichkeiten aus weitergegebenen Wechseln	0,9	0,525

*) Vgl. Anordnung über die Bildung von Sammelwertberichtigungen bei Kreditinstituten; Bekanntmachung des Bundesaufsichtsamts für das Kreditwesen vom 17. September 1974 (BAnz Nr. 180/1974).

Da sich die latenten Risiken des *einzelnen* Kreditengagements bei den Privatbankfirmen grundsätzlich nicht von denjenigen der übrigen Kreditinstitute unterscheiden, verfolgt diese Differenzierung einen Zweck, der aus betriebswirtschaftlicher Sicht ausschließlich mit der geringeren Diversifikation im *gesamten* Kreditportefeuille begründet werden kann. Erhöhte Sätze mindern außerdem den steuerlichen Gewinn und sollen eine längerfristige Kapitalbildung ermöglichen.

Außer Frage steht die Notwendigkeit, eine Differenzierung der Sammelwertberichtigungssätze nach der *Art der Forderung* vorzunehmen. Unterschieden wird zwischen Wechsel-, Buch- und Avalkrediten.

Im Anhang zum Entwurf des Steuerreformgesetzes 1990 befindet sich der Entwurf einer Allgemeinen Verwaltungsvorschrift zur Aufhebung der allgemeinen Verwaltungsvorschrift über die steuerliche Anerkennung von Sammelwertberichtigungen bei Kreditinstituten, so daß das Institut „Sammelwertberichtigung“ möglicherweise künftig fortfällt.

cc) Bewertung der Wertpapierbestände

(1) Allgemeine Bewertungsvorschriften

Die Bewertung der Wertpapierbestände unter Einbeziehung der Beteiligungen bildet das zweite wesentliche Bewertungsproblem für die Kreditinstitute. Die aktienrechtlichen Bewertungsvorschriften differenzieren Vermögensgegenstände danach, ob sie zum Umlauf- oder zum Anlagevermögen gehören. Da sich unter den Wertpapieren sowohl Wertpapiere des Umlauf- als auch Wertpapiere des Anlagevermögens befinden, gelten für beide Kategorien verschiedene Bewertungsnormen.

Gehören die Wertpapiere zum *Umlaufvermögen,* d. h., sind sie am Abschlußstichtag nicht dazu bestimmt, dauernd dem Geschäftsbetrieb der Bank zu dienen, dann ist nach § 26 a KWG zu bewerten.

Da die Kreditinstitute die Wertpapierpositionen in der Handelsbilanz vielfach zur Bildung stiller Rücklagen unterbewerten, interessiert für die Bilanzierungspraxis die Frage, welchen Ansatz die Finanzverwaltung in der Steuerbilanz zuläßt.

Das *Steuerrecht* enthält unterschiedliche Bewertungsnormen für abnutzbare Wirtschaftsgüter des Anlagevermögens sowie für sonstige Wirtschaftsgüter (nicht abnutzbares Anlagevermögen, Umlaufvermögen). Wertpapiere gehören zu den sonstigen Wirtschaftsgütern und sind nach § 6 Abs. 1 Ziff. 2 EStG mit den Anschaffungskosten zu bewerten, an deren Stelle auch der niedrigere Teilwert angesetzt werden kann. Zu berücksichtigen ist jedoch der Grundsatz der Maßgeblichkeit der Handelsbilanz für die Steuerbilanz.[64]

Die steuerlichen Bewertungsvorschriften können mit Alsheimer[65] wie folgt zusammengefaßt werden:

1. Bei Wertpapieren des Anlagevermögens haben die Banken, weil das Steuerrecht die Teilwertabschreibung erlaubt, für die Bewertung in der Steuerbilanz ein Wahlrecht. Diese Wahlmöglichkeit ist nach unten begrenzt durch den Teilwert und nach oben durch den Wertansatz, der sich bei Anwendung der Regeln des Handelsrechts ergibt.
2. Bei Wertpapieren des Umlaufvermögens haben die Banken, weil das Handelsrecht das strenge Niederstwertprinzip vorschreibt und das Steuerrecht die Teilwertabschreibung erlaubt, gemäß dem Grundsatz der Maßgeblichkeit der Handelsbilanz für die Steuerbilanz (§ 5 EStG) die Anschaffungskosten oder den niedrigeren Teilwert anzusetzen. Sie haben kein Bewertungswahlrecht.

[64] vgl. § 5 EStG
[65] Alsheimer, H.: Gewinnbesteuerung und Steuerbilanz der Kreditinstitute, Wiesbden 1960, S. 165 f.

(2) Bewertungsverfahren

Im Handels- und im Steuerrecht gilt der Grundsatz der Einzelwertberichtigung. Danach ist jeder einheitliche Vermögensgegenstand für sich zu bewerten. Bei einer größeren Anzahl von Vermögensgegenständen kann, um die praktische Durchführung der Bewertung zu erleichtern, von einer Einzelbewertung dann abgegangen werden, wenn es sich um gleichartige und vertretbare Vermögensgegenstände handelt. In diesem Falle ist eine *Sammelbewertung* zulässig. Für den Wertpapierbestand bedeutet dies, daß Effektengattungen getrennt bewertet werden müssen, während innerhalb derselben Effektengattung eine pauschale Bewertung möglich ist.

Das besondere Bewertungsproblem für Kreditinstitute liegt darin, daß die Bestände einer Gattung meistens aus unterschiedlichen Anschaffungsgeschäften stammen, d. h. zu verschiedenen Kursen erworben wurden. In diesem Falle kann die Bank entweder das *Einzelermittlungs-* oder das *Gesamtermittlungsverfahren* anwenden. Bei ersterem werden die einzelnen Anschaffungswerte, bei letzterem wird der gesamte Anschaffungswert mit dem jeweiligen Tageswert verglichen. Finden im Laufe des Geschäftsjahres häufig Umsätze statt – wenn also Effekten aus dem Bestand, der zu unterschiedlichen Kursen gekauft wurde, wieder verkauft und neue hinzugekauft werden –, versagen diese beiden Verfahren weitgehend, so daß an deren Stelle besondere Methoden der Bewertung treten.

Zur Bestimmung des Buchwertes der im Bestand befindlichen Wertpapiere, der bei der Bewertung mit dem jeweiligen Tageswert verglichen werden soll, dienen eine Reihe von Bestandsermittlungsmethoden, die jeweils auf bestimmten Annahmen beruhen:

1) Bewertung nach dem Zuordnungsverfahren,
2) fortlaufende Durchschnittsbewertung mit Berücksichtigung der Verkäufe,
3) Durchschnittsbewertung ohne Berücksichtigung der Verkäufe.

Der Bundesfinanzhof hat dem Steuerpflichtigen jegliches Wahlrecht bei der Zuordnung abgesprochen.[66] Aufgrund dieser Rechtsprechnung hat die Finanzverwaltung in gleichlautenden Ländererlassen die Bewertung von Wertpapieren wie folgt geregelt:

1) Die Einzelbewertung von Wertpapieren derselben Art, die einem Steuerpflichtigen gehören, kommt nur in Betracht, wenn der Steuerpflichtige die Wertpapiere selbst verwahrt oder sie bei einem Kreditinstitut in Einzelverwahrung (Streifbanddepot) gegeben hat (Stücknummernnachweis).
2) Befinden sich die Wertpapiere derselben Art im Girosammeldepot, so sind sie mit ihren durchschnittlichen Anschaffungskosten zu bewerten. Die Aufteilung der Wertpapiere für die Durchschnittsbewertung bei Kreditinstituten kann nach den einzelnen Kassenvereinen oder nach verschiedenen Konten bei demselben Kassenverein vorgenommen werden.

[66] BFH-Urteil I 95/63 vom 15. 12. 1966 (BStBI III S. 274)

3. Gewinn- und Verlustrechnung

Die Gewinn- und Verlustrechnung weist den Jahreserfolg in einer Gesamtzahl aus und macht seine Zusammensetzung deutlich. An eine aussagefähige Erfolgsrechnung der Kreditinstitute sind insbesondere zwei Anforderungen zu stellen:

1) Gliederung des Gesamterfolges nach Erfolgsquellen,
2) Trennung zwischen bankbetrieblichem und neutralem Erfolg.

Diesen Anforderungen trägt das geltende Schema Rechnung:

Den Ertragsarten aus dem Zinsgeschäft

– Zinsen und zinsähnliche Erträge aus Kredit- und Geldmarktgeschäften

stehen die entsprechenden Aufwendungen gegenüber:

– Zinsen und zinsähnliche Aufwendungen.

Ebenfalls in den Zinserträgen enthalten sind die Erträge aus der Finanzanlage im Umlauf- und Anlagevermögen, deren korrespondierende Zinsaufwendungen – von der Anlage der Eigenmittel abgesehen – in den Zinsaufwendungen enthalten sind:

- Laufende Erträge aus
  - festverzinslichen Wertpapieren und Schuldbuchforderungen
  - anderen Wertpapieren
  - Beteiligungen.

Den laufenden Erträgen und den Erträgen aus dem Zinsgeschäft stehen auf der Seite der Aufwendungen die

– Abschreibungen und Wertberichtigungen auf Forderungen und Wertpapiere sowie die Zuführung zu Rückstellungen im Kreditgeschäft

gegenüber – soweit sie nicht bereits aktivisch nach § 26 a KWG abgesetzt worden sind und im Wege der Überkreuzkompensation saldiert wurden.

Die Erträge und Aufwendungen aus dem Dienstleistungsgeschäft werden ebenfalls gegenübergestellt.

Aus dem Finanzbereich verbleiben

– andere Erträge einschließlich der Erträge aus der Auflösung von Rückstellungen im Kreditgeschäft

(Darunter waren bis 1985 bei den Großbanken auch die Erträge aus nicht in Wertpapierform verbrieften Beteiligungen von 25 % und mehr, die unter der Bilanzposition „Sonstige Vermögensgegenstände" oder anderen Posten ausgewiesen waren. Sie sind ab 1986 im Zinsertrag enthalten.)

sowie

- Erträge aus Gewinngemeinschaften, Gewinnabführungs- und Teilgewinnabführungsverträgen
- Erträge aus der Auflösung von
  - Rückstellungen
  - Sonderposten mit Rücklageanteil.

Diesen Erträgen aus dem Finanzbereich stehen die entsprechenden Aufwendungen gegenüber:

- Abschreibungen und Wertberichtigungen auf Grundstücke und Gebäude, zusammengefaßt mit denjenigen auf Betriebs- und Geschäftsausstattung
- Abschreibungen und Wertberichtigungen auf Beteiligungen
- Einstellungen in Sonderposten mit Rücklageanteil.

Die *Betriebsaufwendungen* gliedern sich in

- Gehälter und Löhne +
- Soziale Abgaben = direkter Personalaufwand
- Aufwendungen für Altersversorgung und Unterstützung = indirekter Personalaufwand
- Sachaufwand aus dem Bankgeschäft
- sonstige Steuern
- sonstige Aufwendungen.

Unter „Aufwendungen" wird ebenfalls der Jahresüberschuß ausgewiesen; er entspricht – zusammen mit den Steuern vom Einkommen, vom Ertrag und vom Vermögen – den Aufwendungen für das dividendenberechtigte Kapital und für die Rücklagenzuführung.

Unter dem Strich der Aufwandseite erfolgt die Ableitung zum Bilanzgewinn:

	Jahresüberschuß
+	Gewinnvortrag
./.	Einstellung in die Offene Rücklage
=	*Bilanzgewinn*

Diese Aufgliederung wird an die Eigenmittel-Rechnung und -Darstellung nach § 266 HGB durch Änderung der Formblattverordnung anzupassen sein. Nur in diesem Teilbereich hat das BiRiLiG einen Einfluß auf die Gliederung der Gewinn- und Verlustrechnung. Das geltende Schema ist auf S. 95 abgebildet.

Gewinn- und Verlustrechnung

der ....

für die Zeit vom .... bis ....

Aufwendungen

	DM	DM
1. Zinsen und zinsähnliche Aufwendungen		....
2. Provisionen und ähnliche Aufwendungen für Dienstleistungsgeschäfte		....
3. Abschreibungen und Wertberichtigungen auf Forderungen und Wertpapiere sowie Zuführungen zu Rückstellungen im Kreditgeschäft		
4. Gehälter und Löhne		....
5. Soziale Abgaben		....
6. Aufwendungen für Altersversorgung und Unterstützung		....
7. Sachaufwand für das Bankgeschäft		....
8. Abschreibungen und Wertberichtigungen auf Grundstücke und Gebäude sowie auf Betriebs- und Geschäftsausstattung		....
9. Abschreibungen und Wertberichtigungen auf Beteiligungen		....
10. Steuern		
a) vom Einkommen, vom Ertrag und vom Vermögen	....	
b) sonstige	....	....
11. Aufwendungen aus Verlustübernahme		....
12. Einstellungen in Sonderposten mit Rücklageanteil		....
13. Sonstige Aufwendungen		....
14. Auf Grund einer Gewinngemeinschaft, eines Gewinnabführungs- und eines Teilgewinnabführungsvertrags abgeführte Gewinne		....
15. Jahresüberschuß		....
Summe der Aufwendungen		....

Erträge

	DM	DM
1. Zinsen und zinsähnliche Erträge aus Kredit- und Geldmarktgeschäften		....
2. Laufende Erträge aus		
a) festverzinslichen Wertpapieren und Schuldbuchforderungen	....	
b) anderen Wertpapieren	....	
c) Beteiligungen	....	....
3. Provisionen und andere Erträge aus Dienstleistungsgeschäften		....
4. Andere Erträge einschließlich der Erträge aus der Auflösung von Rückstellungen im Kreditgeschäft		....
5. Erträge aus Gewinngemeinschaften, Gewinnabführungs- und Teilgewinnabführungsverträgen		....
6. Erträge aus der Auflösung von Rückstellungen, soweit sie nicht unter 4 auszuweisen sind		....
7. Erträge aus der Auflösung von Sonderposten mit Rücklageanteil		....
8. Erträge aus Verlustübernahme		....
9. Jahresfehlbetrag		....
Summe der Erträge		....

	DM	DM
1. Jahresüberschuß/Jahresfehlbetrag		....
2. Gewinnvortrag/Verlustvortrag aus dem Vorjahr		....
3. Entnahmen aus offenen Rücklagen		
a) aus der gesetzlichen Rücklage	....	
b) aus anderen Rücklagen	....	....
		....
4. Einstellungen aus dem Jahresüberschuß in offene Rücklagen		
a) in die gesetzliche Rücklage	....	
b) in andere Rücklagen	....	....
5. Bilanzgewinn/Bilanzverlust		....

4. Geschäftsbericht

Der bisherige aktienrechtliche Geschäftsbericht besteht nunmehr aus dem Anhang gem. §§ 284 – 288 HGB, der im Bundesanzeiger in vollem Umfang bei Kreditinstituten in der Rechtsform der Kapitalgesellschaft zu veröffentlichen ist, und einem weitergehenden „freiwilligen" Teil[67] sowie aus dem Lagebericht gem. § 289 HGB und dessen „freiwilligem" Teil.

a) *Anhang*

Das neu geschaffene Institut des Anhanges hat eine dreifache Zielsetzung:[68]

1) „Der Anhang soll die Bilanz und die Gewinn- und Verlustrechnung *erläutern,* indem er Einzelangaben zu bestimmten Posten der Bilanz und der Gewinn- und Verlustrechnung macht, die Ausübung von Wahlrechten beschreibt sowie die gewählten Bewertungsmethoden und ihre Abweichungen gegenüber dem Vorjahr erläutert. Er soll also ein besseres Verständnis der Bilanz und Gewinn- und Verlustrechnung ermöglichen, deren Interpretation erleichtern.

2) Er soll darüber hinaus die in § 285 HGB geforderten *Einzelangaben* machen, die sich nicht aus der Bilanz und Gewinn- und Verlustrechnung ersehen lassen und damit weitere, zur Beurteilung der Verhältnisse des Unternehmens wichtige Daten vermitteln.

3) Er hat zusammen mit der Bilanz und der Gewinn- und Verlustrechnung „unter Beachtung der Grundsätze ordnungsmäßiger Buchführung *ein den tatsächlichen Verhältnissen entsprechendes Bild der Vermögens-, Finanz- und Ertragslage der Kapitalgesellschaft zu vermitteln",* also eine übergeordnete Aufgabenstellung über die Einzelangaben hinaus zu erfüllen (§ 264 Abs. 2 Satz 1 HGB). Diese Aufgabenstellung erhellt auch aus Satz 2 der genannten Vorschriften, wonach im Anhang zusätzliche Angaben zu machen sind, wenn besondere Umstände dazu führen, daß der Jahresabschluß selbst ein solches Bild noch nicht vermitteln kann."

Die Vorschriften zum Institut „Anhang" finden sich in vier Quellen:[69]

1) Vorschriften über den Inhalt
in §§ 284 – 288 HGB
2) Vorschriften über den Inhalt
nach Art. 24, Art. 28 EGHGB
3) Vorschriften über den Inhalt
in §§ 58, 152, 158, 160, 240, 261 AktG

[67] So der Vorschlag der Kommission für Bilanzierungsfragen des Bundesverbandes deutscher Banken e. V.: Bilanzrichtlinien-Gesetz, a. a. O., Teil I S. 57
[68] Schülen, W.: Die Aufstellung des Anhangs, in: ZfbF, 39 Jg, Heft 3/4, 1987, S. 246
[69] vgl. zum folgenden: Kommission für Bilanzierungsfragen, ebenda S. 68 ff.

4) Vorschriften über den Inhalt
nach §§ 29, 42 GmbHG.

Eine Auflistung der für Kreditinstitute praktisch relevanten Bestimmungen/Vorschriften kommt zu folgender Systematik:

aa) Vorschriften über den Inhalt im HGB

(1) Erläuterungs- und Angabepflichten zu Bilanz und der Gewinn- und Verlustrechnung

§ 265 Abs. 1 Satz 2:	Unterbrechung der Darstellungsstetigkeit
§ 265 Abs. 4 Satz 2:	Geschäftszweigbedingte Ergänzungen der Gliederung
§ 265 Abs. 3 Satz 1:	Mitzugehörigkeit zu anderen Posten der Bilanz
§ 285 Nr. 13:	Planmäßige Abschreibung eines Geschäfts-/Firmenwertes über die voraussichtliche Nutzungsdauer hinaus
§ 269 Satz 1,2.Hbs:	Aktivierte Aufwendungen für die Ingangsetzung und Erweiterung des Geschäftsbetriebes
§ 273 Satz 2,2.Hbs:	Steuerliche Vorschriften, nach denen Sonderposten mit Rücklageanteil gebildet worden sind
§ 274 Abs. 2 Satz 2:	Aktivierte, latente Steuern.

(2) Erläuterungs- und Angabepflichten zu Bewertungsmethoden – keine Anwendung auf Kreditinstitute –

(3) Sonstige Erläuterungs- und Angabepflichten:

§ 264 Abs. 2 Satz 2:	Falls der Jahresabschluß wegen besonderer Umstände trotz Beachtung GoB kein den tatsächlichen Verhältnissen entsprechendes Bild vermittelt
§ 285 Nr. 11:	Name, Sitz, Beteiligungsquote, Eigenkapital, Ergebnis des letzten Geschäftsjahres anderer Unternehmen, an denen das Kreditinstitut mindestens 20 % der Anteile besitzt
§ 286 Abs. 3 Satz 3:	Anwendung der Schutzklausel für § 285 Nr. 11
§ 287 Satz 3:	Optionsausnutzung, Angaben nach § 285 Nr. 11 in einer gesonderten Aufstellung zu machen
§ 285 Nr. 7:	Durchschnittliche Zahl der Arbeitnehmer während des Geschäftsjahres
§ 285 Nr. 9a/9b:	Gesamtbezüge des Geschäftsführungsorgans, des Aufsichtsrats, des Beirats oder einer ähnlichen Einrichtung und Gesamtbezüge der früheren Mitglieder dieser Einrichtungen bzw. deren Hinterbliebene sowie über Pensionsrückstellungen jeweils für jede Personengruppe
§ 285 Nr. 10:	Mitglieder des Geschäftsführungsorgans und eines Aufsichtsrates

§ 285 Nr. 14:	Tochterunternehmen: über die Konzernabschlüsse für den größten und den kleinsten Konsolidierungskreis, zu dem es gehört.

bb) Vorschriften über den Inhalt im EGHGB

Art. 28 Abs. 2:	Betrag nicht passivierter Pensionsrückstellungen oder ähnlicher Verpflichtungen

cc) Vorschriften über den Inhalt im AktG

Keine Ausnahme für Kreditinstitute.

Angaben mithin über – hier globalisiert –:

§ 160 Abs. 1	Nr. 1:	Vorratsaktien
	Nr. 2:	eigene Aktien
	Nr. 3	Gattungen von Aktien
	Nr. 4:	genehmigtes Kapital
	Nr. 5:	Wandelschuldverschreibungen
	Nr. 6:	Genußrechte
	Nr. 7:	Bestehen wechselseitiger Beteiligungen
	Nr. 8:	Beteiligungen an der berichtenden Gesellschaft nach § 20 AktG
§ 58 Abs. 2 a Satz 2:		die anderen Gewinnrücklagen
§ 152 Abs. 2:		Veränderungen der Kapitalrücklage
§ 152 Abs. 3:		Veränderungen der Posten der Gewinnrücklagen
§ 158 Abs. 1 Satz 2:		Überleitung des Jahresergebnisses auf Bilanzergebnis
§ 240 Satz 3:		Verwendung von Beträgen aus Kapitalherabsetzung oder Auflösung von offenen Rücklagen
§ 261 Abs. 1 Satz 3/4		Sonderprüfung wegen unzulässiger Unterbewertung

dd) Vorschriften über den Inhalt im GmbHG
– *keine* Ausnahme für Kreditinstitute in dieser Rechtsform –

§ 29 Abs. 4 Satz 2:	über andere Gewinnrücklagen
§ 42 Abs. 3:	Ausleihungen, Forderungen, Verbindlichkeiten gegenüber Gesellschaftern.

Als *freiwilliger* Teil des Geschäftsberichtes ist derjenige Teil zu sehen, der den freiwilligen Erläuterungsbericht enthält, Angaben die nicht angabepflichtig sind:

– Erläuterungen zur Bilanz
– Erläuterungen zur Gewinn- und Verlustrechnung.

b) Lagebericht

Im Lagebericht alter Form (§ 160 Abs. 1 AktG, alter Fassung), der einen allgemeinen Überblick über die wirtschaftliche Situation des Kreditinstitutes zu geben hatte, gingen die Kreditinstitute meist außerordentlich ausführlich auf die gesamtwirtschaftliche Entwicklung und die sonstigen Rahmenbedingungen ihrer Geschäftstätigkeit ein.

Dann pflegten allgemeine Hinweise zu folgen:

- zum Kredit- und Einlagengeschäft nach Arten, Regionen, Kundengruppen
- zu einzelnen Dienstleistungssparten wie Wertpapier, Konsortial-, Devisengeschäft, Zahlungsverkehr
- zu Personalentwicklung, Fort- und Weiterbildungsmaßnahmen
- zur Entwicklung des Wertes der Aktie.

Nunmehr ist zwischen diesen allgemeinen Ausführungen und dem Lagebericht im engeren Sinne = Lagebericht nach § 289 HGB zu unterscheiden:

Der Lagebericht ist vom Kreditinstitut in der Rechtsform der Kapitalgesellschaft im Bundesanzeiger zu veröffentlichen.

Während § 289 Abs. 1 („Im Lagebericht sind zumindest der Geschäftsverlauf und die Lage der Kapitalgesellschaft so darzustellen, daß ein den tatsächlichen Verhältnissen entsprechendes Bild vermittelt wird") und auch Abs. 2 Nr. 1 (Angaben über „Vorgänge von besonderer Bedeutung, die nach Schluß des Geschäftsjahres eingetreten sind") keine Änderung bedeuten, bringt Abs. 2 Nr. 2 eine Neuerung: Ausführungen über „die voraussichtliche Entwicklung der Kapitalgesellschaft".

Die Kommission für Bilanzierungsfragen empfiehlt:[70]

„– Eine kurze verbale Darstellung der zukünftigen Entwicklung ist ausreichend.
- Zahlenmäßige Prognosen sind entbehrlich.
- Die verbalen Zukunftsaussagen sind in Form von Tendenzaussagen zu machen (z. B. zur Entwicklung der Ertragslage: ‚Wir erwarten auch für das kommende Jahr ein zufriedenstellendes Ergebnis'). Mit einer derartigen Aussage zur Ertragslage würde impliziert auch eine Aussage über das Ausmaß der zu erwartenden Risikovorsorgemaßnahmen getroffen.
- Aussagen über die erwartete Entwicklung der wichtigsten Eckdaten des Kreditinstituts. Hierbei wäre zu denken an die Entwicklung von Bilanzsumme, Belegschaft und Geschäftsstellennetz sowie an technische Investitionen (z. B. für Terminalisierung).
- In der Regel dürfte der Zeithorizont wohl ein Jahr sein."

Im übrigen sind Kreditinstitute von § 289 Abs. 2 Nr. 3 (Aussagen über „den Bereich Forschung und Entwicklung") gemäß § 25 a Abs. 2 KWG befreit.

[70] ebenda, S. 77

Exkurs 8:
Die Behandlung der bilanzunwirksamen Finanznovationen in der Rechnungslegung

Die bilanzunwirksamen Finanzinnovationen

- Absicherungsfazilitäten
- Zins-, Währungs- und integrierte *Swaps* der 1. Generation
- Asset-Swaps, Stufen-/Amortisations-Swaps als Beispiele der 2. Generation („maßgeschneiderte Swaps")
- Options
- Futures

haben in ihrer Auswirkung drei Dimensionen:

1) Volumens-Transparenz für die Deutsche Bundesbank und die Bankenaufsicht
2) Risikoabgrenzung aus bankenaufsichtlicher Überlegung
3) Transparenz in der Rechnungslegung den externen Adressaten gegenüber in der Jahresbilanz und in den (potentiellen) Ertragswirkungen.

Am weitgehendsten ist das Problem der *Volumenstransparenz* für die Bundesbank und die Bankenaufsicht gelöst; die seit 30. Juni 1986 eingeführte Anlage H zur Monatlichen Bilanzstatistik vermittelt einen hinreichend spezifizierten Einblick in den Einsatz dieser neuen Finanzinstrumente durch das deutsche Kreditgewerbe einschließlich der in der Bundesrepublik domizilierenden Niederlassungen/Tochterbanken ausländischer Institute. Durch die Einbeziehung der Auslandsniederlassungen der deutschen Institute ist die Transparenz für das Zahlenwerk der international tätigen Banken gewährleistet.

Sehr eingeschränkt gilt diese Qualifizierung für die bankenaufsichtlichen Regelungen der *Risikobegrenzung*.

Die Absicherungsfazilitäten werden seit dem 30. Juni 1986 als Gewährleistungen mit 50 % in den Grundsatz I eingerechnet, erfordern mithin eine Eigenmittelunterlegung von 2,7 % ihres Volumens. Wegen der damit verbundenen kalkulatorischen Verteuerung dieser Instrumente ist die Attraktivität für die deutschen Banken entsprechend gesunken.

Für Swaps und Options fehlen bislang bankaufsichtsrechtliche Regelungen.[71] Swaps als Absicherung gegen Preisrisiken bedingen ein Erfüllungsrisiko; da bei Devisentermingeschäften das Erfüllungsrisiko unberücksichtigt bleibt, ist eine analoge Behandlung zu Grundsatz I a nicht möglich; der Grundsatz I a erfaßt nur das Währungskurs- und Zinsänderungsrisiko.Der Grundsatz I a erstreckt sich jedoch auf offene Währungspositionen aus den Devisenterminkontrakten für Financial Futures.

[71] vgl. Kuntze, W.: Finanzinnovationen aus der Sicht der Bankenaufsicht, in: Krumnow, J./Metz, M. (Hrsg.), Rechnungswesen im Dienste der Bankpolitik, Stuttgart 1987, S. 274

Die *Transparenz in der Rechnungslegung* mangelt völlig.

Die bilanzunwirksamen Finanzinnovationen haben den Charakter von „schwebenden Geschäften", die nach den Grundsätzen ordnungsmäßiger Bilanzierung nicht in die Bilanz aufzunehmen sind, mit der Konsequenz, „daß der Anteil der gesamten Geschäftstätigkeiten, der schließlich im Jahresabschluß offengelegt wird, durch das enorme Wachstum dieser Off-Balance-Sheet-Transaktionen mehr und mehr abnimmt. Die Informationsfunktion des Jahresabschlusses, einen möglichst guten Einblick in die Vermögens-, Finanz- und Ertragslage zu geben, wird damit erheblich beeinträchtigt."[72] (Der „interne" Kenner der Volumenszahlen wird dieser Charakterisierung für deutsche Verhältnisse allerdings – noch – nicht zustimmen.)

Dieser Zustand mangelnder Transparenz ist interimistisch: mit der EG-Bankbilanzrichtlinie, spätestens ab Ende 1990 in Anwendung, werden in Bilanz und Anhang Angaben über diese bilanzunwirksamen Finanzinnovationen gemacht werden müssen.

Nach Artikel 4, Posten 2 unter dem Strich, in Verbindung mit Artikel 25 EG-Bankbilanzrichtlinie sind unter den Posten „Kreditrisiken" alle unwiderruflichen Verpflichtungen zu erfassen, die Anlaß zu einem Kreditrisiko geben können.

Sind diese Finanzinnovationen in bezug auf die Geschäftstätigkeit der Bank von Bedeutung, müssen Art und Höhe der Verpflichtungen im Anhang angegeben werden.

Unter diesen Posten werden zu subsumieren sein:[73]

„– Underwriting-Fazilitäten (Note Issuance Facilities, Revolving Underwriting Facilities);
– Standby-Fazilitäten: unbedingte Zusagen, Kredite zu gewähren, wenn Kreditnehmer im Rahmen der Fazilität einen Betrag abrufen;
– Pensionsgeschäfte (Asset Sale and Repurchase Agreements) mit Kreditforderungen, Wertpapieren oder Gegenständen des Anlagevermögens;
– übernommene teileingezahlte Aktien und sonstige Wertpapiere (Partly-paid Shares and Securities);
– Terminkäufe (Outright Forward Purchase):
Zusagen, Kreditforderungen, Wertpapiere oder sonstige Forderungen zu einem bestimmten künftigen Zeitpunkt und i. d. R. im voraus vereinbarten Bedingungen zu übernehmen."

Mit der Anwendung des EG-Bankbilanzrechts wird mithin eine Transparenz erreicht, die der Rechnungslegung bei Banken in den USA nahekommt.

[72] v. Stein, J. H./Kirschner, M.: Zum Problem der Berücksichtigung von bilanzunwirksamen Finanzinnovationen in der externen Rechnungslegung der Banken, in: Krumnow, J./Metz, M. (Hrsg.): Rechnungslegung im Dienste der Bankpolitik, a. a. O., S. 18
[73] ebenda, S. 22

Einen Überblick gibt Clements:[74]

„The US Federal Reserve published a discussion paper in January this year that proposed the introduction of a supplemental adjusted capital measure incorporating four risk weightings. NIFs, for instance, would receive a weighting of 0.3.

US banks have to file quarterly call reports with the regulators disclosing the extent of OBS (off-balance-sheet) business. ... The banks have to disclose their total foreign exchange commitments to both buy and sell. ... The banks also have to disclose the gross amount of OBS risk they have undertaken, even if they have laid off some of this risk with other banks.

OBS risks are only potential liabilities, so accountants and bank supervisors do not propose their inclusion in the accounts. But many would like some sort of disclosure in annual reports. The world‘s top 500 banks are reluctant to do even that, with the major exception of US banks.

The recent round of reporting by US banks was characterized by much greater disclosure of OBS activity, with extensive explanations of what each activity involves. That disclosure wasn‘t purely out of a concern to keep shareholders informed.“

Aus dem Annual Report von J. P. Morgan 1986 ist dieser Erläuterungsumfang zu entnehmen:[75]

„With respect to interest-rate swap transactions, which are not reflected in the table on the previous page, the notional principal amount of outstanding contracts approximated $ 40.4 billion and $ 21.6 billion at December 31, 1986 and 1985, respectively. The current amount at risk from these contracts can be calculated by estimating the cost, on a present value basis, of replacing at current market rates all those outstanding contracts in which there is such a cost. The amount at risk, derived in this way, approximated $ 2.2 billion and $ 1.2 billion at December 31, 1986 und 1985, respectively. This amount will increase or decrease during the life of the swaps as a function of maturity and market interest rates.“

[74] Clements, J.: Caught off balance, Euromoney, June 1986, S. 137
[75] J.P. Morgan, Annual report 1986, S. 50

B. Das wertneutrale Rechnungswesen: Internes Rechnungswesen auf Basis seiner Elemente

I. Das Interne Rechnungswesen in traditioneller Sicht: Bankkalkulation

1. Grundlagen

Unter Bankkalkulation ist das Aufbereiten und In-Beziehung-Setzen von leistungsbedingtem Wertverzehr (Kosten), Leistungsmengen und leistungsbedingtem Wertzuwachs (Erlöse) zum Zwecke der Wirtschaftlichkeitskontrolle, der Selbstkostenermittlung und der Erfolgskontrolle im Bankbetrieb zu verstehen.

Der Begriff Kalkulation wird also in einem weiteren Sinne gebraucht, als es im industriellen Rechnungswesen üblich ist, wo er vorwiegend auf die Kostenträgerrechnung beschränkt ist. Im einschlägigen bankbetrieblichen Schrifttum umfaßt die Bankkalkulation als Kosten- und Erfolgsrechnung außer der Stückrechnung auch Zeitrechnungen. So ist die von Rummel entwickelte Geschäftsspartenkalkulation als Terminus technicus in die Literatur eingegangen, obwohl hierbei Erfolgselemente eines Zeitraumes zueinander in Beziehung gesetzt werden.

Hinsichtlich des Inhalts und somit der Aussagefähigkeit der Bankkalkulation ist zwischen verschiedenen Ebenen zu unterscheiden. Es kann sich einmal um eine Vor- oder Nachkalkulation handeln, je nachdem, ob Kosten und/oder Erlöse einer Ex-ante- oder Ex-post-Betrachtung unterzogen werden. Werden in einer Kalkulation der tatsächliche Wertverzehr und Wertzuwachs einschließlich der kalkulatorischen Erfolgselemente festgestellt, handelt es sich um eine Istrechnung; werden Leistung und Wertverzehr im voraus geplant und daran die Istkosten gemessen, so liegt eine Plankostenrechnung vor. Auf einer anderen Ebene liegt die Frage, ob alle Erfolgselemente in die Rechnung einbezogen werden sollen (Vollkostenrechnung) oder ob eine Beschränkung auf bestimmte Arten erfolgen soll (Teilkostenrechnung). Kriterium hierfür kann z. B. der Grad der Abhängigkeit der Kosten von der Beschäftigung (fixe und variable Kosten) oder der Gesichtspunkt der Verursachung und hieraus folgend der Zurechenbarkeit sein (direkte und indirekte Kosten). Ein Verfahren, das sich bei der Kosten- und Erlösverrechnung kompromißlos an den zwischen Kosten, Leistungen und Erlösen bestehenden Mittel-Zweck-Zusammenhängen bzw. Proportionalitätsbeziehungen orientiert, ist die Deckungsbeitragsrechnung.

Für das Verständnis der Bankkalkulation ist es unerläßlich, sich über die Begriffe Kosten, Leistungen und Erlöse und ihre Interdependenz klarzuwerden. Hierbei wird sich gleichzeitig zeigen, daß sich die Kalkulationsverfahren prinzipiell danach unterscheiden lassen, wie sie die genannten drei Komponenten zueinander in Beziehung setzen.

Unter Kosten ist der leistungsbedingte Wertverzehr zu verstehen, der im Bankbetrieb stattfindet. Kosten unterscheiden sich von den durch die Periodisierung der erfolgswirksamen Ausgaben des Betriebes entstehenden Aufwendungen dadurch, daß der außerordentliche, d. h. einmalig anfallende oder zu einer anderen Geschäftsperiode zählende, und der betriebsfremde Wertverzehr eliminiert werden, dafür aber auch u. U. Wertverzehr hinzugerechnet ist, der buchhalterisch nicht als Aufwand erscheint (Zusatzkosten). Der Abgrenzung zwischen Aufwendungen und Kosten kommt gerade im Bankbetrieb erhebliche Bedeutung zu.

Je nach der Art des Wertverzehrs sind Betriebskosten und Wertkosten zu unterscheiden. Als *Betriebskosten* ist der Wertverzehr anzusehen, der durch die Leistungserstellung in der Betriebssphäre verursacht ist[76].

Die *Wertkosten* sind als derjenige Wertverzehr definiert, der ausschließlich durch den sich in der Wertsphäre vollziehenden abstrakten Art der Wertübertragung verursacht[77] ist.

Aus dem Tätigwerden der Bank in den zwei arteigenen, jedoch miteinander verkoppelten und meist zusammenwirkenden Sphären resultiert ein die gesamte Bankkalkulation durchziehender Dualismus, der sich mit besonderer Deutlichkeit in der vom einzelnen Institut erbrachten *Leistung* zeigt. Der bankbetriebliche Leistungsbegriff ist im Prinzip ebenso ein Mengenbegriff wie derjenige, den die Kostenrechnung in Industrie und Handel verwendet, wo die Leistungen durch Stückzahlen, Gewichtseinheiten und dergleichen ausgedrückt werden. Das Besondere an der bankbetrieblichen Leistung besteht darin, daß der Mengenausdruck zum Teil wertmäßig bestimmt ist, worin sich die spezielle Tätigkeit des Kreditinstituts, Geldwerte umzusetzen, dokumentiert.

Es wird deshalb zwischen Wertleistungen einerseits und Betriebsleistungen andererseits unterschieden. Die Wertleistungen resultieren aus Kapitalüberlassungen, wie sie z. B. beim Kontokorrentkredit, Diskontkredit und bei langfristigen Ausleihungen stattfinden. Die Betriebsleistungen entstehen hingegen mit der Hervorbringung von Dienstleistungen, z. B. im Effektenkommissionsgeschäft, im Zahlungsverkehr und bei der Beratung.

Gemäß der Funktion der Kreditinstitute, spezifische Leistungen an den Markt abzugeben, sind unter dem Begriff der Bankleistung primär Marktleistungen zu verstehen. Jede einzelne dieser Marktleistungen erfordert eine Anzahl dispositiver und ausführender Arbeitsverrichtungen, die sich in der finanziellen Sphäre und/oder im technisch-organisatorischen Bereich vollziehen können. Diese dispositiven und objektbezogenen Arbeitsverrichtungen werden in den Betriebsstellen als organisatorische Einheit ausgeführt. Im Hinblick auf die Betriebsstellen sollen die hier erstellten Leistungen, die in bezug auf die Marktleistungen in der Regel Teilleistungen sind, als Stellenleistungen bezeichnet werden.

[76] vgl. Kaminsky, St.: Die Kosten- und Erfolgsrechnung der Kreditinstitute, Meisenheim/Glan 1955, S. 36

[77] ebenda, S. 35

Das Volumen der Stellenleistungen entspricht dem der Marktleistungen. In ihrer Struktur sind die Stellenleistungen und die Marktleistungen jedoch völlig verschieden. Im innerbetrieblichen Umsatzprozeß stehen die einzelnen Betriebsstellen, weil organisatorisch voneinander abgegrenzt, nebeneinander. Insofern kann man von einer vertikalen Leistungsstruktur sprechen. Die Marktleistungen hingegen werden innerhalb des innerbetrieblichen Umsatzprozesses durch diverse Stellenleistungen zur Marktreife gebracht und in Form von Gruppenleistungen als Ganzes am Markt angeboten. Sie weisen aus der Sicht des innerbetrieblichen Umsatzprozesses eine horizontale Struktur auf.

Aus der Verwertung der Bankleistung am Markt ergibt sich der *Erlös.* Dieser stellt grundsätzlich das Produkt aus Leistungsmenge und Preis dar. Für die Bankkalkulation ist daher eine Differenzierung zwischen Leistungsmenge und Erlösen von fundamentaler Bedeutung. Aus dem schwankenden Mengenverhältnis zwischen Betriebsleistung und Wertleistung resultieren einerseits das Problem der Preisbemessung der Bankleistung, wie andererseits das Problem der Zurechnung der Kosten zu bestimmten Bankleistungen. Einer an den Kosten orientierten Preisstellung müßte also in den meisten Fällen sowohl ein betriebs- als auch ein wertabhängiger Berechnungsmodus zugrunde gelegt werden. In der Praxis ist es üblich, einen der beiden Maßstäbe einseitig in den Vordergrund zu stellen. Typisch hierfür ist die Berechnung einer Reihe von Provisionen, die sich an der Wertleistung orientieren. Die Festlegung von Mindestprovisionen berücksichtigt die reine Betriebsleistung der Bank.

Zusammenfassend sind folgende Punkte zu betonen:

1) Für die Zwecke der Bankkalkulation ist eine strenge Trennung zwischen der innerbetrieblich erstellten Bankleistung und dem Ergebnis der Verwertung dieser Leistung am Markt, dem Erlös, erforderlich. Bei einer einfachen Gegenüberstellung von Kosten und Erlösen würde eine für die Bankkalkulation wichtige Zwischenstufe übersprungen.

2) der bankbetriebliche Leistungsbegriff kann dualistisch gesehen werden. Hiernach setzt sich die Bankleistung jeweils in unterschiedlichem Maße aus Betriebsleistung und Wertleistung zusammen, wobei sich an beiden sowohl einzeln als auch in bestimmten Kombinationen die Kosten messen lassen.

Die beschriebenen Zusammenhänge sind in Tabelle 3 verdeutlicht.

2. Aufgaben

a) Wirtschaftlichkeitskontrolle

Unter Wirtschaftlichkeitskontrolle ist das In-Beziehung-Setzen von Kosten und Stellenleistungen und das Vergleichen der Ergebnisse in zeitlicher und/oder zwischenbetrieblicher Hinsicht oder auf dem Wege der Soll-Ist-Gegenüberstellung zu verstehen.

Tabelle 3: Kosten, Leistungen und Erlöse im Bankbetrieb

Beschaffungsmarkt	Innerbetrieblicher Umsatzprozeß		Absatzmarkt
Beschaffungsobjekte	**Kosten**	**Leistungen**	**Erlöse**
	Betriebskosten	Betriebsleistungen	Betriebserlöse
Personal Betriebsmittel	Gehälter Abschreibungen Reparaturen Material	Effektenkommission Zahlungsverkehr Beratung	Bearbeitungsgebühr Effektenprovision Umsatzprovision Postengebühren
Kapital	Wertkosten	Wertleistungen	Werterlöse
	Zinsen Provisionen Risikokosten	Kontokorrentkredit Diskontkredit Langfr. Ausleihungen	Zinsen Diskont Provisionen

Rechnungszwecke:

Wirtschaftlichkeitskontrolle	Kosten	: Stellenleistung	
Selbstkostenermittlung	Kosten	: erstellter Marktleistung	
Erfolgskontrolle	Kosten	:	: verwerteter Marktleistung

Bei den betrachteten Leistungen handelt es sich weniger um die nach außen in Erscheinung tretenden Marktleistungen als um innerbetrieliche Leistungen bzw. Teilleistungen; denn die Marktleistung ist in aller Regel zu komplex, um eine Kontrolle der Wirtschaftlichkeit zuzulassen. Diese ist aber ohne größere Schwierigkeiten durchzuführen, wenn es sich um vorwiegend objektbezogene Arbeitsverrichtungen des technisch-organisatorischen Leistungsprozesses eines Kreditinstitutes handelt. Die Mengen derartiger innerbetrieblicher Leistungen lassen sich verhältnismäßig leicht ermitteln und durch Gegenüberstellung mit den Kosten kontrollieren.
Wesentlich schwieriger zu messen und deshalb auch zu kontrollieren sind die Tätigkeiten, die nicht zum Massenverkehr gerechnet werden können, wie z. B. die Arbeitsleistung in der Kreditabteilung.

Ein Problem stellt im Bereich der Leistungskontrolle die *Kundenabhängigkeit* des Bankbetriebs dar. Die technische Kapazität des Bankbetriebs muß so dimensioniert sein, daß sie Spitzenbeanspruchungen jederzeit gerecht werden kann. In Zeiten normaler Beschäftigung entstehen damit immer Kosten für nicht genutzte Kapazitäten, die bei Wirtschaftlichkeitsbetrachtungen entsprechend berücksichtigt werden müssen. Bei aller Bedeutung, die diesem Problem zweifellos zuzumessen ist, sollte es aber auch nicht überschätzt werden. Insbesondere durch intensitätsmäßige Anpassung und durch Teilzeitbeschäftigung von Arbeitskräften lassen sich Leerzeiten bis zu einem gewissen Grad vermeiden. Aufgabe der Wirtschaftlichkeitskontrolle ist neben der Überwachung der Leistungserstellung die Feststellung, ob der Betrieb optimal organisiert ist.

Eine weitere Einschränkung muß bei der Wirtschaftlichkeitskontrolle hinsichtlich der *Betriebsgröße* gemacht werden. Wirtschaflichkeitsrechnungen erweisen sich erst ab einer gewissen Größe als möglich: je kleiner die Institute sind, um so schwieriger wird die Abgrenzung der Kostenstellen, und um so problematischer wird die Zurechnung der Kosten auf die in den Kostenstellen erbrachten Leistungen.

Kaum lösbar erscheint, unabhängig von der Institutsgröße, die Frage der Wirtschaftlichkeitsmessung von überwiegend *dispositiven Arbeitsverrichtungen,* weil in vielen Fällen ein Maßstab für die Leistung in den einzelnen dispositiven Bereichen fehlt.

Für die meisten dispositiven Leistungen, vor allem für die Leistungen der Führungsspitze eines Kreditinstitutes, fehlen Kriterien. Damit bleiben die Aufgaben der Wirtschaftlichkeitskontrolle im wesentlichen auf die objektbezogenen Arbeitsverrichtungen beschränkt.

b) Selbstkostenermittlung

Der Selbstkostenermittlung dienen diejenigen Rechnungsverfahren, die Kosten zu Marktleistungen in Beziehung setzen.

Selbstkostenrechnungen werden zu preispolitischen Zwecken vorgenommen, insbesondere zur Ermittlung der Preisuntergrenze. Eine Selbstkostenrechnung hat für Kreditinstitute daher nur einen Sinn, wenn diese auf der Grundlage ihrer Selbstkostenermittlung auch tatsächliche Konsequenzen für ihre Preispolitik ziehen können[78], wogegen zunächst folgende Umstände zu sprechen scheinen:

a) Der bereits dargestellte Leistungsdualismus hat zur Folge, daß eine Preisbemessung aufgrund der Kosten auf erhebliche Schwierigkeiten stößt.
b) Die Banken erbringen teilweise gezwungenermaßen, zum Teil auch aus werbepolitischen Gründen eine Reihe von Leistungen, deren Kosten sie aus den Erlösen der gesamten Geschäftsbeziehung mit dem Kunden zu decken suchen. [79]
c) Ein Kreditinstitut hat in den meisten Fällen – bedingt durch die Konkurrenzlage im Bankgewerbe – nicht die Möglichkeit, sich als defizitär erweisende Geschäftszweige, für die sich keine kostendeckenden Konditionen durchsetzen lassen, aufzugeben.

Andererseits läßt sich aber doch nicht die ganze Reihe preispolitischer Entscheidungen übersehen, bei denen es für die Kreditinstitute äußerst wichtig ist, ihre Selbstkosten zu kennen, z. B.:

1) In einer Periode, in der in wachsendem Maße neue und modifizierte Leistungen von den Kreditinstituten in den Markt eingeführt werden, muß bei der Preisstellung von den Kosten dieser Innovationen ausgegangen werden.

[78] vgl. Süchting, J.: Kalkulation und Preisbildung der Kreditinstitute, Frankfurt a.M. 1963

[79] vgl. dazu die kritischen Ausführungen in: Hagenmüller, K. F.: Vom Grenzkostendenken zur Vollkostenkalkulation, in: ZfgK 1972, S. 995 ff.

2) Kreditinstitute stehen häufig vor der Notwendigkeit, Kunden gegenüber von den zunächst geforderten Konditionen abzugehen und ihnen Vorzugsbedingungen einzuräumen. Bei derartigen Verhandlungen wäre die Kenntnis der Selbstkosten, die auf lange Sicht die Preisuntergrenze bilden müssen, wertvoll.

c) Erfolgskontrolle

Erstreckt sich die Kalkulation darauf, Beziehungen zwischen Kosten und Erlösen herzustellen, wird von einer Erfolgskontrolle gesprochen.

Über die Ermittlung der Gesamterfolgsziffer hinaus wird versucht, durch die Gegenüberstellung von Kosten- und Erlösblöcken den Erfolg einzelner Marktleistungsgruppen im Sinne von Geschäftszweigen bzw. -sparten oder den Erfolg einzelner Marktleistungen festzustellen. Erfolgsrechnungen für Marktleistungsgruppen lassen sich am leichtesten durchführen, weil hier die ganze Problematik der Erfassung von Leistungsmengen außer acht gelassen wird und die Kosten direkt mit den Erlösen verglichen werden können.

Diese Verfahren der Erfolgskontrolle, die sich für größere wie für kleinere Institute gleich gut eignen, liefern wichtige Hinweise für die Betriebsdisposition. Sie informieren die Geschäftsleitung über die Erfolgssituation in einem bestimmten Zeitpunkt oder über den voraussichtlichen Erfolg bestimmter dispositiver Entscheidungen und treten damit ergänzend neben die Liquiditätskontrolle, die in jedem Bankbetrieb mit Hilfe der Tagesbilanz etwa durchgeführt wird.

3. Systematik der Verfahren

Eine Systematisierung der Verfahren der Bankkalkulation ist unter verschiedenen Gesichtspunkten möglich. Hier wird eine Systematisierung der Verfahren ausschließlich nach den verschiedenen Stufen des Rechnungsprozesses zugrunde gelegt.[80] Dabei dient die erste Stufe primär der Kosten- und Erlöserfassung bzw. -ermittlung, wenngleich sich auch an die hierunter subsumierten Verfahren eine Auswertung anschließt. Die zweite Stufe hat die Verrechnung und Verteilung der Kosten zum Gegenstand, wobei die Auswertung bereits größeren Raum einnimmt. Die dritte Phase enthält den Kosten- und Erlösvergleich in bestimmten Bereichen der Leistungserstellung bzw. für einzelne Leistungen, Konten und Kunden.

Zur Erläuterung der Verfahren der Bankkalkulation dient Abbildung 5 auf Seite 110 bis 111.

[80] vgl. Hagenmüller, K.F.: Bankbetrieb und Bankpolitik, Wiesbaden 1959, S. 205

4) Erste Rechnungsstufe

a) Gesamtbetriebskalkulation

Grundlage jeder Kalkulation ist die genaue Kenntnis der einzelnen Erfolgselemente. Aus dieser Erkenntnis heraus ist die Gesamtbetriebskalkulation entwickelt worden.

Die Gesamtbetriebskostenkalkulation stellt ein mit der Betriebsergebnisrechnung der Industrie vergleichbares Rechnungsverfahren dar. Als Saldo der Gegenüberstellung von Kosten und Erlösen ergibt sich das Gesamtbetriebsergebnis, die Gesamterfolgsziffer des Bankbetriebes.

Die Aussagemöglichkeiten der Gesamtbetriebskalkulation sind damit eng begrenzt. Sie liegen in einem periodischen Vergleich der Gesamterfolgsziffern sowie der Größe der einzelnen Kosten- und Erlösarten. Sichtbar werden nur die absoluten Veränderungen im Zeitablauf, ohne daß Rückschlüsse auf die Ursachen der Veränderungen möglich wären. Solche Ursachen aufzuzeigen, ist die Aufgabe der Kalkulationsverfahren höherer Rechnungsstufen. Die Gesamtbetriebskalkulation stellt in erster Linie die Vorstufe zu anderen Kalkulationsverfahren dar.

An Stelle einer Gesamtbetriebskalkulation wird von den Kreditinstituten vielfach die sogenannte Brutto-Gewinn- und -Verlustrechnung verwandt, die aus den Zahlen der Finanzbuchhaltung entwickelt ist. Auch die rentabilitätsmäßigen Untersuchungen, die die Deutsche Bundesbank für die Kreditinstitute auf freiwilliger Basis anstellt, stützen sich neben der Zinsertragsbilanz auf eine derartige weit aufgegliederte Gewinn- und Verlustrechnung.

Die intern aufgemachte Gewinn- und Verlustrechnung unterscheidet sich von der Gesamtbetriebskalkulation dadurch, daß letztere ausschließlich den leistungsbedingten Wertverzehr und Wertzuwachs berücksichtigt, während erstere auch neutrale Größen enthält. Nicht in die Gesamtbetriebskalkulation einzusetzen sind ferner die erfolgsabhängigen Posten wie die Einkommen- bzw. Körperschaftsteuer, die nicht als Kosten anzusehen sind, oder die gewinnabhängigen Tantiemen. Weiterhin sind zum Zweck der Gesamtbetriebskalkulation alle diejenigen Erfolgsposten zu korrigieren, in welchen die Aufwendungen der Finanzbuchhaltung nur geschätzt und diese Schätzgrößen nach finanz- und bilanzpolitischen Gesichtspunkten bemessen werden. In Betracht kommen hier Abschreibungen auf Grundstücke und Gebäude sowie auf die Betriebs- und Geschäftsausstattung, Zuweisungen zu Rückstellungen, insbesondere Pensionsrückstellungen, ferner vor allem Wertberichtigungen und Abschreibungen für Risiken des Kredit-, Auslands- und Effektengeschäfts. Neben die kalkulatorische Erfassung von Aufwendungen, die auch zu Ausgaben werden, tritt schließlich noch der Ansatz von Zusatzkosten (kalkulatorische Kosten) und Zusatzerlösen (kalkulatorische Erlöse).

Abgesehen von den vorerwähnten Gruppen von Erfolgselementen, lassen sich Kosten und Erlöse ohne größere Schwierigkeiten aus den Aufwendungen und Erträgen der Fi-

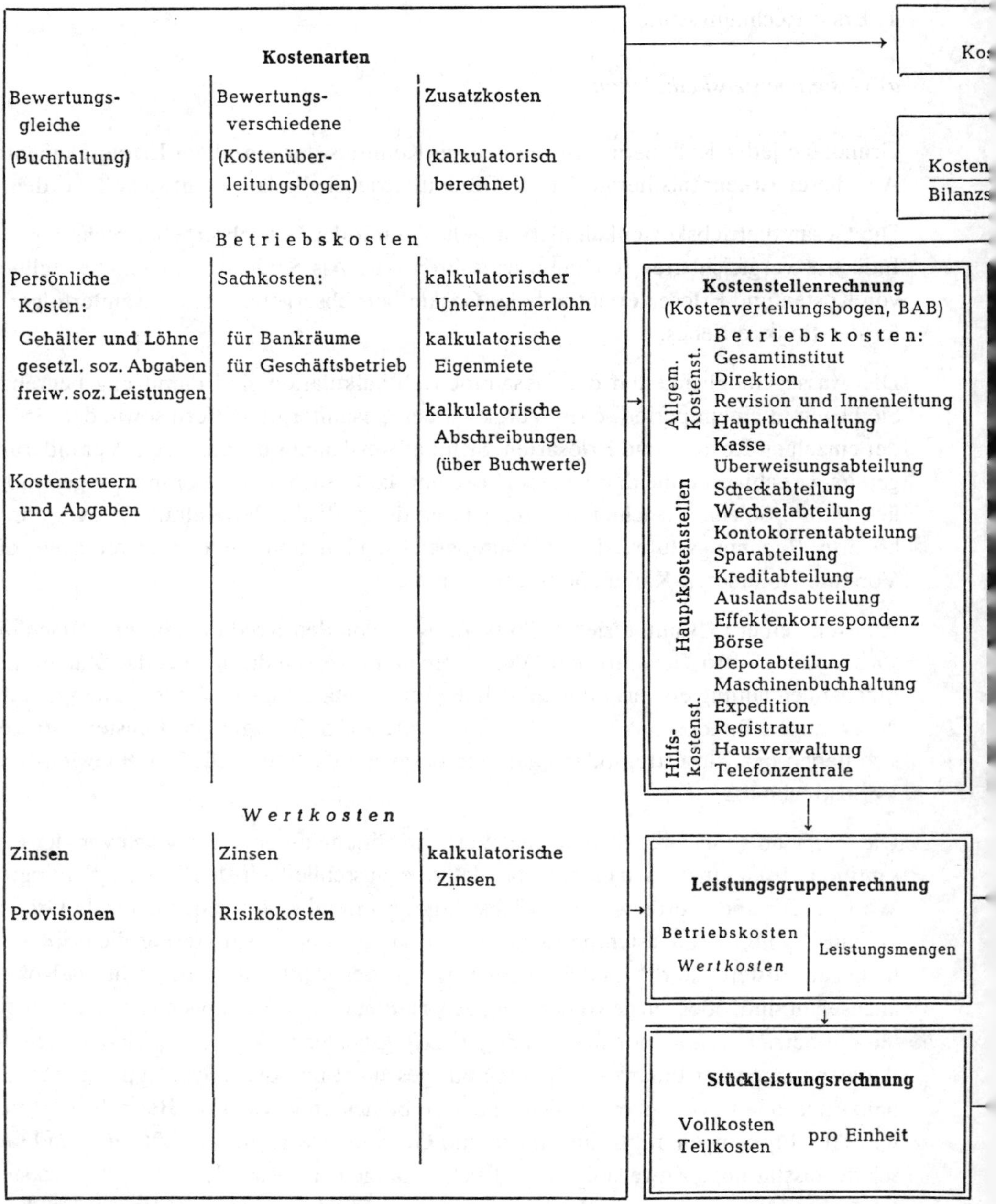

Abbildung 5: Schema der Bankkalkulation

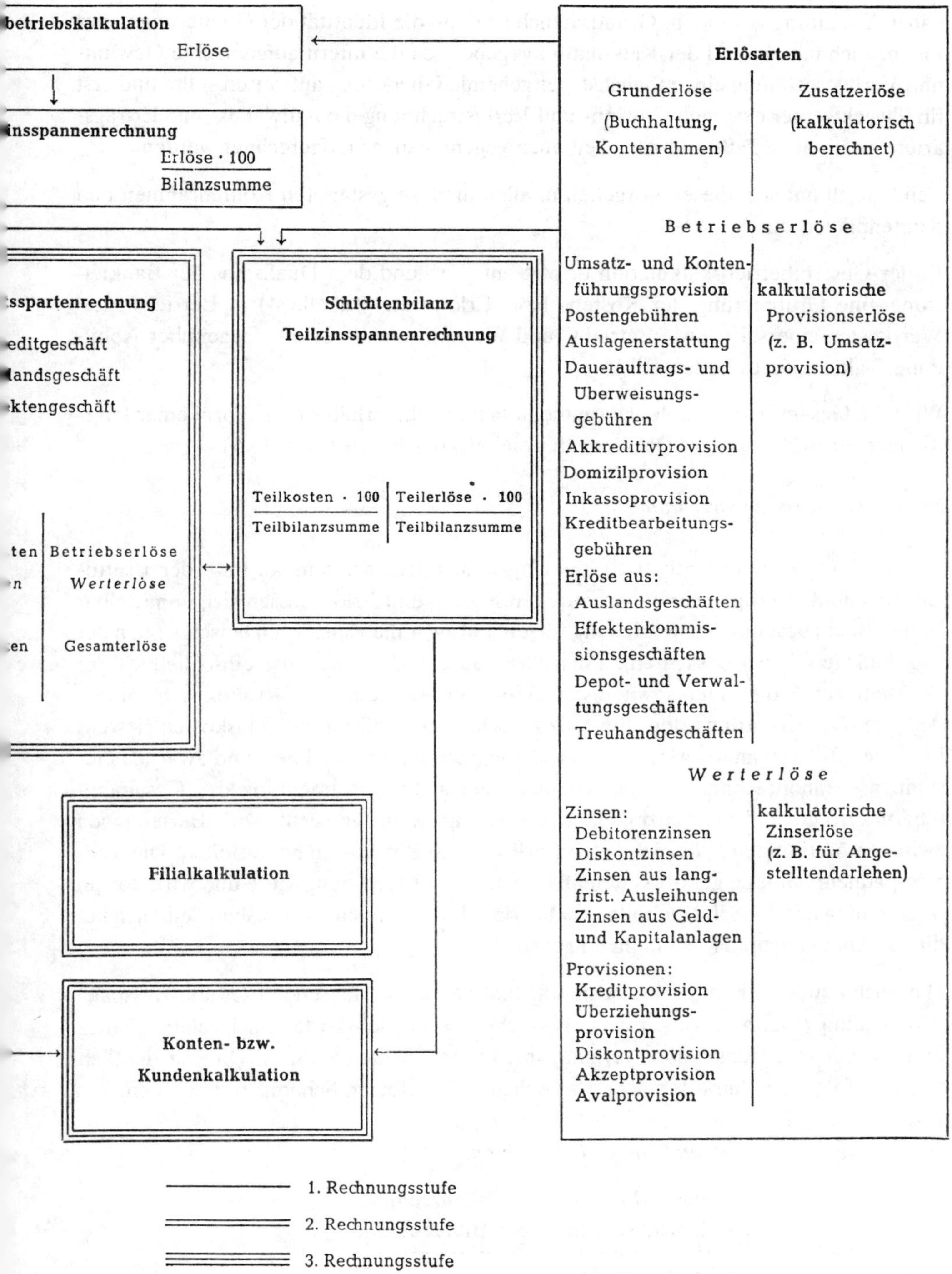
betriebskalkulation
Erlöse
insspannenrechnung
Erlöse · 100
Bilanzsumme
Erlösarten
Grunderlöse
(Buchhaltung, Kontenrahmen)
Zusatzerlöse
(kalkulatorisch berechnet)
Betriebserlöse
Umsatz- und Kontenführungsprovision
Postengebühren
Auslagenerstattung
Dauerauftrags- und Überweisungsgebühren
Akkreditivprovision
Domizilprovision
Inkassoprovision
Kreditbearbeitungsgebühren
Erlöse aus:
Auslandsgeschäften
Effektenkommissionsgeschäften
Depot- und Verwaltungsgeschäften
Treuhandgeschäften
kalkulatorische Provisionserlöse
(z. B. Umsatzprovision)
Werterlöse
Zinsen:
Debitorenzinsen
Diskontzinsen
Zinsen aus langfrist. Ausleihungen
Zinsen aus Geld- und Kapitalanlagen
Provisionen:
Kreditprovision
Überziehungsprovision
Diskontprovision
Akzeptprovision
Avalprovision
kalkulatorische Zinserlöse
(z. B. für Angestelltendarlehen)
sspartenrechnung
editgeschäft
landsgeschäft
ktengeschäft
ten Betriebserlöse
n Werterlöse
en Gesamterlöse
Schichtenbilanz
Teilzinsspannenrechnung
Teilkosten · 100
Teilbilanzsumme
Teilerlöse · 100
Teilbilanzsumme
Filialkalkulation
Konten- bzw. Kundenkalkulation
1. Rechnungsstufe
2. Rechnungsstufe
3. Rechnungsstufe

nanzbuchhaltung gewinnen. Grundsätzlich ist dann die Identität der Gliederungen der Finanzbuchhaltung und der Kalkulation gegeben, da die intern aufgemachte Gewinn- und Verlustrechnung eine möglichst weitgehende Gliederung aufweisen sollte und erst für Zwecke einer externen Gewinn- und Verlustrechnung die Aufwands- und Ertragsarten zusammengefaßt und zum Teil auch gegeneinander aufgerechnet werden.

Tendenziell hat sich dieses Vorgehen in allen modern gestalteten Kontenrahmen und Kontenplänen durchgesetzt.

In der Gesamtbetriebskalkulation erfolgt entsprechend dem Dualismus der Bankleistung eine Gruppierung der Kosten- bzw. Erlösarten (Tabelle 4) in Betriebs- und Wertkosten einerseits sowie Betriebs- und Werterlöse andererseits (gegenüber Abbildung 5 aktualisierte Systematik).

Wird die Gesamtbetriebskalkulation monatlich erstellt, erhält sie die Form einer kurzfristigen Erfolgsrechnung. Dazu ein Beispiel aus der Praxis (Tabelle 5).

b) Gesamtzinsspannenrechnung

Die mit Hilfe der Gesamtbetriebskalkulation aus dem Kontenplan bzw. der Brutto-Gewinn- und -Verlustrechnung ermittelten Kosten und Erlöse lassen sich unmittelbar zu den Bilanzbeständen in Beziehung setzen und zwar die Zinskosten einschließlich der zinsähnlichen Provisionskosten zu den Passiven und die Zinserlöse einschließlich der zinsähnlichen Provisionen sowie bis zu einem gewissen Grad die Risikokosten zu den Aktiven. Die Ermittlung der Differenz zwischen Zinserlösen und Zinskosten (jeweils in % der Bilanzsumme) wird als Zinsspannenrechnung bezeichnet, und zwar als Gesamtzinsspannenrechnung, wenn lediglich eine globale Betrachtung des Gesamtgeschäfts erfolgt, und als Teilzinsspannenrechnung, wenn versucht wird, Beziehungen zwischen bestimmten Blöcken von Zinserlösen und Zinskosten herzustellen. Die Teilzinsspannenrechnung gehört systematisch zur dritten Rechnungsstufe und wird dort in Verbindung mit der Schichtenbilanz behandelt. Im folgenden wird deshalb lediglich auf die Gesamtzinsspannenrechnung eingegangen.

Das auch heute noch in der Praxis häufig angewandte Verfahren der Gesamtzinsspannenrechnung stammt aus einer Zeit, in welcher die Betriebskosten noch relativ niedrig und die Dienstleistungserlöse verhältnismäßig unbedeutend waren. Dies ist deutlich aus dem folgenden herkömmlicherweise zugrunde gelegten Schema zu erkennen:

Gesamtzinsspannenrechnung

	Zinserlöse in % der Bilanzsumme
./.	Zinskosten in % der Bilanzsumme
=	*Bruttozinsspanne*
./.	Bedarfsspanne in % der Bilanzsumme
=	*Nettozinsspanne*

Tabelle 4: Einteilung der Kosten- und Erlösarten

Kostenarten	**Erlösarten**
1. Betriebskosten	1. Betriebserlöse
Personalkosten Gehälter und Löhne Gesetzliche soziale Abgaben Freiwillige soziale Leistungen Sachkosten Sachkosten für Bankräume einschl. Nebenkosten Sachkosten für Geschäftsbetrieb Kostensteuern und Abgaben	Postengebühren Auslagenerstattung Akkreditivprovision Domizilprovision Inkassoprovision Kreditbearbeitungsgebühren Erlöse aus Auslandsgeschäft Erlöse aus Effektenkommissionsgeschäft Erlöse aus Depot- und Verwaltungsgeschäft Erlöse aus Treuhandgeschäft Erlöse aus Emissionsgeschäft Erlöse aus Devisengeschäft
2. Wertkosten	2. Werterlöse
Zinsen Zinsen für Kontokorrenteinlagen Zinsen für Termineinlagen Zinsen für Spareinlagen Zinsen für Refinanzierungsmittel Kalkulatorische Zinsen	Zinsen Debitorenzinsen Diskontzinsen Zinsen aus langfr. Ausleihungen Zinsen aus Geld- und Kapitalanlage (einschl. Ausgleichs- und Deckungsforderungen) Kalkulatorische Zinsen
Provisionen	Provisionen Kredit- und Überziehungsprovisionen Akzeptprovisionen Avalprovisionen
Risikokosten Risikokosten des Kreditgeschäfts Risikokosten d. Auslandsgeschäfts Risikokosten d. Effektengeschäfts	Handelsgewinne Devisenhandelsgewinne Effektenhandelsgewinne Edelmetallhandelsgewinne

Tabelle 5: Ergebnisrechnung

Ordentliche Rechnung (Mio DM)	Jan. bis Nov.											Jahr kum.	anteil Vorj.	Veränderung gegen			
														Vorjahr kum.		anteil Vorjahr	
	Jan.	Febr.	März	April	Mai	Juni	Juli	Aug.	Sept.	Okt.	Nov.	ist	ist	abs.	%	abs.	%
Ertrag des laufenden Geschäfts																	
Zinsüberschuß																	
Zinserträge insgesamt																	
Zinsaufwendungen insgesamt																	
Revisionsüberschuß																	
Erträge a.d. Wertpap. Gesch.																	
Erträge a.d. Auslands-Gesch.																	
Erträge a.d. Devisen-Gesch.																	
Umsatzprov. u. Abschlußspesen																	
Sonst. Provisionen u. Spesen																	
Erträge a.d. Emissions-Gesch.																	
Sonstige																	
Handelsgewinne insgesamt																	
Effektenhandelsgewinne																	
Devisenhandelsgewinne																	
dto aus Vorjahr übertragen																	
Edelmetallhandelsgewinne																	
Sortenhandelsgewinne																	
Erträge insgesamt																	
Aufwendungen insgesamt																	
Gehälter u. Löhne, Soziale Abg.																	
Altersversorg. u. Unterstützung																	
Sachaufwand																	
Normalabschreib. a/Mob. u. Im.																	
Lfde. Betriebssteuern																	
Betriebsgewinn																	
ohne Handelsgewinne																	
einschl. Handelsgewinne																	

In diesem Schema ist davon ausgegangen worden, daß das bei weitem dominierende Problem für die Bank darin besteht, eine bestimmte, sich aus der Differenz von durchschnittlichen Aktiv- und Passivsätzen ergebende Bruttozinsspanne zu erwirtschaften.

Die Weiterentwicklung zu der modernen Form zeigt Süchting:[81]

Zinsen und zinsähnliche Erlöse
./. Zinskosten

= *Bruttozinsspanne*
± Kursgewinne bzw. Kursverluste
./. Risikokosten

= *Ergebnis der Wertleistungserstellung im Finanzbereich*

+ Betriebserlöse
./. Betriebskosten
} = Ergebnis der Stückleistungserstellung im Betriebsbereich

} = *Bedarfsspanne*

= *Nettozinsspanne*

Ein typisches Beispiel ist die Zinsertragsbilanz einschließlich Gewinn- und Verlustrechnung (Deutsche Bundesbank), S. 116 bis 127.

Ein Beispiel für eine intern verwendete monatliche Zinsertragsbilanz gibt Tabelle 6, Seite 128.

Wie aus der Positionen-Übersicht hervorgeht, handelt es sich um jeweils ausgewählte Positionen der Aktiv- und Passivseite. Insoweit ist die ermittelte „Marge" keine Marge im üblichen Sinne, sondern eine Zinssatzdifferenz.

5. Zweite Rechnungsstufe

a) Kostenstellenrechnung

aa) Grundlagen und Aufgaben

Die Istkostenrechnung ist ein vergangenheitsorientiertes Rechenverfahren, in das die tatsächlich entstandenen Kosten eingehen. Sie kann in eine Abteilungs-Kostenstellenrechnung und eine Funktions-Kostenstellenrechnung unterteilt werden. In der Abteilungs-Kostenstellenrechnung erfolgt die Kostenstellenbildung nach

[81] Süchting, J.: Bankenmanagement, a. a. O., S. 86

DEUTSCHE BUNDESBANK
B 210

Vertraulich

In doppelter Ausfertigung einreichen

Zinsertragsbilanz

Datum

für den ______________________________

Kreditinstitut — Firma ______________________________

Kreditgeberidentitätsnummer ______________________________

Anzahl der Filialen ____________

Anzahl der Depositenkassen ____________

Aktiva

	Zeile	vH des Geschäfts-volumens	Tsd DM	Durch-schnitts-zinssatz %	Ertrag in DM (auf volle DM abgerundet)
		a	b	c	d
Unverzinsliche Werte Kasse, BBk, Postscheck, fällige Schuldverschreibungen, Zins- und Dividendenscheine, Schecks und zum Einzug erh. Papiere u. a. m.	1			—	—
Wechselkredite					
AKA-Wechsel (Plaf. A und B) und GFI-Wechsel (Plaf. I und II)	2				
Sonstige Wechsel					
angekauft von Kreditinstituten	3				
angekauft von Nichtbanken	4				
per Verfall gutgeschriebene Wechsel	5			—	—
Insgesamt (2 bis 5)	6				
Forderungen an Kreditinstitute					
im Inland täglich fällig	7				
unter 3 Monate	8				
3 Monate bis einschließlich 1 Jahr	9				
über 1 Jahr bis unter 4 Jahre	10				
4 Jahre und darüber	11				
im Ausland täglich fällig	12				
unter 3 Monate	13				
3 Monate bis einschließlich 1 Jahr	14				
über 1 Jahr bis unter 4 Jahre	15				
4 Jahre und darüber	16				
Insgesamt (7 bis 16)	17				
Forderungen an Kunden					
Buchkredite (soweit nicht Zeilen 29 bis 35)					
bis unter 4 Jahre					
Unternehmen	18				
wirtschaftlich selbständige Privatpersonen	19				
wirtschaftlich unselbständige u. sonstige Privatpersonen	20				
öffentliche Haushalte (einschl. Organisationen ohne Erwerbszweck)	21				
Insgesamt (18 bis 21)	22				
4 Jahre und darüber					
Unternehmen	23				
wirtschaftlich selbständige Privatpersonen	24				
wirtschaftlich unselbständige u. sonstige Privatpersonen	25				
öffentliche Haushalte (einschl. Organisationen ohne Erwerbszweck)	26				
Insgesamt (23 bis 26)	27				
zins- und ertraglose	28			—	—
Factoringgeschäft	29				
Leasinggeschäft	30				
Fremdwährungskredite	31				
Akzeptkredite	32				
Ratenkredite (zu p.M.-Sätzen)	33				
Schuldscheindarlehen	34				
Ausleihung zweckgebundener Mittel	35				
Insgesamt (22 + 27 + 28 bis 35)	36				
Wechselkredite und Forderungen Insgesamt (6 + 17 + 36)	37				
Schatzwechsel und unverzinsliche Schatzanweisungen	38				
Anleihen und Schuldverschreibungen					
mit Laufzeit bis 4 Jahre einschließlich	39				
mit Laufzeit über 4 Jahre	40				
Andere Wertpapiere	41				
Ausgleichs- und Deckungsforderungen	42				
Beteiligungen	43				
Insgesamt (38 bis 43)	44				
Grundstücke und Gebäude	45				
Sonstige verzinsliche Aktiva	46				
Insgesamt (45 + 46)	47				
Sonstige unverzinsliche Aktiva, Rechnungsabgrenzung u. a. m.	48			—	—
Verrechnung zwischen Zentrale und Filialen	49				
Insgesamt (48 + 49)	50				
Aktiva insgesamt (Geschäftsvolumen) (1 + 37 + 44 + 47 + 50)	51	100			

Passiva

	Zeile	vH des Geschäfts-volumens	Tsd DM	Durch-schnitts-zinssatz %	Aufwand in DM (auf volle DM abgerundet)
		a	b	c	d
Kapital und offene Rücklagen	52			—	—
Sonderposten mit Rücklageanteil	53			—	—
Einzel- und Sammelwertberichtigungen sowie Rückstellungen im Kreditgeschäft	54			—	—
Pensionsrückstellungen	55			—	—
Sonstige Rückstellungen	56			—	—
Insgesamt (52 bis 56)	57			—	—
Verbindlichkeiten gegenüber Kreditinstituten					
Verbindlichkeiten (soweit nicht Zeilen 68 und 69)					
im Inland täglich fällig	58				
unter 3 Monate	59				
3 Monate bis einschließlich 1 Jahr	60				
über 1 Jahr bis unter 4 Jahre	61				
4 Jahre und darüber	62				
im Ausland täglich fällig	63				
unter 3 Monate	64				
3 Monate bis einschließlich 1 Jahr	65				
über 1 Jahr bis unter 4 Jahre	66				
4 Jahre und darüber	67				
Verbindlichkeiten gegenüber Bundesbank	68				
Von der Kundschaft bei Dritten benutzte Kredite	69				
Insgesamt (58 bis 69)	70				
Verbindlichkeiten aus dem Bankgeschäft gegenüber anderen Gläubigern					
täglich fällig					
verzinslich	71				
unverzinslich	72			—	—
Termingelder					
unter 1 Monat	73				
1 Monat bis unter 3 Monate	74				
3 Monate bis einschließlich 1 Jahr	75				
über 1 Jahr bis unter 4 Jahre	76				
4 Jahre und darüber	77				
Spareinlagen					
mit gesetzlicher Kündigungsfrist	78				
mit vereinbarter Kündigungsfrist unter 4 Jahren	79				
mit vereinbarter Kündigungsfrist 4 Jahre und darüber					
prämienbegünstigte	80				
andere	81				
Sondersparformen	82				
Insgesamt (71 bis 82)	83				
Verbindlichkeiten gegenüber Kreditinstituten und gegenüber anderen Gläubigern Insgesamt (70 + 83)	84				
Inhaberschuldverschreibungen im Umlauf	85				
Eigene Akzepte und Solawechsel sowie eigene Ziehungen im Umlauf	86				
Indossamentsverbindlichkeiten	87				
Insgesamt (86 + 87)	88				
Sonstige verzinsliche Passiva	89				
Sonstige unverzinsliche Passiva, Rechnungsabgrenzung, Wechselversand u.a.m.	90			—	—
Verrechnung zwischen Zentrale und Filialen	91				
Insgesamt (90 + 91)	92				
Passiva insgesamt (Geschäftsvolumen) (57 + 84 + 85 + 88 + 89 + 92)	93	100			

Zinsspanne:

Ergänzende Angaben zur Zinsertragsbilanz

	Zeile	vH des Geschäftsvolumens	Tsd DM	Durchschnittszinssatz %	Ertrag in DM (auf volle DM abgerundet)
		a	b	c	d
A. Aktiva					
Forderungen an Kunden					
1. Buchkredite (Zeilen 18 bis 21 + 23 bis 26)					
mit variablem Zinssatz	94				
mit gebundenem Zinssatz	95				
mit festem Zinssatz	96				
mit festem Zinssatz und Anpassungsmöglichkeit	97				
Insgesamt (94 bis 97) = 22 + 27	98				

	Zeile	a	b	c	Aufwand in DM (auf volle DM abgerundet)
B. Passiva					
Verbindlichkeiten gegenüber anderen Gläubigern					
in den Termingeldern enthaltene Sparbriefe/Namensschuldverschreibungen mit Laufzeit					
bis unter 4 Jahre	99				
4 Jahre und darüber	100				

	Zeile	
C. Stückzahl zu Zeile 94	101	
Stückzahl zu Zeile 95	102	
Stückzahl zu Zeile 96	103	
Stückzahl zu Zeile 97	104	
Stückzahl zu Zeilen 71 + 72	105	
Stückzahl zu Zeilen 78 + 79 + 80 + 81 + 82	106	
Insgesamt (101 bis 106)	107	

DEUTSCHE BUNDESBANK
B 210

Vertraulich

In doppelter Ausfertigung einreichen

Gewinn- und Verlustrechnung für das Jahr _____

Kreditinstitut ____
Firma/Kreditgeberidentitätsnummer

	Zeile	vT des Geschäftsvolumens im Jahresdurchschnitt		DM (ohne Pfennig)	
I. Zinsabhängiges Geschäft					
Zinsen und zinsähnliche Erträge aus Kredit- und Geldmarktgeschäften					
Zinsen aus bankgeschäftlichen Forderungen an					
Kreditinstitute	1				
Kunden, einschl. Bearbeitungsgebühren für Ratenkredite	2				
Nettodiskontertrag (Ertrag ./. Aufwand) aus Wechseln	3				
Schatzwechseln und unverzinslichen Schatzanweisungen	4				
Kreditprovision	5				
Überziehungsprovision	6				
Wechsel- und Akzeptprovision	7				
Bürgschaftsprovision	8				
Andere Zinsen, Provisionen und sonstige zinsähnliche Erträge, und zwar [1]) ______	9				
Zinserträge insgesamt (1 bis 9)	10				
Laufende Erträge aus					
festverzinslichen Wertpapieren und Schuldbuchforderungen	11				
anderen Wertpapieren	12				
Beteiligungen einschl. Erträge aus Ergebnisabführungsverträgen	13				
Laufende Erträge insgesamt (11 bis 13)	14				
Andere Erträge aus dem zinsabhängigen Geschäft, und zwar [1]) [2]) ______	15				
Erträge insgesamt (10 + 14 + 15)	16				
Zinsen und zinsähnliche Aufwendungen					
Zinsen a. Verbindlichkeiten a. d. Bankgeschäft gegenüber Kreditinstituten					
täglich fällig	17				
befristet	18				
anderen Gläubigern täglich fällig	19				
befristet	20				
Spareinlagen	21				
Zinsen auf Inhaberschuldverschreibungen	22				
Sonstige Zinsen und zinsähnliche Aufwendungen, und zwar [1]) ______	23				
Zinsaufwendungen insgesamt (17 bis 23)	24	./.		./.	
Zinsüberschuß einschl. Provisionen aus dem Kreditgeschäft (16 ./. 24)	25				

[1]) Aufgliederung nach Art und Betrag
[2]) Hier ggf. auch Erträge aus Grundstücken und Gebäuden (Mieten, Pachten)

Vordr. 1551 12.82

II. Nichtzinsabhängiges Geschäft

	Zeile	vT des Geschäftsvolumens im Jahresdurchschnitt	DM (ohne Pfennig)
Effektengeschäft			
Provisionen und andere Erträge			
Provisionen auf Effektenankäufe und -verkäufe	26		
Umtausch-, Abstempelungs- und Kuponprovisionen; sonstige Effektenprovisionen	27		
Depotgebühren und Stahlfachmieten	28		
Sonstige Erträge aus dem Emissionsgeschäft; Übernahmeprovision, Börseneinführungsprovision u. a. m.	29		
Bonifikationen	30		
Kursgewinne ./. Kursverluste aus Effekten aus dem laufenden Handelsgeschäft ./. Kurswertabschreibungen auf Handelsbestände	31		
Sonstige Erträge	32		
Erträge insgesamt (26 bis 32)	33		
Provisionen und ähnliche Aufwendungen	34		
Sonstige Aufwendungen	35		
Aufwendungen insgesamt (34 + 35)	36	./.	./.
Ertrag per Saldo (33 ./. 36)	37		
Auslandsgeschäft			
Provisionen und andere Erträge			
Dokumenten- und Akkreditivprovisionen	38		
Provisionen aus nichtdokumentärer Zahlungsabwicklung	39		
Sonstige Provisionen im Auslandsgeschäft	40		
Devisen- und Sortenkursgewinne ./. -verluste	41		
Edelmetallgewinne ./. -verluste	42		
Sonstige Erträge	43		
Erträge insgesamt (38 bis 43)	44		
Provisionen und ähnliche Aufwendungen	45		
Sonstige Aufwendungen	46		
Aufwendungen insgesamt (45 + 46)	47	./.	./.
Ertrag per Saldo (44 ./. 47)	48		
Zahlungsverkehr			
Provisionen und andere Erträge			
Umsatzprovision	49		
Kontoführungsgebühren	50		
Sonstige Erträge	51		
Erträge insgesamt (49 bis 51)	52		
Provisionen und ähnliche Aufwendungen	53		
Sonstige Aufwendungen	54		
Aufwendungen insgesamt (53 + 54)	55	./.	./.
Ertrag per Saldo (52 ./. 55)	56		
Sonstiges nichtzinsabhängiges Geschäft			
Provisionen und andere Erträge			
Inkasso- und Rückwechselprovisionen	57		
Erträge aus durchlaufenden Krediten	58		
Sonstige Provisionen	59		
Sonstige Erträge	60		
Erträge insgesamt (57 bis 60)	61		
Provisionen und ähnliche Aufwendungen	62		
Sonstige Aufwendungen	63		
Aufwendungen insgesamt (62 + 63)	64	./.	./.
Ertrag per Saldo (61 ./. 64)	65		

	Zeile	vT des Geschäftsvolumens im Jahresdurchschnitt	DM (ohne Pfennig)
Zusammenstellung der Erträge per Saldo im nichtzinsabhängigen Geschäft			
Effektengeschäft (Zeile 37)	66		
Auslandsgeschäft (Zeile 48)	67		
Zahlungsverkehr (Zeile 56)	68		
Sonstiges nichtzinsabhängiges Geschäft (Zeile 65)	69		
Überschuß im nichtzinsabhängigen Geschäft	70		
III. Verwaltungsaufwand			
Gehälter und Löhne	71		
Soziale Abgaben	72		
Aufwendungen für Altersversorgung u. Unterstützung	73		
Persönlicher Aufwand (71 bis 73)	74		
Raumkosten (Mieten, Erhaltungsaufwand u. a. m.)	75		
Geschäftsbetriebskosten (Büromaterial, Porti, Pflege und Instandhaltung des Inventars, Verbandsbeiträge u. a. m.)	76		
Kundenwerbung und Repräsentation	77		
Sachaufwand (75 bis 77)	78		
Abschreibungen und Wertberichtigungen auf Grundstücke und Gebäude sowie auf Betriebs- und Geschäftsausstattung (ohne Abschreibungen nach § 6b EStG)	79		
Steuern und Abgaben (ohne gewinn- und vermögensabhängige Steuern sowie ohne die nicht regelmäßig anfallenden Steuern von Bedeutung)	80		
Sonstige Verwaltungsaufwendungen, und zwar[1]) ______	81		
Verwaltungsaufwand insgesamt (74 + 78 + 79 + 80 + 81)	82		
Zinsüberschuß (Zeile 25)	83		
Überschuß im nichtzinsabhängigen Geschäft (Zeile 70)	84		
Rohertrag (83 + 84)	85		
Verwaltungsaufwand (Zeile 82)	86	·/.	·/.
Betriebsergebnis Überschuß im ordentlichen Geschäft (85 ·/. 86)	87		

[1]) Aufgliederung nach Art und Betrag

	Zeile	vT des Geschäftsvolumens im Jahresdurchschnitt	DM (ohne Pfennig)
Übertrag	87		

IV. Sonstige und außerordentliche Erträge und Aufwendungen

	Zeile	vT des Geschäftsvolumens im Jahresdurchschnitt	DM (ohne Pfennig)
Erträge aus Verlustübernahme	88		
Erträge aus der Auflösung von Sonderposten mit Rücklageanteil	89		
Erträge aus dem Abgang von Gegenständen des Anlagevermögens	90		
Erträge aus der Auflösung von Rückstellungen im Kreditgeschäft	91		
Erträge aus früheren Abschreibungen und Wertberichtigungen	92		
Andere außerordentliche Erträge, und zwar [1] ____________	93		
Sonstiger und außerordentlicher Ertrag insgesamt (88 bis 93)	94		
Zwischensumme (87 + 94)	95		
Auf Grund einer Gewinngemeinschaft, eines Gewinnabführungs- oder eines Teilgewinnabführungsvertrages abgeführte Gewinne	96		
Aufwendungen aus Verlustübernahme	97		
Einstellungen in Sonderposten mit Rücklageanteil	98		
Verluste beim Abgang von Gegenständen des Anlagevermögens	99		
Zuführungen zu Rückstellungen im Kreditgeschäft (nur soweit steuerlich wirksam)	100		
Abschreibungen und Einzelwertberichtigungen auf Forderungen und Wechsel (nur soweit steuerlich wirksam)	101		
Wertpapiere (nur soweit steuerlich wirksam)	102		
Beteiligungen (nur soweit steuerlich wirksam)	103		
Sammelwertberichtigungen (nur soweit steuerlich wirksam)	104		
Andere außerordentliche Aufwendungen, und zwar [1] ____________	105		
Sonstige und außerordentliche Aufwendungen insgesamt (96 bis 105)	106	./.	./.
Jahresrohüberschuß/ Jahresrohfehlbetrag (95 ./. 106)	107		

108 Anzahl der Beschäftigten am Bilanzstichtag ____________

109 Anzahl der Beschäftigten im Durchschnitt des Geschäftsjahres ____________
(Nicht ganztägig Beschäftigte sind mit einem entsprechenden Bruchteil zu zählen)

110 Geschäftsvolumen im Jahresdurchschnitt ____________ DM
(Durchschnitt aus 12 Monatsultimozahlen: Dezember des Vorjahres bis November des Berichtsjahres; ohne durchlaufende Kredite)

111 Geschäftsvolumen per Jahresultimo ____________ DM
(Wie Zinsertragsbilanz Zeilen 51, 93 Spalte b x 1000)

[1] Aufgliederung nach Art und Betrag

DEUTSCHE BUNDESBANK Frankfurt am Main, im Dezember 1982
B 210

Anmerkungen zur Zinsertragsbilanz (Vordr. 1550) und zur **Gewinn- und Verlustrechnung** (Vordr. 1551)

I.
Vorbemerkungen

1. Die Erhebungen der Deutschen Bundesbank über die Ertragslage der Kreditinstitute erstrecken sich ausschließlich auf das Bankgeschäft. Die Teilnahme ist daher nur für Kreditinstitute zweckmäßig, bei denen das Warengeschäft keine Bedeutung hat.
2. Die an der Erhebung teilnehmenden Institute füllen die Vordrucke 1550 und 1551 in je drei Stücken aus. Zwei Stücke jedes Vordrucks senden sie an die für sie zuständige Landeszentralbank. Die Landeszentralbanken leiten die Originale an die Deutsche Bundesbank (B 210), Frankfurt am Main, weiter. Je eine Ausfertigung der Vordrucke verbleibt beim ausfüllenden Kreditinstitut.
3. Soweit sich aus den Vordrucken und diesen Anmerkungen nichts anderes ergibt, gelten im Rahmen dieser Erhebung für Begriffsinhalte der einzelnen Positionen der Vordrucke und für die Bestimmung der Fristigkeiten von Forderungen, Verbindlichkeiten und Wertpapieren die Regelungen der Monatlichen Bilanzstatistik.

II.
Zinsertragsbilanz (Vordr. 1550)

A. Allgemeines

1. In der Zinsertragsbilanz ist Bezugsgröße das Geschäftsvolumen am Bilanzstichtag.
2. Die Positionen der Zinsertragsbilanz sind unter dem Gesichtspunkt ihrer Ertragskraft und ihrer Geldbeschaffungskosten gegliedert und in Gruppen zusammengefaßt. Liquiditätsgesichtspunkte, die für die Gliederung der Jahresbilanz ausschlaggebend sind, treten zurück. Um einen möglichst klaren Einblick in die Ertrags- und Kostenstruktur zu erzielen, sind einzelne Positionen der Zinsertragsbilanz stärker gegliedert als die entsprechenden Positionen der Jahresbilanz.
3. In die Positionen sind die bei Abschluß der Konten am Jahresende ermittelten Salden einzutragen. Die Salden debitorischer und kreditorischer Konten desselben Geschäftspartners sind nur dann gegeneinander aufzurechnen, wenn sie zu gleichen Sätzen verzinst werden. Bestände auf Verrechnungs- oder Zwischenkonten sind, soweit verzinslich, den betreffenden Aktiv- und Passivposten oder ggf. den Zeilen 46 und 89 zuzuordnen bzw., soweit unverzinslich, in den Zeilen 48 und 90 zu erfassen. Wertberichtigungen auf Kredite sind, auch wenn sie in der Jahresbilanz aktivisch abgesetzt wurden, unter Passiva (Zeile 54) auszuweisen.
4. Zinsabgrenzungen und sonstige antizipative Posten, die in der Jahresbilanz in den entsprechenden Hauptpositionen ausgewiesen wurden, sind in der Zinsertragsbilanz in „Sonstige unverzinsliche Aktiva" (Zeile 48) und „Sonstige unverzinsliche Passiva" (Zeile 90) unterzubringen.
5. Die in der Zinsertragsbilanz anzugebenden Durchschnittszinssätze sollen nicht geschätzt, sondern als gewogener Durchschnitt aus den unterschiedlichen Zinssätzen am Bilanzstichtag und den in der Bilanzposition enthaltenen Beträgen errechnet werden. Es dürfte ratsam sein, für die einzelnen Bilanzpositionen Hilfsblätter anzulegen, auf denen die Beträge nach Zinssätzen zusammengestellt werden.

Beispiel

	$6^1/_2$ %		$6^3/_4$ %		7 %		$7^1/_4$ %		
	DM		DM		DM		DM		
	75 000		25 000		12 000		6 500		
	96 000		60 000		8 000		3 000		
	120 000		45 000		15 000		5 000		
			20 000		18 000		12 000		
					9 000		4 500		
					6 000				
Kapital	291 000	+	150 000	+	68 000	+	31 000	=	540 000 DM
Zinsen	18 915	+	10 125	+	4 760	+	2 248	=	36 048 DM

Durchschnittszinssatz = 6,68 %

6. In die Spalten „Ertrag" und „Aufwand" sind die Beträge einzusetzen, die sich aus den Kapitalbeträgen und den Durchschnittszinssätzen – beide werden für das ganze auf den 31. Dezember folgende Kalenderjahr als gleichbleibend angenommen – als Jahreszinsen ergeben. Die so für den Stichtag „vorkalkulatorisch" ermittelten Zinsaufwendungen und Zinserträge decken sich **grundsätzlich nicht** mit den in der Gewinn- und Verlustrechnung ausgewiesenen tatsächlichen Aufwendungen und Erträgen des abgelaufenen Kalenderjahres.
7. In den einzureichenden Vordrucken braucht die Spalte a (vH des Geschäftsvolumens) nicht ausgefüllt zu werden. Den Kreditinstituten wird jedoch empfohlen, auf den bei ihnen verbleibenden Vordrucken die vH-Sätze zu vermerken, um diese später mit den entsprechenden vH-Sätzen der Durchschnittszinsertragsbilanz ihrer Bankengruppe vergleichen zu können.

Vordr. 1552 12.82

B. Aktiva

Unverzinsliche Werte (Zeile 1)

Die von Kreditgenossenschaften bei ihren Zentralkassen unterhaltenen Mindestreserven sind hier mit zu erfassen.

Wechselkredite (Zeilen 2 bis 5)

Hier sind zu erfassen: Der Wechselbestand und die aus dem Wechselbestand vor Verfall zum Einzug versandten Wechsel (siehe Zeile 90), die in Umlauf befindlichen, den Kunden abgerechneten eigenen Ziehungen (siehe Zeile 86) und die angekauften, weitergegebenen Wechsel (Indossamentsverbindlichkeiten, Zeile 87).

Der Wechselbestand ist mit dem Nominalbetrag einzusetzen. Die in der Jahresbilanz vom Bilanzstichtag bis zu den Fälligkeiten im Laufe des folgenden Jahres vom Wechselbestand abzusetzenden Zinsen sind als Korrekturposten unter „Sonstige unverzinsliche Passiva – Rechnungsabgrenzung" (Zeile 90) aufzunehmen.

Buchkredite (Zeilen 18 bis 21, 23 bis 26 und 94 bis 97)

Bei der Ermittlung der Durchschnittszinssätze sind auf in Anspruch genommene Kredite zu zahlende Provisionen und in Prozent des Kapitalbetrages berechnete Bearbeitungsgebühren dem Zinssatz zuzuschlagen. Umsatzprovision bleibt außer Betracht. Ein Disagio ist zu berücksichtigen.

Zins- und ertraglose Buchkredite (Zeile 28)

Als ertraglos gelten Kredite insoweit, als Zinsen (ggf. auch Kreditprovision) zwar berechnet werden, jedoch die Zins- bzw. Provisionsforderung durch Bildung eines Passivpostens wertberichtigt wird.

Factoringgeschäft (Zeile 29)

Hier sind im Wege des echten und unechten Factoring angekaufte Forderungen zu erfassen.

Gebühren für die mit dem Factoring verbundenen Dienstleistungen sind abweichend von den Bilanzierungsrichtlinien nicht in die Berechnung des Ertragszinssatzes einzubeziehen.

Leasinggeschäft (Zeile 30)

Hier sind sowohl die Buchwerte der Leasinggegenstände als auch fällige Leasingforderungen auszuweisen.

Der Ertragszinssatz ist zu errechnen:

$$\frac{100 \times (\text{Leasinggebühren} - \text{Abschreibungen} - \text{Sonstige Aufwendungen für vermietete Anlagen})}{\text{Buchwert}}$$

Akzeptkredite (Zeile 32)

Hier sind nicht nur die angekauften eigenen Akzepte, sondern auch die den Kunden überlassenen Akzepte zu erfassen, und zwar mit dem Durchschnittszinssatz für Akzeptkredite. Zum Ausgleich ist bei dem entsprechenden Passivposten (Eigene Akzepte und Solawechsel sowie eigene Ziehungen im Umlauf, Zeile 86) der Zinssatz anzusetzen, der sich als Differenz zwischen dem Zinssatz für angekaufte eigene Akzepte und der Provision für die den Kunden überlassenen Akzepte ergibt. Auf diese Weise wird vermieden, daß durch die Einbeziehung der Akzeptprovision für die den Kunden überlassenen Akzepte der Durchschnittszinssatz für die Akzeptkredite verändert wird.

Ratenkredite zu p.M.-Sätzen (Zeile 33)

Die Gebührensätze pro Monat auf den Anfangskredit sind in Jahreszinssätze umzurechnen; Bearbeitungsgebühren sind in den Durchschnittszinssatz einzubeziehen.

Anleihen und Schuldverschreibungen; Andere Wertpapiere (Zeilen 39, 40 und 41)

Eigene Effekten sind, auch wenn sie ertraglos sind, zu ihren Buchwerten am Bilanzstichtag einzusetzen. Für festverzinsliche Werte ist der Durchschnittszinssatz aus dem Verhältnis der vereinbarten Nominalverzinsung zu den Buchwerten zu berechnen. Bei Aktien ist die zuletzt gezahlte bzw. für das laufende Geschäftsjahr vorgeschlagene Bruttodividende zuzüglich anrechenbare Körperschaftsteuer einzusetzen. Für sonstige Wertpapiere ist entsprechend zu verfahren.

Grundstücke und Gebäude (Zeile 45)

Der Ertragssatz ist zu errechnen:

$$\frac{100 \times (\text{Jahresmiete} - \text{Grundstückunterhaltungskosten} - \text{Grundsteuer})}{\text{Buchwert}}$$

Als Jahresmiete ist anzusetzen bei vermieteten und verpachteten Grundstücken und Grundstücksteilen das tatsächlich zu erwartende Nutzungsentgelt (Miete, Pacht), bei Grundstücken und Grundstücksteilen in eigener bankgeschäftlicher Nutzung das ortsübliche Nutzungsentgelt.

Sonstige unverzinsliche Aktiva, Rechnungsabgrenzung u. a. m. (Zeile 48)

Hier sind alle restlichen Posten ohne Verzinsung unterzubringen, z. B. Edelmetallbestände, Konto pro Diverse, Schwebeposten auf Verrechnungs- oder Zwischenkonten, Sammelkonten für Gebühren und dergleichen, antizipative Aktiva (z. B. Zinsabgrenzungen, vgl. vorstehend II A 4), Rechnungsabgrenzungsposten und ggf. der Verlust.

Verrechnung zwischen Zentrale und Filialen (Zeilen 49 und 91)

In den Vordrucken, die der Bundesbank eingereicht werden, sind diese Zeilen nicht auszufüllen. Die beiden Positionen sollen es den an der Erhebung teilnehmenden Filialbanken lediglich ermöglichen, die Zinsertragsbilanzen ihrer Filialen ebenfalls nach diesem Vordruck aufstellen zu lassen. In der Bilanz des Gesamtinstituts gleichen sich die „Verrechnungen" aus.

C. Passiva

Einzel- und Sammelwertberichtigungen sowie Rückstellungen im Kreditgeschäft (Zeile 54)

Vergleiche Anmerkung II A 3

Sondersparformen (Zeile 82)

Hier sind Spareinlagen mit besonderen Zinsvereinbarungen, z. B. Wachstumssparen, Bonussparen, Kapitalsparbücher etc., zu erfassen.

Inhaberschuldverschreibungen im Umlauf (Zeile 85)

Hier sind Schuldverschreibungen auszuweisen, die Wertpapiere im Sinne der Bilanzierungsrichtlinien sind. Hierzu gehören auch Inhabersparschuldverschreibungen u. ä. Dem Bestand sind die verkauften, noch zu liefernden Schuldverschreibungen zuzurechnen.

Eigene Akzepte und Solawechsel sowie eigene Ziehungen im Umlauf (Zeile 86)

Von den eigenen Ziehungen sind hier nur den Kreditnehmern abgerechnete zu erfassen (vgl. Anmerkung zu Zeilen 2 bis 5).

Indossamentsverbindlichkeiten (Zeile 87)

Vergleiche Anmerkung zu Zeilen 2 bis 5.

Sonstige unverzinsliche Passiva, Rechnungsabgrenzung, Wechselversand u. a. m. (Zeile 90)

Hier ist auch der Gewinn unterzubringen. Vergleiche im übrigen die entsprechende Anmerkung zu Zeile 48.

III.
Gewinn- und Verlustrechnung (Vordr. 1551)

A. Allgemeines

In der Gewinn- und Verlustrechnung ist Bezugsgröße das Geschäftsvolumen im Jahresdurchschnitt; dieses kann an Hand der Meldungen zur Monatlichen Bilanzstatistik (Geschäftsvolumen abzüglich durchlaufende Kredite) aus den Ultimozahlen vom Dezember des Vorjahres bis einschließlich November des Berichtsjahres ermittelt werden. Falls in den Meldungen zur Monatlichen Bilanzstatistik Beträge kompensiert wurden, sind sie – soweit möglich – dem Geschäftsvolumen wieder zuzuschlagen. Das Geschäftsvolumen im Jahresdurchschnitt (in Tsd DM) ist auf Seite 4 des Vordrucks anzugeben.

B. Zinsabhängiges Geschäft

Kreditprovision (Zeile 5)

Hier ist nur Provision auf zugesagte, aber nicht in Anspruch genommene Kredite (Bereitstellungsprovision) auszuweisen. Falls auf dem Ertragskonto „Kreditprovision" Beträge gebucht worden sind, die infolge Kreditinanspruchnahme den Charakter von Zinsen angenommen haben, sind diese – soweit möglich – nicht in Zeile 5, sondern in Zeilen 1 und 2 (Zinsen aus bankgeschäftlichen Forderungen) unterzubringen.

Andere Zinsen, Provisionen und sonstige zinsähnliche Erträge (Zeile 9)

Zum Beispiel Remboursprovision. Bearbeitungsgebühren für Ratenkredite sind nicht hier, sondern in Zeile 2 zu erfassen.

Laufende Erträge aus festverzinslichen Wertpapieren und Schuldbuchforderungen (Zeile 11)

Hier sind auch Zinsen aus Ausgleichs- und Deckungsforderungen zu erfassen.

Laufende Erträge aus Beteiligungen (Zeile 13)

Hier sind auch Erträge aus Gewinngemeinschaften, Gewinnabführungs- und Teilgewinnabführungsverträgen zu erfassen.

Andere Erträge aus dem zinsabhängigen Geschäft (Zeile 15)

Hier sind ggf. auch Erträge aus Grundstücken und Gebäuden zu erfassen: Bei bankgenutzten Gebäuden sind etwaige Überschüsse einzusetzen, die sich nach Abzug der Raumkosten von den Erträgen aus vermieteten Räumen ergeben (vgl. Anmerkung zu Zeile 75). Bei nicht bankgenutzten Gebäuden sind die Salden der Hausverwaltungskonten einzusetzen. Auch Leasinggebühren sind hier auszuweisen.

C. Nichtzinsabhängiges Geschäft

Kursgewinne ·/. Kursverluste aus Effekten (Zeile 31)

Zum laufenden Handelsgeschäft zählen nicht: Dauerbestände und andere Bestände, die der besonderen Entscheidung der Geschäftsleitung unterliegen und nicht der kurzfristigen Anlage dienen.

Devisen- und Sortenkursgewinne ·/. -verluste (Zeile 41)

In diese Position gehören auch Gewinne und Verluste aus Devisentermingeschäften unabhängig davon, ob es sich um zins- oder kursbedingte Aufwendungen und Erträge handelt.

Erträge aus durchlaufenden Krediten (Zeile 58)

Die Erträge aus durchlaufenden Krediten sind in Zeile 58 und die Aufwendungen für durchlaufende Kredite in Zeilen 62 und 63 mit zu erfassen. Wurden sie von dem Kreditinstitut als Zinsen aus Forderungen (Zeilen 1 und 2) und als Zinsen auf Verbindlichkeiten (Zeilen 17 ff.) behandelt, so sind sie dort abzusetzen. Dabei genügt eine Schätzung.

Sonstige Provisionen aus dem nichtzinsabhängigen Geschäft (Zeile 59)

Hier sind auch Provisionen aus der Vermittlung von Krediten und von Bauspar- und Versicherungsverträgen zu erfassen, außerdem Erträge aus angemieteten und weitervermieteten Grundstücken und Gebäuden.

D. Verwaltungsaufwand

Gehälter und Löhne (Zeile 71)

Hier sind auch die Aufwendungen für vertraglich vereinbarte feste Tätigkeitsvergütungen für die persönlich haftenden Gesellschafter von Privatbankiers auszuweisen. Aufwendungen für von fremden Arbeitgebern angemietete Arbeitskräfte stellen Sachaufwand dar und sind daher der Zeile 76 zuzurechnen.

Soziale Abgaben (Zeile 72)

Hierunter fallen nur die gesetzlichen Pflichtabgaben, die das Kreditinstitut zu tragen hat. Freiwillige soziale Leistungen sind je nach ihrer Art in den Aufwandsposten Zeile 71, 73 oder 81 auszuweisen.

Aufwendungen für Altersversorgung und Unterstützung (Zeile 73)

Hier sind insbesondere Pensionszahlungen, soweit sie nicht zu Lasten von Pensionsrückstellungen geleistet werden, und Zuführungen zu Pensionsrückstellungen sowie Beihilfen und Unterstützungen (z. B. im Krankheitsfalle) an tätige und an nicht tätige Betriebsangehörige sowie an deren Hinterbliebene zu erfassen.

Raumkosten (Zeile 75)

Hier sind außer den Mieten und dem Erhaltungsaufwand alle Aufwendungen für Beleuchtung, Heizung, Reinigung, Bewachung und Feuerversicherung einzusetzen. Die Erträge aus vermieteten Räumen in bankeigenen Gebäuden sind von den Raumkosten abzusetzen.

Geschäftsbetriebskosten (Zeile 76)

Hier sind zusammenzufassen: Alle dort erwähnten Aufwendungen, ferner solche für Geschäftsbücher, Zeitungen, Zeitschriften, Bücher, Spar- und Scheckbücher; Fernsprech-, Fernschreib- und ähnliche Gebühren; Miete für Büromaschinen; Kraftfahrzeugbetriebskosten; Versicherungsprämien; Reisespesen; Rechts-, Prüfungs- und Beratungskosten einschließlich Prüfungskosten des Prüfungsverbandes; Kosten der Bilanzverabschiedung, soweit sie den Ertrag des Berichtsjahres berühren; Aufwendungen für den Aufsichtsrat, Beirat u. ä.; reguläre Beiträge zum Einlagensicherungsfonds und andere reguläre Verbandsumlagen u. a. m. Erstattete Auslagen sind von den Geschäftsbetriebskosten abzusetzen.

Steuern und Abgaben (Zeile 80)

Die gewinnabhängigen Steuern (Körperschaft-, Einkommen-, Kapitalertragsteuer, Gewerbeertragsteuer) und vermögensabhängige Steuern (Vermögen- und Gewerbekapitalsteuer) sowie die nicht regelmäßig anfallenden Steuern von Bedeutung (z. B. Gesellschaftsteuer) werden in dieser Gewinn- und Verlustrechnung nicht erfaßt. Hier sind auch keine Steuern zu erfassen, bei denen das Institut nur Zahlschuldner ist.

Sonstige Verwaltungsaufwendungen (Zeile 81)

Hier sind u. a. zu erfassen: freiwillige soziale Leistungen, die nicht lohnsteuerpflichtig sind; Zahlungen an die Ausgleichskasse für nicht beschäftigte Schwerbeschädigte; Konkurs-Ausfallgeld; außerordentliche Umlagen der Verbände bzw. des Einlagensicherungsfonds, u. a. m.

E. Sonstige und außerordentliche Erträge und Aufwendungen

Die Positionen sollen auch insoweit unkompensiert ausgewiesen werden, als nach den für den Jahresabschluß geltenden Vorschriften (Richtlinien für die Aufstellung der Gewinn- und Verlustrechnung) die Kompensation von Aufwendungen mit Erträgen zugelassen ist.

Erträge aus Verlustübernahme (Zeile 88)

Hier sind aus Beherrschungs- und Gewinnabführungsverträgen u. ä. vereinnahmte Beträge zu zeigen.

Erträge aus dem Abgang von Gegenständen des Anlagevermögens (Zeile 90)

Gewinne aus dem Verkauf von Wertpapieren, die als Daueranlage erworben wurden („Anlageeffekten"), und aus dem Verkauf von Beteiligungen sind hier mit zu erfassen.

Andere außerordentliche Erträge (Zeile 93)

Steuererstattungen sind, soweit es sich um die in der Anmerkung zu Zeile 80 genannten Steuern handelt, in diese Gewinn- und Verlustrechnung nicht aufzunehmen.

Verluste beim Abgang von Gegenständen des Anlagevermögens (Zeile 99)

Anmerkung zu Zeile 90 gilt entsprechend.

Zuführungen zu Rückstellungen im Kreditgeschäft (Zeile 100)

Abschreibungen und Einzelwertberichtigungen (Zeilen 101 bis 103)

Sammelwertberichtigungen (Zeile 104)

In diesen Positionen sind nur Beträge zu erfassen, die steuerlich anerkannt werden. Aufwendungen, die der Bildung stiller und offener Reserven dienen (versteuerte Abschreibungen und Wertberichtigungen sowie Zuführungen zu den Rücklagen, darunter auch Rücklagen für bestimmte Zwecke, z. B. für Gebäudeerneuerung oder für Neubauten), sollen in diese Gewinn- und Verlustrechnung nicht einbezogen werden, da derartige Aufwendungen als Gewinnverwendung anzusehen sind.

Unter „Sammelwertberichtigungen" sind die Beträge einzusetzen, die im Berichtsjahr entsprechend der Anordnung des Bundesaufsichtsamtes für das Kreditwesen der Bilanzposition „Vorgeschriebene Sammelwertberichtigungen" zugeführt wurden.

Andere außerordentliche Aufwendungen (Zeile 105)

Bei den hier ausgewiesenen Beträgen ist der Entstehungsgrund anzugeben, z. B. Kosten für Kapitalerhöhungen, Rückstellungen für Prozeßrisiken, Umbau- und Herstellungsaufwand für gemietete Räume, außerordentliche Abschreibungen auf Hypotheken-Damnum, Abschreibungen gemäß § 6 b EStG, Kassenfehlbeträge.

Steuernachzahlungen sind, soweit es sich um die in der Anmerkung zu Zeile 80 genannten Steuern handelt, in diese Gewinn- und Verlustrechnung nicht aufzunehmen.

Tabelle 6: Zinsertragsbilanz

AKTIVA (Mio DM)	Berichtsmonat Vol.	Berichtsmonat Ø Zins %	Vormonat Vol.	Vormonat Ø Zins %
Mindestreserve-Soll				
Forderungen an Banken				
– disponibel täglich fällig				
befristet				
– Kredite täglich fällig				
befristet				
Wechselkredite				
Forderungen an Kunden				
– Buchkredite weniger als 4 Jahre				
– Buchkredite 4 Jahre und länger				
– Ratenkredite (insgesamt)				
Wechselkredite und Forderungen an Kunden				
Schuldscheindarlehen				
Schatzwechsel und U-Schätze				
Anleihen und Schuldverschreibungen				
Andere Wertpapiere				
Beteiligungen				
Grundstücke und Gebäude, Betriebs- und Geschäftsaustattung				
SUMME der erfaßten Posten				

PASSIVA (Mio DM)	Berichtsmonat Vol.	Berichtsmonat Ø Zins %	Vormonat Vol.	Vormonat Ø Zins %
Eigenmittel, Pauschalwertberichtigungen, Rückstellungen				
Bankeneinlagen				
– disponibel täglich fällig				
befristet				
– sonstige befristete Gelder				
Kundeneinlagen				
– täglich fällig				
– befristet				
– Spareinlagen				
Schuldverschreibungen				
– Sparobligationen/-briefe				
– sonstige				
Eigene Akzepte und Solawechsel im Umlauf				
Rediskontierte Wechsel				
SUMME der erfaßten Posten				

Marge: ______ **Marge:** ______

organisatorischen Gesichtspunkten, und zwar nach Abteilungen bzw. Betriebsstellen. In der Funktions-Kostenstellenrechnung wird die Kostenstellenbildung nach bankspezifischen Tätigkeiten und/oder Geschäftsbereichen vorgenommen.

Nach traditioneller Auffassung ist die Abteilungs-Kostenstellenrechnung im Bankbetrieb als das „Kernstück der technisch-organisatorischen Betriebsüberwachung und ein ideales Hilfsmittel aller Dispositionen, die die Betriebssphäre gestaltend betreffen", anzusehen.[82] Auf die Kostenstellen, d. h. die nach kostenrechnerischen Gesichtspunkten gebildeten Bereiche des Bankbetriebes, in denen gleichartige Leistungen erstellt werden [83], werden demzufolge nur die Betriebskosten verteilt. Außer der Wirtschaftlichkeitskontrolle des technisch-organisatorischen Betriebsbereiches wird mit der Kostenstellenrechnung noch als sekundäres Ziel die Aufbereitung der Betriebskosten zum Zwecke der Übernahme in nachgelagerte Rechnungsverfahren der Bankkalkulation verfolgt.

Die primäre Aufgabe der Funktions-Kostenstellenrechnung liegt darin, daß sie über das in einzelnen Geschäftsbereichen anfallende Volumen an Betriebskosten Auskunft geben soll. Anstelle der Betriebsleistung stehen hier also die mit der Erstellung der Marktleistung verbundenen Kosten im Vordergrund.

In weiterführenden Kostenrechnungsverfahren dient die Funktions-Kostenstellenrechnung – in Verbindung mit der Betriebsstatistik – der Stückkostenermittlung sowie der Durchführung von Rentabilitäts- und Wirtschaftlichkeitsrechnungen einzelner Geschäftssparten und ist ferner Grundlage der Geschäftsspartenkalkulation.

bb) Aufbau

(1) Abteilungs-Kostenstellenrechnung

Grundsätzlich sind für den primären Rechnungszweck der Abteilungs-Kostenstellenrechnung, die Wirtschaftlichkeitskontrolle, zwei Prinzipien zu beachten:

1) Prinzip der Gleichartigkeit der Leistungen innerhalb der jeweiligen Stellen,
2) Prinzip der Abgrenzung nach Verantwortungsbereichen (auch: Prinzip der Deckungsgleichheit von Organisationsstruktur und Kostenstellengliederung).

Die Bezeichnung „Abteilung" ist sinnentsprechend ein organisatorischer und kein kostenrechnerischer Begriff. Die Bedeutung dieser Unterscheidung zeigt sich dann, wenn eine Abteilung verschiedene Teilleistungen erbringt und deshalb eine Unterteilung der Abteilung in mehrere Kostenstellen erforderlich wird.

[82] vgl. Kaminsky, St.: Die Kosten- und Erfolgsrechnung der Kreditinstitute, a. a. O., S. 84
[83] ebenda, S. 99

Eine gewisse Problematik ergibt sich hinsichtlich der beiden genannten Kriterien bei Filialbanken immer dann, wenn im gesamten Filialnetz durch eine unterschiedliche Geschäfts- und Organisationsstruktur keine Gleichartigkeit der Leistungen und in allen organisatorischen Ebenen keine Gleichartigkeit in der Abgrenzung der Verantwortungsbereiche erzielt wird. Hier kann versucht werden, durch einen Kostenstellenrahmenplan zumindest von einer gewissen Ebene ab, die Gleichartigkeit in Leistung und Abgrenzung zu erreichen.

Die nach den Kriterien der Gleichartigkeit von Leistungen und der Abgrenzung der Verantwortungsbereiche zu bildenden Stellen werden in Anlehnung an Kaminsky[84] in solche des Geschäftsleitungsbereiches und solche des Bereiches der Leistungserstellung unterteilt.[85]

Im *Geschäftsleitungsbereich* der Bank werden koordinierende, kontrollierende, beratende, initiatorische und organisatorische Leistungen für den Gesambetrieb erstellt.[86] In diesem Bereich besteht die Hauptschwierigkeit darin, geeignete Maßstabsgrößen zur Leistungskontrolle zu finden.

Wesentlich einfacher stellt sich die Leistungsbewertung bei den Kostenstellen des Bereichs der Leistungserstellung dar. Bei diesen Leistungen ist – adäquate Kostenstellenbildung vorausgesetzt – lediglich die Arbeitsbeanspruchung verschieden. Die daraus resultierenden Probleme lassen sich durch die Verwendung von Äquivalenzziffern relativ einfach und einigermaßen genau lösen.

Innerhalb der Kostenstellen des Bereichs der Leistungserstellung ist eine weitere Trennung nach betriebsbezogenen und marktbezogenen Stellen vorzunehmen. Erst diese Unterscheidung der Kostenstellen nach der Beeinflußbarkeit ihrer Beschäftigung ermöglicht es, im Streben nach Wirtschaftlichkeit der Leistungserstellung wirksame Dispositionen zu treffen.[87]

Marktbezogene Stellen sind solche, die mit Kunden der Bank unmittelbar Kontakt haben. Infolge des Einflusses der Kundenfrequenz auf die Leistung der marktbezogenen Stellen sind in der reinen Istkostenrechnung ermittelte Wirtschaftlichkeitskennzahlen nur unter Vorbehalt verwendbar.

Auch die Leistungen vieler *betriebsbezogener* Stellen, die normalerweise mit den Kunden der Bank keine direkte Berührung haben, hängen letztlich von Art und Umfang der Kundenaufträge ab. (z. B. die Leistungsmengen der Buchhaltung von der Art und

[84] ebenda, S. 92

[85] Im folgenden werden aus terminologischen Gründen an Stelle des von Kaminsky der Industrie entlehnten Begriffs „Produktionsbereich" die Bezeichnung „Bereich der Leistungserstellung" und an Stelle von „Leitungsbereich" der geläufigere Ausdruck „Geschäftsleitungsbereich" verwendet.

[86] Kaminsky, St.: Die Kosten- und Erfolgsrechnung der Kreditinstitute, a. a. O., S. 92

[87] ebenda, S. 93

Zahl der Geschäftsvorfälle). Auch hier besteht das organisatorische Problem darin, die Leistungsfähigkeit der Stellen auf ihre Maximalbeanspruchung abzustimmen. Jedoch verläuft der Arbeitsrhythmus dieser betriebsbezogenen Stellen weitgehend unbeeinflußt vom Kundenverkehr.

Das zweite große Problem der Abteilungs-Kostenstellenrechnung bildet die Aufteilung der Betriebskostenarten auf die Stellen. Allgemein werden unter dem Gesichtspunkt der Zurechnungsmöglichkeit die Kostenarten nach Einzel- und Gemeinkosten geschieden. Im vorliegenden Zusammenhang sind *Einzelkosten* solche Betriebskosten, die von bestimmten Stellen verursacht werden und diesen direkt angelastet werden können. Bei den Gemeinkosten fehlt entweder ein solcher Verursachungszusammenhang (*echte Gemeinkosten*), oder es wurde nur aus technischen oder Wirtschaftlichkeitsgründen auf eine direkte Verrechnung verzichtet (*unechte Gemeinkosten*). Die Zuteilung dieser unechten Gemeinkosten kann mit Hilfe von Schlüsselgrößen erfolgen. Allerdings muß dabei berücksichtigt werden, daß eine hinreichend strenge Beziehung zwischen der Schlüsselgröße und der Kostenart vorliegt. Dagegen ist die ebenfalls geschlüsselte Zurechnung der echten Gemeinkosten stets willkürlich.

Die Unterscheidung in Einzelkosten oder direkt zurechenbare Kosten und Gemeinkosten ist für die Durchführung der Abteilungs-Kostenstellenrechnung insofern wichtig, als je nach den angestrebten Zielen eine Teil- oder eine Vollkostenrechnung in Betracht kommt. Soll die wirtschaftliche Arbeitsweise in den einzelnen Abteilungs-Kostenstellen überprüft und sollen die Kostenstellenleiter zur Rechenschaft gezogen werden, so kann Einwendungen nur dadurch vorgebeugt werden, daß lediglich die durch die Kostenstelle allein verursachten, d. h. die direkt zurechenbaren Kosten berücksichtigt werden.

Gegen die Teilkostenmethode wird von seiten der Praxis vielfach eingewandt, daß den Kostenstellenleitern aus psychologischen Gründen vorgerechnet werden müsse, welche Gesamtkosten sie dem Institut „verursachten". Der von Kaminsky[88] vorgeschlagenen Bildung von Genauigkeitsschichten kann insoweit gefolgt werden, als in der Abteilungs-Kostenstellenrechnung in einer ersten Schicht nur die direkt zurechenbaren Kosten berücksichtigt werden, während in einer Genauigkeitsschicht zweiter Ordnung allenfalls die unechten Stellengemeinkosten, bei denen auch eine Schlüsselung zu verursachungsgerechten Ergebnissen führt, in die Rechnung einbezogen werden.

Mit der Erfassung der ersten und zweiten Genauigkeitsschicht ist die Wirtschaftlichkeitskontrolle durch die Abteilungs-Kostenstellenrechnung beendet. Soweit das Schema der Kostenstellenrechnung darüber hinaus benutzt wird, dient es der Aufbereitung von Betriebskosten für andere Rechnungsverfahren, und zwar meist auf der Basis der Vollkosten. Die Kosten bestimmter Stellen, z. B. der betriebsbezogenen Stellen, werden dann auf Kostenstellen mit anderem Inhalt (Funktions-Kostenstellenrechnung)

[88] ebenda, S. 102 f.

umgelegt, oder es werden die Kosten mehrerer Stellen zusammengefaßt, je nachdem, wie es das jeweilige Rechnungsverfahren (Geschäftsspartenkalkulation, Stückleistungskalkulation usw.) erfordert.

(2) Funktions-Kostenstellenrechnung

In der Funktions-Kostenstellenrechnung werden die bei der Erstellung der einzelnen Marktleistungen angefallenen Betriebskosten ermittelt. Die Betriebskosten der in den Geschäftsbereichen einer Bank erstellten Marktleistungen setzen sich in unterschiedlichem Ausmaß aus den Kosten der einzelnen Betriebsstellen zusammen.

Während die Betriebsleistungen der marktbezogenen Abteilungen in der Regel voll zur Erstellung der Marktleistung ihres Geschäftsbereiches beitragen, kommen von den Abteilungen des Geschäftsleitungsbereichs und den betriebsbezogenen Abteilungen jeweils nur Teile ihrer Betriebsleistungen hinzu.

Eine Funktions-Kostenstelle nimmt also die Betriebskosten auf, die aus den Tätigkeiten aller Betriebsstellen bei der Erstellung der Marktleistung eines Geschäftsbereiches anfallen, wobei auch hier wieder eine Aufspaltung der Marktleistung in Teilleistungen und somit eine Erweiterung der Anzahl der Funktions-Kostenstellen möglich ist. Abteilungs-Kostenstellen und marktbezogene Funktions-Kostenstellen sind also keineswegs identisch, denn erstere folgen der Organisationsstruktur und enthalten die von ihnen bei der Betriebsleistung verursachten Teilkosten, während letztere der Produktstruktur der Marktleistung folgen und entsprechende Vollkosten zum Inhalt haben.

Die Summe der Stellenkosten vor Stellenumlage, mit der die Abteilungs-Kostenstellenrechnung beendet ist, ist der Ausgangspunkt für die Funktions-Kostenstellenrechnung. Unterstellt man, daß die Tätigkeit bzw. das Tätigkeitsbündel der marktbezogenen Hauptkostenstellen voll der Marktleistung ihres Geschäftsbereiches dienen, so können die in der Abteilungs-Kostenstellenrechnung ermittelten Stellenkosten voll in die Funktions-Kostenstellenrechnung übernommen werden.

Die übrigen Stellenkosten werden indessen geschlüsselt den einzelnen Geschäftsbereichen zugeordnet. Die hier verwendeten Schlüssel sind bei weitem ungenauer als die zur Verteilung der originären Kosten auf die Abteilungs-Kostenstellen benutzten Maßstäbe. Vielfach werden sie durch reine Schätzung ermittelt. Aus den Stelleneinzelkosten der ersten Genauigkeitsschicht und den unechten Stellengemeinkosten der zweiten Genauigkeitsschicht werden durch die Kostenumlagen in einer dritten Genauigkeitsschicht echte Gemeinkosten. Die Kosten dieser dritten Schicht stehen also in einem relativ losen Zusammenhang zu den Funktions-Kostenstellen, auf die sie verrechnet werden.

cc) Beispiel einer Ist-Kostenstellenrechnung

Die bisherigen Ausführungen sollen an einem der Praxis entlehnten Schema der Kostenstellenrechnung (Kostenverteilungsbogen oder Betriebsabrechnungsbogen – BAB) verdeutlicht werden. In diesem Schema ist im oberen Teil die Abteilungs-Kostenstellenrechnung und im unteren Teil die Funktions-Kostenstellenrechnung dargestellt. Innerhalb der Abteilungs-Kostenstellenrechnung sind horizontal die einzelnen Kostenstellen, geordnet nach Allgemeinen, Haupt- und Hilfskostenstellen, eingetragen. Während die Allgemeinen Kostenstellen mit Ausnahme der abstrakten Verrechnungsstelle „Gesamtinstitut" den Geschäftsleitungsbereich bilden, entsprechen die Hauptkostenstellen dem marktbezogenen und die Hilfskostenstellen dem betriebsbezogenen Bereich der Leistungserstellung.

Die Verteilung der vertikal angeordneten Kostenarten erfolgt nach Genauigkeitsschichten. In der ersten Schicht wird die *Zuordnung der Einzelkosten* vorgenommen. Hier ist davon ausgegangen, daß die Personal- und Personalnebenkosten auf der Grundlage von Stellenbesetzungsplänen bzw. Mitarbeiterzeitaufschreibungen direkt pro Stelle verrechnet werden können. Bei dem Teil der Gehälter, der für in mehreren Kostenstellen tätig werdende Angestellte gezahlt wird, kann nicht von vornherein gesagt werden, ob es sich um Einzel- oder Gemeinkosten handelt. Wenn der Angestellte in den betreffenden Kostenstellen nicht voll beschäftigt werden kann, stellen die entstehenden Leerkosten – sofern überhaupt eine Verrechnung erfolgt – Stellengemeinkosten dar. Der komplementäre Teil der Kosten, die Nutzkosten, kann auf Basis von Zeitaufschreibungen als Einzelkosten verrechnet werden.

In der zweiten Genauigkeitsschicht wurde die *Verrechnung der unechten Stellengemeinkosten* nach Schlüsseln bzw. Schätzungen vorgenommen.

Nach der Zuordnung auch der unechten Stellengemeinkosten ist die Verteilung der originären Kostenarten auf die Betriebsstellen abgeschlossen.

Nunmehr erfolgt die *Umlage* der den Allgemeinen und Hilfskostenstellen belasteten *Kosten auf die Funktions-Kostenstellen.* Die hier verwendeten Schlüssel sind bei weitem ungenauer als die zur Verteilung der originären Kostenarten auf die Kostenstellen benutzten Maßstäbe (Tabelle 7).

Tabelle 7: Schema der Kostenstellenrechnung

Abteilungs-Kosten

Betriebs-Kostenarten / Abteilungs-Kostenstellen	Summe der Kostenarten	Allgemeine Kostenstellen			
			Geschäftsleitungsbereich		
		Gesamtinstitut	Direktion	Revision und Innenleitung	Hauptbuchhaltung
Stelleneinzelkosten					
Persönliche Kosten					
a) Gehälter	489	5	95	35	22
b) Gratifikationen und Tantiemen	131	1	49	7	4
c) Gesetzliche soziale Abgaben	41,5	0,5	3,5	3	2
d) Freiwillige soziale Leistungen	25,5	0,5	4,5	2	1
Sachkosten					
a) Vordrucke, Schreibbedarf	37,5	—	2	2	2,5
b) Abschreibungen auf Betriebs- und Geschäftsausstattung	28	1	2	1	1
c) Sonstige Sachkosten	13	1	1	1,5	0,5
Summe der Stelleneinzelkosten	765,5	9	157	51,5	33
Stellengemeinkosten					
Persönliche Kosten (Pensionszahlungen)	51	0,5	9,5	3,5	2,5
Sachkosten					
a) Sachkosten für Bankräume					
aa) Abschreibungen	150	—	10	4	6
bb) Heizung	17	0,5	1	0,5	0,5
cc) Licht, Kraft, Wasser, Reinigung	34	1	2	1	1
b) Sachkosten für Geschäftsbetrieb					
aa) Porti, Fernsprech- und Telegrammgebühren	63,5	—	5	2	0,5
bb) Prüfungskosten, Beiträge zu Verbänden und Körperschaften	15	15	—	—	—
cc) Gerichts- und Anwaltskosten	3	—	1	—	—
dd) Werbung	20	10	—	—	—
ee) Steuern und Abgaben	24	24	—	—	—
Summe der Stellengemeinkosten	377,5	51	28,5	11	10,5
Summe der Stellenkosten vor Stellenumlage	1143	60	185,5	62,5	43,5

Summe der Stellenkosten vor Stellenumlage	1143	60	185,5	62,5	43,5
Kostenumlagen		→	10,5	3,5	2,5
			196 →	2	1,5
				68 →	1
					48,5 →
Summe der Stellenkosten nach Stellenumlage					
Funktions-Kostenstellen					

Funktions-Kosten

stellenrechnung

	Bereich der Leistungserstellung															
	Marktbezogen											Betriebsbezogen				
	Hauptkostenstellen											Hilfskostenstellen				
	Kasse	Überweisungs-abteilung	Scheckabteilung	Wechselabteilung	Kontokorrent-abteilung	Sparabteilung	Kreditabteilung	Auslandsabteilung	Effekten-korrespondenz	Börse	Depotabteilung	Maschinen-buchhaltung	Expedition	Registratur	Hausverwaltung	Telefonzentrale
1. Genauigkeitsschicht	23	22	5	18	26	8	43	38	28	32	16	12	18	14	16	13
	5	4,5	1	4	5	1,5	12	8	6	8	3	2	3	2	3	2
	2,5	2	0,5	2	2,5	1	4	3,5	2,5	3	1,5	1	2	1,5	1,5	1,5
	1	1	0,5	1	1,5	0,5	2	2	1,5	1,5	1	0,5	1	1	1	0,5
	1	1,5	1,5	2	5	1	2	4	3	1,5	3	1	1,5	1	1	1
	1,5	1	0,5	1,5	1,5	0,5	1,5	2	1,5	1,5	2	3	1,5	1,5	1	1
	1	—	—	—	0,5	—	—	1	—	0,5	1	0,5	2	—	2	0,5
	35	32	9	28,5	42	12,5	64,5	58,5	42,5	48	27,5	20	29	21	25,5	19,5
2. Genauigkeitsschicht	2,5	2,5	0,5	2	2,5	1	4,5	4	3	3,5	1,5	1	2	1,5	1,5	1,5
	8	9	3	8	8	5	10	13	9	8	8	14	10	12	2	3
	1	1	0,5	1	1	0,5	1	1	1	1	1	1,5	1	1	0,5	0,5
	2	2	1	2	2	1	2	2	2	2	2	3	2	2	1	1
	1	2	2	4	30	0,5	4	3	3	5	0,5	—	0,5	—	0,5	—
	—	—	—	—	—	—	—	—	—	—	—	—	—	—	—	—
	—	—	—	—	—	—	1,5	0,5	—	—	—	—	—	—	—	—
	—	—	—	1,5	1,5	5	—	—	2	—	—	—	—	—	—	—
	—	—	—	—	—	—	—	—	—	—	—	—	—	—	—	—
	14,5	16,5	7	18,5	45	13	23	23,5	20	19,5	13	19,5	15,5	16,5	5,5	6
	49,5	48,5	16	47	87	25,5	87,5	82	62,5	67,5	40,5	39,5	44,5	37,5	31	25,5
3. Genauigkeitsschicht	49,5	48,5	16	47	87	25,5	87,5	82	62,5	67,5	40,5	39,5	44,5	37,5	31	25,5
	2,5	2,5	1	2,5	5	1,5	5	4,5	3,5	4	2	2	2,5	2	1,5	1,5
	1,5	1,5	0,5	1,5	19,5	1	98	29,5	2	29,5	1,5	1,5	1,5	1,5	1	1
	15	6	3	10	8	4	3	4	2	1	6	2	1	1	1	—
	6	6	5	6	8	2	3	6	3,5	3	—	—	—	—	—	—
	2	2	1	4	2	1	4	3	2	4	1	—	1	—	1	← 28
	3	3	1	3	2	2	3	3	2,5	3	2	3	2	3	← 35,5	
	5	7	5	5	5,5	2	3	5	3,5	1	1	2	—	← 45		
	1,5	3	2	3	24	1	2	7	6	1	2	—	← 52,5			
	—	—	—	—	45	2,5	—	—	—	—	2,5	← 50				
	86	79,5	34,5	82	206	42,5	208,5	144	87,5	114	58,5					
	Bearbeitung von Barzahlungen	Bearbeitung von Überweisungen	Scheckbearbeitung	Wechselbearbeitung	Kontokorrent-kontenführung	Sparkontenführung	Kreditbearbeitung	Bearbeitung von Auslandsgeschäften	Abwicklung von Effektengeschäften	Effektenhandel	Depotkonten-führung					

stellenrechnung

Die Auswertung der Abteilungs-Kostenstellenrechnung zum Zwecke der Wirtschaftlichkeitskontrolle kann durch Bildung der Relation Abteilungs-Stellenkosten: Stellenleistungen im Zeit-, zwischenbetrieblichen oder Soll-Ist-Vergleich erfolgen.

Die Auswertung der Funktions-Kostenstellenrechnung kann zu Zwecken der Selbstkostenermittlung durch Bildung der Relation Funktions-Stellenkosten : Anzahl der Geschäftsvorfälle bzw. Buchungen erfolgen.

Außer der Erfassung und Verrechnung der Kosten ist somit auch die Existenz einer exakten Betriebsstatistik zur Erfassung der innerbetrieblichen Leistungen sowie der Geschäftsvorfälle und Buchungen erforderlich.

dd) Das Analyse-Hilfsinstrument „Betriebsstatistik"

Als stückmäßige Einheiten, die als Maßstab für die technisch-organisatorische Seite des Betriebsgeschehens geeignet sind, können Geschäftsvorfälle, Buchungsposten, Kunden, Beschäftigte, Maschinen, Konten usw. verwendet werden. Diese Einheiten lassen sich in zwei Gruppen einreihen. Die Arteigenheit der ersten besteht darin, daß sie für die Messung des in einem Bankbetrieb entstandenen Arbeitsanfalls verwendet werden kann (z. B. Buchungsposten), die der zweiten liegt darin, als Maßstab für die zur Bewältigung dieses Arbeitsanfalls herangezogenen bzw. zur Verfügung stehenden produktiven Mittel dienen zu können (z. B. Maschinenstunden). So ist betriebswirtschaftlich gesehen von Bedeutung, wie viele Geschäftsvorfälle einer bestimmten Geschäftsart jeweils bei einem Kreditinstitut vorkommen und in wie viele Buchungsposten diese Geschäftsvorfälle von dem Kreditinstitut zerlegt wurden. Für die Kunden- und Kontenzahl ist betriebswirtschaftlich relevant, wie viele der im Einzugsbereich vorhandenen Wirtschaftseinheiten mit dem Kreditinstitut in Verbindung stehen, sowie die Tatsache, auf wie vielen Konten der jeweils gleichen Kontenart sich diese Verbindungen niederschlagen.

(1) *Postenstatistik*

Die Postenstatistik beschäftigt sich mit der zahlenmäßigen Erfassung, Aufzeichnung und Auswertung der innerhalb eines bestimmten Zeitraums vorkommenden Geschäftsvorfälle und Buchungsposten. Die Geschäftsvorfälle werden dabei nach den einzelnen Geschäften, die ihrer Entstehung zugrunde liegen, getrennt erfaßt. So werden im allgemeinen unterschieden: Posten des Zahlungsverkehrs, des Auslandsgeschäfts, des Kreditgeschäfts sowie des Wertpapier-und Depotgeschäfts. Die Geschäftsvorfälle schlagen sich bei der bankmäßigen Abwicklung als Buchungsposten nieder, die in der DM- oder Fremdwährungsbuchhaltung auf Kundenkontokorrent-, Banken-, Darlehens-, Spar- und Verrechnungskonten und bei den Geschäftsvorfällen des Wertpapier- und Depotgeschäfts zusätzlich oder ausschließlich in der Depotbuchhaltung auf persönlichen und sachlichen Depotkonten anfallen. Hierbei findet vielfach durch die Zusammenfassung mehrerer Geschäftsvorfälle eine Verdichtung zu einem Buchungsposten statt.

Die Postenstatistik ist Grundlage der Kalkulation, weil die arbeitsmäßige Belastung der einzelnen Abteilungen festgestellt werden kann. Letztlich ist die Postenstatistik in Verbindung mit der Personalstatistik bzw. mit Aufzeichnungen über die maschinelle Ausstattung ein geeignetes Hilfsmittel zur Kontrolle der Wirtschaftlichkeit.

Da die einzelnen Arten der Geschäftsvorfälle und der Buchungsposten keinen einheitlichen Einfluß auf die betriebliche Betätigung der Kreditinstitute haben, ist im allgemeinen weniger die Gesamtzahl, als ihre Aufgliederung nach solchen Gruppen wichtig, die sich jeweils durch eine einheitliche oder relativ einheitliche Auswirkung auf den Betriebsprozeß auszeichnen.

Die tatsächliche arbeitsmäßige Belastung der Kreditinstitute hängt außer von der absoluten Zahl der Geschäftsvorfälle und der Buchungsposten auch von der Art der Verteilung der einzelnen Posten in der Zeit ab.

Aus den Zahlen über die Geschäftsvorfälle der einzelnen Gruppen lassen sich über die Zu- bzw. Abnahme der Beschäftigung des Kreditinstituts in den einzelnen Bereichen wichtige Aufschlüsse gewinnen.

Einschränkend ist allerdings festzustellen, daß die Verwendung von Postenzahlen in bestimmten Geschäftszweigen und damit auch in bestimmten Abteilungen von besonderer Problematik ist. Das gilt z. B. für das Kreditgeschäft bzw. die Kreditabteilung, für das Effekteneigenhandelsgeschäft bzw. für die Effektenabteilung wie auch für das Geldhandelsgeschäft bzw. für die Gelddispositionsstelle. Bei diesen Geschäftszweigen bzw. Abteilungen kommt den Geschäftsvorfällen deshalb nur eine unzureichende Aussagefähigkeit zu, weil die Arbeitsintensität pro Posten von Vorfall zu Vorfall in beträchtlichem Umfang variieren kann. Teilweise können Hilfsgrößen herangezogen werden wie z. B. im Kreditgeschäft die Zahl der eingereichten Kreditanträge, der genehmigten Kreditanträge, der abgelehnten Kreditanträge und der verwalteten Kredite.

(2) Kontenstatistik

Bei den Kreditinstituten werden herkömmlicherweise folgende Kontenarten unterschieden: Kontokorrentkonten, Sparkonten, Darlehens-Konten und Depotkonten. Die Zahl der Konten ist insbesondere im Hinblick auf die arbeitsmäßige Belastung der Kreditinstitute bei der Inventur und den monatlichen, vierteljährlichen bzw. halbjährlichen Abschlüssen von Bedeutung.

Die in den einzelnen Geschäftszweigen neu eröffneten bzw. aufgelösten Konten und der Kontostand selbst geben über die Entwicklung und die derzeitige Lage der einzelnen Geschäftszweige Aufschluß. Das gilt insbesondere für die Zahl der laufenden Kredite, der neu gewährten Kredite und der Kreditrückzahlungen.

(3) Personalstatistik

In der Personalstatistik wird die Gesamtzahl der Beschäftigten und die Aufgliederung der Beschäftigten nach den einzelnen Beschäftigungsgruppen erfaßt und fortgeschrieben. Zum Nachweis des Personaleinsatzes werden die Beschäftigten in einem Personalverteilungsbogen auf die einzelnen Abteilungen bzw. Sachgebiete eines Kreditinstituts verteilt. Hierbei sind Auszubildende und sonstige Ausbildungskräfte gesondert auszuweisen, da diese Kräfte den Abteilungen nicht zur Leistungserstellung, sondern zur Ausbildung und zum Anlernen angehören. Sofern für die zur Leistungserstellung eingesetzten Kräfte Personalvorgaben festgelegt sind, kann deren Einhaltung mit dem Personalverteilungsbogen überwacht werden. Auf diese Weise kann die Betriebsführung Aufschlüsse über die zeitliche Entwicklung der einzelnen Bestandszahlen sowie über die Zu- und Abgänge an Personal gewinnen. Weiterhin kann die Personalstatistik in Verbindung mit der Postenstatistik als Grundlage für die Beschäftigungsstatistik und die Kostenrechnung (speziell die Kostenstellenrechnung) dienen.

b) Leistungsgruppenrechnung

aa) Grundlagen und Aufgaben

Ist die Funktions-Kostenstellenrechnung als eine Abrechnung einzelner, in bestimmten Geschäftsbereichen erbrachter *innerbetrieblicher (Teil-)Leistungen* charakterisiert, so werden in der Leistungsgruppenrechnung die Kosten *zusammengehörender Gruppen von Bankleistungsarten* ermittelt. Solche Gruppen können sowohl auf der Beschaffungs- als auch auf der Absatzmarktseite gebildet werden und je nach dem Rechnungszweck Leistungskomplexe unterschiedlicher Größe umfassen.

Die Leistungsgruppenrechnung unterscheidet sich von der Kostenstellenrechnung außer in der Bezugsgrundlage dadurch, daß neben den Betriebskosten im Rahmen des Vertretbaren auch die Wertkosten mit einbezogen werden. Dies resultiert aus dem Rechnungszweck der Leistungsgruppenrechnung, der in der Ermittlung der Selbstkosten bestimmter Bankleistungsgruppen und/oder der Kostenaufbereitung für nachfolgende Rechnungsverfahren besteht.

Die Leistungsgruppenrechnung ist gegenüber der Geschäftspartenkalkulation dadurch abgegrenzt, daß auf die Untersuchung von Beziehungen zwischen Leistungsgruppen des Beschaffungs- und des Absatzmarktes und zwischen den hier anfallenden Kosten und Erlösen verzichtet wird. Damit ist nicht ausgeschlossen, daß bei der Auswertung der Leistungsgruppenrechnung Betriebserlöse in die Betrachtung mit einbezogen werden, die unmittelbar als Äquivalent für bestimmte Betriebskosten anzusehen sind.

bb) Aufbau der Leistungsgruppenrechnung

Der Wert der Leistungsgruppenrechnung zeigt sich besonders dort, wo es möglich ist, *alle Kosten* zuzurechnen. Für die Bank ist es z. B. von erheblichem Interesse, die effektiven Kosten für verschiedene Arten von Einlagen wie Sicht-, Termin- und Spareinlagen, zu ermitteln. Als erster Schritt ist hier erforderlich, alle bei der Beschaffung der

Einlagen angefallenen Kosten zu erfassen. Dazu gehören außer den Wertkosten auch die Betriebskosten. Im zweiten Schritt sind sodann diese durch die Leistungsgruppenrechnung gewonnenen Ergebnisse auf die frei verfügbaren Kapitaleinheiten zu beziehen. Frei verfügbar ist nur derjenige Teil der Einlagen, der nicht zur Absicherung gegen das Liquiditätsrisiko etwaiger Einlagenbezüge in Form liquider Mittel gehalten werden muß.

Die Durchführung einer Leistungsgruppenrechnung ist aber auch dann sinnvoll, wenn auf die Absatzmarktleistungsgruppen nur *Betriebskosten* bezogen werden, weil die Verrechnung der Wertkosten entweder willkürlich oder – wie im Falle des reinen Dienstleistungsgeschäfts – irrelevant wäre. Besonderes Interesse beanspruchen diejenigen Bereiche, die gemeinhin als *Verlustquellen* gelten.

Die Leistungsgruppenrechnung dient primär als Vorstufe für die Stückleistungskalkulation. Bei Vorhandensein einer zuverlässigen Postenstatistik lassen sich mit Hilfe der Divisionskalkulation oder Äquivalenzziffernrechnung aus den Ergebnissen der Leistungsgruppenrechnung die Stückkosten ermitteln. Eine bereits durchgeführte Leistungsgruppenrechnung erleichtert darüber hinaus die Geschäftsspartenkalkulation, vor allem dann, wenn wie in der *Sachgebietsrechnung*, die Gruppenbildung bereits zweckentsprechend vorgenommen wird.

c) Stückleistungsrechnung

aa) Grundlagen und Aufgaben

Im Gegensatz zur Leistungsgruppenrechnung ist die Stückleistungsrechnung in der Literatur allgemein behandelt.[89] Ihre Aufgabe ist es, die Kosten einzelner Marktleistungseinheiten zu ermitteln. Die Stückleistungsrechnung unterscheidet sich dadurch von der Leistungsgruppenrechnung, daß sie nicht Bündel von Einzelleistungen, sondern Leistungseinheiten als Kalkulationsobjekte verwendet.

Maßstabsgröße für solche Leistungen ist die Stückzahl. Die Stückleistungsrechnung kann zum einen auf die Wirtschaftlichkeitskontrolle und zum anderen auf die Selbstkostenermittlung abzielen.

bb) Aufbau der Stückleistungsrechnung

Die Ermittlung der Stückkosten ist relativ einfach, wenn in den Leistungsgruppen bzw. Kostenstellen weitgehend homogene Stückleistungen erstellt werden. Bei Vorhanden-

[89] vgl. z. B. Rummel, H.: Die Rentabilitätsfrage der Banken, ihre Unkosten und die Kalkulation. Die Versuche zur Rentabilitätsverbesserung, Unkostenersparnis und Ertragssteigerung, in: Untersuchung des Bankwesens 1933, 1. Teil, Bd. 1, S. 429 ff.

sein einer zuverlässigen Leistungs-(Posten-) Statistik muß lediglich die innerhalb eines bestimmten Zeitraumes in der Leistungsgruppe bzw. Kostenstelle angefallene (Betriebs-) Kostensumme durch die Anzahl der erstellten Leistungen (Posten) dividiert werden. Diese reine Form der *Divisionskalkulation* läßt sich allerdings im Bankbetrieb nur relativ selten anwenden. In den meisten Fällen haben die Stückleistungen auch dann, wenn eng abgegrenzte Leistungsbereiche, wie Kostenstellen und Leistungsgruppen, betrachtet werden, mehr oder weniger unterschiedliches Gewicht, das bei der Kostenverteilung berücksichtigt werden muß.

Diesen Gegebenheiten versucht die *Äquivalenzziffernrechnung* gerecht zu werden, indem sie die unterschiedliche Beanspruchung der Produktionsfaktoren durch die einzelnen Leistungen in bestimmten Wertungs-(Äquivalenz-)Ziffern ausdrückt. Die sinnvolle Anwendung dieses Verfahrens erfordert, daß zwei Voraussetzungen erfüllt sind. Zum einen muß eine verfeinerte Leistungs-(Posten-)Statistik vorhanden sein, die nach unterschiedlichen Leistungen (Posten) differenziert, und zum anderen müssen zutreffende Äquivalenzziffern errechenbar sein.

Die Wirtschaftlichkeitskontrolle auf Basis der Stückkosten wird am zweckmäßigsten innerhalb der Abteilungs-Kostenrechnung vorgenommen.

Tabelle 8: Beispiel einer Äquivalenzziffernrechnung

Funktionskostenstelle „Reisedevisen, Sorten, Gold“ Gesamtkosten 500 000 DM					
	Geschäftsvorfälle (GV)	Anzahl der GV	Äquiv.-ziffer	Leistungs-einheit (LE)	Kosten je GV in DM
A	Kundenkäufe und -verkäufe in Sorten	70 000	1,0	70 000	2,50
B	Kundenkäufe und -verkäufe in Gold	8 000	2,0	16 000	5,00
C	Kundenkäufe in Reisedevisen	30 000	3,5	105 000	8,75
D	Kundenverkäufe in Reisedevisen	5 000	1,8	9 000	4,50
	Summe			200 000	

$$\frac{\text{Gesamtkosten}}{\text{Leistungseinheiten}} = \frac{500\,000}{200\,000} = 2{,}50 \text{ DM je LE}$$

Wird die Stückleistungsrechnung zum Zwecke der Selbstkostenermittlung angestellt, so sind teilweise andere Wege zu beschreiten. Hier bietet sich die Funktionskostenrechnung als Ausgangsbasis an. Als wichtigster Gesichtspunkt hat zu gelten, daß eine solche Kalkulation notwendigerweise *in jedem Falle eine Vollkostenrechnung* sein muß, was eine Erschwerung des Verfahrens und eine gesteigerte Problematik der Aussagen mit sich bringt. Zunächst geht es darum, auch denjenigen Teil der Betriebskosten erst auf die Kostenstelle und sodann auf die Leistungseinheit umzulegen, der Gemeinkostencharakter hat. Die hierbei auftretenden Möglichkeiten der Verzerrung von Ergebnissen sollten allerdings auch nicht überbewertet werden.[90] Kaminsky[91] weist darauf hin, daß das Verhältnis von Gemeinkosten zu Einzelkosten in der Industrie nicht selten um ein Vielfaches höher liegt als in der bankmäßigen Kostenrechnung.

Die Durchführung einer Vollkostenrechnung bedingt in bestimmten Fällen ferner die Einrechnung von Wertkosten. Dies ist immer dann der Fall, wenn die Selbstkostenermittlung preispolitischen Zwecken dient, oder in Richtung einer Stückerfolgsrechnung oder Rentabilitätsschwellenberechnung ausgewertet werden soll. Da die bankbetriebliche Leistungserstellung und -verwertung äußerst komplexer Natur ist, besteht bei derartigen Rechnungen allerdings die große Gefahr, daß eine zu einseitige, isolierte Betrachtung ohne Würdigung des Kosten-Erlös-Zusammenhanges erfolgt.[92]

6. Dritte Rechnungsstufe

a) Teilzinsspannenrechnung (Schichtenbilanz)

aa) Grundlagen und Aufgaben

Mit der Teilzinsspannenrechnung wird der Versuch gemacht, über die sich auf den Gesamtbetrieb beziehenden Ergebnisse der Gesamtzinsspannenrechnung hinaus Erfolgsspannen aus bestimmten miteinander korrespondierenden Erfolgselementen zu gewinnen, um dadurch einen Einblick in das Zustandekommen des Gesamterfolges zu erlangen. Gleichzeitig werden Wertkosten und -erlöse für spätere Rechnungsverfahren aufbereitet. Das Problem ist das Ausfindigmachen von Beziehungen zwischen bestimmten Aktiv- und Passivbilanzpositionen bzw. -positionsgrupppen, um entsprechende Beziehungen zwischen Werterlösen und Wertkosten zu finden. Dieser Versuch wird durch das Aufstellen von Schichten- oder Teilbilanzen unternommen.

90 vgl. Süchting, J.: Zur Kontroverse um die Bankkalkulation, in: ZfgK 1967, S. 15 ff.

91 vgl. Kaminsky, St.: Die Kosten- und Erfolgsrechnung der Kreditinstitute, a. a. O., S. 172

92 vgl. Krümmel, H. J.: Bankzinsen – Untersuchungen über die Preispolitik von Universalbanken, Köln – Berlin – Bonn – München 1964, S. 117 ff.

bb) Aufbau der Teilzinsspannenrechnung

Bei der Aufstellung von Schichten- oder Teilbilanzen ist besonderer Wert auf die Erfassung der materiellen Zusammenhänge zu legen. Nur eine Schichtung, die den tatsächlichen Gegebenheiten Rechnung trägt, kann verwertbare Ergebnisse bringen.

Allerdings stellen sich einem solchen Vorgehen erhebliche Schwierigkeiten in den Weg. Ein strenger Verursachungszusammenhang zwischen aktiver Mittelverwendung und passiver Mittelbeschaffung ergibt sich aus der Bilanz nämlich nur in seltenen Fällen unmittelbar. Dies ist z. B. der Fall bei den Durchlaufenden Krediten, bei denen sich die Bank mit der Hereinnahme der Mittel zu einer zweckbestimmten, vom Geldgeber unmittelbar oder mittelbar vorgeschriebenen Verwendung verpflichtet.

In der Mehrzahl der Fälle steht jedoch zwischen Mittelbeschaffung und Mitteleinsatz die dispositive Entscheidung der Geschäftsführung des Kreditinstituts über die Verwendung der Überschußrerserven (Primärliquidität). Insofern läßt sich also theoretisch kaum eine zwangsläufige Beziehung zwischen bestimmten Passiv- und Aktivpositionen begründen. Die praktische Anlagepolitik orientiert sich in der Regel primär am Umfang und an der materiellen Fristigkeit der bereitstehenden Mittel und sekundär an den Quellen, aus denen die Mittel fließen. Finanzierungsmittel aus verschiedenen Quellen können, zumal wenn an bestimmte Prozentsätze (Bodensätze) gedacht wird, die gleichen qualitativen Eigenschaften aufweisen und für die Anlage in bestimmten oder einer Gruppe von bestimmten Vermögensteilen geeignet sein.

Bei dem Versuch, eine Verbindung zwischen bestimmten Aktiv- und Passivgeschäften bzw. -positionen herzustellen, besteht die Gefahr, daß Konstruktionen geschaffen werden, die der tatsächlichen Geschäftspolitik in keiner Weise entsprechen. Finanzielle Zusammenhänge, z. B. einmal zwischen Kontokorrentkrediten und Sichteinlagen, zum anderen zwischen Diskontkrediten und Termineinlagen, deswegen anzunehmen, weil erstere formal jederzeit fällig sind, letztere Fristigkeiten von etwa drei Monaten besitzen, wäre willkürlich.

Gleichwohl kann das Verfahren, die Bilanz in bestimmte Schichten oder Teile zu zerlegen, nicht a priori abgelehnt werden. Im Einzelfall können gesetzliche oder statutarische Vorschriften, die den Dispositionsspielraum der Geschäftsleitung einer Bank einengen, durchaus einen derartigen Schritt rechtfertigen. Die liquiden Mittel erster Ordnung eines Kreditinstituts lassen sich z. B. mit Hilfe der Mindestreservevorschriften bestimmten Passivpositionen zurechnen, wodurch die „Liquiditätskosten" oder, terminologisch besser, die Kosten des frei verfügbaren Kapitals der verschiedenen Kapitalarten ermittelt werden können. Ein ähnliches Hilfsmittel der Kalkulation vermögen die vom Bundesaufsichtsamt für das Kreditwesen gemäß §§ 10 und 11 KWG bekanntgemachten Grundsätze über das Eigenkapital und die Liquidität der Kreditinstitute zu sein. Dies gilt insbesondere für die Liquiditätsgrundsätze II und III, denen der Charakter bestimmter Strukturnormen nicht abgesprochen werden kann. Die Grundsätze II und III können eine wertvolle Hilfe bei der zinsspannenmäßigen Trennung von lang- und kurzfristigem Geschäft darstellen. Ein noch sicherer Anhaltspunkt für die Aufstellung von Schichten- und Teilbilanzen ergibt sich, wenn in strengerem Maße, als dies durch die Grundsätze geschieht, die ihrerseits nur Anhaltspunkte für die Geschäftspolitik sein wollen, in Gesetzen und Satzungen den Instituten die Anlage des beschafften Kapitals in bestimmter Form vorgeschrieben ist.

Wesentlich leichter als im Falle der Universalbanken stellt sich die Schichtung bei bestimmten Spezialbanken dar. Bei Hypothekenbanken lassen sich z. B. unter bestimmten Bedingungen Zuordnungen von möglicherweise verschieden verzinslichen Pfandbriefserien zu den zur Deckung bestimmten Darlehen bzw. der entsprechenden Ersatzdeckung herstellen.

b) Geschäftsspartenkalkulation

aa) Grundlagen und Aufgaben

Die Geschäftsspartenkalkulation ermittelt die Kosten und Erlöse und damit den (Gesamt-) Erfolg einzelner Teilbereiche der bankgeschäftlichen Tätigkeit, die in Literatur und Praxis in unterschiedlicher Weise bezeichnet werden. Von den bei Rummel verwendeten Ausdrücken wie Abteilung, Sparte, Geschäftsgruppe, Geschäftssparte hat sich letzterer allgemein durchgesetzt.

Die Geschäftsspartenkalkulation, in deren Rahmen gewissermaßen eine besondere Gewinn- und Verlustrechnung für jede der gebildeten Sparten aufgestellt wird, vermag grundsätzlich um so mehr auszusagen, je schmaler der Bereich ist, dessen Kosten und Erlöse betrachtet werden.

Die Einführung einer stark und ohne Beachtung der organisatorischen Zusammenhänge nach Sparten differenzierten Kalkulation muß jedoch daran scheitern, daß mit jeder zusätzlichen Sparte, Abteilung oder Stelle die Zurechnung von Kosten und vor allem von Erlösen auf die einzelnen Teilbereiche schwieriger und durch notwendige Schlüsselungen das Ergebnis ungenauer wird.

Der Bundesverband deutscher Banken schlägt sechs Geschäftssparten vor.[93] Im einzelnen möchte er folgende Sparten berücksichtigt wissen: Zinsgeschäfte, Zahlungsverkehr, Wertpapier-Auftragsgeschäft, Emissionsgeschäft, Eigenhandel und Sonstige Geschäfte (z. B. Vermittlung von Hypotheken und Versicherungen).

[93] vgl. Bankkostenrechnung, Grundsätze und Vordruckmuster für die Kostenrechnung privater Banken, Herausgeber: Bundesverband deutscher Banken, Abschnitt Geschäftsspartenrechnung, S. 2 (graue Mappe)

Unter geschäftspolitischen Gesichtspunkten erweist es sich als vorteilhaft, wenn die Geschäftssparten in Teilsparten unterteilt sind, da es für betriebspolitische Entscheidungen nicht selten viel wichtiger ist, das Ergebnis der Teilsparte zu kennen, zumal in der Sparte insgesamt Gewinne und Verluste von Teilsparten kompensiert und daher nicht mehr sichtbar werden. So ist es beispielsweise nicht unerheblich zu wissen, wie sich der Erfolg der Sparte „Wertpapiergeschäft" zusammensetzt, da die Ergebnisse der Teilsparten starken Schwankungen unterliegen können.

So kann eine Sparte „Wertpapiergeschäft", die in

- Wertpapier-Eigengeschäft,
- Wertpapier-Kommissionsgeschäft,
- Wertpapier-Emissiongeschäft,
- Wertpapier-Verwaltung und -Verwahrung

unterteilt ist, wertvolle Hinweise über die Quellen des Spartenerfolges geben, wobei in vielen Kreditinstituten von besonderer Bedeutung die Frage nach dem Erfolg des Kommissionsgeschäftes sein dürfte sowie die Frage, ob im Effektenverwahrgeschäft überhaupt ein positiver Erfolg erzielt wird.

Zu beachten ist, daß die Sparten nach Möglichkeit nach dem Gesichtspunkt des Erfolgszusammenhanges und nicht unter Berücksichtigung von innerbetrieblichen, technisch-organisatorischen Zusammenhängen zu bilden sind.

Wird der Gesichtspunkt des Erfolgszusammenhanges bei der Spartenbildung berücksichtigt und erfolgt eine gewisse Beschränkung in der Zahl der zu kalkulierenden Bereiche, so bleiben die Zurechnungsprobleme weitgehend auf die Kostenseite beschränkt. Hierbei ergeben sich die schwierigsten Schlüsselfragen weniger im Bereich der Betriebskosten als vielmehr im Bereich der Wertkosten.

bb) Aufbau der Geschäftsspartenkalkulation

Wie auch im Schema der Bankkalkulation zum Ausdruck kommt, werden im Betriebskostenbereich bereits in der Kostenstellenrechnung und nach einer ersten Aggregierung in der Leistungsgruppenrechnung weitgehende Vorarbeiten geleistet. Bei der weiteren Zusammenfassung marktbezogener Stellen bzw. Stellenbereiche zu Geschäftssparten können zunächst diejenigen Betriebskosten den Geschäftssparten unmittelbar zugeordnet werden, bei welchen ein direkter Verursachungszusammenhang besteht. Das gleiche gilt für die Zuordnung der Kosten der betriebsbezogenen Stellen zu den Sparten.

Somit verbleiben noch diejenigen Stellen, die Leistungen für verschiedene Geschäftssparten erbringen. Bei diesen handelt es sich zunächst ebenfalls um markt- sowie um betriebsbezogene Stellen und sodann um den auch kostenmäßig ins Gewicht fallenden Geschäftsleitungsbereich. Während bei der ersten Gruppe über Postenstatistiken und/

oder Zeitaufschreibungen hinlängliche Verteilungsschlüssel gewonnen werden können, bleibt bei den Geschäftsleitungskosten im allgemeinen nur eine Pauschalierung übrig, es sei denn, daß eine geschäftsspartenmäßige Ressortaufteilung vorliegt.

Die unter funktionalen Gesichtspunkten aufgebaute Kostenrechnung stellt eine wesentliche Erleichterung bei der Kostenzuordnung auf Sparten dar, vorausgesetzt, daß bereits bei der Einrichtung dieser Kostenstellen die Bildung der Geschäftssparten beachtet wird. In ihr sind bereits die Kostenstellen des Hilfs- und Verwaltungsbereiches auf die kunden- bzw. marktbezogenen Funktionen des Hauptbereiches umgelegt, so daß die Gesamtkosten – einschließlich erfolgter Umlagen – einer Funktion in den meisten Fällen den Sparten direkt zugerechnet werden können, ohne daß in diesem Zusammenhang die Frage der Verteilungsschlüssel erneut diskutiert werden muß.

Tabelle 9 soll die Zuordnung der Betriebskosten über die Teilsparten zu den Geschäftssparten verdeutlichen:

Tabelle 9: Zuordnung der Betriebskosten

Geschäftssparte — TDM —	Teilsparte — TDM —	Funktionale Kostenstelle — TDM —	
Wertpapiergeschäft 40 000 ←	A Eigengeschäft 2 500 ←	← KSt. Nr. 220 Wertpapierhandel *)	1 000
		← KSt. Nr. 230 Wertpapierabrechnung *)	1 500
	B Kommissionsgeschäft 18 000 ←	← KSt. Nr. 210 Wertpapierberatung	10 500
		← KSt. Nr. 220 Wertpapierhandel *)	3 500
		← KSt. Nr. 230 Wertpapierabrechnung *)	4 000
	C Emissionsgeschäft 3 500 ←	← KSt. Nr. 260 Emission	1 500
		← KSt. Nr. 270 Wertpapier-Konsortialgeschäft	2 000
	D Verwaltung/Verwahrung 16 000 ←	← KSt. Nr. 240 Wertpapier-Lieferung	5 000
		← KSt. Nr. 250 Kupons	1 000
		← KSt. Nr. 280 Tresor	3 000
		← KSt. Nr. 290 Depotbuchhaltung	7 000

*) *Für diese beiden Kostenstellen muß eine Aufteilung nach den beiden Teilsparten A und B vorgenommen werden.*

Allerdings kann nicht geleugnet werden, daß mit der Einrichtung von Teilsparten auch die Zuordnung von Kosten und Erlösen in einigen Fällen zusätzliche Schwierigkeiten nach sich zieht. Wie das Beispiel zeigt, ist nicht bei allen Funktionen die direkte Übernahme zu einer Teilsparte möglich. Die Funktionen Wertpapierhandel und Wertpapierabrechnung müssen vielmehr über Schlüsselgrößen auf die Teilsparten „Eigengeschäft" und „Kommissionsgeschäft" aufgeteilt werden. Das kann mit Hilfe einer Postenstatistik oder mit Hilfe von sonstigen abteilungsinternen Aufzeichnungen geschehen.

In obigem Beispiel ist nicht versucht worden, die Kosten des Zahlungsverkehrs anteilig auf das „Wertpapiergeschäft" zu verteilen. Die Schlüsselung des Zahlungsverkehrs nach Geschäftssparten stellt z. Z. für die meisten Kreditinstitute ein noch nicht gelöstes Problem dar, da die Abhängigkeit des Zahlungsverkehrs von den einzelnen Sparten nicht schlüssig je Sparte nachweisbar ist. Es bietet sich daher an, den Zahlungsverkehr als Sparte bestehen zu lassen.

Wurde bisher stets auf den Ergebnissen von Kostenstellen- und/oder Leistungsgruppenrechnung aufgebaut, so besagt das nicht, daß diese Verfahren, wenn sie auch eine wesentliche Erleichterung bedeuten, unbedingt die Voraussetzung für die Geschäftsspartenkalkulation darstellen. Die Geschäftsspartenkalkulation kann auch – wie dies z. B. bereits Rummel getan hat – aus der Gesamtbetriebskalkulation und der Schichtenbilanz entwickelt werden. Insbesondere für kleinere Institute, bei denen die Durchführung einer Kostenstellenrechnung unangebracht ist, bietet es sich an, diesen Weg zu gehen. Die Verteilung der Betriebskosten erfolgt dabei im Prinzip wie bei einer Kostenstellenrechnung (auf Basis der Vollkosten), lediglich mit dem Unterschied, daß größere Bereichseinheiten (Sparten) gebildet werden.

Zur Verteilung der *Wertkosten* kann die Schichtenbilanz verwandt werden, mit deren Hilfe den einzelnen Geschäftssparten die durch sie verursachten Kapitalbeschaffungskosten unmittelbar zugeordnet werden. Zumindest bei den Kreditbanken und anderen Universalbanken ist aber bei dem größeren Teil des Kapitals (nicht zweckgebundene Einlagen und Kredite, Eigenkapital und Pensionsrückstellungen) eine unmittelbare und verursachungsgemäße Zuordnung nicht möglich (Restkapital). Gewisse indirekte Anhaltspunkte (z. B. in den Liquiditätsgrundsätzen) sind für die Geschäftsspartenkalkulation nicht voll brauchbar. Die Zurechnung zu den einzelnen Sparten entsprechend ihrem Kapitalbedarf sollte deshalb mit dem Durchschnittszinssatz des verbleibenden Restkapitals unter Berücksichtigung der Liquiditätsverhältnisse erfolgen.

Keine Schwierigkeiten bereitet normalerweise die Zurechnung der Risikokosten zu den einzelnen Geschäftssparten, da die Risiken im allgemeinen von der Marktleistungstätigkeit der Kreditinstitute abhängen und eine strenge Verursachungsbeziehung vorliegt.

c) *Filialkalkulation*

aa) *Zweck und Gegenstand*

Der Zweck der Filialkalkulation besteht darin, im Interesse der Unternehmensleitung darzustellen, welchen Beitrag die einzelnen Filialen zum Gesamtergebnis leisten. Ziel dieser Rechnung ist es, ein Kriterium zur Beurteilung der Rentabilität der Filialen zu schaffen.

Objekte der Filialkalkulation können alle Filialen sein, die nach dem Willen der Unternehmensleitung über ein abgeschlossenes Rechnungswesen, d. h. eine vollständige Gewinn- und Verlustrechnung, verfügen sollen.

bb) *Aufbau*

Die Grundlage der Filialkalkulation bildet eine detaillierte Erfassung aller Kosten- und Erlösarten jeder Filiale. Im Mittelpunkt der Kalkulation steht die Frage des Erfolgsausgleichs zwischen den Filialen und der Zentrale, da es Filialen gibt, deren volumenmäßiges Schwergewicht auf der Aktivseite liegt und andere, bei denen das Passivgeschäft überwiegt. Den Erfolgsausgleich stellt die Zentrale durch ein System innerbetrieblicher Verrechnungspreise her; dies gilt auch für den Arbeitsbereich.

Innerhalb des Wertbereiches steht die Verzinsung der aktiven oder passiven Filialüberhänge im Vordergrund; sie werden entweder als Verrechnungssalden bei der Zentrale definiert oder statistisch bestimmt. Dabei muß das errechnete Mindestreservesoll der Filiale entsprechend berücksichtigt werden, da bei Filialinstituten die Mindestreservedispositionen in der Regel zentral für die Gesamtbank durchgeführt werden.

Die Verzinsung sollte zu einem einheitlichen Zinssatz erfolgen, wobei beispielsweise folgende Sätze gewählt werden können:

- *Satz für Tages-, 1- oder 3-Monats-Geld*

  Die Verzinsung der Überhänge zu Geldmarktsätzen berücksichtigt die jeweiligen Geldmarktverhältnisse und besitzt insoweit den Vorzug, aktuell und objektiv zu sein. Für einen stark schwankenden Tagesgeldsatz gilt die Verwendung als Verrechnungssatz allerdings nur mit Einschränkung.

- *Kalkulatorischer Verrechnungszinssatz*

  Ein auf kalkulatorischem Wege ermittelter Verrechnungszinssatz kann aus der Schichtenbilanz abgeleitet werden. Dabei wird nach den Grundsätzen der Schichtenbilanz aus dem Kunden- und Banken-Einlagevolumen einerseits und dem entsprechenden Volumen der Mittelanlage andererseits sowie den entsprechenden Zinsaufwendungen und Zinserträgen das Mittel zwischen durchschnittlichem Aufwands- und Ertragszinssatz bestimmt. Allerdings ist zu berücksichtigen, daß es sich hier um das Ergebnis einer vergangenheitsbezogenen Nachkalkulation handelt.

Die Verzinsung der Überhänge reicht im Hinblick auf die teilweise erheblichen Strukturunterschiede innerhalb des Geschäftsvolumens der Filialen zum Erfolgsausgleich im Wertbereich oft nicht aus. Es wäre daher zu prüfen, ob den Stellen mit einem überdurchschnittlich großen Aktivgeschäft zusätzliche Kosten für die Liquiditätsbeschaffung angelastet werden sollten, die den Filialen mit hohem Einlagevolumen zugute kämen. Denkbar wäre auch ein Erfolgsausgleich zugunsten von Filialen, die im Interesse der Gesamtbank Zinszugeständnisse im Aktiv- oder Passivgeschäft gemacht haben.

Die zweite Stufe des internen Erfolgsausgleichs liegt auf der Arbeitsseite. Gegenstand dieser Stufe sind die Stückkostenverrechnungen für Leistungen, die von der Zentrale für die Filialen erbracht werden, z. B. Inanspruchnahme der EDV, Zentralisierung der technischen Abwicklung des Zahlungsverkehrs, des Wertpapier- oder Auslandsgeschäftes. Die Kostenverrechnung greift dabei auf die Ergebnisse der Stückkostenrechnung zurück; Leistungen der Zentrale, für die keine Stückkosten ermittelt werden können, sind gesondert in Rechnung zu stellen.

d) Konten- und Kundenkalkulation

aa) Grundlagen und Aufgaben

Die Kontenkalkulation dient der Feststellung, inwieweit einzelne von Kunden unterhaltene Konten zum Gesamterfolg des Instituts beitragen. Die Kundenkalkulation soll ermitteln, in welcher Weise sich die gesamten mit einem Kunden bestehenden Geschäftsbeziehungen bei dem Kreditinstitut erfolgsmäßig auswirken. Die Kundenkalkulation baut damit unmittelbar auf den Ergebnissen der Kontenkalkulation auf, indem sie die hier gewonnenen Einzelresultate sammelt und in einem größeren Zusammenhang betrachtet.

bb) Aufbau der Konten- und Kundenkalkulation

Voraussetzung für die Durchführung einer Kontenkalkulation ist das Vorliegen einer hinreichend genauen Betriebs-(Stück)leistungs- und Wertleistungsrechnung. Grundsätzlich lassen sich hier zwei Verfahren unterscheiden: Entweder geht die Betriebsleistungs- und Wertleistungsrechnung nur einmal in Form effektiver Leistungen in die Konten- und Kundenkalkulation ein oder sie wird zweifach, und zwar einmal effektiv und einmal fiktiv berücksichtigt. Der Schlüssel zu den beiden Verfahren liegt in der Art der Ermittlung des Werterfolges, bei der man entweder von der Schichtenbilanz (Teil-Zinsspannenrechnung) oder der Kapitalfondstheorie ausgehen kann.

(1) Konten- und Kundenkalkulation auf der Grundlage der Schichtenbilanz

In der Regel entscheidet der „Zinsgewinn" (Bruttozinsspanne) darüber, ob ein Konto gewinn- oder verlustbringend ist. Die Höhe des Zinsgewinns ist aus der (Teil-) Zinsspannenrechnung bekannt. Zu beachten ist, daß der Zinsgewinn nur einmal in voller Höhe in die Kontenkalkulation eingehen darf. Hieran ist vor allem in dem für Universalbanken typischen Fall zu denken, daß das Mittelaufkommen aus kreditorischen Konten zum erheblichen Teil dazu benutzt wird, die debitorischen Konten zu finanzieren. Somit tritt das gleiche Verrechnungsproblem auf wie in der Filialkalkulation zwischen Einzugs- und Kreditfilialen. Vieles spricht dafür, den Zinsgewinn zu halbieren.

Sofern die über kreditorischen Konten aufkommenden Mittel nicht den Kundenforderungen, sondern anderweitig, z. B. den Nostroguthaben, Wertpapieren usw., zugeordnet werden, kann die erzielte Zinsspanne abzüglich der bei den betreffenden Anlagegeschäften anfallenden Betriebskosten ausschließlich den kreditorischen Konten zugerechnet werden.

An Hand des Kontos erfolgt eine Zusammenstellung der Anzahl der verschiedenen Geschäftsvorfälle (Kassenein- und -auszahlungen, Scheckeinreichungen, Scheckziehungen, Wechseldiskontierungen usw.) und im Anschluß hieran eine entsprechende Bewertung mit den Ergebnissen der Stückleistungskalkulation.

Die Summe der pro Konto anfallenden Betriebskosten ist nunmehr um die Betriebserlöse zu kürzen, die das betreffende Konto erbracht hat. Diese Erlöse werden zum einen Teil während der Abrechnungsperiode laufend dem Kundenkonto belastet, zum anderen Teil anläßlich des Kontoabschlusses erhoben, wie Postengebühren und Spesen.

Der Saldo aus den durch das Konto verursachten Stückkosten, den erzielten Stückerlösen und dem zugeordneten Teil des Zinsgewinns gibt darüber Aufschluß, inwieweit ein Konto für das Institut gewinn- oder verlustbringend ist.

(2) Konten- und Kundenkalkulation auf der Grundlage der Kapitalfondstheorie

Im Gegensatz zur Schichtenbilanz, die eine Zuordnung bestimmter Kapitalquellen zu bestimmten Kapitalverwendungen unterstellt, geht die Kapitalfondstheorie davon aus, daß für eine rückschauende Betrachtung die Gesamtheit der zur Verfügung stehenden Mittel als ein Kapitalfonds angesehen wird, der in seiner Verwendung von dem Kundenverhalten einerseits und den Anlageentscheidungen seitens der Bank andererseits abhängig ist. Bei der Ermittlung des Werterfolges wird streng zwischen den bei der Kapitalhereinnahme und Kapitalverwendung entstehenden Erfolgselementen getrennt. Zunächst wird der effektive Werterfolg für beide Seiten festgestellt. Dem Werterlös im Kreditgeschäft wird als Einstandspreis eine fiktive Einlage in Höhe des durchschnittlichen Kreditbetrages, verzinst mit dem Durchschnittszins aller Einlagen innerhalb der Kalkulationsperiode, gegenübergestellt, den effektiven Wertkosten der Einlagen hingegen ein fiktiver Werterlös, der sich aus einer fiktiven Finanzanlage in Einlagenhöhe, verzinst mit dem Durchschnittszins aller Kapitalverwendungen innerhalb der Kalkulationsperiode, ergibt. Dieses Vorgehen hat zur Folge, daß die subjektiven Einflüsse bei der Aufteilung der Zinsmarge vermieden werden. Zu beachten ist jedoch, daß – analog der industriellen Investionsrechnung – jeder Seite die volle Zinsmarge zugerechnet wird. Investitionsobjekt ist daher jeweils das kreditorische *oder* das debitorische Konto. Dies ist vertretbar, weil kein Konto *gleichzeitig* debitorisch und kreditorisch sein kann.

Die effektiven Betriebs-(Stück-)Kosten und -Erlöse werden, wie bei der Konten- und Kundenkalkulation auf der Grundlage der (Teil-)Zinsspannenrechnung beschrieben, ermittelt.

In Form von Umlagen kommen jedoch die aus den fiktiven Kapitaleinlagen bzw. fiktiven Kapitalverwendungen resultierenden Betriebskosten hinzu. Die Höhe der Umlage ergibt sich, indem die anfallenden Betriebskosten proportional zum jeweiligen fiktiven Betrag der Kapitalhereinnahme bzw. Kapitalverwendung angesetzt werden. Der Proportionalitätsfaktor kann dabei wie folgt ermittelt werden: Zunächst werden die effektiven Gesamtbetriebskosten der Kalkulationsperiode nach Kosten der Kapitalhereinnahme und Kapitalverwendung aufgeteilt und die so ermittelten Beträge zum Gesamtbetrag der Kapitalhereinnahme bzw. Kapitalverwendung in Beziehung gesetzt.

In der Kundenkalkulation erfolgt die Zusammenfassung der Kalkulationsergebnisse für alle Konten und die nicht kontengebundenen Dienstleistungen (Wertpapier- und Auslandsgeschäfte) eines Kunden.

II. Die Fortentwicklung zum zweckorientierten Analyse-Instrumentarium

Durch Änderung in den Rahmenbedingungen – Fortfall der Bedürfnisprüfung für Zweigstelleneröffnungen, Aufhebung der Preisbindung (Soll- und Habenzinsabkommen), Verwendungsverlust des Diskontsatzes als Basis-Zins-Indikator – und der geschäftspolitischen Ausrichtung im Kreditgewerbe insgesamt – Marktorientierung in der Produktpalette, Hinwendung zum retail-banking, Internationalisierung – haben sich die Anforderungen an das Interne Rechnungswesen bereits in den 60er Jahren grundlegend gewandelt: Eine Fortentwicklung des Internen Rechnungswesens in Richtung auf die Notwendigkeiten, zweckorientierte Analysen zu ermöglichen, war die Folge. Hierbei sind frühe und neuere Ansätze zu unterscheiden.

1. Frühe Ansätze

a) Die Plankostenrechnung

Für die Auswertung im Zeit- und zwischenbetrieblichen Vergleich ist das Vorhandensein einer reinen Istkostenrechnung, d. h einer auf tatsächlich angefallenen Kosten aufbauenden Rechnung, zwar ausreichend, doch sind die Ergebnisse nur beschränkt aussagefähig, da ein zuverlässiger Vergleichsmaßstab fehlt. Wenn schon im Falle des Zeitvergleichs infolge der der Wirtschaft innewohnenden Dynamik die betrieblichen Verhältnisse zu verschiedenen Zeitpunkten stets mehr oder weniger stark differieren, ist es im Falle des zwischenbetrieblichen Vergleichs noch unwahrscheinlicher, daß die betrieblichen Gegebenheiten zweier verschiedener Institute selbst nur zu bestimmten Zeitpunkten in einer Weise übereinstimmen, daß Kosten-Leistungs-Vergleiche nicht gestört werden.

Diese Mängel haften dem in einer Plankostenrechnung durchgeführten Soll-Ist-Vergleich grundsätzlich nicht an. Vielmehr wird mit Hilfe der Planung ein auf die spezifischen Betriebsverhältnisse zugeschnittener Vergleichsmaßstab, die Plankosten, geschaffen. Hierunter werden die Kosten verstanden, deren Mengengerüst und deren Preise bzw. Lohnsätze aus geplanten Werten bestehen.[94] Zwar bestimmt allein die Aufstellung der Sollwerte das Wesen der Plankostenrechnung, doch sind Kalkulation und Kontrolle wesensmäßig so eng verbunden,[95] daß die Plankostenrechnung erst durch den Soll-Ist-Vergleich zu einem vollständigen und praktisch verwendbaren Rechnungsverfahren wird. Da die Plankostenrechnung ihrer Zielsetzung nach eine ausgesprochene Abteilungs-Kostenstellenrechnung ist, kann sie darüber hinaus nur für gleich ausgerichtete Verfahren wie die Teilstückkostenrechnung angewandt werden.

Die Ermittlung der Plankosten verursacht indes zusätzlichen Arbeitsaufwand, der sich noch erhöht, wenn die Planung z. B. in bezug auf die Beschäftigung flexibel gestaltet wird.[96] Dieser Mehraufwand kann nicht nur deshalb in Kauf genommen werden, weil das eigentliche Rechnungsziel der Abteilungs-Kostenstellenrechnung, die Wirtschaftlichkeitskontrolle, zuverlässiger erreicht werden kann und in Richtung einer unmittelbaren Erziehung zu wirtschaftlicher Betriebsgebarung weitergeführt wird, sondern weil bereits das analytische Vorgehen zur Gewinnung der Plan- bzw. Sollkosten im allgemeinen nicht wenige Unwirtschaftlichkeiten aufdeckt und damit eine Verbesserung der Betriebsorganisation ermöglicht.[97]

Die Technik der Plankostenrechnung erlaubt es, die von der Stellenumlage ausgehenden, eine Wirtschaftlichkeitskontrolle störenden Einflüsse zu beseitigen, Kostenumlagen anderer Stellen (Allgemeine und Hilfsstellen) werden im Soll wie im Ist mit dem budgetierten Betrag angesetzt.

[94] vgl. Kilger, W.: Flexible Plankostenrechnung, Theorie und Praxis der Grenzplankostenrechnung und Deckungsbeitragsrechnung, 4. Aufl., Köln und Opladen 1970, S. 53-56

[95] vgl. Linhardt, H.: Die Kontrolle im Bankbetrieb, Stuttgart 1926, S. 161 und 281

[96] vgl. Müller, A.: Istkosten, Normalkosten- und Plankostenrechnung in vergleichbarer Betrachtung, in: Der Betrieb 1952, S. 539

[97] vgl. Deutsches Institut für Betriebswirtschaft e. V., Frankfurt am Main, Berichte über die Sitzung der Arbeitsgemeinschaft „Kostenrechnung, Kalkulation und interne Revision der Kreditinstitute" am 19. 6. 1962; Plaut, H. G.: Probleme der Plankostenrechnung bei Kreditinstituten, und vom 10. 10. 1961: Tacke, R.: Plankostenrechnung im Bankbetrieb

Damit können dem Kostenstellenleiter die für die Einzelleistungen anfallenden Gesamtkosten nachgewiesen werden bei gleichzeitiger Isolierung derjenigen Kosten, für die er die Verantwortung übernehmen muß.

Unter den genannten Voraussetzungen können nunmehr den Stellen die Plankosten für die einzelnen Phasen der Beschäftigung (Sollkosten) vorgegeben werden, wobei die Möglichkeit besteht, für jede einzelne Beschäftigungssituation die Sollkosten aus dem Verhältnis der fixen zu den variablen Kosten zu ermitteln oder mit Hilfe von zuvor gewonnenen Variatoren[98] aus den Plankosten abzuleiten.

Die bisherigen Ausführungen sollen an Hand von Abbildung 6 verdeutlicht werden.

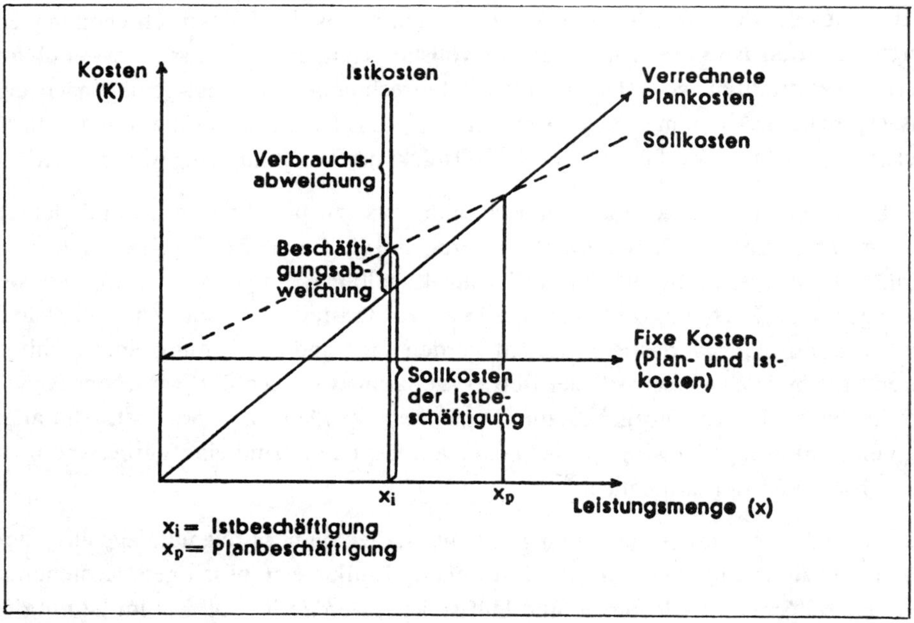

Abbildung 6: Schema der Plankostenrechnung

[98] Unter einem Variator wird eine Zahl verstanden, die angibt, wieviel Prozent der Plankosten der Planbezugsgröße proportional zur Bezugsgröße verlaufen, vgl. Kilger, W.: Flexible Plankostenrechnung, Theorie und Praxis der Grenzplankostenrechnung und Deckungsbeitragsrechnung, a. a. O., S. 381

b) *Relative Einzelkosten und Deckungsbeiträge*

aa) *Kritische Betrachtung der zweiten und dritten Rechnungsstufe*

Bei einer kritischen Betrachtung der *Kostenstellenrechnung* im Bankbetrieb muß nach den Rechnungszwecken des Verfahrens differenziert werden. Die Abteilungs-Kostenstellenrechnung dient der Kostenverteilung auf organisatorische Bereiche zur Wirtschaftlichkeitskontrolle und zur Vorbereitung für spätere Verfahren. Für die Kontrolle der Wirtschaftlichkeit können einwandfrei nur die Resultate der ersten Genauigkeitsschicht zugrunde gelegt werden. Damit sind nur solche Kosten in die Rechnung einbezogen, die eindeutig für die betreffende Betriebsstelle aufgewandt wurden. Eine so aufgefaßte Abteilungs-Kostenstellenrechnung erweist sich als relativ zuverlässig. Jedoch muß als nachteilig angesehen werden, daß die unechten Stellengemeinkosten, also die Kosten der zweiten Genauigkeitsschicht, nicht direkt in die Kontrolle einbezogen sind.

Wird, um eine Kontrolle aller Kosten zu erreichen, auch die zweite Genauigkeitsschicht herangezogen, so können den Betriebsstellen Kostenteile zugerechnet werden, die sie nicht allein zu verantworten haben. Auch wenn durch den Begriff der „zweiten Genauigkeitsschicht" angedeutet wird, daß die Beziehungen zwischen Kosten und Betriebsstellen loser sind, so besteht dennoch die Gefahr, daß das Ergebnis weiter, als es eine einwandfreie Analyse erlaubt, ausgewertet wird und falsche Entscheidungen getroffen werden.

Wenn als Vorbereitungsrechnung für nachgelagerte Rechnungsverfahren im Rahmen der Stellenumlage eine dritte Genauigkeitsschicht gebildet wird und in diesem Zusammenhang die Kosten der allgemeinen und der Hilfskostenstellen auf die Funktions-Kostenstellen „umgelegt" werden, dann liegen zwischen diesen Umlagekosten und den Endkostenstellen keine sicheren Beziehungen mehr vor.

Die Gefahr der Fehlinterpretation und der falschen Auswertung besteht insbesondere bei der unter funktionalen Gesichtspunkten aufgebauten Kostenstellenrechnung, wenn deren Zweck in der Kontrolle der Wirtschaftlichkeit gesehen wird. Ihre Bedeutung gewinnt sie vielmehr als Ausgangsbasis für die Stückkostenrechnung und als Vorstufe für die Geschäftsspartenkalkulation. Die Kostenverantwortung für eine Funktion kann nicht bei einem Abteilungsleiter liegen, sondern muß sich auf alle berührten Verantwortungsbereiche erstrecken. Die Gesamtverantwortung muß daher in der Unternehmenshierarchie oberhalb der Abteilungsleiterebene liegen. Dies ist die Begründung für den Zweckmißbrauch der Funktionskostenrechnung in der Kontrolle der Wirtschaftlichkeit.

Für die *Leistungsgruppenrechnung* gilt ähnliches wie für die Kostenstellenrechnung. Der Anteil der Einzelkosten dürfte indes höher liegen.

Im Rahmen der *Stückleistungskalkulation* sollen die Kosten einzelner Marktleistungen ermittelt werden. Dabei werden alle Kosten einer Periode, die zur Erstellung einer bestimmten Art von Leistungen erforderlich waren, auf die einzelnen Kostenträger überwälzt. Wie oben dargelegt, sind jedoch bereits die aus der Kostenstellenrechnung übernommenen Periodenkosten der Leistungsart unrichtig ermittelt, da darin in hohem Maße Gemeinkosten enthalten sind. Hinzu kommt, daß bei der Ermittlung der Kosten je Leistungseinheit – etwa im Wege der Divisionskalkulation oder durch eine Äquivalenzziffernrechnung – nochmals in erheblichem Umfang Kostenträgergemeinkosten geschlüsselt und fixe Kosten proportionalisiert werden.

Nicht geringer ist die Problematik der *Teilzinsspannenrechnung* bzw. der ihr zugrunde liegenden Schichtenbilanz. Soweit keine eindeutigen Mittel-Zweck-Beziehungen zwischen bestimmten Passivpositionen und deren Kapitalkosten und gewissen Aktiven und deren Erlösen vorliegen, sind die Ergebnisse konstruiert und als Grundlage für Dispositionen nur bedingt geeignet.

Die *Geschäftsspartenkalkulation* entnimmt die Betriebskosten nach Verrechnung der dritten Genauigkeitsschicht der Kostenstellenrechnung, die Wertkosten der Schichtenbilanz. Da in beiden Fällen die Zurechnungsgrundlagen problematisch sind, können die Ergebnisse dieser Rechnung verzerrt sein. Ein weiteres Unsicherheitsmoment enthält die Rechnung dadurch, daß z. T. auch die Erlöse verbunden, d. h. für mehrere Sparten gemeinsam, anfallen und eine Spaltung nur durch Schlüsselung möglich ist. Folglich sind Aussagen, ob und in welcher Höhe einzelne Sparten gewinnbringend oder defizitär sind, als Grundlagen für geschäftspolitische Entscheidungen nur mit Vorbehalt zu beurteilen.

Nicht ohne Problematik ist auch die Interpretation des Spartenerfolges. Wenn in der Spartenkalkulation Kosten und Erlöse gegenübergestellt werden, dann kann das Spartenergebnis eigentlich nicht den Gewinn bzw. Verlust einer Sparte darstellen, da für diese Begriffe aus der Finanzrechnung Aufwand und Ertrag die entsprechenden Komponenten sind. Die Summe der Spartenergebnisse sollte jedoch des besseren Verständnisses und der klaren Aussage wegen mit dem Betriebsgewinn identisch sein.

Schwierigkeiten der Zuordnung stellen sich auch der *Filialkalkulation* entgegen. Sind Kosten für mehrere bzw. alle Filialen gemeinsam angefallen, so ist eine Zurechnung auf die einzelnen Filialen nur durch Schlüsselung möglich. Dasselbe gilt für die Kosten, die für Filialen und Zentrale gemeinsam anfallen. Auch bei der Filialkalkulation entstehen weitere Probleme durch die Erlöszurechnung.

Nicht geringer ist die Problematik der *Teilzinsspannenrechnung* bzw. der ihr zugrunde liegenden Schichtenbilanz. Soweit keine eindeutigen Mittel-Zweck-Beziehungen zwischen bestimmten Passivpositionen und deren Kapitalkosten und gewissen Aktiven und deren Erlösen vorliegen, sind die Ergebnisse konstruiert und als Grundlage für

bb) Grundlagen und Aufgaben der Deckungsbeitragsrechnung

Wie sich gezeigt hat, führen alle vorstehend charakterisierten Verfahren der Bankkalkulation zu Ergebnissen, die nicht ohne weitere Analysen den Dispositionen der Geschäftsleitung zugrunde gelegt werden können. Deshalb muß untersucht werden, ob im Rahmen der Bankkalkulation die traditionell entwickelten Verfahren einen Ersatz oder eine Ergänzung durch Rechnungen finden, die die aufgezeigten Unsicherheiten vermeiden. Bei der Lösung dieses Problems soll von den Überlegungen ausgegangen werden, die im Hinblick auf das industrielle Rechnungswesen angestellt wurden und dort unter dem Begriff „Deckungsbeitragsrechnung" bekannt geworden sind.

Die Deckungsbeitragsrechnung verzichtet völlig auf eine Schlüsselung von echten Gemeinkosten und eine Fixkostenproportionalisierung, da in beiden Fällen Fehler auftreten können. Ausgangspunkt ist die Erkenntnis, daß die Unterscheidung zwischen Einzel- und Gemeinkosten relativ ist, je nachdem, welche Bezugsgröße betrachtet wird. Bestimmte Kosten können z. B. im Hinblick auf einen Kostenträger Gemeinkosten, in bezug auf eine Kostenstelle dagegen Einzelkosten sein. An irgendeiner Stelle des Unternehmens sind alle Kosten Einzelkosten. In der Bezugsgrößenhierarchie ist nur genügend weit nach oben zu gehen. Das Zurechnungs- bzw. Schlüsselungsproblem wird in der Deckungsbeitragsrechnung dadurch eliminiert, daß alle Kosten als Einzelkosten erfaßt werden, und zwar an der untersten Stelle innerhalb der Hierarchie betrieblicher Bezugsgrößen, an der sie gerade noch als Einzelkosten ausgewiesen werden können.

Bei der Trennung in fixe und variable Kosten – bezogen auf die Beschäftigung – muß beachtet werden, daß es fixe Kosten gibt, die einem Abrechnungszeitraum eindeutig zugerechnet werden können, die also „Perioden-Einzelkosten" sind, und daß fixe Kosten vorhanden sind, die für längere, im voraus nicht absehbare Zeiträume leistungswirksam sind. Letztere sind quasi Gemeinkosten, da sie auf eine von vornherein nicht bekannte Zahl von Abrechnungsperioden zu verrechnen sind (z. B. Abschreibungen, Rückstellungen).

cc) Aufbau der Deckungsbeitragsrechnung

Grundlage der Deckungsbeitragsrechnung bildet die „Grundrechnung", in der die primäre Kostenerfassung erfolgt. Dabei sollen die natürlichen Zuordnungsbereiche oder Bezugsgrößen erhalten bleiben. Die Grundrechnung ähnelt in ihrem äußeren Aufbau dem Kostenverteilungsbogen. Die Zeilen enthalten die Kostenarten, die gleichzeitig schon nach ihrem Charakter in bestimmter Weise gruppiert sind (z. B. Trennung in fixe und variable Kosten). Die Spalten bleiben den Bezugsgrößen vorbehalten, d. h. den natürlichen Zuordnungsbereichen der Kostenkategorien (z. B. Kostenstellen, Kostenträger, Kostenträgergruppen, Kostenstellengruppen, Abteilungen, Unternehmen als Ganzes). Eine derartige Grundrechnung müßte im Bankbetrieb ein Schema wie Tabelle 10 aufweisen.

Tabelle 10: Schema der Grundrechnung

	Kostenarten bzw. Kostenkategorien \ Bezugsgrößen (Kostenstellen, Kostenträger usw.)	Der Abrechnungsperiode nicht unmittelbar zuzurechnende Kosten	Bank als Ganzes	Direktion	Revision und Innenleitung	Hauptbuchhaltung	Expedition	Registratur	Maschinenbuchhaltung	Kasse	Sparabteilung	Kontokorrentabteilung	Wechselabteilung	Scheckabteilung	Überweisungsabteilung	Kurzfristiges Kreditgeschäft einschl. Diskontgeschäft	Hypothekenbuchhaltung	Langfristiges Kreditgeschäft	Auslandsabteilung	Wertpapierabteilung	Effektenhandel	Emissionsgeschäft	Depotgeschäft	Summe der Kostenarten
	I. Betriebskosten	1	2	3	4	5	6	7	8	9	10	11	12	13	14	15	16	17	18	19	20	21	22	23
	1. variable 164)																							
1	a) Gratifikationen, Tantiemen	—	—	100	5	5	1	2	5	1	2	3	2	1	1	5	1	5	2	6	2	2	2	153
2	b) freiwillige Sozialleistungen	—	10	—	2	2	—	1	1	—	1	1	1	1	1	1	—	1	—	1	—	—	1	25
3	c) Vordrucke, Schreibbedarf	—	—	2	2	2	1	1	2	1	2	5	2	1	1	2	1	2	3	1	2	1	1	35
4	d) Porti und Fernsprechgebühren	—	—	4	3	1	1	1	2	2	2	16	5	2	1	9	1	6	6	2	5	2	1	72
5	e) Kostensteuern (z. B. Börsenumsatzst.)	—	2	—	—	—	—	—	—	—	—	—	1	—	—	1	—	—	—	—	9	3	—	16
6	f) Gerichts- und Anwaltskosten	—	1	—	—	—	—	—	—	—	—	—	—	—	—	2	—	1	—	—	—	—	—	4
7	Summe der variablen Betriebskosten	—	13	106	12	10	3	5	10	4	7	25	11	5	4	20	3	15	11	10	18	8	5	305

	2. fixe 99)																							
8	a) Gehälter	—	—	100	30	20	10	20	40	10	20	30	20	10	10	30	10	20	10	30	30	10	20	480
9	b) gesetzliche Sozialleistungen	—	—	10	3	2	1	2	4	1	2	3	2	1	1	3	1	2	1	3	3	1	2	48
10	c) Pensionsrückstellungen	31	—	—	—	—	—	—	—	—	—	—	—	—	—	—	—	—	—	—	—	—	—	31
11	d) Abschreibungen auf Gebäude	150	—	—	—	—	—	—	—	—	—	—	—	—	—	—	—	—	—	—	—	—	—	150
12	e) Reinigung	—	1	1	1	1	1	1	2	1	1	1	1	1	1	1	1	1	1	1	—	—	1	20
13	f) Abschreibungen auf Geschäftsausstattung	30	—	—	—	—	—	—	—	—	—	—	—	—	—	—	—	—	—	—	—	—	—	30
14	g) Werbung	—	20	—	—	—	—	—	—	—	—	—	—	—	—	—	—	—	—	—	—	—	—	20
15	h) Prüfungskosten und Beiträge	—	14	—	—	—	—	—	—	—	—	—	—	—	—	—	—	—	—	—	—	—	1	15
16	i) Kostensteuern (z. B. Gewerbekapitalst.)	—	6	—	—	—	—	—	—	—	—	—	—	—	—	—	—	—	—	—	—	—	—	6
17	Summe der fixen Betriebskosten	211	41	111	34	23	12	23	46	12	23	34	23	12	12	34	12	23	12	34	33	11	24	800
18	Summe aller Betriebskosten	211	54	217	46	33	15	28	56	16	30	59	34	17	16	54	15	38	23	44	51	19	29	1105
	II. Wertkosten																							
19	1. Zinsen	—	—	—	—	—	—	—	—	—	750	125	—	—	—	—	—	—	—	—	—	—	—	875
20	2. Risikokosten 100)	—	—	—	—	—	—	—	—	—	—	—	—	—	—	50	—	10	—	—	—	—	—	60
21	Summe der Wertkosten	—	—	—	—	—	—	—	—	—	750	125	—	—	—	50	—	10	—	—	—	—	-	935
22	Summe aller Kosten	211	54	217	46	33	15	28	56	16	780	184	34	17	16	104	15	48	23	44	51	19	29	2040

99) Die Einteilung in variable und fixe Kosten braucht nicht in jedem Einzelfall diesem Beispiel zu entsprechen; z. B. können die freiwilligen Sozialleistungen bei Vorliegen anderer Betriebsverhältnisse fixen, die Werbekosten dagegen variablen Charakter haben.

100) Selbst die Zumessung der Risikokosten zu den Sparten der Kreditgeschäfte ist nicht unproblematisch, da die Auffassung vertreten werden könnte, diese Kosten seien der Abrechnungsperiode nicht eindeutig zurechenbar.

Im Hinblick auf eine spätere Auswertung werden die Kostenarten zu Kostenkategorien zusammengefaßt, wobei der beherrschende Gliederungsgesichtspunkt die Trennung in Betriebs- und Wertkosten ist. Die Betriebskosten werden nach ihrem Verhalten gegenüber Beschäftigungsschwankungen in variable und fixe, die Wertkosten in Zinsen und Risikokosten unterteilt. Im Gegensatz zur Kostenstellenrechnung dienen als Bezugsgrößen nicht nur die Kostenstellen, sondern auch bestimmte, erlösbringende Leistungsarten (z. B. Effektenhandel, Emissionsgeschäft).

Welche Bezugsgrößen im Einzelfall gebildet werden sollen, ist abhängig von den betrieblichen Arteigenheiten, also insbesondere von der Geschäftsstruktur, der Betriebsgröße und der innerbetrieblichen Organisation sowie vor allem von den mit der Rechnung verfolgten Zielen. Besonders ausgegliedert sind die der Abrechnungsperiode nicht unmittelbar zuzurechnenden Kosten (Abschreibungen und Rückstellungen).

Die Grundrechnung dient als Grundlage für den zweiten Schritt, die Durchführung der eigentlichen Deckungsbeitragsrechnung. Unter „Deckungsbeitrag" ist die Differenz zwischen dem Erlös und bestimmten Teil-Kosten zu verstehen, wobei sich diese Differenz grundsätzlich auf Zeitabschnitte, Leistungseinheiten und Einheiten eingesetzter Produktionsfaktoren beziehen kann.

Charakteristisch für die Deckungsbeitragsrechnung ist die Tatsache, daß es sich um eine retrograde Rechnung handelt. Vom Bruttoerlös werden dabei in Schritten die einzelnen Kategorien von Kosten abgesetzt.

Bevor in einem Beispiel der Aufbau einer Deckungsbeitragsrechnung demonstriert werden soll, ist auf Schwierigkeiten, die in der Durchführung und Interpretation einer solchen Rechnung liegen, hinzuweisen. Diese Schwierigkeiten entstehen einmal von der Kostenseite her. Hier hat die Tatsache, daß ein beträchtlicher Teil der Kosten der Kreditinstitute fixen Charakter trägt und daß ferner auf den einzelnen Kostenträger nur in beschränktem Maße Einzelkosten verrechnet werden können, zur Folge, daß eine Deckungsbeitragsrechnung, auf die einzelne Leistungseinheit bezogen, relativ farblos wird. Auch die Erlöse fallen in gewissem Umfang verbunden an, so daß für mehrere Leistungsarten nur ein Erlös entsteht, der nicht weiter zugerechnet werden kann, weil eine absatzwirtschaftliche Koppelung der einzelnen Bankleistungsarten vorliegt.

Der Deckungsbeitragsfluß soll beispielhaft wie in Tabelle 11 angenommen werden. In diesem Schema soll zum Ausdruck gebracht werden, daß die drei Sparten Depotgeschäft, Emissionsgeschäft und Effektenhandel zunächst ihre Einzelkosten decken müssen. Der verbleibende Überschuß (= Deckungsbeitrag) aller drei Sparten muß dann die Kosten der Wertpapierabteilung als Ganzes decken. Analog müssen die Erlöse aus dem langfristigen Kreditgeschäft zunächst die Kosten dieser Abteilung und die der Hypothekenbuchhaltung decken. In gleicher Weise ist mit den Erlösen aus dem kurzfristigen Kreditgeschäft zu verfahren. Dieser Sparte können die Kosten der Überweisungs-, Scheck- und Wechselabteilung sowie die der Kontokorrentabteilung jedoch nicht mehr

Tabelle 11: Schema des Deckungsbeitragsflusses[101]

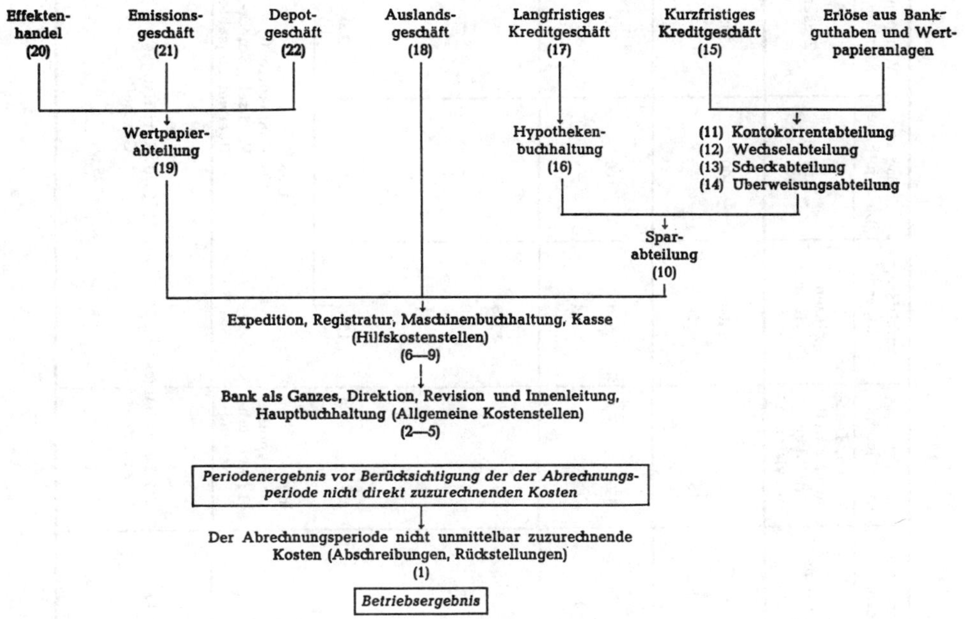

allein zugeordnet werden, da diese Abteilungen auch der Mittelbereitstellung für die Geld- und Wertpapieranlageschäfte dienen. Infolgedessen müssen die Erlöse dieser Zweige die Kosten der Kontokorrent-, Wechsel-, Scheck- und Überweisungsabteilung tragen. Ähnliches gilt für die Sparabteilung, da deren Kosten sowohl dem langfristigen als auch dem kurzfristigen Geschäft zuzurechnen sind. Auch hier müssen die Kosten von den Erlösen beider Sparten gedeckt werden. An dieser Stelle ist eine weitere Differenzierung des Erfolges nach Sparten nicht mehr möglich, da sämtliche noch nicht abgedeckten Kostenstellen allen Sparten gemeinsam dienen. Immerhin kann die Abdeckung der verbleibenden Gemeinkosten stufenweise geschehen, indem zunächst die Deckungsbeiträge über die Kosten der Hilfskostenstellen und über die der Allgemeinen Kostenstellen errechnet werden. Nach Absetzen der der Abrechnungsperiode nicht unmittelbar zuzurechnenden Kosten ergibt sich das Betriebsergebnis der Periode.

Nach der allgemeinen Darstellung des Deckungsbeitragsflusses soll die Durchführung der Deckungsbeitragsrechnung (Tabelle 12) verdeutlicht werden. Die Erlöse der einzelnen Geschäftszweige werden einer hier nicht näher betrachteten Gesamtbetriebskalkulation bzw. unkompensierten Bilanz entnommen.

Die dargestellte Rechnung führt gegenüber der tradionellen Bankkalkulation zu anderen Resultaten – und damit möglicherweise zu anderen Dispositionen – als die her-

[101] Die Numerierung entspricht den Spalten der Grundrechnung

Tabelle 12: Schema der Deckungsbeitragsrechnung

Geschäftszweig	Effekten-handel	Emissions-geschäft	Depot-geschäft	Auslands-geschäft	Langfristiges Kreditgeschäft	Kurzfristiges Kreditgeschäft	Erlöse aus Bankguthaben	Wertpapier-anlagen
Art der Erlöse	**Provisionen**	Provisionen und **Bonifikationen**	**Gebühren**	**Provisionen**	**Zinsen, Damnum, Bereitstellungsprovisionen**	**Zinsen, Provisionen**	**Zinsen**	**Zinsen**
Bruttoerlöse	100	60	10	40	875	1400	100	300
·/. variable Betriebskosten	18	8	5	11	15	20	—	—
Nettoerlös I	82	52	5	29	860	1380	100	300
·/. fixe Betriebskosten	33	11	24	12	23	34	—	—
Nettoerlös II	49	41	·/. 19	17	837	1346	100	300
·/. Wertkosten (Risikokosten)	—	—	—	—	10	50	—	—
Deckungsbeitrag der erlösbringenden Geschäftszweige nach Abzug ihrer Einzelkosten	49	41	·/. 19	17	827	1296	100	300
Zusammengefaßte Deckungsbeiträge einzelner Geschäftszweige		71		17	827		1696	
·/. Betriebskosten		44 Wertpapierabteilung			15 Hypothekenbuchhaltung		126 Kontokorrent-, Wechsel-, Scheck-, Überweisungsabteilung	
Gemeins. Deckungsbeitrag (I) nach Abzug der Betriebskosten		27 Effektengeschäft		17	812 Langfristiges Kreditgeschäft		1570 Kurzfristiges Geschäft	
·/. Wertkosten (Zinsen)		—			—		125	

Gemeins. Deckungsbeitrag (II) nach Abzug der Betriebs- und Wertkosten	27	17	812	1445
·/. Betriebs- und Wertkosten (Zinsen)			2257 Kreditgeschäft 780 Sparabteilung	
Gemeins. Deckungsbeitrag (II)	27	17	1477	
Zusammengefaßter gemeinsamer Deckungsbeitrag (II)		1521		
·/. Betriebskosten der Hilfsstellen		115		
Gemeins. Deckungsbeitrag (III)		1406		
·/. Betriebskosten der Allgemeinen Kostenstellen		350		
Gemeins. Deckungsbeitrag (IV) (vorläufiger Periodenüberschuß)		1056		
·/. der Abrechnungsperiode nicht unmittelbar zuzurechnende Kosten		211		
Periodenergebnis		845		

kömmliche Geschäftsspartenkalkulation. Allerdings zeigt dieses Beispiel auch, wie schmal der Anwendungsbereich einer derartigen Rechnung ist.

Die dargestellte Rechnung stellt nur ein Beispiel dar, indem sie von einer bestimmten Art von erlösbringenden Marktleistungen ausgeht. Jedoch sind auch andere Fragestellungen denkbar, etwa daß als Ausgangspunkt die Frage nach dem örtlichen Entstehungsbereich des Erfolges steht. Hier müßte eine der Filialkalkulation analoge Deckungsbeitragsrechnung angestellt werden. Ebenso ist eine Spaltung des Erfolges nach bestimmten Konten- bzw. Kundengruppen auf der Basis der Einzelkosten-Deckungsbeitragsrechnung möglich. In allen diesen Fällen würde eine derartige Rechnung erfolgsrechnerischen Zwecken dienen, indem der Erfolg nach sachlichen Entstehungsbereichen oder nach örtlichen Gesichtspunkten aufgespalten wird. Damit werden Unterlagen für die Kapitalbeschaffungs- und Anlagepolitik gewonnen und Entscheidungen über die Zweigstellenpolitik ermöglicht. Aber auch für eine elastische Preispolitik sind die Ergebnisse der Deckungsbeitragsrechnung zumindest eine wertvolle Ergänzung zu den Resultaten der Stückleistungskalkulation.

Die Aussagekraft der Deckungsbeitragsrechnung wird noch dadurch gesteigert, daß die absoluten Deckungsbeiträge ins Verhältnis gesetzt werden zu den Mengen der für sie eingesetzten Produktivfaktoren. Stellen z. .B. die Arbeitskräfte den Engpaß dar, dann wären die in Anspruch genommenen Arbeitsstunden ein solcher Maßstab. Im obigen Beispiel sei unterstellt, daß in der Abrechnungsperiode im Effektenhandel 6000[102], im Emissionsgeschäft 2000 Stunden annähernd gleich qualifizierte Arbeit geleistet worden sind. Pro Arbeitsstunde hat somit das Emissionsgeschäft einen spezifischen Deckungsbeitrag von 20,5 (41 000 : 2 000), der Effektenhandel von 8,17 (49 000 : 6 000) erbracht. Besteht in diesen Geschäftszweigen ein Engpaß im Personalsektor, so ist das Emissionsgeschäft auf Kosten des Effektenhandels zu forcieren, obwohl bei Betrachtung der absoluten Deckungsbeiträge das Effektenhandelsgeschäft günstiger erscheint. Andere spezifische Deckungsbeiträge sind etwa auf dem Gebiet der Anlagepolitik denkbar. Hier dürfte der Engpaß in der Kapitalversorgung liegen. Als Bezugsgröße hätte dann die Kapitalnutzungseinheit (Quantum) zu gelten.

Angenommen, es ergäbe sich in nachstehenden Geschäftszweigen folgende Situation[103]:

[102] Pro Arbeitskraft sind 2 000 Stunden/Perioden angenommen
[103] Vgl. Schema der Deckungsbeitragsrechnung S. 160 f.

Geschäftszweig	Durchschnittlich eingesetztes Kapital in Mill. DM	Werterlöse in %	Reihenfolge der Renabilität
Langfristiges Kreditgeschäft	12,5	7	2
Kurzfristiges Kreditgeschäft	17,5	8	1
Bankguthaben	5	2	4
Wertpapieranlagen	4,5	$6\frac{2}{3}$	3

Richtete sich die Anlagepolitik ausschließlich nach der Relation von Bruttoerlösen zu durchschnittlich eingesetztem Kapital, so wäre z. B. das langfristige Kreditgeschäft der Anlage in Wertpapieren vorzuziehen. Bei Anknüpfung an die Deckungsbeiträge dieser Geschäftszweige nach Abzug ihrer Einzelkosten zeigt sich dagegen folgendes [104]:

Geschäftszweig	Durchschnittlich eingesetztes Kapital in Mill. DM	Deckungsbeitrag nach Abzug der Einzelkosten je 100 DM	Reihenfolge der Rentabilität
Langfristiges Kreditgeschäft	12,5	6,616	3
Kurzfristiges Kreditgeschäft	17,5	7,406	1
Bankguthaben	5	2	4
Wertpapieranlagen	4,5	6,667	2

Hieraus ergibt sich, daß nunmehr – rein rechnerisch – die Anlage in Wertpapieren zweckmäßiger erscheint als das langfristige Kreditgeschäft.

[104] Vgl. Schema der Deckungsbeitragsrechnung S. 160 f.

Differenzierte Aussagen über die relative Rentabilität obiger vier Geschäftszweige sind nach diesem Verfahren nicht mehr möglich, weil die Kosten der Kontokorrent-, Wechsel-, Scheck- und Überweisungsabteilung von den Geschäftszweigen des kurzfristigen Bereichs gemeinsam getragen werden müssen.

Aus den gemachten Ausführungen wird deutlich, daß die Deckungsbeitragsrechnung wegen der Arteigenheiten des Bankbetriebes nicht alle Fragestellungen beantworten kann, die die Vollkostenrechnung zu lösen vermag. Aus der Tatsache, daß der Aussagebereich der Deckungsbeitragsrechnung relativ schmal ist, ergibt sich die Notwendigkeit, auf die herkömmlichen Verfahren trotz ihrer z. T. nicht exakten Ergebnisse nicht zu verzichten. Bei vielen Fragestellungen erfolgsrechnerischer Art erscheint eine zusätzliche Analyse unter dem Aspekt der Deckungsbeitragsrechnung angebracht, so daß beide Rechnungen nebeneinander durchzuführen wären.

In neuerer Zeit sind von einem Arbeitskreis der Schmalenbach-Gesellschaft Überlegungen zum Aufbau einer Deckungsbeitragsrechnung in Kreditinstituten angestellt worden.[105] Hiernach lassen sich nach zwei Gesichtspunkten Deckungsbeiträge ermitteln:

- die spartenbezogene Deckungsbeitragsrechnung, die nach dem Deckungsbeitrag einer Sparte fragt, und
- die geschäftsbezogene Deckungsbeitragsrechnung, die nach dem Deckungsbeitrag bestimmter organisatorisch definierter Filial- oder Niederlassungbereiche fragt.

In beiden Fällen sind die Ergebnisse je Filialbereich erstellbar und lassen sich zum Ergebnis eines Niederlassungsbereichs oder des gesamten Instituts verdichten.

In der spartenbezogenen Deckungsbeitragsrechnung sind die funktional definierten Marktabteilungen jeweils Bestandteil einer Geschäftssparte. Sie stellen – im Gegensatz zu den organisatorisch definierten Marktabteilungen – eine Zusammenfassung der organisatorischen Bereiche bzw. Teilbereiche dar, die zu einer Marktleistung beitragen.

So ist beispielsweise die organisatorische Marktabteilung für das Wertpapiergeschäft die Wertpapierberatung. Jedoch sind auch die Wertpapiertechnik und die Depotbuchhaltung funktional zum Wertpapiergeschäft zu zählen. Aus funktionaler Sicht müßte daher eine Marktabteilung „Wertpapierabteilung“ neben der Wertpapierberatung auch die Effektenabrechnung, die Effektenkasse, die Kuponkasse, den Tresor, die Depotbuchhaltung etc. einschließen.

[105] vgl. Arbeitsbericht Nr. 1 des Arbeitskreises „Planungsprobleme in Banken“ der Schmalenbach-Gesellschaft e. V., Köln 1976

Die so (funktional) definierte Wertpapierabteilung repräsentiert die Sparte „Wertpapiergeschäft".

Das Verfahren läßt sich in vier Schritte zerlegen:

1. Schritt: Definition der Sparte (funktionale Marktabteilung) als Zusammenfassung der organisatorischen Bereiche/Teilbereiche.

2. Schritt: Zusammenfassung der Erträge (Erlöse) der organisatorischen Einheiten zu Erträgen (Erlösen) der Sparte.

Filialbereich /
Niederlassungsbereich: vtj.: 30. 9. 19 . .

	Berichtsgröße in TDM			Jahr Kum.
1	Erträge		+	4 104
2	— davon laufende Erträge	3 532		
3	— davon Depotgebühren	572		
4	Direktkosten Hauptstelle		—	1 284
5	— davon Personalkosten	1 012		
6	— davon Sachkosten — ohne Raumkosten —	272		
7	Deckungsbeitrag I		+	2 820
8	Direktkosten Betriebsstellenbereich		—	184
9	— davon Personalkosten	157		
10	— davon Sachkosten — ohne Raumkosten —	27		
11	Deckungsbeitrag II		+	2 636
12	Sozialkosten (indirekte Kosten) 4,1 % von 1 169 TDM (Z. 5+9)		—	48
13	Raumkosten (indirekte Kosten)		—	145
14	Deckungsbeitrag III		+	2 443
15	Hilfs- und Verwaltungsbereich (indirekte Kosten) 50,7 % von 1 468 TDM (Z. 4+8)		—	745
16	Deckungsbeitrag IV		+	1 698
17	Überregionale Kosten (indirekte Kosten)			—

3. Schritt: Zusammenfassung der Aufwendungen (Kosten) der organisatorischen Einheiten zu Aufwendungen (Kosten) der Sparte.

4. Schritt: Ermittlung der indirekten Kosten auf der Ebene eines Filialbereiches.

Hinsichtlich der Erträge (Erlöse) empfiehlt es sich, die Werterlöse und die Wertkosten zu saldieren.

In dem vorstehenden Schema einer spartenbezogenen Deckungsbeitragsrechnung für das Wertpapiergeschäft sind die Erträge rein informativ in laufende Erträge und Depotgebühren unterteilt, nicht zuletzt, um die Beeinflussung der nur einmal jährlich anfallenden Depotgebühren sichtbar zu machen. Im Deckungsbeitrag I sind von den Erträgen der gesamten Sparte diejenigen Direktkosten abgesetzt, die in der Hauptstelle – also nicht den Betriebsstellen – anfallen. Denkbar wäre auch, den Deckungsbeitrag I in einen Deckungsbeitrag I a und Deckungsbeitrag I b zu teilen, indem von der Summe der saldierten Erträge – auch diejenigen aus Wertpapiertechnik, Depotbuchhaltung, ggf. Kuponkasse, Tresor etc. – zunächst die direkten Kosten der organisatorischen Grundeinheit, hier die Abteilung Wertpapierberatung, abgesetzt werden und erst in einem weiteren Schritt die restlichen zur Sparte zählenden organisatorischen Einheiten. Dies könnte aus Gründen der Motivation des Leiters der organisatorischen Grundeinheit von Interesse sein.

Als nächster Schritt sind dann zur Feststellung des Deckungsbeitrags II die Kosten für die Sparte „Wertpapiergeschäft" im Betriebsstellenbereich zu ermitteln, was in der Regel identisch ist mit den Kosten der Wertpapierberatung der Betriebsstellen, weil in den Geschäftsstellen ohne eigene GuV-Rechnung so gut wie keine Kosten der Wertpapiertechnik anfallen, höchstens jedoch die Kosten der Depotbuchhaltung. Hierbei handelt es sich um Kosten der Wertpapierberatung zusätzlich zu den Kosten der Wertpapierberatung als definierte organisatorische Einheit. Da in der Regel in diesen Betriebsstellen keine differenzierte Kostenstellenbildung erfolgt, müssen die anteiligen Kosten der Sparte weitestgehend auf statistischer Basis oder mit Hilfe der Funktionskostenrechnung ermittelt werden.

In diesen Direktkosten der Sparte sind jedoch noch nicht enthalten die Kosten des Sozialbereichs sowie die Raumkosten, die sich einer direkten Zurechnung entziehen und quasi als unechte Gemeinkosten in einem gesonderten Deckungsbeitrag III berücksichtigt werden. Die Ermittlung dieser indirekten Kosten erfolgt mit Hilfe der einmal jährlich erstellten funktionalen Kostenstellenrechnung, aus der die Raumkosten des Wertpapiergeschäftes ersichtlich sind und auch die Relation von Sozialkosten zu Personalkosten abgeleitet werden kann. Zu diesem Zweck wird man auf die Ergebnisse des Vorjahres zurückgreifen müssen, da die Funktionskostenrechnung des laufenden Jahres unterjährig nicht vorliegen kann.

Das gleiche gilt für die indirekten Kosten des Hilfs- und Verwaltungsbereichs, die den Umfang der Beanspruchung anderer Abteilungen durch das Wertpapiergeschäft deutlich machen sollen. Auch hier muß die Relation zu den Direktkosten aus den Vorjahresergebnissen der Funktionskostenrechnung herangezogen werden.

Ebenfalls als indirekte Kosten sind die sogenannten überregionalen Kosten anzusehen, Kosten, die an einem Filial- oder Niederlassungsplatz anfallen, ohne ausschließlich diesen Platz zu betreffen. So können an einem Börsenplatz bestimmte Kosten der Wertpapiertechnik als überregionale Kosten definiert werden, soweit sie börsenplatzbedingt sind (z. B. Kosten der Effektenabrechnung, Kosten der Effektenlieferung). Diese börsenplatzbedingten Kosten dürfen nur einer verdichteten Rechenstufe, entweder der Summe der diesem Börsenplatz angeschlossenen Filialbereiche oder dem Gesamtinstitut, zugerechnet werden. Sie sind Direktkosten der funktionalen Marktabteilungen eines größeren Bereiches.

Um die zum Niederlassungsbereich bzw. zum Gesamtinstitut verdichteten Ergebnisse der einzelnen Filialbetriebe besser beurteilen und interpretieren zu können und um die Beeinflussung durch die unterschiedlichen Filialgrößen weitestgehend eliminieren zu können, sind Kennzahlen, welche die Deckungsbeiträge auf eine vergleichbare Basis beziehen, eine wichtige Unterstützung. Im Wertpapiergeschäft kann die Anzahl der Depotkonten der Bezugspunkt sein.

Filialbereich /
Niederlassungsbereich: vtj.: 30. 9. 19 . .

	Berichtsgröße in TDM		Jahr Kum.
1	Umsatz pro Depot		19 450
2	Ertrag pro Depot	+	203
3	Direktkosten pro Depot	—	73
4	Deckungsbeitrag II pro Depot	+	130
5	Indirekte Kosten pro Depot	—	46
6	Deckungsbeitrag IV pro Depot	+	84

Da die Erträge im Wertpapiergeschäft – im Gegensatz zu den Kosten – in starkem Maße wertabhängig sind, kann der „Umsatz pro Kopf“ eine wertvolle Interpretationshilfe für die Kennzahl „Ertrag pro Depot“ sein.

In der geschäftsbereichsbezogenen Deckungsbeitragsrechnung soll der Beitrag der GuV-Bereiche zum Ergebnis des Gesamtinstituts dargestellt werden. Hierfür gibt es zwei Möglichkeiten:

1) Der Deckungsbeitrag ergibt sich aus der Addition der spartenbezogenen Deckungsbeiträge.

   Diese Addition führt zu einer Verdichtung der Deckungsbeiträge aller GuV-Bereiche zum Ergebnis des Niederlassungsbereichs.

2) Der Deckungsbeitrag ist das Ergebnis aus der Addition der Nettoergebnisse der Filialbetriebe und führt, zusammen mit dem Nettoergebnis der Zentrale, zum Betriebsergebnis des Gesamtinstituts.

2. Neuere Ansätze

a) Zur Kostenrechnung:

Die Kostenrechnung als Steuerungsinstrument im Bankbetrieb

Die Kostenrechnung wird wie bei der traditionellen Gesamtbetriebskalkulation als eine Kosten-Erlös-Rechnung, also als eine kurzfristige Erfolgsrechnung auf Kosten-/Erlös-Basis verstanden, und zwar nunmehr in multifunktionaler Zweckausrichtung: unterschiedliche Verfahren für unterschiedliche bankpolitische Fragestellungen.

Eine Zusammenfassung dieser Fortentwicklung liefert Krewerth [106], wobei im folgenden nur der die Systematik der Kostenrechnung darstellende Teil der Monographie behandelt wird.

Krewerth geht davon aus, „daß die bankbetriebliche Realität einerseits und die Anforderungen an das kostenrechnerische Instrumentarium andererseits grundsätzlich nicht in einer einzigen Grundrechnung zu verwirklichen sind. Aus diesen Gründen“ entscheidet er sich „für ein System von Grundrechnungen, deren einzelne Elemente unterschiedlichen materiellen Inhalts sind“ (S. 149).

Dieses System enthält als Elemente drei Grundrechnungen (Seite 152) (Tabelle 13).

Tabelle 13: Inhalte und Verhältnisse der Grundrechnungen zueinander

Charakteristika / Rechnungen	Ziel/ Gegenstand	Verfahren/ Prinzip	Bereiche der Anwendung/Nutzung der Information
Grundrechnung I	Zweckneutralität hinsichtlich der Auswertungen; Erfassung der Erfolgskomponenten	Abbildungsverfahren; direkte Erfassung der Erfolgskomponenten bei den Bezugsobjekten (Identitätsprinzip)	Laufende u. gelegentliche Fragestellungen, die nur die Abbildung erfordern; insbesondere Sonderauswertungen
Grundrechnung II	Transformation bestimmter Daten aus der Grundrechg. I unter Steuerungsgesichtspunkten	Verteilungsverfahren; Berücksichtigung der innerbetrieblichen Leistungsverflechtungen durch eine Bewertung unter Beachtung der Steuerungswirkungen	Laufende u. gelegentliche Fragestellungen, die eine Verteilung erfordern und für die der Steuerungsgesichtspunkt im Vordergrund steht
Grundrechnung III	Kombinative Zusammenfassung der originären Grundrechnungen I und II	Abbildungs- u. Verteilungsverfahren, die die bankbetrieblichen realen Verhältnisse sowie die Besonderheiten berücksichtigen	Basis-Datei für alle laufenden u. gelegentlichen Fragestellg., die die Abbildung <u>und</u> Verteilung erfordern; insbesondere für die standardisierten Auswertungsprogramme

[106] Krewerth, B.: Die Kostenrechnung als Steuerungsinstrument im Bankbetrieb, Frankfurt a. M. 1981

Die Grundrechnung I erfaßt die Erfolgselemente – Kosten und Erlöse – und verteilt sie auf die „Zuordnungsobjekte".

Als Kosten werden in der Grundrechnung I erfaßt:

Personaleinzelkosten	– direkt zurechenbar, erfaßt auf Basis Multimoment-Verfahren - leistungsmengenabhängig, - direkt, - indirekt.
Sachkosten	– Sachkostenarten einschl. Kostensteuern, erfaßt unter den Bezugsobjekten, keine Schlüsselung.
Zinskosten	– den Marktleistungen als Bezugsobjekte zugeordnet (= Annahme von Bank- und Kundengeldern als Marktleistung = Bezugsobjekt).
Erlösseite	– Gebühren, Provisionen, Zinsen, Dividenden.
Periodengemeinkosten	– Zuführung zu den Pensionsrückstellungen, Abschreibungen auf Betriebs- und Geschäftsausstattung, Risikokosten, kalkulatorische Zinsen. „Diese Umlagen sind mit erheblichen Unwägbarkeiten belastet." (S. 197).
Periodengemeinerlöse	– Kursgewinne.

Bezugsobjekte sind
- interne Teilleistungen,
- Marktleistungsarten,
- Geschäftssparten,
- Kundengruppen,
- Verantwortungsbereiche.

Diese Grundrechnung I entspricht kostensystematisch der Abteilungskostenrechnung traditioneller Art, erweitert um die Zuordnung der Erlöse, wobei zu den Verantwortungsbereichen – Organisationseinheiten – Leistungen, Geschäftssparten und Kundengruppen treten.

Die Grundrechnung II erfaßt die innerbetrieblichen Leistungsverflechtungen. Erfaßt werden die internen Leistungen des Marktbereiches – einschließlich des technischen

Bereichs – d. h. die internen Leitungs-, Verwaltungs- und Hilfsbereiche werden ausgegliedert.

Damit wird die Verrechnung von Leistungen zum Problem:
- nur Berücksichtigung von Kosten, die leistungsmengenabhängig sind,
- Bezug zu einer Leistung, die aus Teilleistungen bestehen kann,
- Orientierung an den Sollkosten der Leistungserstellung

sowie der Zinsverrechnung (Erlöse und Kosten)

auf Basis eines Kapitalzuordnungsmodells (horizontal äquivalente Kapitalblöcke) mit Halbierung der an den Marktkonditionen jeweils angepaßten Zinsmarge, ggf. mit Bonifikation und Malifikation.

In der Grundrechnung III sind Auswertungsrechnungen für Planungs- und Kontrollaufgaben zusammengefaßt, etwa
- Planung der Kosten- und Erlösstruktur von Leistungsarten,
- Erfolgsstrukturplanung der Marktabsatzleistungen,
- Planung der Erfolgsstruktur dezentraler bankbetrieblicher Einheiten,
- Kontrollbudgetrechnungen.

Analog der traditionellen Kostenrechnungsverfahren ist auch in diesem System eine Dreigliederung der Kostenrechnung vorhanden. Wesentlich ist, daß systemimmanent von der ersten Stufe an die Mehrverwendungsmöglichkeit angestrebt wird, daß in der zweiten Stufe eine Teilkostenbetrachtung vorherrscht und daß in der Kombination beider Grundrechnungen auf die Zweckvielfalt abgestellt wird.

Auf das Problem der Profit-Center-Rechnung und damit zugleich auf das Problem der Ermittlung interner Verrechnungspreise wird gesondert eingegangen.

b) Zur Zweigstellenkalkulation:
Die erfolgsrechnerische Bewertung von Zweigstellen

Die Analyse des Zweigstellennetzes in allen Institutsgruppen des Kreditgewerbes stand insbesondere in den 70er Jahren im Vordergrund des kostenrechnerischen Interesses und hat die Fortentwicklung des Instrumentariums des Internen Rechnungswesens befruchtet. Einen zusammenfassenden Überblick und neue Ansätze liefert die Monographie von Platz.[107]

Basis einer erfolgsrechnerischen Bewertung ist eine Kosten-Erlös-Rechnung, die vier Zuordnungsprinzipien der Kosten und Erlöse auf eine Zweigstelle kennt (Seite 91) (Abbildung 7).

[107] Platz, S.: Erfolgsrechnerische Bewertung von Bankzweigstellen, Göttingen 1978

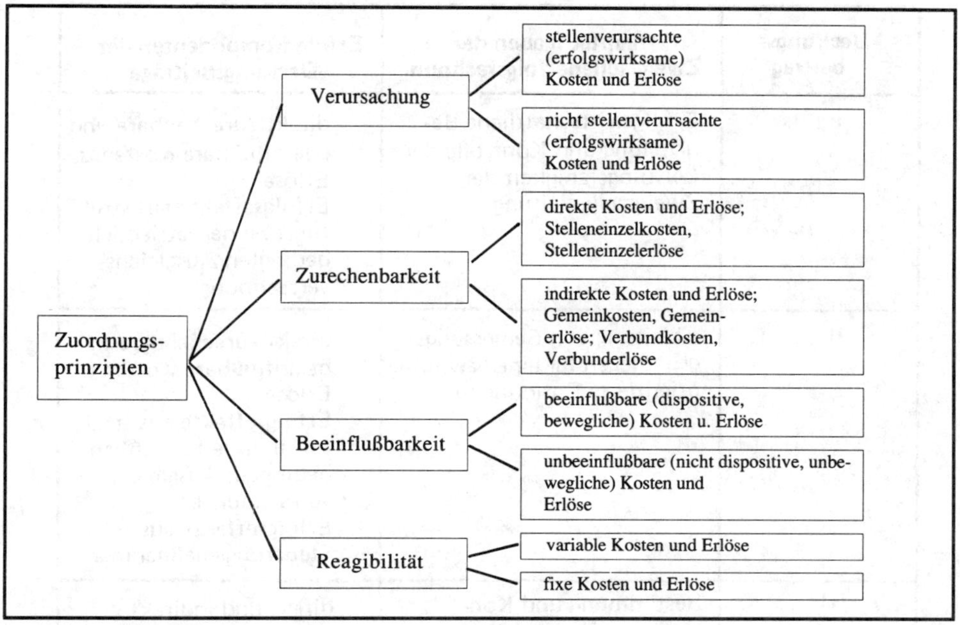

Abbildung 7: Zuordnungsprinzipien der Kosten und Erlöse

Die sich aus den Zuordnungsprinzipien ergebenden Kosten- und Erlöselemente lassen sich zu Stellenerfolgsziffern zusammenfassen, die zu unterschiedlich definierten Erfolgsbeiträgen führen. Diese Erfolgsbeiträge sind unterschiedlich strukturierte Teilkosten- und Teilerlösblöcke (Seite 77). Demzufolge handelt es sich bei der Zweigstellen-Erfolgsrechnung um eine Teilkostenrechnung, im engeren Sinne um eine Deckungsbeitragsrechnung.

Platz entwickelt eine Systematik von vier Deckungsbeiträgen (Tabelle 14) als Maßstabsgrößen (Seite 93).

Von wesentlicher Bedeutung ist, daß keiner der Deckungsbeiträge ohne Verrechnungen auskommt; die Grund-Unterscheidung differenziert nach von der Zweigstelle verursachten und nicht verursachten Erfolgselementen; eine zweckneutrale Grundrechnung, wie sie Krewerth vorgestellt hat, existiert innerhalb der Zweigstellen-Erfolgsrechnung nicht.

Die Verrechnung im liquiditätsmäßig-finanziellen Bereich bezieht im wesentlichen die Verzinsung des zweigstellenindividuellen Verrechnungssaldos aus den zugeordneten Aktiv- und Passivbeständen, von Platz als Kapitalbezugsbasis IV definiert, ein (Seite 148).

Der Verrechnungszinssatz läuft auf die halbe Marge des Gesamtinstituts hinaus (Seite 275 f.).

Deckungs-beitrag	Hauptaufgaben der Zweigstellenerfolgsrechnung	Erfolgskomponenten der Deckungsbeiträge
I	Erfolgswirtschaftliche Beurteilung und Kontrolle der Leistungsfähigkeit der Zweigstellenleitung	- direkt zurechenbare und beeinflußbare Kosten u. Erlöse - Erfolgseffekte aus struktur- u. innerbetrieblich bedingten Ausgleichsverrechnungen
II	Ableitung von Bemessungsgrundlagen für eine gewinnorientierte Entlohnung	- direkt zurechenbare u. beeinflußbare Kosten u. Erlöse - Erfolgseffekte aus struktur- u. innerbetrieblich bedingten Ausgleichsverrechnungen - Erfolgseffekte aus Steuerungsmaßnahmen
III	Bestimmung und Kontrolle des Zweigstellenanteils am Gesamterfolg der Bank	- direkt und indirekt zurechenbare Kosten und Erlöse
IV	Schaffung von Grundlagen zur erfolgsrechnerischen Einschätzung der Vorteilhaftigkeit bestehender oder geplanter Zweigstellen	- variable Kosten u. Erlöse

Tabelle 14: Systematik von Deckungsbeiträgen nach Platz

Die Verrechnung im technisch-organisatorischen Bereich erfolgt auf Standardkosten-Basis, für die Erlöse auf Basis spezifischer Erfassungsbogen (Seite 185 ff.).

Die Einbeziehung der von der Zweigstelle nicht verursachten Erfolgselemente dient zwei Zielen:

1) Vergleichbarkeit der Stellen untereinander,
2) Steuerung und Motivation, „um so die Führung in den örtlichen Bankaußenstellen zu einem zieladäquaten Verhalten anzuregen" (Seite 211).

Die Verrechnungen werden als fiktiv und „einer gewissen Willkür seitens zentraler Instanzen" unterliegend definiert. Dabei werden strukturbedingte, innerbetriebliche und geschäftspolitisch bedingte Verrechnungen unterschieden, die nach dem Steuerungskonzept der pretialen Lenkung konzipiert und zur Einführung einer gewinnorientierten Entlohnung der Zweigstellen-Leitung führen sollen (Seite 233).

Resümierend ist festzuhalten, daß zur erfolgsrechnerischen Bewertung vier unterschiedlich strukturierte Teilkosten-Teilerlös-Rechnungen in Form der Deckungsbeitragsrechnung benötigt werden, die jedoch auf keiner dieser Stufen frei von Verrechnungen sind. Die Frage, welcher der vier Deckungsbeiträge entscheidungsdominant ist, stellt sich nicht, da hinsichtlich der Zielrechnungen

1) Leistungskontrolle
2) gewinnorientierte Entlohnung
3) Gesamterfolgsanteil-Ermittlung
4) Vorteilhaftigkeitsanalyse

keine Zielkonflikte entstehen können. Die Ziele (1) und (2) sind stellenspezifisch auf die Analyse der Leistung der Leitung und ihrer Motivation gerichtet, die Ziele (3) und (4) dienen der Analyse der Erfolgsbeiträge im Sinne einer stellenübergreifenden Vergleichbarkeit und der Opportunitätsanalyse der lokalen Institutspräsenz.

Insoweit liegt auch keine Stufigkeit der Deckungsbeiträge im Sinne einer Addierbarkeit vor; die Deckungsbeiträge sind horizontal, nicht vertikal strukturiert, sie stehen im Sinne der Zweckorientierung nebeneinander.

c) Zur Kundenkalkulation:
Ansatzpunkte eines entscheidungsorientierten Modells

Auf den Erkenntnissen der modernen Kredittheorie – Vertreter: Deppe, Mülhaupt, Gergen[108] – aufbauend, entwickelt Flechsig ein Einperioden– Modell – also: statisches Modell – in entscheidungsorientierter Form zur Kalkulation der Vorteilhaftigkeit einer Kundenverbindung [109]. Die Monographie gibt einleitend einen umfassenden Überblick der Literatur mit kritischer Würdigung der jeweiligen Lösungsansätze.

Die Entscheidungsorientierung ergibt sich aus der doppelten Funktion der Kundenkalkulation:

1) Kontrollfunktion
   in der Ermittlung des (ein-)periodischen Erfolgsbeitrages der Kundenverbindung und des engpaßorientierten Periodenerfolges,

2) Planungsfunktion
   in der Kalkulation der Zinsuntergrenze im Individualkundengeschäft und der kritischen Durchschnittsbestände im Mengengeschäft.

[108] Deppe, H.-D.: Bankbetriebliches Wachstum, Stuttgart 1969; Gergen, K. H.: Die Bedeutung interner Verrechnungen für die Kreditkapazität einer Bank, Bern - Frankfurt a. M. 1976; Mülhaupt, L.: Einführung in die Betriebswirtschaftslehre der Banken, 3. Aufl., Wiesbaden 1980

[109] Flechsig, R.: Kundenkalkulation in Kreditinstituten, Frankfurt a. M. 1982

Flechsigs Modell konzentriert sich auf die Kalkulation des Zinsgeschäftes. Das zur Kundenverbindung essentiell gehörende Dienstleistungsgeschäft außerhalb des kontengebundenen Zahlungsverkehrs wird innerhalb des Modells nicht behandelt.

Die Kontrollfunktion ist auf Basis einer stufigen, additiven Deckungsbeitragsrechnung aufgebaut. Sie folgt einem Konzept einer nach Kundengruppen differenzierten Aufbauorganisation: (Seite 129)

Deckungsbeitrag I	= über die kontenspezifischen Einzelkosten
Deckungsbeitrag II	= kundenspezifische Summation (= Kundengruppen) der Deckungsbeiträge I
Deckungsbeitrag III	= über die kundenspezifischen Einzelkosten
Deckungsbeitrag IV	= kundengruppenspezifische Summation der Deckungsbeiträge III
Deckungsbeitrag V	= über die kundengruppenspezifischen Einzelkosten
Deckungsbeitrag VI	= kundensegmentspezifische Summation der Deckungsbeiträge V
Deckungsbeitrag VII	= Deckungsbeitrag eines Kundensegmentes
Deckungsbeitrag VIII	= geschäftsbereichsspezifische Summation der Deckungsbeiträge VII
Deckungsbeitrag IX	= Deckungsbeitrag eines Geschäftsbereiches
Deckungsbeitrag X	= Summation der geschäftsbereichsspezifischen Deckungsbeiträge IX
Deckungsbeitrag XI	= Betriebserfolg.

Die Kalkulation des *Werterfolges* beruht auf einem zahlungsstromorientierten Modell – also keine Bestandsgrößen –. Als Zahlungsströme werden die Verfügungen (Kredite) und Zuflüsse (Einlagen) definiert, die in drei Formen auftreten

1) Zentralbankgeld,
2) offene Kreditlinien im Gironetz,
3) derivative Kundeneinlagen aus den Verrechnungsfaktoren im Sinne Deppes.

Der Werterfolg des *debitorischen* Kontos ergibt sich aus dem Bruttozinsnutzen = originäre Sollzinsen ./. Zinskosten aus Verfügungsusancen, aus dem sich nach Abzug des dem Konto nicht zurechenbaren Anteils am Wertgewinn – im Sinne der engpaßorientierten Sicht – der Nettozins ergibt.

Der Werterfolg des *kreditorischen* Kontos ergibt sich aus der kalkulatorischen Zinsgutschrift zuzüglich dem Anteil am Wertgewinn – engpaßorientierte Sicht – abzüglich der originären Habenzinsen.

Zahlungsstromarten und Verfügungsusancen ersetzen also die bestandsorientierten Formen der Werterfolgsermittlung: Schichtenbilanz und Kapitalfondstheorie.

Nota bene:
In dem Einperioden-Modell ist allerdings nicht beachtet, daß ein Konto nicht zum gleichen Zeitpunkt kreditorisch und debitorisch sein kann.

Der Ermittlung der *Betriebskosten* liegt ein (modifiziertes) Konzept relativer Einzelkosten zugrunde:

- Einzelkosten, die direkt dem Konto/Kunden zugerechnet werden können
  = operative Leistungen auf Standardkostenbasis
- Einzelkosten, die einer Kundengruppe, einem Kundensegment zugerechnet werden können
  = überwiegend dispositive Leistungen *und* die Leerkosten der internen operativen Leistungen auf Basis einer spezifischen Restkostenanalyse. [110])

Die *Planungsfunktion* ist innerhalb des Abschnittes C – operatives Controlling – zu behandeln.

Die neuen Ansätze der Fortentwicklung des Internen Rechnungswesens, so auch das Modell von Flechsig, haben ihre gemeinsame Basis in der Ablehnung der Vollkostenrechnung. Sie verwenden methodisch unterschiedlich aufgebaute Teilkosten- und Teilerlös-Systeme. Diese Sicht ist im Falle des Kundenkalkulations-Modells von Flechsig uneingeschränkt möglich, weil er als Engpaßfaktoren „Kontingente begrenzt verfügbarer wirtschaftlicher Werte (Opfergrößen)" (S. 241) nur Wertkapazitäten definiert:

- die knappen Dispositionsspielräume im Sinne der Grundsätze I, II, III des BAK,
- die Überschußreserve,
- das beschaffbare Systemgiralgeld.

Würde er als Engpaßfaktoren auch Personal- und Sachkapazitäten definieren – Allokation der Produktionsfaktoren –, käme er mit einer Teilkostenbetrachtung nicht zu einem befriedigenden Ergebnis.

d) Zur Produktkalkulation:
Die Beurteilung des Erfolgs von Bankprodukten

In der traditionellen Kostenrechnung analysiert die Stückkostenrechnung im Zusammenhang mit der Erlöszuordnung den Produkterfolg als ex post-Kalkulation; dies kann auch in Form einer stufigen Deckungsbeitragsrechnung geschehen. Stückkostensatz mit Erlöszuordnung ergibt insoweit den Produkterfolg, wobei ein Produkt aus unterschiedlichen Teilleistungen mit selbständigen Teilleistungskosten – aber ohne Teilleistungserlöse – bestehen kann; die Erlöszuordnung existiert nur für das absatzfähige Produkt. Die Zusammenführung der Produkte kann in Sortimentsleistungen oder auch kundengruppenindividuell erfolgen.

[110] Der Begriff „Restkostenanalyse" ist allerdings bereits inhaltlich belegt: vgl. Jacob, A. F.: „Die Steuerung einer Universalbank mit einem System von Erfolgskomponenten", in: Controlling in Banken und Sparkassen, hrsg. v. Mülhaupt, L., Schierenbeck, H., Wielens, H., Frankfurt 1981

Einen neuen Ansatz bietet Ulrike Kilhey [111].

Ausgangspunkt ihrer Analyse sind die für das Leistungsprofil charakteristischen Hauptmerkmale des Bankproduktes (Seite 11):

- Leistungsart,
- Hauptzielgruppe,
- Zweckbestimmung,
- Nutzen für den Kunden,
- Sicherheiten,
- Zahlungsmodalitäten, soweit prägend verbunden,

das als „kleinste marktgerechte Angebotsform einer Bank" definiert wird.

Produktpolitische Entscheidungen werden hier zu den strategischen Entscheidungen gerechnet, denen „im Bankbereich allerdings eine vergleichsweise geringe Bedeutung" (Seite 69) zukommt.

Obwohl die kleinste am Markt absetzbare Einheit als Produkt definiert wird und Produktpolitik damit auf einen isolierten Produktgewinn im Planungszeitraum abzielt, werden absatzwirtschaftliche Verbundeffekte – Synergie und Substitution – als wesentlich für die Analyse der Vorteilhaftigkeit nicht vernachlässigt (Seite 46 ff.), so daß sich gegenüberstehen:

Isolierter Produktgewinn–Erfolgswirkung von Verbundeffekten.

Innerhalb der Verfahren wird

1) die *Kostenrechnung* als quantitatives, periodenbezogenes Beurteilungsinstrument definiert in Form der Produktkalkulation in Wert- und Betriebserfolg und

2) die Investitionsrechnung im statischen und dynamischen Modell als Wirtschaftlichkeitsrechnung zur mehrperiodischen Erfolgsbeurteilung angewandt (in diesem Zusammenhang nicht zu behandeln).

Die Produktkalkulation führt zum isolierten Erfolg.

Nicht über eine Spartenrechnung, die einen für die Entscheidungsfindung zu hohen Aggregationsgrad besitzt, sondern über die Aggregation der Einzelprodukt-Ergebnisse in jeder gewünschten Ebene wird das Gesamtergebnis gefunden (Seite 95).

Die in der Praxis angewandte *Vollkostenrechnung* wird als weder steuerungsadäquat noch als entscheidungsrelevant klassifiziert. Andererseits muß die Autorin feststellen, daß eine Teilkostenbetrachtung nicht ausreichend ist: produktpolitische Maßnahmen benötigen als Entscheidungsgrundlage alle entscheidungsrelevanten Kosten und Erlöse.

[111] Kilhey, U.: Die Bewertung des Erfolgs von Bankprodukten als Grundlage produktpolitischer Entscheidungen, Frankfurt a. M. 1987

Zutreffend konkludiert die Autorin:

„Für die isolierte Produktbetrachtung gilt es jedoch, alle in einem Verursachungszusammenhang stehenden Kosten bei der Bewertung zu berücksichtigen. Hierzu zählen nicht nur variable bzw. Einzelkosten, sondern alle Kosten, die in irgendeiner Weise von dem betrachteten Produkt betroffen sind“ (Seite 110).

Daraus wird ein flexibel einsetzbares Zurechnungsschema (Tabelle 15) entwickelt, um alle „von der Entscheidung betroffenen Kosten möglichst vollständig auf das betrachtete Produkt zu verteilen“ (Seite 111), Beispiel: (Seite 114).

Tabelle 15: Schema einer Kostenzurechnung nach Kilhey

Bezugsgrößenhierarchie	**Bezugsobjekt**	**Beispiele für zuzurechnende Kosten und Erlöse**	**Zurechenbarkeit auf das Produkt**
Einzelgeschäft	ein S-Vermögenssparbuch	Zinskonditionenbeitrag, zT. Provisionen, Kosten für Sparbuch und Formulare, direkte Beratungs- und Bearbeitungskosten	direkt
Produkt	gesamte Absatzmenge an S-Vermögenssparbuchen	Risikokosten, einmalige Produktkosten für Entwicklung und Einführung, direkte Marketingkosten für das Produkt, Betreuungs- und Kontrollkosten	
Produktgruppe	Spareinlagen	Kosten für die Sparabteilung (Raumkosten, Telefon, etc.), Kosten für den Abteilungsleiter	indirekt
Produktbereich	Kundeneinlagen	Marketingkosten für Einlagen insgesamt	durch Schlüsselung
Overhead	Gesamtbank	z.B., Kosten für Vorstand, Revision, Telefonzentrale, Pförtner, Archiv, etc.	nur als Solldeckungsbeitrag

Ausgangspunkt für die Kostenzurechnung ist die Aussage: „Im Prinzip lassen sich sehr viele Kosten und Erlöse verursachungsgerecht auf die kleinsten Bezugsgrößen ... verteilen, wenn man bereit ist, alle Arbeitsabläufe in einer Bank systematisch zu beobachten, zu analysieren und hinsichtlich ihres Zeitbedarfs zu messen“. (Seite 112)

Insoweit handelt es sich bei den *direkt* auf das Produkt zurechenbaren Kosten im Betriebsbereich um aus einer funktionsorientierten Kostenstellenrechnung ermittelte Stückkosten – Standardeinzelkostenbewertung (Seite 118).

Die *indirekt* zurechenbaren Kosten werden gruppiert nach dem

- Tragfähigheitsprinzip,
  wenn kein Zusammenhang zwischen Kosten und Verursachung gegeben ist,
- Leistungsentsprechnungsprinzip,
  Verteilung nach der Bedeutung des Produkts,
- Kostenverursachungsprinzip,
  Verteilung über Schlüssel oder Analyse der bestehenden Verursachungszusammenhänge.

Die Zurechnung der *Overhead*-Kosten erfolgt durch – nicht definierte – Solldeckungsbeiträge: „Bei der Verteilung von Overhead-Kosten auf einzelne Produkte sind die einzelnen Solldeckungsbeiträge so zu dimensionieren, daß ihre Summe dem Overhead-Kostenblock der Gesamtkosten entspricht“ (Seite 123) [112].

Für die Entwicklung des isolierten Produkterfolges entwickelt die Verfasserin ein Schema (Seite 125) (Tabelle 16).

Bemerkenswert erscheint, daß sich in dieser Monographie – aufgrund der Zweckorientierung – eine Abkehr von der in jüngster Zeit sehr dominant vertretenen Teilkostenrechnung hin zu einer Vollkostenorientierung zu vollziehen scheint.

e) Integrative Konzepte der Bankkalkulation

aa) Teilkosten und Soll-Deckungsbeiträge

„Die Deckungsbeitragsrechnung muß in ihrem Wert für die Lösung geschäftspolitischer Fragestellungen daran gemessen werden, ob sie angesichts der Verbundwirkungen im Absatz-und Fertigungsbereich von Kreditinstituten bessere, d. h. genauere Ergebnisse bei der Erfolgsaufspaltung zu liefern vermag als die traditionellen Verfahren“.[113]

[112] Der Begriff „Solldeckungsbeitrag“ ist allerdings für die Bankkalkulation inhaltlich bereits durch Süchting belegt, wie im folgenden Unterabschnitt darzustellen sein wird.

[113] Süchting, J.: Bankmanagement, a. a. O., S. 79

Tabelle 16: Schema des „isolierten Produkterfolgs" nach Kilhey

KALKULATIONSSCHEMA „ISOLIERTER PRODUKTERFOLG"	
	Konditionsbeitrag
–	Deckungsbedarf Betriebsbereich - Provisionsüberschuß - Stückkosten
=	**Erfolgsbeitrag des Einzelgeschäfts p. a.**
Σ	über alle produktspezifischen Einzelgeschäfte p. a.
=	Bruttoerfolgsbeitrag des Produktes p. a.
–	Risikokosten p. a.
–	Produktkosten p. a.
–	Overhead-Kosten p. a.
=	**Erfolgsbeitrag des Produktes p. a.**
Σ	über alle jährlichen Produkterfolgsbeiträge im Planungszeitraum (Aggregation über Verfahren der Wirtschaftlichkeitsrechnung)
=	Bruttoerfolgsbeitrag des Produktes über seine Lebensdauer bzw. innerhalb des Planungszeitraumes
–	einmalige Produktkosten
=	**Isolierter Produkterfolgt** über die Lebensdauer bzw. im Planungszeitraum

Für die „Lokalisierung von Ansatzpunkten für den Einsatz des Marketing-Mix im Sortiment" ebenso wie für die Preispolitik generell, verneint Süchting genauere Ergebnisse; er modifiziert jedoch die „traditionelle" Deckungsbeitragsrechnung durch die Einführung eines Solldeckungsbeitrages, „dessen Quantifizierung von den Ergebnissen einer Vollkostenrechnung her erfolgt, nämlich durch einen Wertberichtigungszuschlag, einen Zuschlag für die Geldeinstandskosten ... sowie einen Zuschlag für die durchschnittlichen Gemeinkosten der Bearbeitung des Kredits". (Seite 81)

Diese Quantifikation des Solldeckungsbeitrages als Zuschlag auf die direkt zurechenbaren Einzelkosten ist damit zugleich ein „Ansatzpunkt für die Integration der Vollkosten- und Erlösrechnung mit der Deckungsbeitragsrechnung". (Seite 81)

Diese Integration erfolgt durch eine spezifische Grundrechnung, wie sie von Riedesser entwickelt worden ist,[114] die eine kombinierte Kosten- und Erlösarten-, -stellen- und -trägerrechnung ist, in welche die Solldeckungsbeiträge integriert werden: „Den Verantwortlichen wird damit vor Augen geführt, daß es langfristig über den Ausgleich der Einzelkosten hinaus darauf ankommt, auch einen Beitrag zur Deckung der Gemeinkosten (und des kalkulierten Gewinns) zu leisten". (Seite 98)

Diese integrative Konzeption liegt von ihrem theoretischen Ansatz nahe bei den in der Praxis verwendeten Methoden der Deckungsbeitragsrechnung.

bb) Integratives Rechnungskonzept: Controlling-adäqates System der Bankkalkulation

Bereits im Übergang zum Controlling steht das von Schierenbeck entwickelte „Controlling-adäqauate System der Bankkalkulation",[115] das folgende Anforderungen zu erfüllen hat (Seite 49 f.):

„1) Das *Gesamt*bankergebnis muß sich stets und auf allen Rechnungsstufen der Bankkalkulation als *Summe* der kalkulierten *Teil*erfolge ergeben. Dieses setzt voraus,

- daß das Gesamtbankergebnis *lückenlos* mit seinen Ergebniskomponenten auf allen Rechnungsstufen verknüpft werden kann (d. h. die Zusammenfassung jeweils aller Sparten oder Kunden muß zum Gesamtbankergebnis führen),
- daß die Rechnungsstufen selbst *vollständig* formuliert sind und
- daß ein geschlossener *Regelkreis* von Planung und Kontrolle (bzw. Vor- und Nachkalkulation) besteht, mit der Möglichkeit, Abweichungen verursachungsbezogen zu analysieren (d. h. Plan- und Istrechnung müssen miteinander vergleichbar sein).

2) Das Kalkulationssystem muß auf jeder Rechnungsstufe *entscheidungsrelevante,* d. h. von willkürlichen Zurechnungen freie und aktuelle, also zeitnah erfaßte Kosten- und Erlösinformationen liefern. Dies ist gegeben, wenn
- die Gesamtbankergebnisgrößen *verursachungsgerecht* nach den primären Erfolgsquellen (aktive und passive Kundengeschäfte, Eigengeschäfte/Zentraldispositionen) aufgespalten werden können,
- die Kalkulation relevante Steuerungsinformationen hinsichtlich der *Vorteilhaftigkeit* einzelner Geschäfte zu liefern imstande ist (also die Auswirkungen eines aktuell anstehenden Geschäftes auf das Bankergebnis aufzeigen kann) und wenn

[114] Riedesser, A.: Deckungsbeitragsrechnung in Filialbankorganisationen, Wiesbaden 1977, zit. Süchting, J.: a. a. O., S. 97

[115] Schierenbeck, H.: Ertragsorientiertes Bankmanagement, 2. Auflage Wiesbaden 1987

- die *laufende Ermittlung* des Beitrags von Geschäftsstellen, Geschäftssparten, Kunden(-gruppen) zum Gesamtbankergebnis aus in früheren Perioden abgeschlossenen Geschäften möglich ist. Dies ist besonders wichtig für die Budgetierung und Kontrolle, denn z. B. in der Mitte der Planperiode muß das Kalkulationssystem aufzeigen können, welches Ergebnis zu diesem Zeitpunkt erwirtschaftet wurde, um gegebenenfalls noch ergänzende Maßnahmen zur Erreichung des geplanten Ergebnisses treffen zu können.

3) Das System der Bankkalkulation muß ferner von allen Beteiligten akzeptiert werden können. Dies setzt voraus,

- daß es in seiner Methodik für den einzelnen Mitarbeiter leicht nachvollziehbar und transparent ist und
- daß es eine leistungsgerechte Zuordnung der Teilerfolge auf die Organisationseinheiten sicherstellt."

In diesem Zusammenhang sind als weiterführende, die traditionelle Sicht kritisch betrachtende Aspekte zu behandeln:

1) die Standard-Einzelkostenrechnung,
2) das integrierte Konzept der Geschäftsarten-, Geschäftsstellen- und Kundenkalkulation.

Schierenbeck verdeutlicht zunächst die mangelnde Fähigkeit der traditionellen Kostenrechnungsverfahren zur Lösung entscheidungsrelevanter Fragen, die Unfähigkeit dieser Methoden zu entscheidungsrelevanten Ergebnissen zu führen (Seite 196); er unterstreicht die zwei zentralen Problembereiche:

- Gemeinkostenschlüsselung
  „Nur durch einen völligen Verzicht auf Gemeinkostenschlüsselungen erhielte man steuerungsadäquate Ergebnisse" (Seite 199).

- Fixkostenproportionalisierung
  „Eine solche Verrechnung der Fixkosten führt wegen der fehlerhaften Bezugsbasis zu Ergebnissen, die keine Entscheidungsrelevanz aufweisen ..." (Seite 199 f.).

Diese Charakterisierung ist zweifelsohne im Kern zutreffend; jedoch sind die traditionellen Verfahren auch nicht zum Zwecke der Steuerung oder Entscheidung konzipiert worden. Es verwundert daher nicht, daß sie einer aktuell an sie herangetragenen Forderung nach Steuerungsadäquanz und Entscheidungsrelevanz nicht genügen. Charakteristisch für die „modernen" Anforderungen ist die Ausrichtung der Rechenverfahren an spezifisch formulierten Zwecken oder Zielrichtungen. Die Kritik an den traditionellen Verfahren ist daher berechtigt, trifft sie aber insoweit nicht. Sie sind schlicht unverwendbar für die „modernen" Fragestellungen.

Die Forderung nach entscheidungsorientierten Verfahren wird von Schierenbeck ex ante alternativlos als „Forderung nach einem entscheidungsorientierten *Teilkostenrechnungssystem* auch für Kreditinstitute" gestellt (Seite 200, Hervorhebung nicht im Original) = Weiterentwicklung des Riebel'schen Systems des Rechnens mit relativen Einzelkosten.

Grundrechnung dieses Systems ist die *Periodenrechnung,* in der die Bezugsgrößen hierarchisch aufgeführt werden, allgemeine und periodenfremde Kosten bleiben unberücksichtigt (Tabelle 17) (Seite 201):

Tabelle 17: Schema einer Deckungsbeitragsrechnung nach Schierenbeck

Geschäftszweig, Sparte u.a. / Kosten- und Erlösarten	Wertpapiergeschäft					Kurzfr. Geschäft				
	Effektenhandel	Emissionsgeschäft	Depotgeschäft	Wertpapier-Eigengeschäft	Langfr. Kreditgeschäft	Kurzfr. Kreditgeschäft	Zahlungsverkehrsgeschäft	Einlagengeschäft	Auslandsgeschäft	Σ
Direkte Betriebserlöse	79	35	36	–	27	35	113	18	62	405
./. Direkte Betriebskosten	31	19	29	10	38	54	142	30	23	376
= Deckungsbeitrag I	48	16	7	./. 10	./. 11	./. 19	./. 29	./. 12	39	= + 29
	61					./. 48				
./. Direkte Betriebskosten der Sparte	Wertpapierabteilung 44				–	Kontokorrentabteilung u.a. 30		–	–	./. 74
= Deckungsbeitrag II	+ 17				./. 11	./. 78		./. 12	+ 39	= ./. 45
./. Allgemeine Verwaltungskosten										./. 380
= Deckungsbeitrag III										= ./.425
./. der Abrechnungsperiode nicht direkt zurechenbare Kosten (Abschreibungen u.a.)										./. 180
Netto-Ergebnis Betriebsbereich (≙ Nettobedarfsspanne)										= ./.605

Auf der Grundlage der Einzelkostenrechnung erfolgt eine Umrechnung – Berücksichtigung des Zeitbedarfs pro Leistungseinheit auf Basis Maximalbeschäftigung – und führt zu einer Standardkostenrechnung = Ausdruck der „Sollwirtschaftlichkeit". (Seite 202)

Die Ermittlung erfolgt in vier Schritten:

- Ablaufstudie der Leistungserstellung
- Zeitstudien – bei operativen Tätigkeiten –
- Bewertung auf Basis Istkosten
- Standardeinzelkosten der Betriebsleitung.

Leerkosten entstehen bei dieser Form der „Stückrechnung" also nicht und brauchen daher nicht verrechnet zu werden. Die so ermittelten Stückkosten sind Grundlage einer Beschäftigungs-Abweichungsanalyse (Seite 204).

Schierenbeck charakterisiert die Standardeinzelkostenrechnung wie folgt (Seite 205 f.):

„– Sämtliche Kosten werden als Einzelkosten erfaßt und ausgewiesen. Auf eine Schlüsselung und Überwälzung von Gemeinkosten wird konsequent verzichtet. Hiermit entfällt das Gemeinkostenschlüsselungsproblem.
- Eine Kalkulation erfolgt auf Basis von Standardkosten. Hierzu werden Standardbearbeitungszeiten pro Teilleistung ermittelt und mit Zeitkostensätzen auf Grundlage der Maximalbeschäftigung bewertet. Durch den Ansatz von Standardkosten vermeidet man eine Abhänigkeit der Stückkostensätze von der jeweiligen Beschäftigung.
- Unterschiedliche Auslastungen werden nicht der einzelnen Stückleistung, sondern der Kostenstelle als Ganzes angelastet. Solche Restkosten werden in einer Abweichungsanalyse ermittelt und haben eine wichtige Informationsfunktion für die Kostenstellendimensionierung.
- Auf die einzelne Stückleistung werden Fixkostenbestandteile auf Basis der Maximalbeschäftigung verrechnet. Diese Zurechnung nur der Nutzkosten bewirkt zwar, daß die Fixkostenanteile nicht mit der Beschäftigung variieren, löst aber nicht das Problem, daß diese Kosten auch dann anfallen, wenn die betreffende Stückleistung nicht durchgeführt wird. Für die einzelne Stückleistung haben auch die Nutzkostenanteile keine Entscheidungsrelevanz.

Die Standardeinzelkostenrechnung stellt insgesamt zwar eine deutliche Verbesserung gegenüber den traditionellen Methoden dar, löst aber nur einen Teil der kostentheoretischen Probleme, die bei der Kalkulation von Stückleistungen im Bankbetrieb entstehen."

Diesem Resümee ist aus der Sicht der Praxis – hinsichtlich der kostenpraktischen Probleme – zuzustimmen.

Im Gegensatz zum traditionellen Ansatz (unterschiedlicher Aufbau der Geschäftsarten-, Geschäftsstellen- und Konto-/Kundenkalkulation), entwickelt Schierenbeck auf Basis seines Teilkostenkonzeptes unter der Prämisse, daß nur diejenigen direkt zurechenbaren Betriebskosten in das Rechenverfahren eingehen, „die sowohl Produkten als auch Filialen und gleichzeitig Kunden direkt zurechenbar sind“ (Seite 220) ein *integriertes Konzept* der Bankkalkulation.

Nota bene:
Aus Sicht der Praxis ist allerdings anzumerken, daß in wesentlichen Teilen des individuellen Kredit-, Wertpapier- und Auslandsdienstleistungsgeschäftes nur etwa 30 % der Gesamtkosten dieser Homogenitätsbedingung entsprechen.

Aus der Kritik an den traditionellen Formen der internen Zinsverrechnung (Seite 99 ff.):

- Komplexität der Zinsertragsbilanz,
- unausgeglichene Schichten und Strukturveränderungen in der Schichtenbilanz,
- Willkür in der Aufteilung der Bruttozinsspanne auf Aktiv- und Passivgeschäft,
- interner, institutsbezogener Maßstab zur Bewertung von Geschäften,
- Durchschnitts- und Vergangenheitsbetrachtung,

und dem von ihm erhobenen Anspruch an ein integriertes Konzept:
Aufteilung des Zinsergebnisses auf die Kalkulationsobjekte (Seite 81)

- Konten und Kunden,
- Geschäftsarten,
- Geschäftsstellen,

definiert Schierenbeck Markt-Verrechnungszinsen als „modernes Instrument der Teilzinsspannenrechnung“ (Seite 102). Kalkulationsobjekt und damit einer internen Leistungsverrechnung bedürftig ist in der darauf aufbauenden Marktzinsmethode jeder einzelne Geschäftsabschluß (Seite 102). Die Wahl des diesem Geschäftsabschluß entsprechenden Zins-Marktes hat nach dem Grundsatz der Fristenkongruenz hinsichtlich Liquidität und/oder Zinsbindungscharakteristika (Seite 120) zu erfolgen. Hier ist zu differenzieren zwischen variabel verzinslichen Positionen mit fester oder variabler Laufzeit und festverzinslichen Positionen mit konstanter oder variabler Kapitalbasis.

Methodenimmanent ist, daß der Ergebnisbeitrag jedes Geschäftes in einen Konditions- und einen Strukturbeitrag aufgeteilt wird. Unter der systemnotwendigen Prämisse vollkommener Zins-Märkte (Seite 102) und vollkommener Fristenkongruenz zwischen realem Geschäftsabschluß und Marktopportunität (Seite 120 ff.) gilt:

„Der *Strukturbeitrag* eines Bankgeschäfts ist somit zu verstehen als Kapitalbindungs- bzw. Kapitalüberlassungsprämie, die am Geld- und Kapitalmarkt für die vereinbarte Bindungs- bzw. Überlassungsfrist gegenüber dem Satz für täglich fälliges Geld, also für jederzeitige Verfügbarkeit, gezahlt wird.

Unter dem *Konditionsbeitrag* versteht man dagegen speziell im Kundengeschäft eine Prämie, die sich als Differenz zwischen der mit einem Kunden vereinbarten Kondition und dem am Geld- und Kapitalmarkt geltenden Zinssatz für Gelder gleicher Laufzeit errechnet; Konditionsbeiträge lassen sich also als spezifische Leistungs- und Risikoprämie interpretieren, die über die reine Fristenprämie hinaus von der Bank erwirtschaftet wird." (Seite 103)

Das so entwickelte Schema des modernen Ansatzes der Produkt-, Filial- und Kundenkalkulation (Tabelle 18) – zugleich die bisher wohl höchstentwickelte Form eines zweckneutralen Internen Rechnungswesens – (Seite 219) erfüllt „drei wichtige Anforderungen hinsichtlich der gewünschten Steuerungsadäquanz" (Seite 220):

„– Jeder einzelne Geschäftsabschluß liefert genau einen Erfolgsbeitrag, der je nach Rechnungszweck mit den Ergebnissen anderer Geschäftsabschlüsse aggregiert werden kann. Der einzelne Erfolgsbeitrag wird dabei auf immer gleiche Weise ermittelt und seine Höhe ist dementsprechend unabhängig von der Art der späteren Verwendung.
– Die Summe aller Einzelgeschäftsbeiträge ergibt unabhängig von der Art der Aufspaltung immer genau den direkt zurechenbaren und tatsächlich angefallenen Gesamtbeitrag des Kundengeschäfts und kein durch die Art des gewählten Verrechnungsmodus verfälschtes Ergebnis.

Tabelle 18: Produkt-, Filial- und Kundenkalkulation nach Schierenbeck

1.	Konditionsbeiträge im Zinsgeschäft (Zinsüberschuß)
=	Deckungsbeitrag I
./.	Direkte Risikokosten
=	Überschuß im Wertbereich
=	Deckungsbeitrag II
+	Direkt zurechenbare Erlöse des Betriebsbereichs (Provisionserlöse)
./.	Direkt zurechenbare Betriebskosten (Standard-Einzelkosten)
=	Direktes Teilbetriebsergebnis (der Geschäftsarten, Geschäftsstellen, Kundengruppen)
=	Deckungsbeitrag III
2.	Summe der direkten Teilbetriebsergebnisse ($= \sum$ DB III)
+	Bruttoergebnisbeitrag aus Strukturentscheidungen und Eigengeschäften (= Strukturbeitrag)
./.	Nicht direkt zurechenbare Betriebskosten
=	**Betriebsergebnis der Gesamtbank**

– In den Deckungsbeitrag III gehen ausschließlich direkt zurechenbare Erlöskomponenten ein. Folglich gibt der Erfolgsbeitrag jedes Einzelgeschäfts genau den Wert wieder, um den sich der Deckungsbeitrag III verringern würde, wenn das betreffende Geschäft nicht abgeschlossen worden wäre."

3) Aus der Sicht des Bankbetriebs

In den Jahren 1977 – 1980 hat die damalige Kommission für Kostenrechnung des Bundesverbandes deutscher Banken die Loseblattsammlung „Bankkostenrechnung – Grundsätze und Vordruckmuster für die Kostenrechnung privater Banken" überarbeitet und unter dem Titel „Fragen der Bankkostenrechnung" herausgegeben. Firmierte die ursprüngliche Fassung unter „Graue Mappe", wird die Überarbeitung als „Rote Mappe" bezeichnet. [116]

Im Gegensatz zu den in diesem Teil bisher behandelten, kostentheoretischen Aspekten, kann die „Rote Mappe" als kostenpraktische Darstellung, aus Sicht des Bankbetriebes, bezeichnet werden. Nicht die theoretische (System-)Schlüssigkeit, sondern die Praktikabilität steht im Vordergrund der Untersuchungen: so theoretisch wie nötig – so praktikabel wie möglich.

Gegenüber der „Grauen Mappe" haben sich die Fragen geändert: nicht mehr die Entwicklung eines einheitlichen Kostenrechnungssystems zur einheitlichen Kosten- und Preiskalkulation mit dem Ziel der Argumentationshilfe ist in der Diskussion, sondern die Analyse des je individuellen Bankgeschäftes mit Methodenalternativen je nach dem Stand des Internen Rechnungswesens und der institutsindividuellen Fragestellungen steht im Vordergrund. So ist die Basis der Überarbeitung die Darstellung der interdependenten Zusammenhänge zwischen Organisationsstruktur und Kostenrechnungsverfahren.

a) Interdependenzen

Bestand traditionell die Priorität der Organisationsstruktur der innerbetrieblichen Leistungserstellung für den Aufbau der Kostenrechnungsverfahren, stellt nunmehr auch die Zielsetzung des Verfahrens Ansprüche an die organisatorische Gestaltung: die Ausrichtung der Kostenrechnung als Analyseinstrument der Wirtschaftlichkeits- und Produktivitätsanalyse des Produktionsprozesses und des Absatzes bankbetrieblicher Leistungen erfordert eine Organisationsstruktur, die produktionsabhängig ist.

Die auf der Kostenrechnung aufbauenden Analyseverfahren setzten hingegen eine Marktorientierung und eine Kundengruppensegmentierung in der Organisationsstruktur voraus.

[116] vgl. Kommission für Kostenrechnung des Bundesverbandes deutscher Banken (zit.: Kostenrechnungskommission): Fragen der Bankkostenrechnung, Köln 1977 - 1980 (Loseblattsammlung)

Daraus ergibt sich die Forderung nach einer Matrixorganisation als Verknüpfung produktionstechnischer, marktbezogener und kundengruppenorientierterElemente, wobei die marktbezogenen in Produkt und Standort zu differenzieren sind.

Die Anforderungen des Internen Rechnungswesens an die Organisationsstruktur lauten:

Die Organisationseinheiten müssen dergestalt miteinander verknüpfbar sein, daß Produktionsprozeß und jeder Marktbereich – Standort, Produkt, Kundengruppe – analysiert werden kann.

Der Zusammenhang zwischen Organisationsstruktur und Kostenstellen*struktur* (= Organisationseinheiten-*Strukturierung*) wäre demzufolge:[117]

– Kleinste Einheit ist die Kostenstelle,
– kleinste Organisationseinheit ist entweder die Kostenstelle oder eine Summe von Kostenstellen,
– eine Abteilung ist entweder Organisationseinheit oder setzt sich aus mehreren Organisationseinheiten und damit Kostenstellen zusammen,
– die Kostenstellen sind nach dem Kostenstellenplan durchgängig, sowohl für Sparten-, Konten-, Kunden-, als auch Profit-Center-Rechnung.

Sollen aus der so definierten Abteilungskostenrechnung die notwendigen analytischen Instrumente für die

– Kundengruppenrechnung,
– Geschäftsspartenrechnung,
– Profit-Center-Rechnung,

abgeleitet werden, müssen in den einzelnen Kostenstellen die Aufgabenbereiche so dargestellt sein, daß derartige Zuordnungen möglich werden. Dazu dienen

– Stellenbeschreibungen,
– Arbeitsplatzbeschreibungen,
– Arbeitseinsatzerhebungen,
– Arbeitszeit-Verteilungs-Erhebungen.

Sie gestatten, die organisationsspezifische Entwicklung der Kosten nach funktionalen, marktbezogenen Kriterien zu differenzieren und zu aggregieren.

b) Das Instrumentarium

Die Instrumente der 1. Rechnungsstufe

– Abteilungskostenrechnung,
– Funktionskostenrechnung,

[117] Kostenrechnungskommission: a. a. O., 1. Stufe, Teil A. 77, S. 9

haben eine duale Aufgabe: Originäre Aufgaben, die im Instrument selbst liegen und Aufgaben als Basisrechnung für darauf aufbauende Analyse-Instrumente = derivative Aufgaben.

aa) Abteilungskostenrechnung

Diese Grundrechnung des gesamten Internen Rechnungswesens hat als Funktionen:

originär: Kosten- und Wirtschaftlichkeitskontrolle,
derivativ: Grundlage für weiterführende Rechnungen.

Im *originären* Fall liefert sie Informationen über den Verlauf der *beeinflußbaren* Kosten innerhalb der Abteilungskostenstelle, daher
- keine kalkulatorischen Kosten,
- keine Kostenverrechnung direkt oder indirekt nicht beeinflußbarer Kosten.

Die Abteilungskostenrechnung ist in dieser Form eine *Teil*kostenrechnung.

Im *derivativen* Fall ist sie Grundrechnungsart. In dieser Form muß die Abteilungskostenrechnung sämtliche Kostenarten, die in der Stelle anfallen und/oder sich auf den Leistungsprozeß dieser Stelle beziehen, aufnehmen. Sie ist *Voll*kostenrechnung.

Die Probleme der Vollkostenrechnung werden gesehen in:

- der Einrechnung kalkulatorischer Kosten.
  Beispiele: kalkulatorische Miete,
  Pensionsaufwendungen.
- der internen Kostenverrechnung.
  Probleme: Verrechnung kostenartenweise
  oder
  auf Basis bewerteter Leistungen.

Die Kostenrechnungskommission erwägt, ob die Abteilungskostenrechnung nicht grundsätzlich als Teilkostenrechnung aufzubauen ist, kommt aber zu dem Ergebnis: „Diese Überlegungen hängen jedoch ausschließlich von der mit der Abteilungskostenrechnung verfolgten Zielsetzung ab.“ (Seite 10)

Wesentlich mag der Hinweis sein, daß allein die originäre Form dem Kostenstellenverantwortlichen mitgeteilt wird, die Weiterführung zur Vollkostenrechnung geschieht intern in der Betriebsbuchhaltung.

bb) Funktionskostenrechnung

Die Deckungsgleichheit von organisatorischem Verantwortungsbereich und Kostenstelle in der Abteilungskostenrechnung ist mit dem Nachteil der Deckungsungleichheit der Abteilungskosten mit den sachgebietsbezogenen Kosten verbunden.

„Instrument für die Ermittlung sachgebietsbezogener Kosten ist die Funktionskostenrechnung, in welcher die einzelnen Sachgebiete oder Funktionen als fiktive Kostenrechnung definiert werden, wobei mit dem Begriff des Sachgebietes oder auch der Funktion die Marktbezogenheit im wesentlichen gemeint ist. Diese Marktbezogenheit kann sich in Geschäftssparten, Kundengruppen oder Profit-Centern niederschlagen.

Die Funktionskostenrechnung ist dementsprechend ein Kostenrechnungsverfahren, mit dessen Hilfe aus den Ergebnissen der Abteilungskostenrechnung die Kosten je Funktion ermittelt werden sollen. Sie ist eine Mehrzweckrechnung dergestalt, daß sie die Durchführung der Sparten- und Kundengruppenrechnung ermöglicht, die Zuordnung der Personal- und Sachkc .en zu Profit-Centern erlaubt und kostenseitig die Grundlage der Deckungsbeitragsrechnung sowie der Stückkostenrechnung ist.

Nachdrücklich ist also darauf hinzuweisen, daß die Funktionskostenrechnung nicht ausschließlich der Ermittlung von Stückkosten dient. Sie soll zwar grundsätzlich die Stückkostenrechnung durchführbar machen, da insbesondere unter dem Aspekt der Äquivalenzziffern-Kalkulation die Stückkostenrechnung auf Basis der Funktionskostenrechnung leichter rechenbar wird. Für den Aufbau und die Gliederung der Funktionskostenrechnung ist jedoch primär der variable instrumentelle Einsatz dieses Rechenverfahrens von Bedeutung." (Seite 14)

Die Ermittlung sachgebietsbezogener Kosten ist originäre Aufgabe der Funktionskostenrechnung. Daneben ist sie Basisrechnung = Mehrzweckrechnung = hat sie eine derivative Funktion.

Die Funktionskostenrechnung kann damit als das Schlüsselverfahren gekennzeichnet werden, das den Konflikt zwischen Teilkosten- und Vollkostenrechnungs-Denken zu heilen vermag.

Die Funktionskostenrechnung ist ausschließlich ein internes Rechenverfahren der Betriebsbuchhaltung.

cc) Deckungsbeitragsrechnung

Für die Anwendung der Deckungsbeitragsrechnung im Bankbetrieb entwickelt die Kostenrechnungskommission eine spezifische, bankbetriebsbezogene Sicht: in einem ersten Schritt will sie zwischen Zins- und Dienstleistungsgeschäft unterschieden wissen.

Nur im *Zinsgeschäft* ist eine Marginalanalyse möglich, da hier die Kosten als zu 100 % variabel angesehen werden können: „es handelt sich im Prinzip nur um die Kosten der Refinanzierung eines Kredites, also letztendlich um den Zinsaufwand und die Grenzkosten der Beschaffung zusätzlicher Refinanzierungsmittel"[118].

Bemerkenswerter Hinweis: „Grundsätzlich sind bei Anwendung eines derartigen Verfahrens, also bei der Kalkulation von Geschäften, die auf Entscheidungen der Ge-

[118] Kostenrechnungskommission: a. a. O., 2. Stufe, Teil F. 78, S. 13

schäftsleitung basieren, wegen des Verbundcharakters des bankbetrieblichen Leistungserstellungsprozesses Opportunitätskosten zu berücksichtigen.“ (Seite 14).

Da im Dienstleistungsgeschäft die Kosten im Rahmen vorgegebener Kapazitäten nahezu 100 % fixen Charakter haben, ist die Deckungsbeitragsrechnung in der Form der Marginalanalyse nicht möglich. (vgl. Seite 16)

Daher ist für den Dienstleistungsbereich eine spezifische Deckungsbeitragsrechnung zu entwickeln. (Seite 17): „Die Anwendung der Deckungsbeitragsrechnung im Dienstleistungsbereich erfordert einen produktbezogenen (statt beschäftigungsbezogenen) Kostenbegriff. Als direkte Kosten sind nicht mit dem Beschäftigungsgrad variierende, sondern die einem Kostenträger direkt zurechenbaren, weil von ihm verursachten, Kosten zu definieren. Deckungsbeitrag des Kostenträgers ist die Differenz zwischen Erlösen und den ihm direkt zurechenbaren Kosten.“

Da die Kostenzurechnung aus der Funktionskostenrechnung erfolgt, sind die stufig zugerechneten Kosten *immer*Vollkosten, lediglich die Funktionsnähe/Funktionsferne ist für die Zurechnung von Bedeutung (Beispiel: Seite 22-28):

Deckungsbeitrag I	Erlöse	./. direkte Kosten = *Vollkosten* des Geschäftszweiges
Deckungsbeitrag II		./. anteilige Kosten des Hilfs- und Verwaltungsbereichs = *Vollkosten* des Bereichs
Deckungsbeitrag III		./. Verrechnung interner Leistungen = *Vollkosten* der Leistungsverrechnung
usw.		

Die Tatsache, daß in allen Stufen Vollkosten zugerechnet werden, ist eine bankspezifische Eigenart und – offenbar – in der Literatur nicht wahrgenommen worden.

Die Deckungsbeitragsrechnung ist kein generell und ausschließlich anzuwendendes Rechenverfahren, aus Sicht der Kostenrechnungskommission im Zinsgeschäft nur für den Margenkredit, im Dienstleistungsgeschäft nur bei speziellen Fragestellungen anwendbar.

dd) Geschäftsspartenrechnung

In traditioneller Sicht beantwortet die Spartenerfolgsrechnung die Frage nach dem Anteil der einzelnen Sparten am Gesamterfolg der Bank.

Die von der Kostenrechnungskommission vorgestellte „modifizierte Geschäftsspartenrechnung“ [119] sieht als Aufgabe, die Ertragskraft der Sparten zu analysieren und mittelfristig strukturelle Fragen zu beantworten:

[119] Kostenrechnungskommission: a. a. O., 2. Stufe E. 78, S. 7 ff.

– der kritische Wachstumspfad im Einsatz des Engpaßfaktors „Personal“,
– der kritische Wachstumspfad im Einsatz des Engpaßfaktors „Eigenmittelkapazität“.

Daraus folgt die Begrenzung auf das Betriebsergebnis und die Nichtberücksichtigung der Eigenmittelanlage: Die neutrale Rechnung hat keinen Zusammenhang mit der Kapazitätsausnutzung, die Eigenmittelbindung ist Ergebnis, nicht Ursache der Rechnung.

Abschließend charakterisiert die Kostenrechnungskommission das Verfahren wie folgt: (Seite 12)

„Diese Art der Spartenrechnung interpretiert nicht das Jahres-Unternehmensergebnis, sondern kontrolliert eine langfristige Strukturpolitik

– im Personaleinsatz,
– in der Strukturierung der Aktivseite,
– in der Kapazitätsauslastung der Eigenmittel.

Sie ist damit ein ergänzendes Instrument zur Kundengruppenrechnung einerseits und zur Deckungsbeitragsrechnung andererseits.“

ee) Profit-Center-Rechnung

Die Kostenrechnungskommission sieht drei Hauptziele *alternativ:*[120]

1) sachlich neutrale Erfolgsentwicklung
   – Verrechnungssystem ohne Steuerung – ,
2) Motivation des Geschäftsstellenleiters
   – Die Rechnung „muß den Zusammenhang zwischen Entwicklung, Beeinflußbarkeit und Verantwortung des Erfolges durch den Geschäftsstellenleiter deutlich machen“ – (Seite 4),
3) zentrale Geschäftsstellensteuerung
   – Verrechnungssystem mit Steuerung –.

Aus jeder Alternative folgt eine spezifische Verrechnungssystematik (Seite 4 f):[121]

„Die Zielsetzungen

– sachlich-neutrale Erfolgsermittlung
– Motivation des Geschäftsstellenleiters über den Geschäftsstellenerfolg und
– zentrale Geschäftsstellensteuerung

sind nicht unmittelbar miteinander vereinbar und erfordern deshalb eine unterschiedliche Gestaltung der Verrechnungssysteme. Das Verrechnungssystem hat sich deshalb nach den Zielen der Geschäftsstellen-Erfolgsrechnung zu richten, wobei folgende Punkte grundsätzlich zu beachten sind:

[120] ebenda, 2. Stufe, Teil D. 78, S. 377

[121] Auf das von der Kostenrechnungskommission vorgeschlagene innerbetriebliche Verrechnungssystem wird im Exkurs 9 einzugehen sein.

– Ist das Geschäftsstellenergebnis durch das Verrechnungssystem in hohem Maße fremdbestimmt und steht es damit in Widerspruch zur Erfolgsverantwortlichkeit des Geschäftsstellenleiters, so kann diese Diskrepanz durch ein geeignetes Führungssystem überbrückt werden.
– Diese Verhaltensweise muß grundsätzlich mit den Gesamtzielen der Bank vereinbar sein. Sie ist durch entsprechende Anweisungen zu korrigieren, wenn sich in Einzelfällen ein Widerspruch ergibt. Auf die Unterrichtung des Geschäftsstellenleiters über das Geschäftsstellenergebnis kann aus diesem Grunde verzichtet werden.
– Die Geschäftsstellenergebnisse dürfen durch das Verrechnungssystem nicht nivelliert werden. Erfolgsveränderungen und Ertragsunterschiede müssen deutlich werden.
– Zinsänderungsrisiken der Geschäftsstellen, die im langfristigen Geschäft durch Dispositionen der Zentrale entstehen, können nicht den Geschäftsstellen angelastet werden. Entsprechende Überlegungen sind bei einer Trennung von Alt- und Neugeschäft anzustellen.
– Das Verrechnungssystem darf die Geschäftsspartenrechnung und Kundengruppenrechnung nicht stören.
– Schwächen und Nachteile jedes Verrechnungssystems können durch zusätzliche Instrumente gemildert werden. Daneben führen Erfahrungen mit einem Verrechnungssystem zu einem Lernprozeß und zur Verbesserung des Systems."

C. Das zielorientierte Rechnungswesen: Operatives Controlling

I. Vorbemerkung

„... denn wir sind der Meinung, daß es niemals Aufgabe einer Erfahrungswissenschaft sein kann, bindende Normen und Ideale zu ermitteln, um daraus für die Praxis Rezepte ableiten zu können.“

Max Weber[122]

1. Methodologischer Überblick

Während die Form der Darstellung im vorangegangenen Abschnitt B „enzyklopädisch“ sein mußte, um das zweckorientierte Analyse-Instrumentarium in seinen Elementen zu erläutern, soll in diesem Abschnitt C das Interne Rechnungswesen als Teil einer „angewandten“ Theorie behandelt werden.

Die *traditionelle* Sicht hatte als Aufgaben a priori die Wirtschaftlichkeitskontrolle, die Kostenanalyse/-überwachung und die Rentabilitätsrechnung; die Ziele der Rechenverfahren waren dem System selbst immanent, das Interne Rechnungswesen, organisiert in der Betriebsbuchhaltung, war ein Appendix der Finanzbuchhaltung. Aufgrund dieser Verfahrensziele erfolgte eine stringente Ableitung der erforderlichen Instrumente. So war es naheliegend, eine Systematik der Verfahren nach Rechnungsstufen aufzubauen (vgl. Schaubild auf Seite 110 f.).

Die *frühen* und *neueren Ansätze* zu Entwicklung von Instrumenten zur Durchführung zweckorientierter Analysen bewegten sich innerhalb einer identischen, verfahrensstufig aufgebauten Systematik mit einer aus der Bankbetriebslehre abgeleiteten Hierarchie der Segmente:

- Kontokalkulation,
- Kundenkalkulation,
- Geschäftsstellenkalkulation,
- Produktkalkulation,

bis hin zur *integrativen Konzeption* Schierenbecks: die Durchgängigkeit der Verfahren vom kleinsten Element bis zum Gesamtbankergebnis durch die Verknüpfung der Rechnungsstufen und dem ersten Ansatz einer transzendierenden, aus dem Internen Rechnungswesen übergreifenden, subsidiären Funktion der Verfahren: die Forderung

[122] Weber, M.: Die „Objektivität“ sozialwissenschaftlicher und sozialpolitischer Erkenntnisse, in: Gesammelte Aufsätze zur Wissenschaftslehre, 2. Aufl., Tübingen 1951, S. 146-214, zit. S. 149

nach Identität von Organisationsstrukturen und Verfahrensstruktur in der „Roten Mappe“; zur Effizienz des Internen Rechnungswesens ist eine typische Organisationsstruktur Voraussetzung: die Matrixorganisation als Verknüpfung produkttechnischer, marktbezogener und kundengruppenorientierter Elemente.

Damit beginnt die Emanzipation der Betriebsbuchhaltung von der Finanzbuchhaltung, das Interne Rechnungswesen bekommt seine Eigenständigkeit und wird zu einem Instrument der Beschreibung des Realtyps „Bankbetrieb“, das Interne Rechnungswesen verliert seinen Charakter als Selbstzweck, es steht im Dienste der zielorientierten, realen und überaus komplexen Konzeption „Bankbetrieb“. Insoweit ist das Interne Rechnungswesen ein Bestandteil der angewandten Theorie des Bankbetriebes.

Innerhalb des Realtyps „Bankbetrieb“ bestehen unterschiedliche Ziele, aus denen Zielkonflikte resultieren. Konzeptionen des Internen Rechnungswesens müssen diese Zielkonflikte mitvollziehen und pragmatisch zu lösen versuchen.

Davon handelt dieser Abschnitt.

(2) Begriff und Inhalt „Controlling“

Das zielorientierte Interne Rechnungswesen ist Bestandteil des Controlling; daher ist zunächst auf dessen Begriffsabgrenzung einzugehen.

Von grundlegender Bedeutung für den Gesamtkomplex „Controlling“ ist die Darstellung von Schierenbeck, dessen bereits in zweiter Auflage vorliegende Monographie „Ertragsorientiertes Bankmanagement“ den Untertitel „Betriebswirtschaftliche Grundlagen des Controlling in Kreditinstituten“ trägt [123].

Schierenbeck definiert „das Wesen des Controlling“ materiell und formal: materiell als „integrierte Management-Konzeption“, formal als „systematisches Informationsmanagement mit dem Ziel, die Einzelaktivitäten und Geschäftsbereiche im Hinblick auf die Unternehmensziele zu koordinieren“[124].

Das formal definierte Wesen des Controlling gibt eine breite Auffassung in der Literatur wieder, wie wir sie etwa bei Wielens, Hauschildt und Büschgen finden.[125]

Materiell, im Sinne einer integrierten Management-Konzeption, sind Strategisches und Operatives Controlling zu unterscheiden (Tabelle 19):[126]

[123] Schierenbeck, H.: Ertragsorientiertes Bankmanagement, 2. Aufl., Wiesbaden 1987

[124] ebenda, S. 16

[125] vgl. Wielens, H.: Aufgabe und organisatorische Einordnung des Controlling in Banken, in: Controlling in Banken und Sparkassen, hrsg. von Mülhaupt, L., Schierenbeck, H., Wielens, H., Frankfurt am Main 1981, S. 11-30; Hauschildt, J.: Der Controller in der Bank, Frankfurt am Main 1981; Büschgen, H. E., Böhner, W.: Controlling in Universalbanken, in: BFuP, 34 Jg. (1982), S. 193-207

[126] Schierenbeck, H.: Ertragsorientiertes Bankmanagement, a. a. O., S. 250

Tabelle 19: Managementbereiche im strategischen und operativen Controlling

	BANK-CONTROLLING						
Steuerungsansatz	Strategisches Controlling				Operatives Controlling		
	= Globalsteuerung				= Feinsteuerung		
Steuerungsgrößen	Markt- und Wettbewerbsrisiken	Strukturelle Rentabilität		Bilanzstrukturrisiken	Kosten und Erlöse	Bestände	Ausgaben und Einnahmen
		Gewinnpotential	Gewinnbedarf				
Managementbereich	Portfolio-Management		Bilanzstruktur-Management		Budget-Management		

Strategisches Controlling kann auch als Strategische Planung, Operatives Controlling als Steuerung definiert werden, wobei sich damit allerdings die Abgrenzung beider „Steuerungsansätze" verschiebt.

Strategische Planung ist danach „die aus einer strategischen Konzeption abgeleitete optimale Allocation der knappen Ressourcen innerhalb der kritischen und miteinander konkurrierenden Wachstumsbereiche der Bank", Steuerung als „Umsetzung entscheidungsbezogener, quantifizierter Planziele in Handlungsanweisungen, (die) in ihrer Effizienz (Grad der Zielerreichung) im Rechnungswesen nachvollziehbar sind."[127] Die Darstellung folgt dieser Definition.

Im Zusammenhang des Internen Rechnungswesens ist lediglich das Operative Controlling, die Steuerung, relevant.

II. Ziele und Zielkonflikte im Internen Rechnungswesen

Ziele und Zielkonflikte haben in der Praxis ihren Ursprung in den Anforderungen an

- die Systematik und den formalen Inhalt des Internen Rechnungswesens (immanente Ziele und Zielkonflikte)

  und

- den materiellen Inhalt des Internen Rechnungswesens (transzendente Ziele und Zielkonflikte).

[127] Jacob, A.-F.: Strategische Planung in Banken, Frankfurt/Main 1986, S. 14/17

Zu den ersteren gehören typischerweise:

1) Identität der Ergebnisse von externem und internem Rechungswesen
contra
Eigenständigkeit der Ergebnisse des Internen Rechnungswesens,

2) Kontinuität der Ergebnisse im Zeitverlauf (Betriebsergebnisrechnung)
contra
Totalität der Ergebnisse im Zeitverlauf (Unternehmensergebnisrechnung),

3) Entscheidungsadäquanz der Ergebnisse (das Rechnungswesen folgt den unternehmerischen Entscheidungen und bildet diese ab)
contra
Vergleichsbarkeitspostulat (das Rechnungswesen schafft die Vergleichbarkeit von unterschiedlich entscheidungsdeterminierten Sachverhalten).

Zu den transzendenten Zielen und Zielkonflikten zählen:

1) Das Rechnungswesen bildet den Markt in Analogie der vorhandenen externen Marktdaten ab (Ziel: Marktanteilsanalyse)
contra
Abbildung des Marktes in Analogie der internen Marktsegmentierung (Kundengruppen, Regionen),
2) Das Rechnungswesen dient der Motivation der Führungskräfte
contra
Darstellung der quantifizierten Ergebnisse der Steuerung in motivationsneutraler Form,
3) Darstellung der „sachlichen Zusammenhänge der Dinge" (Max Weber[128]) = Abbildung des Bankbetriebes als Realtypus
contra
Darstellung „der gedanklichen Zusammenhänge der Probleme" (Max Weber[128]) = Abbildung des Bankbetriebes als Idealtypus.

1. Immanente Ziele und Zielkonflikte

a) Identität contra Eigenständigkeit

Das Externe Rechnungswesen einer Geschäftsbank kennt vier Formen der Ergebnisdarstellung:

1) Teilbetriebsergebnis:
   Zinsüberschuß
+ Provisionsüberschuß
./. Personal- und Sachaufwand
= Teilbetriebsergebnis,

[128] Weber, M.: a. a. O., S. 166

2) Teilbetriebsergebnis zuzüglich Handelsergebnis = Gesamtbetriebsergebnis,
3) Gesamtbetriebsergebnis zuzüglich Saldo der a. o.Rechnung = Unternehmensergebnis vor Gewinnverwendungsrechnung,
4) Unternehmensergebnis nach Gewinnverwendungsrechnung.

Die Formen (1) und (4) werden veröffentlicht und sind damit dem externen Betrachter zugänglich. Relevant für das Rechnungswesen intern sind hingegen die Formen (2) und (3).

Sofern Ziel des Operativen Controlling

- die Steuerung und Kontrolle der Beiträge der Unternehmenssegmente zum (finanzbuchhalterischen) Betriebs- und/oder Unternehmensergebnis sein sollen,

wobei „Unternehmenssegmente" hier definiert sind als

- regionale Märkte,
- Kunden und Kundengruppen,
- Produkte,

muß Identität in den Erträgen und Aufwendungen der Finanzbuchhaltung mit den Kosten und Erlösen der Betriebsbuchhaltung bestehen.

Während dieses Identitätsprinzip regelmäßig wenigstens in der Betriebsergebnisrechnung für die Erträge und Erlöse kaum Probleme aufwirft – lediglich einige Perioden-Abgrenzungsprobleme im Zinsgeschäft sind zu lösen –, bedeutet seine Einhaltung im Sektor der Aufwendungen/Kosten die Aufgabe des Postulats der Vollständigkeit der Erfassung des Kostenverzehrs, denn vier wesentliche Kostenarten finden keinen Eingang in die Rechnung

- kalkulatorische Abschreibungen
- kalkulatorische Miete

in der Betriebsergebnisrechnung,

- kalkulatorische Risikokosten
- kalkulatorische Eigenkapitalzinsen

in der Unternehmensergebnisrechnung.

Sofern Ziel des Operativen Controlling

- die Steuerung und Kontrolle der Beiträge der Unternehmenssegmente zu einem *controllingspezifischen* Betriebs- und/oder Unternehmensergebnis sein soll,

weicht das Ergebnis des Operativen Controlling von dem finanzbuchhalterischen Ergebnis – zum Teil gravierend – ab.

Systematisch werden *ausgetauscht*

- finanzbuchhalterische gegen betriebsbuchhalterische
  - Abschreibungen auf Mobilien,

– Eigenkapitalzinsen,
– Risikokosten,

– und neu eingeführt
Mieten für eigene Grundstücke und Gebäude.

Der Konflikt liegt in der Präsentation der Ergebnisse:

Einem Vorstand gegenüber, der das finanzbuchhalterische Ergebnis des Geschäftsjahres in Form des Betriebsergebnisses diskutiert und in Form des Unternehmensergebnisses verabschiedet hat, muß in der später erfolgenden Controlling-Diskussion zunächst erklärt werden, warum das controlling-spezifische Ergebnis vom bekannten finanzbuchhalterischen Ergebnis abweicht; erst wenn diese Abweichung erklärt, verstanden und akzeptiert ist, kann in die Sachdiskussion eingetreten werden.

Sofern die Abweichungen gering sind, und das Vorzeichen des (Teil-) Ergebnisses keine Änderung erfährt, ist eine derartige Diskussion vielleicht lästig, hat aber keine Interpretationsprobleme.

In der Praxis jedoch pflegt die Diskrepanz beider Ergebnisse bemerkenswert zu sein, es kommen für Teil-Ergebnisse Änderungen in den Vorzeichen vor mit der Folge, daß die Ergebnisse im einzelnen und das Ergebnis insgesamt auf Akzeptanzprobleme stößt. Die notwendige Sachdiskussion wird dadurch erheblich gestört.

Im Extrem kann der Konflikt beschrieben werden als Diskussion auf zwei unterschiedlichen semantischen Ebenen, die zum Desinteresse des Berichtsempfängers und zur Frustration des Berichtsverfassers führt.

Daraus resultiert die in der Praxis oft beklagte mangelnde Umsetzung von Controlling-Informationen in Entscheidungen des Managements.

Sosehr eine idealtypische Betrachtungsweise auf die Einhaltung essentieller Postulate des Internen Rechnungswesen zu achten hat, sosehr muß eine realtypische Betrachtungsweise danach fragen, welcher Verlust verträglicher ist: die (Teil-)Aufgabe eines Postulats oder die Entscheidungsrelevanz des Ergebnisses.

Der Kompromiß, die Lösung des Zielkonfliktes, kann darin liegen, daß in Abhängigkeit vom Präsentationszweck und der Empfängerhierarchie die kalkulatorischen gegen die finanzbuchhalterischen Größen ersetzt werden. Dies ist im Zeitalter der Elektronik nahezu problemlos möglich.

In der Praxis hat sich gezeigt, daß es einfacher, für den Empfänger plausibler ist, von einem bekannten Ergebnis auf ein kalkulatorisches zu führen, als die Erläuterungen mit einer Abweichungserklärung zu beginnen.

b) Kontinuität contra Totalität

In der Betriebsergebnisrechnung liegen die – geringen – bilanzpolitischen oder bilanzoptischen Gestaltungsmöglichkeiten in der kontenmäßigen Zuordnung von Erträgen und Aufwendungen. Der Ausweis beispielsweise von Handelsgewinnen aus der Nettoabrechnung von Effektentransaktionen kann unter „Handelsgewinnen" oder unter „Provisionen" erfolgen.

Jedoch gilt: das Betriebsergebnis insgesamt unterliegt keinen Gestaltungsmöglichkeiten. Dies gilt für das finanzbuchhalterische Ergebnis ebenso wie für ein controllingspezifisches.

Ein auf der Betriebsergebnisrechnung aufbauendes Operatives Controlling hat daher prinzipiell den Vorteil einer Berichts-Kontinuität aus der Sache heraus.

Nun gilt für die Bankbilanzierung sowohl in der a. o. Rechnung als auch im Übergang zur Gewinnverwendungsrechnung, nicht zuletzt durch die Bewertungsmöglichkeiten nach § 26 a KWG, daß die Gestaltungsmöglichkeiten beträchtlich sind: entscheidungsabhängig mithin.

Dieser Sachverhalt beschränkt sich allerdings auf die höchste Entscheidungshierarchie des Unternehmens, also etwa auf den Vorstand einer Aktiengesellschaft.

Eine auf dem Unternehmensergebnis aufbauende Controlling-Analyse hat daher

- zwar bei einem controllingspezifischen Unternehmensergebnis eine gewisse Kontinuität, eliminiert aber die entscheidungsadäquate Gestaltung der a. o. Rechnung durch Einführung kalkulatorischer Werte,
- bei einem identischen Unternehmensergebnis den Zwang, die jeweils unterschiedlichen Gestaltungsentscheidungen interpretierend mitzuführen, um die Kontinuität der Betrachtung im Ansatz zu ermöglichen.

In beiden Fällen ist der Interpretationsaufwand beträchtlich, zumal die Materie für Mitglieder des Gremiums, die nicht für das Rechnungswesen und/oder Controlling zuständig sind, außerordentlich komplex ist.

Auch hier ergibt sich der Konflikt aus Systemkonformität und Entscheidungsadäquanz des Controlling.

Die Praxis findet ihren Kompromiß entweder, indem sie die Überleitung der finanzbuchhalterischen Rechnung in die controllingspezifische Rechnung nachvollzieht und damit eine Kontinuität für den Berichtsempfänger der Analyse gewährleistet, oder aber, indem sie die Betriebsergebnisrechnung als Basis wählt. Dies setzt allerdings ein funktionsfähiges Risikomanagement voraus, da Bewertungsaufwand/Risikokosten außerhalb der Betrachtung bleiben.

c) Entscheidungsadäquanz contra Vergleichbarkeitspostulat

Nicht zu verwechseln mit der Entscheidungsrelevanz des Controlling im Sinne Schierenbecks (vgl. Seite 195) ist die Entscheidungsadäquanz. Die erstere ist prospektiv, sie liefert die Grundlage für zeitnahe Informationen, die letztere ist retrospektiv, sie liefert die Grundlage für die Kontrolle der Entscheidungsdurchführung: das Controlling muß danach in der Lage sein, die Informationen bereitzustellen, die zur Kontrolle des Inhalts und des Umfanges der Realisierung der getroffenen Entscheidungen notwendig sind.

Da es sich aber um die Kontrolle strategischer Entscheidungen handelt, bedeutet „Entscheidungsadäquanz" die Identität der Informationen von Strategischem und Operativem Controlling.

Diesem Ziel steht das Postulat der Vergleichbarkeit regelmäßig entgegen, das zwei Formen umschließt: die Vergleichbarkeit im Zeitverlauf und die Vergleichbarkeit unterschiedlicher strategischer Geschäftsbereiche/-einheiten. Instrument der Erreichung dieses Postulats ist in beiden Formen die Einführung kalkulatorischer Elemente in das Operative Controlling:

- kalkulatorische Abschreibungen,
- kalkulatorische Miete,
- kalkulatorische Risikokosten,
- kalkulatorische Eigenkapitalzinsen.

In diesem Zusammenhang sollen die kalkulatorische Miete und die kalkulatorischen Risikokosten beispielhaft in dem Zielkonflikt zwischen Entscheidungsadäquanz und Vergleichbarkeitspostulat behandelt werden.

Die kalkulatorische Abschreibung ist zwar nicht bedeutungslos, findet aber ihre Bedeutung im wesentlichen als Mentalitätsproblem: dem betriebsbuchhalterischen Streben nach Perfektionismus.

Im Gegensatz zum industriellen Rechnungswesen, in welchem die kalkulatorische Abschreibung die Wiederbeschaffung des Anlagevermögens über die Kalkulation des Absatzpreises ermöglicht und in welchem das Gewicht dieser Kostenart in Relation zu den übrigen Kostenarten wesentlich ist, haben *beide* Aspekte im bankbetrieblichen Rechnungswesen ein geringes, zum Teil gegen Null gehendes Gewicht. Sie sind daher vernachlässigungsfähig.

aa) Die kalkulatorische Miete

Die Entscheidung, ob eine Bankstelle in eigenem, teileigenem oder gemietetem Gebäude domiziliert, ist ökonomisch abhängig davon

1) ob die Wahl Kauf – Miete überhaupt gegeben ist,
2) wenn sie gegeben ist, vom Ergebnis der Investitionsrechnung.

Ist die Entscheidungsalternative gegeben, wird das Ergebnis der Investitionsrechnung beeinflußt von

1) dem Freiraum nach § 12 KWG,
2) den Opportunitätskosten einer vermiedenen anderweitigen Nutzung des § 12 KWG-Freiraumes,
3) der Verzinsung der Eigenmittel-Bindung gegenüber der ortsüblichen Miete,
4) der Erwartung über die Mietpreisentwicklung und der Gestaltung des Mietvertrages,
5) der erwarteten Ertragsentwicklung.

Die Entscheidung

- zur Miete
  findet ihren Niederschlag in der Finanzbuchhaltung auf dem Konto „Miete für Geschäftsgebäude/Geschäftsräume",
- zum Kauf
  in dem finanzbuchhalterischen Konto „Abschreibungen auf Grundstücke und Gebäude/Teileigentum"
- von Miet- und Kauffolgekosten sei hier abstrahiert –.

Ein entscheidungsadäquates Internes Rechnungswesen muß die Entscheidung abbilden und im Zeitverlauf auch die Frage beantworten, ob die getroffene Entscheidung von der Entwicklung der Geschäftsstelle bestätigt wird: der Investitionsrechnung folgt mithin die Kontrollrechnung.

Allerdings pflegt dies die Vergleichbarkeit der Geschäftsstellen zu stören, sofern nicht einheitlich die Kauf- oder Mietentscheidung gefallen ist; mindestens bei den überregional tätigen Instituten mit verzweigtem Zweigstellennetz pflegt dies nicht der Fall zu sein.

Um die Vergleichbarkeit zu erreichen, muß im ersten Schritt die kalkulatorische Eigenmittelbindung gegenüber der ortsüblichen Miete – also der in der ortsüblichen Miete enthaltene Gewinnzuschlag – eingeführt werden, die im zweiten Schritt durch die institutsindividuelle kalkulatorische Eigenmittelverzinsung ersetzt werden kann.

In vereinfachter Form pflegt an die Stelle der Abschreibungen die ortsübliche Miete zu treten, womit die Vergleichbarkeit der Geschäftsstellen proforma erreicht scheint, der Erwerb so gestellt wird, „als ob" gemietet worden wäre.

Die Frage, ob die Entscheidung Kauf/Miete ökonomisch sinnvoll war und die Investitionsrechnung ihre Bestätigung in der Entwicklung der Geschäftsstelle findet, kann nicht beantwortet werden.

Dieselbe Problematik ergibt sich, wenn ein Altbau modernisiert wird. Dann pflegt ein Bruch in der Entwicklung einer Geschäftsstelle aufzutreten, der die Vergleichbarkeit im Zeitverlauf stört. Daß der Modernisierungsaufwand durch entsprechendes Ertragswachstum zu kompensieren ist: dieser Aspekt wird zu Gunsten der Vergleichbarkeit aufgegeben.

Ein Kompromiß ist nur möglich, wenn beide Rechnungen parallel durchgeführt werden und die jeweilige Interpretationsnotwendigkeit die Wahl des Rechenverfahrens bestimmt. Der Kompromiß pflegt zur Verunsicherung der Betroffenen zu führen, die zwischen zwei Ergebnissen die Wahl haben.

bb) Die kalkulatorischen Risikokosten

Einzelwertberichtigungen, Risikovorsorgemaßnahmen (Länderrisiken) und Maßnahmen nach § 26 a KWG haben bei ihrer gebotenen oder freiwilligen Bildung die Folge einer – zum Teil empfindlichen – Störung der Vergleichbarkeit, sowohl im Zeitverlauf als auch – etwa zwischen rechtlich selbständigen Einheiten in einem Bankkonzern – im zwischenunternehmerischen Bereich.

Dieser Störung wirkt die Nivellierungstendenz im Operativen Controlling entgegen: an die Stelle der „echten" Bewertungsaufwendungen treten „kalkulatorische" Bewertungskosten, etwa in Form von mehrjährig gebildeten Normal-Durchschnitten.

Der Tausch von Aufwendungen und Kosten kann in diesem Bereich zu Änderungen im Vorzeichen des Ergebnisses führen und damit zu spezifischen Interpretationsproblemen.

Kompromiß ist auch hier ein duales Internes Rechnungswesen mit jeweils spezifischer Anwendung nach individueller Fragestellung.

Im Extremfall führt das zu der Konsequenz, daß für die Vielzahl von Fragestellungen eine Vielzahl von Ergebnissen präsentiert wird, wobei lediglich das finanzbuchhalterische Ergebnis die Vermutung der Richtigkeit in sich trägt.

Je stärker ein Internes Rechnungswesen dem Postulat der Vergleichbarkeit folgt, desto geringer ist sein Gehalt an Entscheidungsadäquanz; desto geringer ist sein Basiseffekt für eine Entscheidungsumsetzung seiner Ergebnisse.

(2) Transzendente Ziele und Zielkonflikte

a) Marktanteilsanalyse versus Kundensegmentierung

Für ein ergebnisorientiertes Marketing muß das Interne Rechnungswesen das Bankgeschäft differenzieren nach[129]

- Kunden, Regionen, Märkten,
- Marktpotential,
- Marktanteilen,

[129] vgl. Juncker, K.: Von der Marktsegmentierung zum strategischen Marketing im Firmenkundengeschäft, in: Handbuch des Bankmarketing, Hrsg. Süchting, J., van Hooven, E., Wiesbaden 1987, S. 237

und als Grundlage für strategische Marketing-Überlegungen Daten bereitstellen über[130]

- das Marktpotential,
- die eigene Marktposition,
- die Marktposition der wichtigsten Konkurrenten,
- freie Kundenpotentiale,
- regionale Schwerpunkte etc.

Diese Daten sind zum Teil aus externen Statistiken generell zu entnehmen, in den seltensten Fällen sind jedoch die internen und externen Definitionen identisch, so daß sich zwei Extreme ergeben in der Datengewinnung/Informationsaufbereitung:

1) Die Kundensegmentierung erfolgt in Anlehnung an die externe vorhandene Systematik,
   d. h. das Rechnungswesen bildet den Markt in Analogie der vorhandenen externen Marktdaten mit dem Ziel der Marktanteilsanalyse ab,
2) die Kundensegmentierung erfolgt institutsindividuell,
   d. h. das Rechnungswesen bildet den Markt in Analogie der internen Marktsegmentierung ab mit dem Ziel der Kundengruppen- und Regional-Analyse.

Diesen Rechnungen systematisch vorgelagert ist die Transformation der Volumensgrößen der Finanzbuchhaltung in die Kundengruppen-Rechnung, die Umstrukturierung der Aktiva der Bilanz in Kredite an Kunden sowie der Passiva in Kundeneinlagen (Tabelle 20).[131]

Die Schwierigkeiten, externe und interne Gliederungen zu harmonisieren, sollen am typischen Beispiel der finanzbuchhalterischen Pflichtgliederung „Basta“ und der Gliederung des operativen Controlling nach interner Kundensystematik am Beispiel der Dresdner Bank erläutert werden.

Die offizielle Kundensystematik der Bundesbank gliedert mit Schwerpunkt Inland/Ausland (Tabelle 21)[132]

130 Androsch, H.: Die Bedeutung der Marktforschung für die Geschäftspolitik eines österreichischen Kreditinstituts, in: Handbuch des Bankmarketing, a. a. O., S. 362

131 vgl. Jacob, A.-F.: Strategische Planung in Banken, a. a. O., S. 61 f.

132 Deutsche Bundesbank: Bankenstatistik; Kundensystematik, März 1986, S. 3 f.

Tabelle 20: Transformation der Volumensgrößen der Finanzbuchhaltung

AKTIVA (Mio DM)
Kredite Kunden + Schuldscheindarlehen kurz- / mittelfristig
Bankenforderungen kurz- / mittelfristig
Forderungen insgesamt
Wertpapiere u. Beteiligungen
BILANZSUMME
Avale Kreditvolumen o. Geldhandel

KREDITE AN KUNDEN (Mio DM)
Firmenkunden dav. kurz- u. mittelfristig dav. langfristig
Privatkunden kurz- u. mittelfristig langfristig
Inländ. Niederlassungsbereiche kurz- u. mittelfristig langfristig
Zentrale kurz- u. mittelfristig langfristig
Inland kurz- u. mittelfristig langfristig
Ausländische Niederlassungen kurz- u. mittelfristig langfristig

PASSIVA (Mio DM)
Spareinlagen + kap. Zinsen tägl. fällige Einlagen Termineinlagen
Kundeneinlagen
tägl. fällige Einlagen Termineinlagen
Bankeneinlagen
EINLAGEN INSGESAMT
Schuldverschreibg./Sparoblig. Eigenmittel

KUNDENEINLAGEN (Mio DM)
Firmenkunden tägl. fällige Einlagen Termineinlagen
Privatkunden tägl. fällige Einlagen Termineinlagen Spareinlagen (incl. kap. Zinsen)
Inländische Niederlassungsbereiche
Zentrale tägl. fällige Einlagen Termineinlagen
Inland tägl. fällige Einlagen Termineinlagen Spareinlagen
Ausländ. Niederlassungen tägl. fällige Einlagen Termineinlagen
Sparobligationen

Tabelle 21: Kundensystematik der Bundesbank

Inland			Schlüssel-Nummer
A. Inländische Kreditinstitute	**1. Deutsche Bundesbank**		960
	2. Kreditinstitute (ohne Deutsche Bundesbank)	a) Reservepflichtige Kreditinstitute b) Nicht reservepflichtige Kreditinstitute	994
B. Inländische Unternehmen und Privatpersonen (einschl. Organisationen ohne Erwerbszweck)	**1. Unternehmen** (einschl. Unternehmens-organisationen)	a) Private Unternehmen (einschl. Einzelfirmen) b) Öffentliche Unternehmen ba) Bundesbahn und Bundespost bb) Sonstige öffentliche Unternehmen bba) in öffentlicher Rechtsform bbb) in privater Rechtsform mit mehrheitlicher Beteiligung der öffentlichen Hand bbc) rechtlich unselbständig (Eigen- und Regiebetriebe)	Weitere Aufgliederung für B 1 „Unternehmen" und B 2a „Wirtschaftlich selbständige Privatpersonen" siehe „Branchengliederung" (Seite 31)
	2. Privatpersonen	a) Wirtschaftlich selbständige Privatpersonen (ohne Einzelfirmen) aa) Berufstätige ab) Nicht mehr Berufstätige b) Wirtschaftlich unselbständige Privatpersonen ba) Berufstätige bb) Nicht mehr Berufstätige c) Sonstige Privatpersonen ca) Hausfrauen cb) Kinder, Schüler, Studenten, in Ausbildung befindliche Personen cc) Personen mit unbekanntem Beruf	851
	3. Organisationen ohne Erwerbszweck (ohne Unternehmens-organisationen)	Organisationen von wirtschaftlich selbständigen und unselbständigen Privatpersonen Organisationen im öffentlichen Bereich	800
C. Inländische öffentliche Haushalte	**1. Gebietskörperschaften und Sondervermögen** (ohne Bundesbahn und Bundespost)	a) Bund b) Länder c) Gemeinden und Gemeindeverbände d) Kommunale Zweckverbände m. hoheitlichen Aufgaben e) Lastenausgleichsfonds f) ERP-Sondervermögen	909
	2. Sozialversicherung	a) Gesetzliche Rentenversicherung, Zusatzversorgung für Angehörige des öffentlichen Dienstes b) Knappschaftsversicherung c) Gesetzliche Krankenversicherung d) Arbeitsförderung e) Gesetzliche Unfallversicherung	910

Ausland			
A. Ausländische Kreditinstitute	**1. Notenbanken** (Währungsbehörden)		
	2. Kreditinstitute (ohne Notenbanken)	a) Kreditinstitute (ohne b und c) b) Entwicklungsbanken und sonstige öffentliche Spezialkreditinstitute c) Ausländische Niederlassungen inländischer Kreditinstitute (rechtlich selbständig und unselbständig)	
	3. Internationale Kreditinstitute		
B. Ausländische Unternehmen und Privatpersonen (einschl. Organisationen ohne Erwerbszweck)	**1. Unternehmen**		Kurzgefaßte Branchengliederung für B 1 „Unternehmen" und B 2a „Wirtschaftlich selbständige Privatpersonen": a) Land- und Forstwirtschaft, Fischerei b) Energie- und Wasserversorgung, Bergbau c) Verarbeitendes Gewerbe d) Baugewerbe e) Handel f) Verkehr und Nachrichtenübermittlung g) Finanzierungsinstitutionen und Versicherungsunternehmen h) Dienstleistungen ha) Beteiligungsgesellschaften hb) Sonstige Dienstleistungen
	2. Privatpersonen	a) Wirtschaftlich selbständige Privatpersonen b) Wirtschaftlich unselbständige und sonstige Privatpersonen	
	3. Organisationen ohne Erwerbszweck (ohne Internationale Organisationen)		
C. Ausländische öffentliche Haushalte	**1. Gebietskörperschaften**	a) Zentrale Regierungen und ihre Dienststellen aa) Diplomatische Vertretungen ab) Dienststellen von Stationierungsstreitkräften ac) Sonstige zentrale Regierungsstellen b) Sonstige Gebietskörperschaften	
	2. Sonstige öffentliche Stellen (einschl. Sozialversicherung)		
	3. Internat. Organisationen (ohne Internationale Kreditinstitute)		

Die Auswertung und Veröffentlichung in dem statistischen Teil der Monatsberichte der Deutschen Bundesbank und in ihren Statistischen Beiheften bilden die Basis für Marktstruktur-, Marktanteils-und Marktpositions-Analysen.

Dieser externen Statistik steht die interne entscheidungsrelevante, geschäftsfeldbezogene Strukturierung der Kundengruppen mit Schwerpunkt Niederlassungen/Zentrale gegenüber (Tabelle 22):

Tabelle 22: Geschäftsfeldbezogenen Strukturierung der Kundengruppen

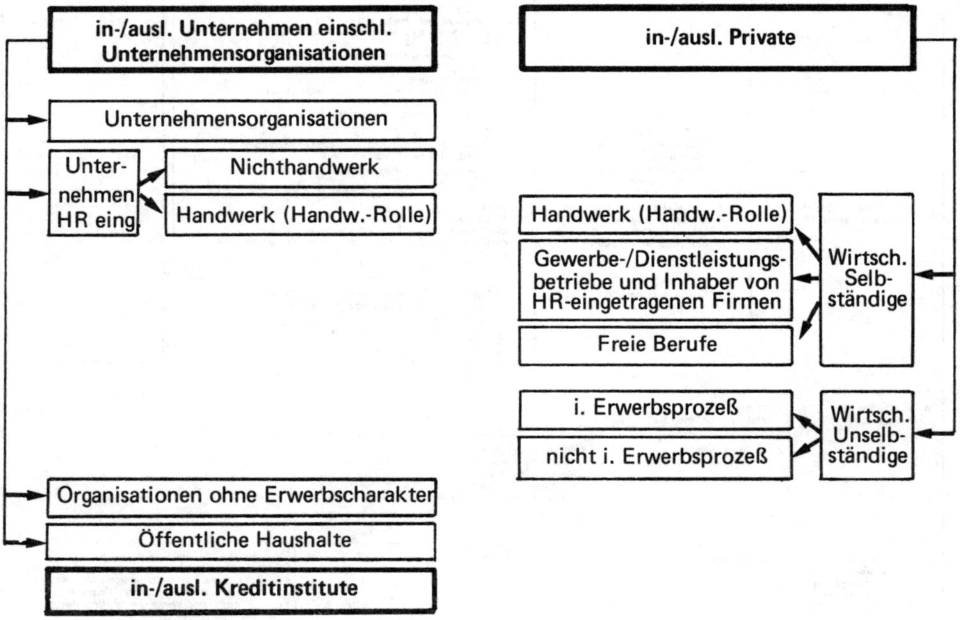

mit folgender Gruppensystematik

Firmenkunden (FK):

- Firmen-Kundengruppe 1
  Breites Firmengeschäft
  bis unter DM 5 Mio Geschäftsumsatz
- Firmen-Kundengruppe 2
  Mittleres Firmengeschäft
  DM 5 Mio – unter DM 50 Mio Geschäftsumsatz
- Firmen-Kundengruppe 3
  Großgeschäft II
  DM 50 Mio – unter 500 Mio Geschäftsumsatz
- Firmen-Kundengruppe 4
  Großgeschäft I
  DM 500 Mio und mehr Geschäftsumsatz

Privatkunden (PK):

- Privatkunden 5
  zu betreuende Privatkunden
- Privatkunden 6
  Betreuungsintensive Privatkunden
- Privatkunden 7
  Besonders betreuungsintensive Privatkunden
- Eigene Angestellte einschl. deren Familienangehörige

Die unterschiedlich definierten globalen Marktsegmente lassen sich wie in Abbildung 8 und 9 verdeutlichen:

MARKTSEGMENTE DER BUNDESBANK–STATISTIK

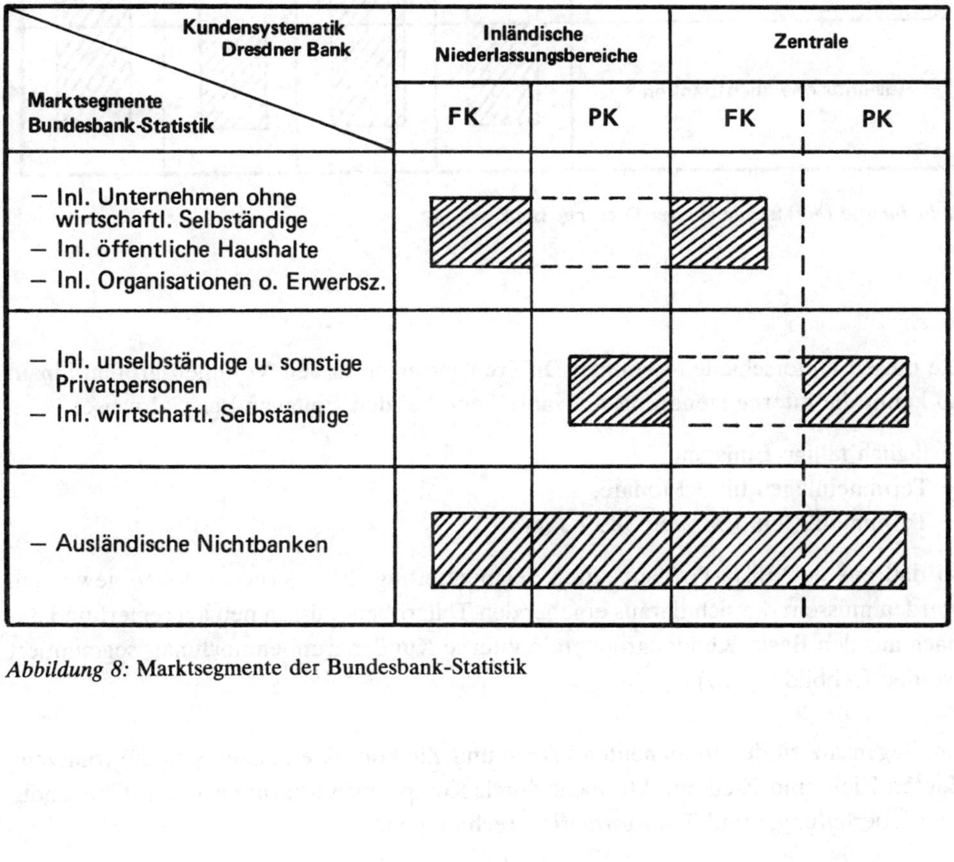

Abbildung 8: Marktsegmente der Bundesbank-Statistik

MARKTSEGMENTE DER DRESDNER BANK

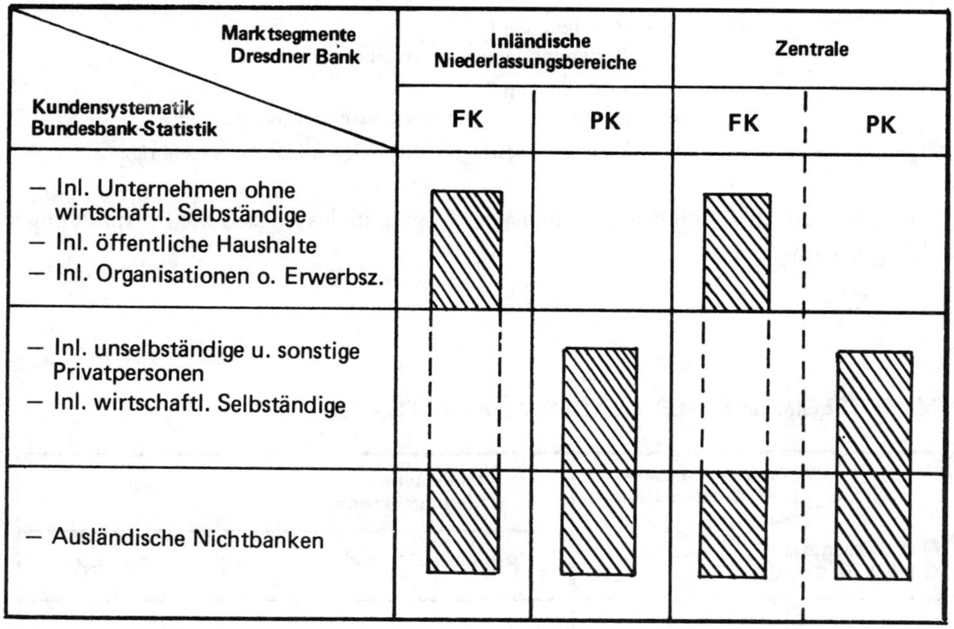

Abbildung 9: Marktsegmente der Dresdner Bank

Zu diesen Unterschieden kommen Differenzierungen in den Volumensgrößen hinzu; so kennt die interne steuerungsrelevante Seite bei den Einlagen beispielsweise:

- täglich fällige Einlagen,
- Termineinlagen bis 3 Monate,
- Termineinlagen 3 Monate bis 4 Jahre,

so daß aus den Bista-Größen durch Segmentierung die internen Größen gewonnen werden müssen; die sich daraus ergebenden Teilgrößen müssen neu aggregiert und danach aus den Basta-Kundengruppen in interne Kundengruppen nochmals segmentiert werden (Abbildung 10).

Im Gegensatz zu den immanenten Zielen und Zielkonflikten lassen sich die transzendenten Ziele und Zielkonflikte nicht durch Kompromisse harmonisieren. Notwendig sind Überleitungs- und Transformationsrechnungen.

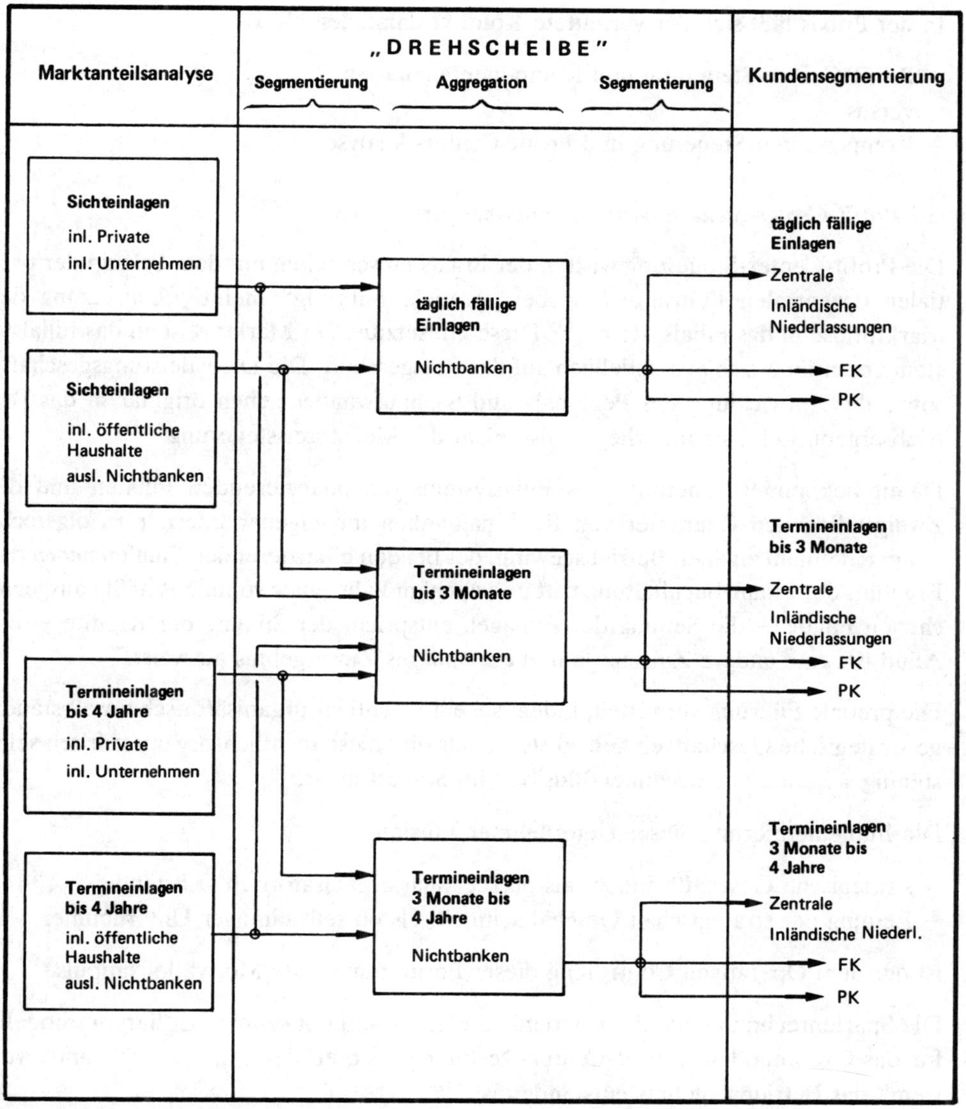

Abbildung 10: Aggregation und Segmentierung von Kundengruppen

b) Motivation versus Wertneutralität

Hinter diesem Begriffspaar verbirgt sich ein Konzeptions-Konflikt grundsätzlicher Natur, der gemeinhin als Profit-Center-Steuerung versus Komponenten-Steuerung bezeichnet wird.[133]

[133] vgl. etwa bei Krewerth, B.: Die Kostenrechnung als Steuerungsinstrument im Bankbetrieb, Frankfurt 1981, S. 205 ff.

In der Praxis läßt sich der vermutete Konflikt darstellen als

- Profit-Center-Steuerung und Komponentenanalyse
  versus
- Komponenten-Steuerung und Profit-Center-Analyse.

aa) Profit-Center-Steuerung und Komponenten-Analyse

Die Profit-Center-Steuerung wird in der Praxis umschrieben mit dem Prinzip der pretialen dezentralen Führung[134], wobei „pretiale Führung" meint: „Umsetzung der Marktpreise in das Filialsystem".[135] Diese Umsetzung der Marktpreise in das Filialsystem beschränkt sich ausschließlich auf das Zinsgeschäft. Die Dienstleistungsgeschäfte sowie die Entwicklung des Personal- und Sachaufwandes gehen originär in das Betriebsergebnis ein, sie unterliegen also nicht der Marktpreissteuerung.

Damit bekommen innerhalb des Filialsystems die bilanzierenden Filialen und die Zweigstellen den Charakter von Regionalbanken mit eigener interner Erfolgsrechnung, mit einem eigenen Betriebsgewinn, der bei den bilanzierenden Filialen *neben* das Ergebnis der Finanzbuchhaltung tritt und auch im Falle einer volumensmäßig ausgeglichenen Filiale – die Summe der Einlagen entspricht der Summe der Kredite – ein Aliud ist, eine andere Zinsmarge und ein anderes Zinsergebnis ausweist.

Die pretiale Führung vermittelt, indem sie eine rechtlich-organisatorisch unselbständige strategische Geschäftseinheit so stellt, „als ob" diese rechtlich-organisatorisch selbständig sei, die „Unternehmer-Illusion" im Sinne Engels.[136]

Die Implementierung dieser Unternehmer-Illusion

- strategische Geschäftseinheit, als ob rechtlich-organisatorisch selbständig,
- Leitung der strategischen Geschäftseinheit, als ob selbständiger Unternehmer,

ist der dem Operativen Controlling dieser Form immanente Motivationsimpuls.

Die Spartenrechnung und die Kundenkalkulation sind notwendige Erklärungsmodelle für das Grundmodell „Profit-Center-Rechnung", sie erklären, „wodurch" und „von wem" das Betriebsergebnis entstanden ist.[137]

Dieses Grundmodell pretialer Lenkung muß durch ein Instrumentarium ergänzt werden, das den Rahmen für die Disposition des Filialleiters eingrenzt: Richtkonditionen

[134] Mertin, K.: Profit-Center-Steuerung in Universalbanken, in: Controlling in Banken und Sparkassen, a. a. O., S. 39
[135] ebenda, S. 43
[136] Engels, W.: Mehr Markt, Stuttgart 1976, S. 31
[137] Mertin, K.: a. a. O., S. 42

= Bandbreiten der Konditionenkompetenz, Bonus-/Malus-Systeme, Vorgabe von Limiten.[138]

Zur Ergebnisinterpretation bedarf das System pretialer Lenkung der Analyse der Komponenten: der Volumensentwicklung am Maßstab der Ausschöpfung des Marktpotentials, der Konditionen als Interpretation der Zinsmarge, der Produktanalyse als Interpretation des Spartenergebnisses ebenso wie der Beurteilung des Personal- und Sachaufwandes in seiner Entwicklung.

Das Betriebsergebnis wird in seiner inneren Qualität an Hand seiner Komponenten analysiert.

Profit-Center-Rechnung bedeutet dementsprechend:

Steuerung des Zinsgeschäftes über Umsetzung der Marktpreise in das Filialsystem, damit rechnerisch die Realisierung eines Saldos von Zinserträgen und Zinsaufwendungen, der zusammen mit dem Provisionssaldo und dem Personal- und Sachaufwand zum Betriebsergebnis führt. Dieses Betriebsergebnis ist conditio sine qua non für die Realisierung eines Führungsstils auf Basis der Unternehmerillusion für die Lenkung einer rechtlich-organisatorisch unselbständigen strategischen Geschäftseinheit.

Der Profit-Center-Rechnung immanent ist die Analyse des Betriebsgewinns an Hand seiner konstitutiven Elemente, die auch als seine Komponenten bezeichnet werden können.[139]

bb) Komponenten-Steuerung und Profit-Center-Analyse

Diese Konzeption ersetzt die Unternehmerillusion durch spezifische Rahmenbedingungen für seine Effizienz.[140]

1) Marktorientierung der Organisation mit den Elementen
   – Typisierung der Geschäftsstellen und Arbeitsabläufe,
   – Personalvorgabe- und Kontrollsystem,
2) Führungsstil der Verantwortungsdelegation und Abstimmung der Zielvorgaben (strategische Geschäftseinheiten als Teil der Gesamt-Bank mit Identifizierung der Leiter mit den Gesamtbankzielen),
3) Marketing-Instrumentarium und Definition des geschäftsstellen-individuellen Marktpotentials,
4) Quantifizierung des Marktpotentials und Zielvereinbarung über seine Ausschöpfung.

[138] vgl. v. Schimmelmann, W.: Erfolgsorientierte Steuerung der Firmenkundenbetreuer, in: Handbuch des Bankmarketing, a. a. O., S. 299 f.

[139] Eine ausführliche Darstellung der Einzelkomponenten bietet Krumnow, J.: Operatives Controlling im Bankkonzern, in: Rechnungswesen im Dienste der Bankpolitik, a. a. O., S. 139 f.

[140] vgl. Jacob, A.-F.: Die Steuerung einer Universalbank mit einem System von Erfolgskomponenten, in: Controlling in Banken und Sparkassen, a. a. O.,S. 59 ff.

Diesen Rahmenbedinungen sind drei geschäftspolitische Thesen immanent:

1) Die *Preisfixierung* zur Ausschöpfung des Marktpotentials ergibt sich primär aus gesamtbankpolitischer Sicht und berücksichtigt erst sekundär die geschäftsstellenbezogene Kundengruppenperspektive.
2) Der Ausschöpfungsgrad des Marktpotentials wird primär durch die Qualität der kundengruppenspezifischen Leistungsangebote bestimmt, sekundär durch den Sortimentspreis.
3) Die Steuerung und Kontrolle in der Ausschöpfung des Marktpotentials muß (ziel-)kundengruppenbezogen sein.

Daraus abgeleitet folgt die motivationsneutrale Steuerung der Komponenten

- Volumen,
- Kondition,
- Dienstleistungsertrag,
- Personal- und Sachaufwand,

und Kontrolle über ein nach Komponenten des Erfolgs aufgebautes Informationssystem.[141]

Diese Steuerung ist insoweit zentral, sie ist hinsichtlich der vorgeschalteten Zielvereinbarungen *und* der eingeräumten Kompetenzbandbreiten dezentral.

Auf den Daten des Informationssystems aufbauend, erfolgt die Profit-Center-Analyse mit drei Analysefeldern:[142]

- Volumen und Rentabilität des Geschäftes,
- Produktivität des Bankbetriebes,
- Chancen und Risiken der Märkte.

Das für eine Profit-Center-Rechnung notwendige Betriebsergebnis – als „Betriebsergebnisbeitrag" mit mehreren Stufen bezeichnet – setzt einen Saldo im Zinsgeschäft voraus. Dieser ergibt sich auf Basis einer Verzinsung des Überhanges im Aktiv- oder Passivgeschäft. Bei Geschäftsstellen mit ausgeglichenen Volumina ist der Saldo mit dem Zinssaldo des Kundengeschäftes identisch. Die Stufen beziehen sich auf Kosten- und Erlösverrechnungen zwischen Niederlassungen und Znetrale, z. B. in der Zurechnung von Kosten der Zentrale.

Erst im Rahmen der Profit-Center-Analyse tritt zu der postulierten Identifizierung mit den Gesamtbankzielen die Unternehmer-Illusion. Sie dient also nicht der Steuerung, sondern allein der Motivation. Sie liegt insoweit außerhalb der Steuerungs- und Kontrollfunktion des Operativen Controlling.

141 vgl. Leeb, W.: Führungsinformationssystem in Kreditinstituten, in: Rechnungswesen im Dienste der Bankpolitik, a. a. O., S. 223-237
142 ebenda, S. 234

Ohne Motivation als Führungsinstrument und essentiellem Bestandteil des Führungsstils ist ein dezentral aufgebautes Filialbanksystem nicht zu lenken; gestaltungsfähig ist allein, ob die Motivation der Steuerung und Kontrolle immanent ist oder als selbständiges Führungsinstrument neben dem Operativen Controlling steht.

Der „gewisse(r) Prinzipienstreit über Profit-Center-Steuerung einerseits und Komponentensteuerung andererseits“[143] scheint in dieser Perspektive stärker akademischen Charakter denn praktische Relevanz zu haben.

Exkurs 9:
Die Verrechnungspreisproblematik in Geschichte und Gegenwart

Literaturhinweise:

Schmalenbach, E.: Über Verrechnungspreise, in: ZfHF, 3. Jg. (1908/1909) / Kaminsky, St.: Die Kosten- und Erfolgsrechnung der Kreditinstitute, Meisenheim am Glan 1955 / Schmalenbach, E.: Kostenrechnung und Preispolitik, 7. Aufl., Köln und Opladen 1956 / Brand, H.: Verrechnung innerbetrieblicher Leistungen im Bankbetrieb, in: BFuP, 9. Jg. (1957) / Wagner, H.: Von der Schichtenbilanz zur Zinsspannenrechnung, in: Bank-Betrieb, 5. Jg. (1965) /Münstermann, H.: Die Bedeutung der Opportunitätskosten für unternehmerische Entscheidungen, in: ZfB, 36. Jg. (1966) / Güde, U.: Die Bank- und Sparkassenkalkulation, Meisenheim am Glan 1967 / Süchting, J.: Zur Kontroverse um die Bankkalkulation, in: ZfgK, 20. Jg. (1967) / Bühler, W.: Die Schichtenbilanz als Instrument der Leistungsanalyse für die Kreditbank, in: Kredit und Kapital, 3. Jg. (1970) / Herrhausen, A.: Zielvorstellungen und Gestaltungsmöglichkeiten einer Langfristplanung in Kreditinstituten, in: Bank-Betrieb, 11. Jg. (1971) / Köllhofer, D.: Die Geschäftsstellenrechnung der Banken, in: Bank-Betrieb, 12. Jg. (1972) / Penzkofer, P., Täube, K.: Profit-Centers im Bankbetrieb, in: Bank-Betrieb, 12. Jg. (1972) / Berthel, J.: Zielorientierte Unternehmungssteuerung, Stuttgart 1973 / Albach, H.: Innerbetriebliche Lenkpreise als Instrument dezentraler Unternehmensführung, in: ZfbF, 26 Jg. (1974) / Büschgen, H.E.: Theorie und Praxis der Profit-Center-Organisation, in: bank und markt, 4. Jg. (1975) / Streim, H.: Profit-Center-Konzeption und Budgetierung, in: Die Unternehmung, 29.Jg. (1975) / Lehner, H., Müller, M.: Der Filialvergleich bei Banken, Bern und Stuttgart 1976 / Riedesser, A.: Deckungsbeitragsrechnung in Filialorganisationen, Wiesbaden 1977 / Gach, K.: Zu den Möglichkeiten eines internen Zinsausgleichs im Geschäftsstellensystem, in: Betriebswirtschaftliche Blätter, 27. Jg. (1978) / Jacob, A.-F.: Planung und Steuerung der Zinsspanne in Banken, in: Die Betriebswirtschaft, 38. Jg. (1978) / Kilgus, E.: Aspekte der Filialführung von Banken,in: Wirtschaft und Recht,30.Jg.(1978)/v.Kobylinski,K.: Kundenkalkulation im Bankmarketing, Frankfurt 1978 / Lindemann, H.: Grundlagen der Kosten- und Erlösrechnung im Bankbetrieb,2.Aufl.,Bern und Stuttgart 1978 /Mertin, K.: Planung und Realisierung der Zielkonzeption am Beispiel einer Großbank, in: Bankbetriebliches Lesebuch, (Hrsg.) Deppe, H.-D., Stuttgart 1978 / Platz, S.: Erfolgsrechnerische Bewertung von Bankzweigstellen, Göttingen 1978 / Schmidt,R.: Zur Dekomposition von Unternehmensmodellen, in: ZfB, 48. Jg. (1978) /Süchting, J., Wünsche, G.: Untersuchungen zur Rentabilität von Sparkassen-Zweigstellen, Stuttgart 1978 / Eickhoff, H.: Unternehmenssteuerung in Sparkassen, in: Betriebswirtschaftliche Blätter, 28. Jg. (1979) / Krause, M.: Die Steuerung einer großen Filialbank, in: Die Bank (5/1980) / Jacob, A.-F.: Die Steuerung einer Universalbank mit einem System von Erfolgskomponenten, in: Controlling in Banken und Sparkassen, (Hrsg.) Mülhaupt, L., Schierenbeck, H., Wielens, H., Frankfurt 1981 / Jacob, A.-F.: Kostenrechnung und Unternehmensplanung in Banken, in: Geld, Banken und Versicherungen II, (Hrsg.) Göppel, H., Henn, R., Königstein 1981 / Kolarik, F.-G.: Überlegungen zum Profit-Center-Konzept im Bankbetrieb, in: Management und Kontrolle, (Hrsg.) Seicht, G., Berlin 1981 / Krewerth, B.: Die Kostenrechnung als Steuerungsinstrument im Bankbetrieb, Frankfurt 1981 / Kunze, W.: Die Betriebsabrechnung der Kreditinstitute, Wiesbaden 1981 / Mertin, K.: Profit-Center-Steuerung in Universalbanken, in: Control-

[143] Mertin, K.: a. a. O., S. 39

ling in Banken und Sparkassen, (Hrsg.) Mülhaupt, L., Schierenbeck, H., Wielens, H., Frankfurt 1981 / Schreiber, G.: Teilzinsspannenrechnung als Analyseinstrument, in: Betriebswirtschaftliche Blätter, 30. Jg. (1981) / Flechsig, R.: Kundenkalkulation in Kreditinstituten, Frankfurt 1982 / Flechsig, R.: Die Kalkulation von Zinsobergrenzen im Passivgeschäft mit Nichtbanken, in: Die Bank (8/1982) / Flechsig, R., Flesch, H.-R.: Die Wertsteuerung, in: Die Bank, (10/1982) / Mertin, K.: (Self-) Controlling, in: ZfgK, 35. Jg. (1982) / Scheidl, K.: Komponentensteuerung versus Gewinnsteuerung im Bankbetrieb, in: Kredit und Kapital, 15. Jg. (1982) / Süchting, J.: Bankmanagement, Stuttgart 1982 / Süchting, J.: Schwerpunkte und Probleme der bankbetrieblichen Kosten- und Erlösrechnung, in: ZfB, 52. Jg. (1982) / Berger, K.-H.: Zur Steuerung und Erfolgskontrolle in Filialbanken, Beiträge aus dem Bankseminar der Universität Hannover, Nr. 3/1983 / Terrahe, J.: Filialsteuerungssysteme als langfristige Konzeption, in: Strategische Bankplanung, (Hrsg.) Krümmel, H., Rudolph, B., Frankfurt 1983 / Flesch, H.-R., Piaskowski, F., Sievi, Chr.: Erfolgsquellensteuerung durch Effektivzinsen im Konzept der Wertsteuerung, in: Die Bank (8/1984) / Ippisch, W.: Bankbetriebliches Zinsspannen-Management, Wien 1984 / Kunze, Chr.: Die Marktzinsmethode – ein neuer Weg in der Kostenrechnung?, in: Betriebswirtschaftliche Blätter, 33. Jg. (1984) / Schneider, G.: Planung und Kontrolle, in: Finanzierung, Leasing, Factoring (1984) / Süchting, J.: Finanzmanagement, 4. Aufl., Wiesbaden 1984 / Wilkening, O.: Strategien eines zukunftsorientierten Filialmanagements, in: bank und markt, 13. Jg., (1984) / Dreher, E.: Das interne Rechnungswesen als Planungs- und Steuerungsinstrument, in: Das Rechnungswesen als Informationsinstrument zur Steuerung und Kontrolle bankbetrieblicher Risiken, (Hrsg.) Kolbeck, R., Frankfurt 1985 / Droste, K., Faßbender, H., Pauluhn, B., Schlenzka, P., v. Löhneysen, E.: Falsche Ergebnisinformationen – häufige Ursache für Fehlentscheidungen in Banken, in: Die Bank (7/1985) / Flechsig, R.: Die Schichtenbilanz – ihr Glanz und Elend, in: Die Bank (6/1985) / Heye, B.: Die Steuerung der Inlandsfilialen einer Großbank, in: Die Bank (1/1985) / Kreutz, P., Biehl, W.: Der Einsatz der Marktzinsmethode für die Steuerung der Sparkassengeschäfte, in: Betriebswirtschaftliche Blätter, 34. Jg. (1985) / Schmidt, R.: Zur Effizienz dezentralisierter Steuerung auf Basis des Dekompositionsprinzips am Beispiel einer Filialbank, in: Information und Wirtschaftlichkeit, (Hrsg.) Ballwieser, W., Berger, K.-H., Wiesbaden 1985 / Krewerth, B.: Die Erfolgskomponenten im System der Banksteuerung, in: Rentabilität und Risiko, (Hrsg.) Scheidl, K., Frankfurt 1986 / Banken, R.: Die Marktzinsmethode als Instrument der pretialen Lenkung in Kreditinstituten, Frankfurt 1987 / Römhild, H.G.: Interne Zinsverrechnung in Kreditinstituten, in: Rechnungswesen im Dienste der Bankpolitik, (Hrsg.) Krumnow, J., Metz, M., Stuttgart 1987 / Schierenbeck, H.: Ertragsorientiertes Bankmanagement, 2. Aufl. Wiesbaden 1987 / v. Schimmelmann, W.: Erfolgsorientierte Steuerung der Firmenkundenbetreuer, in: Handbuch des Bankmarketing, (Hrsg.) Süchting, J., van Hooven, E., Wiesbaden 1987 / Süchting, J.: Verrechnungspreise im Bankbetrieb, in: Rechnungswesen im Dienste der Bankpolitik, (Hrsg.) Krumnow, J., Metz, M., Stuttgart 1987

I. Zurück zu den Quellen

Grundlage und Ausgang jedweder theoretischer, betriebswirtschaftlicher Beschäftigung mit innerbetrieblicher Verrechnungsproblematik ist die Abhandlung Eugen Schmalenbachs „Über Verrechnungspreise“ aus dem Jahre 1909.

In seinem Vortrag vor der Schmalenbachgesellschaft hat 1974 Horst Albach die Aktualität Schmalenbach'scher Denkansätze herausgearbeitet und betont; diese Denkansätze beziehen sich allerdings nicht auf die pretiale Lenkung von Bankfilialen, sondern auf diejenige von divisionalisierten Industrieunternehmen.Dennoch mag es nicht ohne Interesse und pragmatische Folgen sein, diesen ersten wissenschaftlichen Ansatz (Eugen Schmalenbach: „Gerade Betriebspreise führen ein im Sinne des Betriebes erwünschtes Verhalten der Unterbetriebe automatisch herbei“) auf Basis der Abhandlung von Horst Albach nachzuvollziehen.

Zwei Zielsetzungen innerbetrieblicher Lenkpreise stehen im Vordergrund, die zugleich einen Zielkonflikt in sich tragen:

- die *Steuerung* eines Unterbetriebes dergestalt, daß dessen Entscheidungen das globale Gewinnmaximum des Unternehmens realisieren,
- Die *Ermittlung eines* Sparten-*Ergebnisses,* an dessen Höhe der Unterbetrieb gemessen und beurteilt wird.

Da für die Steuerung ein Grenzkosten-, für die Ergebnisermittlung ein Marktsatz anzuwenden ist, ergibt sich für ein Unternehmen, das beide Ziele mit Lenkpreisen erreichen will, ein, so Eugen Schmalenbach, „Dilemma", das organisatorisch gelöst werden muß: Lieferzwang und Bezugszwang sind notwendige Korrelate „schiefer Betriebspreise".

Konsequent bemerkt Horst Albach: „Das heißt also nichts anderes, als daß die organisatorische Selbständigkeit, die die Voraussetzung der Bildung von Verrechnungspreisen in Höhe der Marktpreise war, durch die das Gesamtinteresse sichernden organisatorischen Regelungen wieder aufgehoben wird", was nichts anderes bedeutet, als daß dezentrale Steuerung auf Marktpreisbasis durch zentrale Reglementierungen begleitet werden muß = dezentrale Steuerung soweit als möglich, zentrale Reglementierung durch Rahmenbedingungen der Entscheidungskompetenz der Unterbetriebe soweit als nötig.

Weder in Theorie noch in Praxis ist dieser Stand der Analyse überwunden worden.

II. Morphologische Schwierigkeiten der Übertragbarkeit auf Bankbetriebe

Das System pretialer Lenkung von divisionalisierten Unternehmen geht davon aus, daß die Divisionen in ihren Leistungen alternativ durch den Markt ersetzt werden können: der Bezug oder der Absatz der Zwischenprodukte im innerbetrieblichen Verbund kann auch über einen Zwischenproduktmarkt zu Zwischenproduktmarktpreisen erfolgen. Dem originären Lenkpreismodell sind daher zwei Bedinungen immanent:

1) Zwischen Gesamtunternehmen und organisatorisch selbständigen Unternehmensteilen besteht ein Produktionsverbund entweder im Bezug oder im Absatz von Zwischenprodukten.
2) Die Zwischenprodukte sind marktfähige Produkte, für sie besteht ein eigener Markt mit der Folge, daß die Vorteilhaftigkeit des Verbundes über den Grad der Divisionalität des Gesamtunternehmens entscheidet.

Diese Bedingungen sind in einem modernen Filialbanksystem nicht gegeben: Ein Produktionsverbund auf Basis von Zwischenprodukten konnte nur solange unterstellt werden, als der Marktmechanismus weitestgehend ausgeschaltet und die Organisation der Filialbanken produktionsbezogen war, also bis zur Aufhebung der Soll- und Habenzinsabkommen und vor Einführung einer marktbezogenen Organisationsstruktur.

In dieser Zeit konnte Hans Brand deduzieren, daß zwischen innerbetrieblichen und Markt-Leistungen zu differenzieren sei, zu den letzteren zählen diejenigen, die unmittelbar zu einer *Ertrags*entstehung führen: das Aktivgeschäft. Das Passivgeschäft ist Teilleistungsgeschäft, Einlagen sind Roh-, Hilfs- und Betriebsstoffe.

Der Verrechnungspreis konnte aus einer Schichtenbilanz abgeleitet werden, die mit ausgeglichenen Schichten ohne „Überfließen" der Schichtungen mit konstanter Marge kalkulierbar war.

Nach Einführung eines Marktmechanismus im Kreditgewerbe und nach der Neuausrichtung der Organisation in Richtung auf Marktorientierung (Henner Schierenbeck fordert, die Kundenorientierung zum maßgeblichen Organisationsprinzip zu erheben → kundenorientierte Profit-Center-Organisation) sind Einlagen und Kredite Produkte; produktionstechnische Zwischenprodukte interessieren nicht mehr, ausgeglichene Schichten mit konstanten Margen gehören der Vergangenheit an.

Diese morphologische Diskrepanz zur pretialen Lenkungs-Theorie wird in zweifacher Form zu heilen versucht:

Zwischen Filialen und Zentrale wird ein gedanklich konstruierter Markt eingeführt: die Filialen verkaufen ihre Einlagen – insgesamt oder kategorienindividuell – an die Zentrale und kaufen von der Zentrale die Refinanzierung ihrer Kredite – insgesamt oder kategorienindividuell. Ein marktfähiges Produkt im Sinne der Marketingphilosophie wird also gedanklich zum Zwischenprodukt zurückgeformt und nach Ausstattung mit dem Verrechnungszins wieder zum Marktprodukt rekonstruiert. Der „Produktions"-Verbund ist damit fiktiv geworden.

Dies entspricht der Methode der Internen Zinsverrechnung.

Die Filialen werden gedanklich so gestellt, als ob es einen Markt für Zwischenprodukte gäbe und sie entscheiden könnten zwischen Kundengeschäft einerseits und zinslaufzeit- und volumenslaufzeit-kongruenten Alternativen auf den institutsindividuell zugänglichen und geltenden Geld- und Kapitalmärkten andererseits.

Damit ist die doppelte Fiktion eines als ob-Marktes und einer als ob-Entscheidungsalternative gegeben. In der Realität wird diese Fiktion durch Liefer- und Bezugszwang im Sinne Eugen Schmalenbachs bzw. durch Einführung von Kompetenzbandbreiten und Rahmenbedingungen der kaufmännischen Handlungsfreiheit in das Gesamtinteresse eingebunden.

Dieses Vorgehen entspricht der Methode der Marktzinsverrechnung.

III. Versuch einer Systematisierung der Verfahren

In Tabelle 23 ist der Versuch gemacht worden, die Methoden unterschiedlicher Zinsverrechnungen auf vier Grundformen zurückzuführen, diese an der „vermuteten Richtigkeit" des finanzbuchhalterischen Ergebnisses zu messen und nach der eindeutigen Lokalisierung von Abweichungen zu fragen.

Tabelle 23: Grundformen unterschiedlicher Zinsverrechnungen

<table>
<tr><th colspan="4" rowspan="2">Methoden unterschiedlicher Zinsverrechnungen</th><th colspan="4">Überprüfung der „vermuteten" Richtigkeit</th><th colspan="2">eindeutige Lokalisierung von Abweichungen ?</th><th rowspan="2">Methode</th></tr>
<tr><th colspan="3">kompensiertes Volumen</th><th>identische Überhänge 1)</th><th>komp. Volumen</th><th>Überhänge</th></tr>
<tr><td rowspan="4">einheitlicher Verrechnungszins</td><td rowspan="2">intern bestimmt</td><td colspan="2">über Überhang-Pool</td><td colspan="2" rowspan="6">Gesamtergebnis identisch Addition der Teilergebnisse</td><td rowspan="4">Controlling-Zinsergebnis identisch finanzbuchhalterisches Zinsergebnis</td><td>identisches Ergebnis für identische Überhänge</td><td rowspan="2">ja</td><td rowspan="2">nein</td><td rowspan="2">Pool-Methode</td></tr>
<tr><td colspan="2">über Kapitalfonds</td><td rowspan="7">unterschiedliches Ergebnis für identische Überhänge</td></tr>
<tr><td rowspan="2">extern übernommen</td><td rowspan="2">z. B. Marktzinsen
Bundesbankzinsen</td><td>nach Zinsfreigabe = variable Margen</td><td colspan="2">ja, mit Einschränkung Veränderung des externen Zins</td><td>einheitlicher Marktzins</td></tr>
<tr><td>vor Zinsfreigabe konstante Margen</td><td colspan="2" rowspan="2">ja</td><td rowspan="2">vor der Zinsfreigabe</td></tr>
<tr><td rowspan="4">differenzierte Verrechnungszinsen</td><td rowspan="3">intern bestimmt (Schichtenbilanz)</td><td rowspan="2">ausgeglichene Schichten</td><td>vor Zinsfreigabe = ohne Katarakteffekt</td><td rowspan="4">Controlling-Zinsergebnis ungleich finanzbuchhalterisches Zinsergebnis</td></tr>
<tr><td>nach Zinsfreigabe = mit Katarakteffekt</td><td colspan="2" rowspan="2">nein</td><td rowspan="2">Schichtenbilanz</td></tr>
<tr><td colspan="2">unausgeglichene Schichten z. B. nach Grundsätzen</td><td rowspan="2">Gesamtergebnis ungleich Addition der Teilergebnisse</td><td>Kompensation der Verrechg.</td></tr>
<tr><td>extern übernommen (Marktzinsmethode)</td><td colspan="2">z. B. nach
– Fristigkeiten
– Ländern
– u. a.</td><td>keine Kompensation der Verrechg. Rest 2)</td><td colspan="2">ja, mit starker Einschränkung Veränderung der externen Zinsen (Niveau <u>und</u> Struktur)</td><td>Marktzinsmethode</td></tr>
</table>

[1] Modell-Prämisse für Identität zwischen Aktiv- und Passivüberhängen:
– vollkommener, homogener Markt,
– Zinsmarge = 0 oder Unterschied zwischen Geld und Brief

[2] Rest = Marktprämie für Übernahme von z. B.
– Zinsänderungsrisiko
– Länderrisiko
– u.a.

„und" Ausmaß der „Transformation" (abhängig von Prämissen des Verrechnungszinsmodells, z. B. Bodensätze)

IV. Eine mögliche Konklusion

Horst Albach stellt seine analysierende Darstellung der Lenkpreis-Problematik unter das Motto:

„Meine Antwort auf die Frage nach den richtigen, innerbetrieblichen Lenkpreisen in divisionalisierten Unternehmen wird nicht lauten ‚hier irrt Schmalenbach': Sie wird vielmehr lauten: ‚hier irrt die Praxis, weil sie die Aussagen Schmalenbachs nicht ernst nimmt'."

Und nach einer eingehenden Analyse des gegenwärtigen (1974) Standes der Theorie der Verrechnungspreise

- Theorie der Opportunitätskosten,
- Theorie der Transferpreise,
- Theorie der Abteilung richtiger Lenkpreise für bestimmte Produktions- und Organisationsstrukturen,

kommt er zu folgendem Ergebnis:

„1. Verrechnungspreise sind kein Problem des internen Rechnungswesens. Sie sind in viel breiterem Verständnis ein Teilproblem der dezentralen Unternehmensführung.
2. Die Frage nach den richtigen Verrechnungspreisen im divisionalisierten Unternehmen ist daher als Frage nach der richtigen Kombination der organisationspolitischen Instrumente Selbständigkeit (Motivation), Verrechnungspreis (Information) und Spartenerfolgsrechnung (Kontrolle) zu verstehen.
3. Überwiegen die Motivationsvorteile dezentraler Unternehmensführung die Verbundeffekte aus der zentralen Koordination der Sparten, ist der Verrechnungspreis stets in Höhe des Marktpreises anzusetzen.
4. Selbständigkeit der Sparten, dezentrale Führung und Beurteilung der Sparten an Hand der Spartenergebnisse sind aber nicht die einzigen Voraussetzungen für die Realisierung von Motivationsvorteilen. Diese können auch bei Verrechnungspreisen in Höhe der Grenzkosten, die die optimale Steuerung der innerbetrieblichen Lieferströme im Sinne des Gesamtunternehmens zur Realisierung von Verbundvorteilen gewährleisten, durch veränderte Kontroll- und Motivationssysteme erreicht werden. Streit über innerbetriebliche Verrechnungspreise deutet daher meist auf Phantasielosigkeit oder Unentschlossenheit der Unternehmensleitung hin.
5. Die zentrale Unternehmensführung ist insbesondere dann, wenn Formen der Mitwirkung bei der Entscheidungsvorbereitung entwickelt werden, die zu einer Identifikation aller Unternehmensbereiche mit der zentralen Entscheidung führen, nicht so schlecht, als daß Lippenbekenntnisse zur dezentralen Unternehmensführung mit dem zwangsläufig folgenden Streit über die Verrechnungspreise gerechtfertigt wären.

6. Im multinationalen Unternehmen sind die Verrechnungspreise bei grenzüberschreitenden Lieferungen stets mit dem Marktpreis anzusetzen. Hier können die Unternehmen Verbundvorteile aus der internationalen Arbeitsteilung nur durch zentrale Führung erzielen. Hier ist aber auch die Wahrscheinlichkeit besonders groß, daß die Motivationsvorteile dezentraler Unternehmensführung die Verbundvorteile überwiegen mit der Konsequenz, daß das rechtlich Notwendige das wirtschaftlich Richtige ist."

Diese Konklusion gilt für divisionalisierte Unternehmen. Sie ist stringent in der Ableitung und überzeugend in der Darstellung. Doch da eine Filialbank morphologisch eben kein divisionalisiertes Unternehmen ist, sind diese Aussagen nicht auf eine Filialbank unmittelbar zu übertragen: sie zeigen eine Sinntendenz.

Die bankbetriebsbezogene Konklusion der Verrechnungspreisproblematik soll Joachim Süchting (1987, letzter Literaturhinweis, Seite 214) überlassen bleiben:

„Verrechnungspreise in einer Filialbank haben die Aufgabe der Motivations- und Steuerungsfunktion. Dabei treten gerade für Kreditinstitute eine Reihe von besonders gewichtigen Schwierigkeiten auf.

Die Regulation der Kreditwirtschaft kompliziert das Zielsystem von Banken und stellt damit hohe Steuerungsanforderungen an ihre Verrechnungspreise; gleichzeitig verengt sie den Rahmen, in dem die Filialleiter gewinnorientiert operieren können. In diesem Rahmen kann für Motivationszwecke nicht allein auf Zinsdifferenzen, sondern es muß unter Berücksichtigung der Ausgleichskalkulation für Kundenverbindungen von Universalbanken auf deren gesamte Ergebnisbeiträge unter Einschluß derjenigen aus den Dienstleistungsgeschäften abgestellt werden; das schließt eine Verteilung der fixen Kosten aus dem Betriebsbereich des Dienstleistungsunternehmens Bank ein.

Bei der Frage, ob angesichts dieser Schwierigkeiten der (interne) Verrechnungszins oder der (externe) Marktzins Motivations- und Steuerungsfunktion besser erfüllen können, hatte sich ergeben:

1. Kein System von Verrechnungspreisen vermag beide Aufgaben zugleich optimal zu erfüllen.
2. Ein System von Verrechnungszinsen gibt zwar der Zentrale ein flexibles Instrumentarium zur Steuerung des besonders wichtigen finanziellen Bereichs der Bank; in den Profit-Centers behindert es jedoch die Motivation der Filialleiter.
3. Die Gründe dafür sind, daß Zinsdifferenzen in Form von Teilzinsspannen nur mehr oder weniger willkürlich gebildet werden können, daß sie die Erlösverbundwirkungen der Kundenbeziehungen nicht berücksichtigen und die fixen Kosten des Betriebsbereichs nur um den Preis ihrer künstlichen Proportionalisierung einzubeziehen sind.
4. Erlösverbundwirkungen sowie die in einer Mindestmarge eingefangenen fixen Kosten des Betriebsbereichs und die Risikokosten führen ebenso zu Störungen bei der

Ermittlung aussagefähiger, motivierender Zinsdifferenzen, die auf Basis der Marktzinsmethode gebildet werden. Darüber hinaus ist insbesondere im variabel verzinslichen Geschäft die Zuordnung von Marktzinsen zu Kundenzinsen ohne Setzung angreifbarer Prämissen kaum möglich. In dem verbleibenden Rahmen bestehen Vorzüge für die Motivation der Filialleiter, da diese eher bereit sein dürften, sich an Marktzinsen messen zu lassen als an Verrechnungszinsen.

5. Diese Vorzüge für die Motivation verlieren jedoch in dem Maße an Gewicht, wie die Zentrale nach anderen Zielen als dem Gewinnziel steuern muß. Dann benötigt man z. B. ein System von Boni und Mali, das den Filialleitern so wenig einsichtig sein dürfte wie die Variation von Verrechnungszinssätzen auch."

* * *

c) Idealtypus versus Realtypus

„Nicht die *‚sachlichen'* Zusammenhänge der *‚Dinge'* , sondern die *gedanklichen* Zusammenhänge der *Probleme* liegen den Arbeitsgebieten der Wissenschaften zugrunde: wo mit neuer Methode einem neuen Problem nachgegangen wird und dadurch Wahrheiten entdeckt werden, welche neue bedeutsame Gesichtspunkte eröffnen, da entsteht eine neue ‚Wissenschaft'."[144]

Der Konflikt „Idealtypus versus Realtypus" entspricht demjenigen zwischen idealtypischem Zusammenhangsdenken einer Erfahrungswissenschaft, wie es die Bankbetriebslehre zweifelsohne ist, und den realtypischen Erklärungs- und Abbildungsbemühungen der bankbetrieblichen Wirklichkeit.

Die stringente Ableitung, die Methode der Deduktion, die Forderung nach innerer Logik und Widerspruchslosigkeit der Systembestandteile untereinander sind unverzichtbare methodische Voraussetzungen idealtypischer Betrachtungsweise.

Die Notwendigkeit, in einer unvollkommenen bankbetrieblichen Wirklichkeit Instrumente der Entscheidungshilfe, der Steuerung und Kontrolle zu entwickeln, die in ihrer Methodik konsensfähig, in der Anwendung objektspezifisch und in der Nachvollziehbarkeit praxisadäquat sind, ist nur auf der Basis der Kompromißhaltung möglich; die Anwendung idealtypischer Methoden führt in der Praxis zur Frustration, weil die Ergebnisse nicht akzeptiert werden; die Anwendung realtypischer Methoden in der Erfahrungswissenschaft führt zur Friktion, weil die innere Widerspruchslosigkeit nicht gegeben ist.

Ein Kompromiß zwischen ideal- und realtypischer Betrachtungsweise ist, da nicht wissenschaftssystemkonform, unmöglich. Um so bedeutsamer ist es, beide Erklärungsmodelle sauber zu trennen: die methodischen Unterschiede verwischen, wenn ein als realtypisch verstandener oder gar als solcher reklamierter Idealtypus entwickelt wird.

[144] Weber, M., a. a. O., S. 205

Sechster Teil

Bankpolitik

A. Bankpolitik in traditioneller Sicht

I. Allgemeines

1. Begriff und Bestimmungsgründe der Geschäfts- und Betriebspolitik der Kreditinstitute

Unter *Geschäftspolitik* der Kreditinstitute[1] versteht die traditionelle Sicht alle Maßnahmen, die auf die Erzielung von Gewinn (durch Erhöhung der Erträge oder Verminderung der Aufwendungen) oder auf die Erzielung von Rentabilität (durch Vermehrung des Gewinns im Verhältnis zu dem eingesetzten Kapital) unter Wahrung von Sicherheit und Liquidität gerichtet sind. Die *Betriebspolitik* strebt als ein Teil der Geschäftspolitik Wirtschaftlichkeit (durch Senkung der Aufwendungen im technisch-organisatorischen Leistungsbereich eines Kreditinstituts) an.

2. Gewinn und Sicherheit als Hauptziele der Bankpolitik

Der Gewinn wird im allgemeinen definiert als Überschuß der Erträge über die Aufwendungen. Da der Überschuß bestimmt wird durch die Bewertung der Aufwendungen und Erträge, ist der Begriff in dieser Hinsicht unbestimmt. In der Betriebswirtschaftslehre gehen die Ansichten über die der Gewinnermittlung zugrunde zu legenden Wertansätze stark auseinander. Insbesondere gelangen die verschiedenen Bilanztheoretiker[2] je nach der von ihnen vertretenen Kapitalerhaltungstheorie zu unterschiedlichen Wertansätzen. Zum Beispiel wird der Anschaffungs- bzw. Herstellungswert oder der Tageswert zum Umsatz- bzw. Bilanzstichtag als „richtiger" Wertansatz angesehen, und es ergeben sich dementsprechend unterschiedlich hohe Gewinne. Ohne auf die damit verbundene Problematik näher einzugehen, soll hier davon ausgegangen werden,

[1] Zum Begriff der Bankpolitik, der in unterschiedlichster Weise verwandt wird, vgl. Bernicken, H.: Bankbetriebslehre, Stuttgart 1926, S. 160 ff.; Obst, G.: Das Bankgeschäft, Bd. 2, Bankpolitik, S. 1 ff.; Prion, W.: Banken in der Volkswirtschaft, I., Allgemeine Bankpolitik, in: HdSw, Bd. 2,S. 144; Eisfeld, C.: Bankpolitik, in: HWB, Bd. 1, Sp. 484; Linhardt, H.: Bankbetriebslehre Bd. 1, Bankbetrieb und Bankpolitik, Köln und Opladen 1957, S. 216 ff.; Rittershausen, H.: Bankpolitik, Frankfurt am Main 1956, S. 1

[2] Vg. z. B. Osbahr, W. / Nicklisch, H.: Die Bilanz vom Standpunkt der Unternehmung, 3. Aufl., Berlin und Leipzig 1923 (für die statische Bilanztheorie); Schmalenbach, E.: Dynamische Bilanz, 13. Aufl., Köln und Opladen 1962 (für die dynamische Bilanztheorie); Schmidt, F.: Die organische Tageswertbilanz, unveränderter Nachdruck der 3. Aufl., Wiesbaden 1951 (für die organische Bilanztheorie); le Coutre, W.: Grundzüge der Bilanzkunde, Teil 1., 4. Aufl., Wolfenbüttel 1949 (für die totale Bilanzlehre); Hansen, P.: The Accounting Concept of Provit, Kopenhagen – Amsterdam 1962 und Kock, H.: Der Begriff des ökonomischen Gewinns – Zur Frage des Optimalitätskriteriums in der Wirtschaftlichkeitsrechnung, in: ZfbF 1968, S. 389 – 441 (für die Konzeption des ökonomischen Gewinns); Moxter, A.: Bilanzlehre, Wiesbaden 1974

daß es die Kreditinstitute überwiegend mit abstrakten Wertbewegungen von Geldgrößen zu tun haben, so daß für sie nur eine nominelle Rechnung im Sinne Riegers, die grundsätzlich die Anschaffungswerte ansetzt, in Frage kommen kann[3]. Der Gewinn wird infolgedessen definiert als der in Geld ausgedrückte Überschuß der Erträge über die Aufwendungen bei nomineller Rechnung. Fischer setzt dafür zum Unterschied zu den auf andere Weise ermittelten Gewinnen den Terminus Finanzerfolg[4].

Das *Gewinnstreben* ist demnach das Streben nach einem in Geld ausgedrückten Überschuß der Erträge über die Aufwendungen bei nomineller Rechnung.

Bei den Kreditinstituten ist das Gewinnstreben – abgesehen von den Einschränkungen, die sich aus dem Vorhandensein von Risiken ergeben – unterschiedlich stark ausgeprägt. Das Streben nach dem größtmöglichen Gewinn bildet die stärkste Form des Gewinnstrebens[5]. Erreicht wird das Gewinnmaximum theoretisch dann, wenn die Grenzkosten den Grenzerlösen gleich sind, wobei vorauszusetzen ist, daß die Kombination der Produktivfaktoren nach dem Prinzip der Wirtschaftlichkeit erfolgt, so daß bei jeder Produktionsmenge die Minimalkostenkombination realisiert wird[6]. In dieser extremen Form ist das gewinnmaximale Streben in der Realität zwar kaum zu finden, sondern wird dahin modifiziert, den Gewinn der Bank und die Ausschöpfung des Marktpotentials zu optimieren und zu erhalten.

Risiken können definiert werden als „negative Abweichung der tatsächlichen Gegebenheiten von den Annahmen über den gegenwärtigen Stand und die zukünftige Entwicklung der Daten“[7]. Je größer die Unsicherheit der Annahmen über den gegenwärtigen Stand und den zukünftigen Verlauf ist, um so größer ist – unter sonst gleichen Umständen – das Risiko, um so größer sind aber auch die Gewinnchancen. Demnach steht dem Gewinnstreben das Sicherheitsstreben entgegen. Zu streng gehandhabte Sicherheits- oder Risikopolitik beschneiden das Unternehmen in seinen Aktivitäten und Möglichkeiten, Geschäfte mit hoher Rendite zu betreiben, wie andererseits zu geringe Liquiditätsvorsorge oder zu großzügige Risikobereitschaft die Existenz des Kreditinstituts gefährden kann. Langfristig können Gewinne nur erzielt werden, wenn es bankpolitisch gelingt, Rentabilitäts- und Sicherheitsstreben ausgewogen zu koordinieren.

[3] Vgl. Rieger, W.: Über Geldwertschwankungen, Stuttgart 1938, insbesondere S. 64 ff.

[4] Vgl. Fischer, O.: Bankbilanz-Analyse, S. 50 und 63

[5] Vgl. Fischer, O.: Bankbilanz-Analyse, S. 63 ff.

[6] Vgl. Gutenberg, E., Die Produktion, 20. Aufl., Berlin - Heidelberg - New York 1973, S. 313 ff.

[7] Böhme, R.: Die Verhaltensweise der Kreditbanken, Diss. Frankfurt am Main 1955, S. 90. Dabei wird kein Unterschied gemacht zwischen Risiko und Unsicherheit, wie er von Knight vorgeschlagen wird. Knight differenziert zwischen dem Risiko, das Gegenstand der Wahrscheinlichkeitsrechnung ist, und der Unsicherheit, die es nicht ist; vgl. Knight, F. H.: Risk, Uncertainty and Profit, Boston und New York 1933, S. 224. Desgleichen werden die Begriffe Risiko und Wagnis dem allgemeinen Sprachgebrauch folgend synonym gebraucht. So auch Bussmann, K. F.: Das betriebswirtschaftliche Risiko, Meisenheim/Glan 1955.

Das *Sicherheitsstreben* erscheint demnach als unabdingbare Voraussetzung langfristiger Gewinnerzielung und kann als Streben nach der für die langfristige Erzielung von Gewinnen erforderlichen Berücksichtigung der vorhandenen Risiken definiert werden.

II. Streben nach Gewinn

Das Streben der Kreditinstitute ist – wenn auch zum Teil mit Einschränkungen – auf die langfristige Erzielung eines möglichst hohen Gewinnes abgestellt. Da sich der Gewinn aus der Differenz zwischen Erträgen und Aufwendungen ergibt, muß das Streben nach möglichst hohem Gewinn auf die Vergrößerung der Differenz zwischen den Erträgen und Aufwendungen gerichtet sein und damit auf eine Erhöhung der Erträge oder eine Verminderung der Aufwendungen. Unter Aufwand wird im allgemeinen der in Geld ausgedrückte Verbrauch oder die in Geld ausgedrückte Nutzung wirtschaftlicher Güter und Dienste zur Erstellung von Leistungen verstanden.
Die Aufwendungen der Kreditinstitute entstehen durch die Beschaffung und den Verbrauch der produktiven Faktoren Arbeit, Betriebsmittel und Kapital (bzw. Verfügungsmacht über Geld).

Die Aufwendungen für den produktiven Faktor „Arbeit", die auch als persönliche Aufwendungen bezeichnet werden, hängen von der Anzahl und der Struktur der Mitarbeiter eines Kreditinstituts ab. Die Höhe der persönlichen Aufwendungen pro Arbeitsplatz wird im wesentlichen von drei Faktoren bestimmt. Die arbeitsplatzabhängigen Aufwendungen lassen sich ausschließlich aus der Leistungsanforderung eines Arbeitsplatzes unabhängig von seiner Personenbesetzung ableiten. Die Aufwendungen, die unabhängig von der Zuordnung einzelner Personen auf bestimmte Arbeitsplätze entstehen, hängen von Ausbildungsstand, Alter, Familienstand und von der Länge der Betriebszugehörigkeit der Mitarbeiter ab. Der dritte Bestimmungsfaktor der Aufwendungen pro Arbeitsplatz besteht in der Leistungsfähigkeit der Mitarbeiter an ihrem Arbeitsplatz (leistungsabhängige Entlohnung). Wenngleich die Leistungen pro Arbeitsplatz insbesondere im Beratungs-, Betreuungs- oder Kreditbearbeitungsbereich noch äußerst schwer ermittelbar sind, gewinnt eine Erfolgsentlohnung dieser Art bei den Kreditinstituten heute zunehmend an Bedeutung. Insgesamt betragen in den Kreditinstituten die Aufwendungen für die Arbeitskräfte bis zu 70 % der gesamten Betriebsaufwendungen und stellen damit einen beträchtlichen Aufwandsfaktor dar.

Der produktive Faktor Betriebsmittel besteht bei den Kreditinstituten im wesentlichen aus Grundstücken, Gebäuden, Einrichtungsgegenständen, maschinellen Hilfsmitteln und Büromaterialien sowie aus den Hilfs- und Betriebsstoffen. Für die im Eigentum der Kreditinstitute befindlichen Betriebsmittel fallen Abschreibungen sowie Zinsen für das eingesetzte Kapital an, während für gemietete oder gepachtete Betriebsmittel entsprechend den vertraglichen Abmachungen Miete oder Pacht zu zahlen ist.

Die Aufwendungen für den produktiven Faktor Kapital fallen in Form von Zinsen und zinsähnlichen Provisionen an. Im Unterschied zu den Betriebsaufwendungen (persönliche und sachliche Aufwendungen) werden die Aufwendungen für Zinsen und Provisionen als Geschäftsaufwendungen bezeichnet. Zu den Geschäftsaufwendungen sind außerdem die Risikoaufwendungen für die mit der Geschäftstätigkeit der Kreditinstitute verbundenen Risiken zu rechnen. Dabei handelt es sich vornehmlich um Abschreibungen und Wertberichtigungen auf Forderungen, Kursverluste an Wertpapieren, Devisen und Edelmetallen sowie Verluste bei der Veräußerung sonstiger Vermögensteile des Betriebes.

Neben diesen unmittelbar aus der Geschäfts- und Betriebstätigkeit der Kreditinstitute resultierenden Aufwendungen sind die mittelbar mit der Geschäfts- und Betriebstätigkeit der Kreditinstitute in Zusammenhang stehenden Steuern zu erwähnen. Sie fallen als sogenannte Kostensteuern und in Form von aus dem Ertrag zu deckenden Aufwendungen an. Zu ersteren gehören z. B. die Grundsteuer, Grunderwerbsteuer, Vermögensteuer, Gewerbesteuer, zu letzteren insbesondere die Körperschaftsteuer, bei Kreditinstituten in der Rechtsform der Einzelfirma, der Offenen Handelsgesellschaft und der Kommanditgesellschaft die Einkommensteuer.

Der Ertrag wird im allgemeinen definiert als das in Geld ausgedrückte Entgelt für die Abgabe wirtschaftlicher Güter und Dienste an den Markt.

Die Erträge für die erstellten Leistungen fallen einerseits in Form von Zinsen, Provisionen – zinsähnlichen und nicht zinsähnlichen Provisionen – und Gebühren und andererseits in Form von Beteiligungsgewinnen und Gewinnen aus der Veräußerung von Vermögensteilen an. Innerhalb der Marktleistungen der Kreditinstitute kann unterschieden werden zwischen

1) Marktleistungen, die nur den Einsatz von Arbeitskräften und Betriebsmitteln erfordern und Erträge in Form von Gebühren und nicht zinsähnlichen Provisionen erbringen, und
2) Marktleistungen, die darüber hinaus einen langfristigen oder dauernden Kapitaleinsatz zur Abwicklung des betreffenden Geschäfts bedingen und Erträge sowohl in Form von Zinsen und zinsähnlichen Provisionen, Veräußerungs- und Beteiligungsgewinnen als auch in Form von Gebühren und nicht zinsähnlichen Provisionen zeitigen.

Bei den vom Kapitaleinsatz unabhängigen Marktleistungen der Kreditinstitute handelt es sich etwa um die Zahlungsverkehrs- und Inkassogeschäfte, Wertaufbewahrungs- und Wertverwaltungsgeschäfte, Effektenkommissionsgeschäfte, Akzept- und Avalkreditgeschäfte. Zu den vom Kapitaleinsatz abhängigen Marktleistungen der Kreditinstitute sind im wesentlichen die kurz-, mittel- und langfristigen Kreditgeschäfte und die Effekteneigenhandelsgeschäfte mit Anteils- und Rentenpapieren zu rechnen.

1. Steigerung der Erträge

Eine Untersuchung der Möglichkeiten der Kreditinstitute zur Steigerung ihrer Erträge zeigt, daß die erstellten Leistungen – insbesondere infolge unterschiedlicher Fristigkeiten, Risikobehaftung und Inanspruchnahme produktiver Faktoren – verschieden hohe Erträge erbringen. Folglich kann eine Steigerung des Gesamtertrages bei gleichbleibendem Geschäftsumfang nicht nur durch die Erzielung höherer Erträge für das einzelne Geschäft, sondern auch durch die Verbesserung der Geschäftsstruktur erzielt werden. Darüber hinaus ist eine Ertragssteigerung durch Ausweitung möglich.

Eine Steigerung der Erträge für das einzelne abgeschlossene Geschäft ist nur selten erzielbar, weil die Preise für die Leistungen der Kreditinstitute durch die Konkurrenz vom Markte her bestimmt werden. Seit der mit Wirkung vom 1. 4. 1967 erfolgten Zinsfreigabe hat sich infolge der erhöhten Markttransparenz, welche durch verbesserte Kommunikationsmittel und durch die Vergleichsmöglichkeit der konkurrierenden Leistungsangebote geschaffen wurde und infolge des gestiegenen Zinsbewußtseins der Bankkunden ein reiner „Käufer"-Markt entwickelt.

Die auf dem Markt herrschende Konkurrenz zwischen den Kreditinstituten führt bei allen wesentlichen Geschäften zu einer starken Nivellierung der Preise. Preisunterschiede resultieren aus persönlichen, sachlichen oder örtlichen Präferenzen. In der Theorie wird diese Preisbildungsfreiheit als „reaktionsfreier Bereich der Preis-Absatz-Funktion" bezeichnet.[8].

Aus den dargestellten Beziehungen zwischen Preis und Absatz lassen sich für die Möglichkeiten der Kreditinstitute, mit Hilfe der Preispolitik ihre Erträge zu steigern, folgende Schlüsse ziehen:

1) Eine Preiserhöhung innerhalb des reaktionsfreien Bereichs führt zu keiner wesentlichen Verringerung des Kundenstammes, so daß sich das Geschäftsvolumen nicht erheblich verringern wird und eine Ertragssteigerung erzielt werden kann.
2) Eine Preiserhöhung, die über den reaktionsfreien Bereich hinausgeht, wird eine Abwanderung von Kunden zur Folge haben, so daß sich das Geschäftsvolumen verringert und dadurch die Ertragssteigerung beim einzelnen Geschäft zunichte gemacht werden kann.

Eine Steigerung der Erträge ist durch Veränderung des Geschäftsumfanges möglich.

Da die Marktleistungen der Kreditinstitute vielfach lediglich den Einsatz von Arbeitskräften und Betriebsmitteln und teilweise darüber hinaus den Einsatz von Kapital erfordern, kann der Begriff des Geschäftsumfangs bei den Kreditinstituten nicht so eindeutig definiert werden wie bei Unternehmen anderer Branchen über den Umsatz. Es müssen vielmehr für die beiden genannten Arten von Marktleistungen unterschiedliche Begriffe gebildet werden. Zweckmäßigerweise wird dabei bezüglich derjenigen Marktleistungen, die nur den Einsatz von Betriebsmitteln und Arbeitskräften erfordern, auf

[8] Hagenmüller, K. F.: Die Bestimmungsfaktoren preispolitischer Autonomie bei Kreditinstituten, in: Geld, Kapital und Kredit, Festschrift zum 70. Geburtstag von H. Rittershausen, Stuttgart 1968, S. 158 ff.

die technische Kapazität des Bankbetriebes, bezüglich derjenigen Marktleistungen, die darüber hinaus den Einsatz von Kapital notwendig machen, auf die finanzielle Kapazität des Bankbetriebes abgestellt. Infolgedessen ist einmal die technische Kapazität und zum anderen die finanzielle Kapazität der Kreditinstitute in Betracht zu ziehen, wenn von einer Ausweitung des Geschäftsumfangs gesprochen wird. Außerdem muß es sich um eine tatsächliche Ausdehnung des gesamten Geschäftsumfangs handeln, d. h. die Ausweitung eines Geschäftszweiges darf nicht durch die Verminderung eines anderen Geschäftszweiges kompensiert werden.

2. Senkung der Aufwendungen

Für die Untersuchung der Möglichkeiten, die den Kreditinstituten zur Senkung ihrer Aufwendungen zur Verfügung stehen, ist es zweckmäßig, zwischen der Senkung der Aufwendungen im Geschäftsbereich und im Betriebsbereich zu unterscheiden.

Die Aufwendungen der Kreditinstitute im Geschäftsbereich fallen im wesentlichen als Entgelte für Kapitalüberlassung in Form von Zinsen, zinsähnlichen und nicht zinsähnlichen Provisionen und Gebühren an. Für eine Senkung kommen grundsätzlich folgende drei Möglichkeiten in Frage:

1) Senkung der Aufwendungen für das einzelne abgeschlossene Geschäft,
2) Senkung der Aufwendungen durch Veränderung der Kapitalstruktur und
3) Senkung der Aufwendungen durch Veränderung des Geschäftsumfangs.

Eine Senkung der Aufwendungen für das einzelne Geschäft ist schwer erreichbar. Höchstens in Zeiten großer Geldflüssigkeit ist es denkbar, daß ein Kreditinstitut in geringem Ausmaß für einen Teil seiner Einlagen etwas unter dem Marktpreis liegende Zinssätze bei weniger zinsempfindlichen Geldgebern zahlen kann. Insgesamt dürfte es sich hierbei um seltene und nicht ins Gewicht fallende Ausnahmeerscheinungen handeln.

Da ferner ein Zustand der Geldknappheit wesentlich häufiger gegeben ist als ein solcher der Geldflüssigkeit, kann grundsätzlich davon ausgegangen werden, daß eine Möglichkeit zur Aufwandssenkung bei den Einlagenzinsen für die Kreditinstitute kaum oder nur kurzfristig gegeben ist. Insoweit ist die Erkenntnis wichtig, daß das Zinsverhalten auf der Aktivseite wesentlich durch die Passiv-Verzinsung bestimmt wird.

Etwas anders liegen die Verhältnisse bei der Hereinnahme von Bankengeldern; denn hierbei haben die Kreditinstitute mehr Möglichkeiten, durch preispolitische Maßnahmen ihre Aufwendungen zu beeinflussen. Solange Geld bzw. Kapital knapp ist, werden die Kreditinstitute im allgemeinen bereit sein, höhere Aufwendungen zur Beschaffung derartiger Mittel in Kauf zu nehmen.

Die Preise für die verschiedenen finanziellen Mittel sind besonders wegen der Art der Kapitalüberlassung, Fristigkeit und Risikobehaftung unterschiedlich hoch. Durch den

Abschluß aufwandsmäßig günstigerer Geschäfte, also durch eine Veränderung der Zusammensetzung der finanziellen Mittel, kann daher eine Senkung der Gesamtaufwendungen erzielt werden.

Für die Finanzierung mit Eigenkapital ist charakteristisch, daß dafür keine Zinsen zu entrichten sind und mit Ausnahme der Aufwendungen für die Beschaffung keine weiteren Aufwendungen entstehen. Eine Vergrößerung des Eigenkapitals zu Lasten des Fremdkapitals führt demnach zu einer Aufwandssenkung, so daß das Eigenkapital, vom aufwandsmäßigen Standpunkt aus betrachtet, als das günstigste Finanzierungsmittel angesehen werden muß. Bei dieser Betrachtungsweise ist allerdings nicht berücksichtigt, daß im allgemeinen für einen Teil des Eigenkapitals Gewinnausschüttungen erwartet werden, die der Höhe des investierten Kapitals angemessen sind. Diese Notwendigkeit der Gewinnausschüttung bedeutet zwar keine aufwandsmäßige, wohl aber eine als Kapitaldienst bezeichnete Belastung der Kreditinstitute, so daß der rein aufwandsmäßige Standpunkt nicht allein berücksichtigt werden kann.

Allerdings fällt innerhalb der Gesamtheit der Kapitalbeschaffungsaufwendungen eine Aufwandssenkung durch Strukturveränderung zugunsten des Eigenkapitals nicht ins Gewicht, da das Fremdkapital bei den Kreditinstituten in der Regel ein Vielfaches ihres Eigenkapitals beträgt.

Im Zusammenhang mit der Veränderung der Kapitalstruktur und im Hinblick auf das Übergewicht des Fremdkapitals ist allerdings auf den sog. "Leverage Effekt" hinzuweisen[9]. Danach wird die Rentabilität des bestehenden Eigenkapitals so lange verbessert und lohnt es sich so lange, Fremdkapital einzusetzen, wie der Aufwand für die letzte Einheit eingesetzten Fremdkapitals kleiner ist als der mit dem Fremdkapital erzielte Ertrag.

Soll das Fremdkapital der Kreditinstitute daraufhin untersucht werden, ob durch Umdispositionen innerhalb der einzelnen Arten des Fremdkapitals Aufwandssenkungen erzielt werden können, so ist davon auszugehen, daß bei einem Vergleich der Zinssätze der verschiedenen Einlagenarten gewisse Korrekturen erforderlich sind, um zu einer richtigen Beurteilung der Aufwendungen zu gelangen.

1) Für die Sichteinlagen, Termin- und Spareinlagen sind unterschiedlich hohe zinslose Mindesreserven bei der Deutschen Bundesank zu unterhalten, somit erhöht sich kalkulatorisch der Zinssatz der Einlagen um die Mindestreserve-Kosten. Auch die anderen zinslosen bzw. minderverzinslichen Positionen der Aktivseite, wie z. B. Barreserven und Ausgleichsforderungen, müssen in dieser Weise berücksichtigt werden.
2) Die Sichteinlagen, Termin- und Spareinlagen bedingen unterschiedlich hohe Betriebsaufwendungen, weil mit den Sichteinlagen im allgemeinen Zahlungs- und In-

[9] Vgl. Büschgen, H. E.: Wertpapieranalyse, Stuttgart 1966; Modigliani, F./Miller, M. H.: The Cost of Capital, Corporation Finance, and the Theory of Investment, in: The Management of Corporation Capital, Hrsg. Solomon, New York 1964; van Horne, J.: Financial Management and Policy, London 1972.

kassoverkehrsgeschäfte und somit häufige Kontenbewegungen verbunden sind, die befristete und Spareinlagen kaum in gleichem Maße aufweisen. Zwar entstehen durch den Zahlungsverkehr nicht nur Betriebsaufwendungen, sondern auch Erträge durch vereinnahmte Umsatzprovisionen und Postengebühren; jedoch decken diese Erträge die mit den Leistungen entstehenden, kalkulierbaren Betriebsaufwendungen ohnehin nicht ab.

Für die Kreditinstitute ist es folglich schwierig, ihre Einlagenstruktur in der aufwandsmäßig günstigsten Weise zu beeinflussen.

Die Aufwendungen der Kreditinstitute im Betriebsbereich setzen sich im wesentlichen aus den personellen und den sachlichen Aufwendungen zusammen, die durch die Beschaffung und den Einsatz der produktiven Faktoren Arbeit und Betriebsmittel entstehen.

Eine Senkung der Betriebsaufwendungen kann wie im Geschäftsbereich dadurch erfolgen, daß der Aufwand für die einzelnen produktiven Faktoren gesenkt, eine andere Kombination der produktiven Faktoren vorgenommen wird oder der Betriebsumfang eine Änderung erfährt. Die für Kreditinstitute spezifischen Probleme ergeben sich dabei im wesentlichen aus der Eigenart ihrer Leistungen einerseits und der Abhängigkeit vom Vertrauen ihrer Kunden andererseits. Bedeutsam dafür sind folgende Faktoren:

1) Die Umsatzträger im Bankbetrieb bestehen vorwiegend aus Geld und Geldsurrogaten, so daß ein großer Teil der Bankleistungen durch zahlenmäßige Umschreibungen von Konto zu Konto vollzogen werden kann, sich also in abstrakten Wertbewegungen und Wertverrechnungen äußert. Infolge der Notwendigkeit, jeden Auftrag möglichst noch am gleichen Tage auszuführen, ist die Umsatzschnelligkeit sehr groß.
2) Bei den Kreditinstituten besteht eine Interdependenz der Leistungen. So zieht Kreditvergabe Zahlungsverkehr nach sich und führt der Zahlungsverkehr zu Einlagen. So erwartet der Effektenkunde nach Veräußerung von Wertpapieren eine Verzinsung der freien Mittel als Termingeld. Die Unterbindung unrentabler Effektenkäufe durch prohibitive Spesen führt zum Verlust von Kleindepots, mindert die Präsenz auf Hauptversammlungen und möglicherweise die Plazierungskraft für Werte mit Breitenwirkung und führt letztlich zu Quoten-Kürzungen im Konsortialgeschäft mit Rückwirkung auf die laufende Firmengeschäftsverbindung.

Da die Aufwendungen der Kreditinstitute im Betriebsbereich für die Beschaffung und den Einsatz der produktiven Faktoren entstehen, können diese Aufwendungen gesenkt werden, wenn es gelingt, die einzelnen produktiven Faktoren günstiger zu beschaffen bzw. besser einzusetzen.

Oberster Grundsatz für die Beschaffung und den Einsatz des produktiven Faktors Arbeit muß es sein, an jeden Arbeitsplatz diejenige Arbeitskraft zu stellen, welche die dort anfallenden Arbeiten entsprechend ihren Fähigkeiten am besten auszufüllen vermag. Für den optimalen Einsatz des Faktors Arbeit im Bankbetrieb sind Ausbildung und Betriebszugehörigkeit der Arbeitskräfte vorteilhaft. Dies gilt in der Regel allerdings nur so lange, als nicht die Notwendigkeit einer Betriebseinschränkung besteht, wie sie z. B. eine konjunkturelle Depression mit sich bringen kann.

In diesem Falle müßten sich die Kreditinstitute entweder für die Entlassung eines Teils der Arbeitskräfte oder deren Beschäftigung mit Füllarbeiten entscheiden. Vielfach ist eine kurzfristige Entlassung von Arbeitskräften wegen der Kündigungsbestimmungen und zwecks Vermeidung sozialer Härten nicht möglich. Das Arbeitspotential der Kreditinstitute ist infolgedessen verhältnismäßg unelastisch.

In engem Zusammenhang mit der Qualität der Arbeitskräfte steht das Problem ihrer Entlohnung, da grundsätzlich hochqualifizierte Arbeitskräfte teurer sind als weniger leistungsfähige. Dazu kommt im Bankbetrieb, daß es in vielen Fällen schwierig und problematisch ist, gerechte und exakte Maßstäbe für die Leistungsmessung und damit leistungsbezogene Entlohnung zu finden. Insofern besteht hier wiederum ein erheblicher Unterschied zu den Industriebetrieben, für die die Probleme der Arbeitszeitermittlung und der Entlohnung der Arbeitskräfte auf der Basis ihrer individuellen Leistungsfähigkeit schon seit geraumer Zeit im wesentlichen als gelöst anzusehen sind. Zwar werden auch in den Bankbetrieben Leistungsmessungsversuche, insbesondere im Zusammenhang mit der Bankkalkulation angestellt, aber sie sind nur schwer zu realisieren, da entweder Stück- mit Wertleistungen verbunden sind oder ein und dieselbe Funktion völlig heterogene Anforderungen an die Leistung stellt (z. B. Kreditwürdigkeitsprüfung). Im Rahmen der Funktionskostenrechnung werden heute Arbeitsverrichtungen in ihrer Bewertung dadurch vergleichbar gemacht, daß die qualitativen Unterschiede durch die Bildung von Äquivalenzziffern berücksichtigt werden. Für einen erheblichen Teil von Funktionsträgern wird aber infolge der Besonderheiten der bankbetrieblichen Leistungserstellung eine exakte Leistungsmessung und damit eine Entlohnung nach der individuellen Leistungsfähigkeit auch in Zukunft nicht möglich sein. Den Bankbetrieben bleiben somit einige Wege zur Senkung ihrer Personalaufwendungen verschlossen, die anderen Betriebswirtschaften offenstehen.

Zu den mit der Qualität der Arbeitskräfte im Zusammenhang stehenden Fragen kommen die sich aus ihrer Quantität ergebenden Probleme. Sie resultieren vor allem daraus, daß der Kundenverkehr der Kreditinstitute stärkeren Schwankungen innerhalb bestimmter Zeiträume, sei es eines Tages, eines Monats oder Jahres unterliegt.

Das gilt zum einen sowohl für diejenigen Abteilungen, die unmittelbar mit den Kunden Berührung haben, z. B. für die Schalterhalle, weil hier die Kunden während der Schalterstunden bedient werden müssen, aber auch für die Kreditabteilung, das Sekretariat und die Direktion, obgleich hier unter Umständen dadurch eine Entlastung möglich ist, daß mit den Kunden Termine – notfalls auch nach Büroschluß – vereinbart werden können. Es gilt zum anderen besonders für die Abteilungen der organisatorisch-technischen Abwicklung wie Überweisungs- und Scheckbearbeitung, Auslandszahlungsverkehr und Datenverarbeitung. Würden die Kreditinstitute die Zahl ihrer Arbeitskräfte nach der Spitzenleistung bemessen, so wäre in den zwischen den Spitzenbelastungen liegenden Zeiten eine Reihe von Arbeitskräften nicht voll ausgelastet, und es entstünden Kosten der nicht ausgenutzten Kapazität (Leerkosten), welche die Durchschnittskosten erhöhen.

Die Betriebsmittel der Kreditinstitute setzen sich im wesentlichen aus Grundstücken, Gebäuden, Einrichtungsgegenständen und maschinellen Hilfsmitteln zusammen. Für die optimale Beschaffung der Betriebsmittel, die von einem Bankbetrieb benötigt werden, ist besonders bedeutsam, ob sie durch Kauf oder durch Miete erfolgt, denn dies beeinflußt nicht nur die Art, sondern auch die Höhe und den Zeitpunkt der hierfür anfallenden Aufwendungen. Beim Kauf von Betriebsmitteln treten die Aufwendungen in Form der erforderlichen Abschreibungen und der Zinsen für das eingesetzte Kapital auf, bei der Miete in Form der vereinbarten Mietzahlungen. Während Mietzahlungen ohne Rücksicht auf die Ertragslage an den jeweiligen Fälligkeitstagen zu entrichten sind, so daß sie möglicherweise den Jahreserfolg ungünstig beeinflussen, kann auf Abschreibungen und Zinsen für das eingesetzte Kapital in Jahren ungünstiger Ertragslage bis zu einem gewissen Grade verzichtet und dadurch der Jahreserfolg den bilanzpolitischen und steuerlichen Erfordernissen angepaßt werden. Allerdings hat die Alternative Kauf oder Miete nicht nur Einfluß auf die Aufwendungen, sondern auch auf andere wirtschaftliche Tatbestände. Z. B. muß darauf hingewiesen werden, daß der beim Kauf von Betriebsmitteln erforderliche Kapitaleinsatz unter Umständen das vorgeschriebene Verhältnis zwischen Eigenkapital und Anlagevermögen verschlechtert.

Beim optimalen Einsatz der Betriebsmittel in den Kreditinstituten handelt es sich einmal um das Problem der Qualität und zum anderen um das der Quantität. Insbesondere bei den Bankgebäuden haben die Kreditinstitute in wesentlich stärkerem Maße als die Industriebetriebe zu berücksichtigen, daß diese neben technisch und sicherheitsbedingten Notwendigkeiten repräsentative Zwecke erfüllen müssen, da die Geschäftsräume der Kreditinstitute nicht nur der technischen Abwicklung des Kundenverkehrs, sondern gleichzeitig der Werbung um das Vertrauen ihrer Kunden dienen. Die Einrichtung kann deshalb nicht nur auf reine Zweckmäßigkeit abgestellt, sondern es müssen auch in starkem Maße psychologische Momente (Image-Komponenten) berücksichtigt werden. Das gilt vor allem für diejenigen Geschäftsräume, in denen sich der Kundenverkehr abspielt, wie Schalterhalle oder Konferenzzimmer.

Die mit der Quantität der Betriebsmittel im Zusammenhang stehenden Probleme resultieren im wesentlichen aus den Schwankungen der Geschäftstätigkeit der Kreditinstitute, die in bestimmten periodisch wiederkehrenden Zeitabschnitten oder auch unregelmäßig auftreten.

Gewisse Überkapazitäten müssen daher von den Kreditinstituten insbesondere bei den Räumlichkeiten, den Einrichtungsgegenständen und den Maschinen in Kauf genommen werden.

Bei der Senkung der Aufwendungen durch Veränderung der Kombination der produktiven Faktoren handelt es sich einmal um technische, zum anderen um organisatorische Probleme der Rationalisierung.

Aufwandssenkungen durch technische Rationalisierung werden durch den Einsatz von Maschinen und maschinellen Hilfsmitteln zur Unterstützung oder zum Ersatz der menschlichen Arbeitskraft möglich. Für zahlreiche Arbeitsverrichtungen können in größerem Umfange Maschinen und maschinelle Einrichtungen in den Kreditinstituten zum Einsatz kommen:

1) für den innerbetrieblichen Zubringerdienst,
2) für die Nachrichtenübermittlung,
3) für das Rechnungswesen.

Bei allen dispositiven Arbeitsverrichtungen kann die menschliche Arbeit nicht durch Maschinen ersetzt werden. Hier ist der Einsatz maschineller Hilfsmittel lediglich zur Unterstützung der menschlichen Arbeitskraft möglich. Das gleiche gilt für Arbeitsverrichtung, die im Zusammenhang mit der Kundenbedienung stehen.

Die technische Rationalisierung des Betriebsprozesses bleibt – ungeachtet der vielschichtigen Probleme, die zu lösen sind – insbesondere langfristig gesehen, ein wesentliches Mittel zur Aufwandssenkung im Bankbetrieb.

Gegenstand der organisatorischen Rationalisierung im Bankbetrieb ist der Ablauf des Betriebsprozesses. Diesen durch organisatorische Maßnahmen zu verbessern, d. h. zu beschleunigen und zu vereinfachen, gehört im Streben nach Aufwandssenkung zu den vordringlichen Aufgaben der Bankleitung.

Ein bedeutsames Organisationsproblem ist die personelle Gliederung im Bankbetrieb. Wichtigster Grundsatz der personellen Gliederung in den Kreditinstituten muß sein, klare und eindeutige Befehlslinien und Verantwortungsbereiche zu schaffen, die weder Raum für Kompetenzstreitigkeiten geben noch Zweifel über das Vorhandensein irgendeiner Anordnungsbefugnis aufkommen lassen und hinsichtlich der Delegation klare Stellenbeschreibungen zulassen.

In Kreditinstituten eignen sich für generelle Regelungen alle Arbeitsverrichtungen, die weitgehend bzw. durch entsprechende organisatorische Umgestaltung gleichartig gemacht werden können.

Die Tendenz zur generellen Regelung ist also auch in den Kreditinstituten vorhanden, kann aber hier nicht in gleich starkem Maße wie in anderen Betriebswirtschaften zur Anwendung gelangen. Gleichwohl versuchen die Kreditinstitute, durch sorgfältige Beobachtung und eventuelle Umgestaltung des Arbeitsablaufs generelle Regelungen zu ermöglichen, um auch auf diese Weise den Betriebsaufwand zu senken.

III. Streben nach Sicherheit

In den folgenden Ausführungen soll wegen der bisher vorgenommenen Einteilung des Bankbetriebes in die Bereiche der Geschäftstätigkeit und der Betriebstätigkeit zwischen den Risiken im Geschäftsbereich und den Risiken im Betriebsbereich der Kreditinstitute unterschieden werden.

Bei dem Versuch, die Vielfalt der Risiken im Geschäftsbereich der Kreditinstitute systematisch zu erfassen, erscheint es zweckmäßig, aus der Gesamtheit dieser Risiken alle mit der Zahlungsfähigkeit der Institute im Zusammenhang stehenden Risiken auszusondern, weil es sich hierbei um einen für die Kreditinstitute besonders wichtigen Risikokomplex handelt, der in sich relativ einheitlich erscheint. Vielfach werden deshalb die Liquiditätsprobleme der Kreditinstitute auch außerhalb des Gesichtskreises der Sicherheit erörtert. In diesem Falle wird von Sicherheits- und Liquiditätspolitik als von zwei nebeneinander stehenden und nicht einander untergeordneten Bereichen der Geschäftspolitik der Kreditinstitute gesprochen. Dem soll hier gefolgt werden.

Eine Reihe von Risiken innerhalb des Geschäftsbereiches der Kreditinstitute steht mit den verschiedenen Arten von Bankgeschäften in unmittelbarem Zusammenhang, nämlich die Kreditrisiken, die sich sowohl auf die aktiven als auch auf die passiven Kreditgeschäfte erstrecken, die Risiken des Effektengeschäfts, die Risiken aus dem Wertaufbewahrungs- und Wertverwaltungsgeschäft, die im Zahlungsverkehrs- und Inkassogeschäft liegenden Risiken sowie die Risiken des Auslandsgeschäfts. Die sonstigen auf die Kreditinstitute im Geschäftsbereich einwirkenden Risiken wirtschaftlicher Art, die in einer weiteren Gruppe zusammengefaßt werden, betreffen recht heterogene Tatbestände, nämlich das inländische Geldwertrisiko, das ausländische Geldwertrisiko (Devisenkursrisiko), das Prozeßrisiko, die Risiken aus staatlichen Eingriffen in das Wirtschaftsleben sowie die nichtwirtschaftlichen oder außerwirtschaftlichen Risiken.

Die *Risiken im Betriebsbereich* der Kreditinstitute werden unterteilt in Risiken, die mit Einsatz der einzelnen produktiven Faktoren, nämlich der Arbeitskräfte und Betriebsmittel, in Zusammenhang stehen und Risiken, die sich aus der Organisation des Arbeitsablaufs ergeben.

Zur Bekämpfung der Risiken stehen den Kreditinstituten zwei Möglichkeiten zur Verfügung, nämlich das Vorbeugen gegen den Eintritt von Risiken und das Abschirmen gegen unvermeidliche Risiken. Im ersten Fall handelt es sich im wesentlichen darum, die Wahrscheinlichkeit des Eintritts der vorhandenen Risiken durch entsprechende Maßnahmen soweit wie möglich zu vermindern. Daher kann hier von einer Art "aktiver Sicherheitspolitik" gesprochen werden, wobei unter "aktiv" das tätige, wirksame Vorgehen der Institute im Hinblick auf eine möglichst weitgehende Verhinderung des Risikoeintritts zu verstehen ist. Im Gegensatz dazu stellt das Abschirmen gegen unvermeidliche Risiken einen Schutz davor dar, daß die Institute durch den Eintritt von Risiken Schäden erleiden. Deshalb liegt hier eine Art "passive Sicherheitspolitik" vor, wenn unter "passiv" verstanden wird, daß die Institute zur Verhinderung des Eintritts von Risiken keine Gegenmaßnahmen ergreifen können. Bei der Erörterung dieser beiden grundsätzlich verschiedenen Arten der Sicherheitspolitik wird jeweils zwischen den Risiken im Geschäftsbereich und den Risiken im Betriebsbereich der Kreditinstitute unterschieden.

Die Möglichkeiten der Kreditinstitute zum Vorbeugen gegen den Eintritt von Risiken lassen sich in drei Gruppen zusammenfassen.

Da die Risiken aus der Unübersichtlichkeit der gegenwärtigen sowie der zukünftigen wirtschaftlichen Verhältnisse resultieren, ist als erstes Mittel zur Verminderung bzw. Ausschaltung der Risiken die Beschaffung möglichst genauer Informationen über alle für die Dispositionen der Kreditinstitute wesentlichen Tatbestände zu nennen.

Eine wesentliche Möglichkeit, dies zu erreichen, besteht im Aufbau von Informationssystemen. Informationssysteme dienen dazu, allen Mitarbeitern in einem Betrieb diejenigen Informationen zur Verfügung zu stellen, die sie zur Erfüllung ihrer Aufgaben an einem bestimmten Arbeitsplatz benötigen.

Darüber hinaus müssen allen Führungskräften in einem Kreditinstitut zusätzliche Informationen geliefert werden, die der Steuerung und Kontrolle des gesamten Aufgabenbereichs ihres Arbeitsplatzes dienen.

Daher arbeitet die Praxis vielfach mit geschäftsspartenbezogenen Informationssystemen wie z. B. Wertpapier-, Auslands- oder Kreditdaten-Informationssystemen, die sowohl operationelle als auch Führungsinformationen bereitstellen.

Wenn die Organisation den Informationsbedürfnissen der Führungskräfte gerecht werden will, muß in vielen Kreditinstituten ein neues Instrument zur Steuerung und Kontrolle, und zwar ein Führungs- oder Management-Informationssystem entwickelt werden. Bei dem Entwurf und der Einführung sind folgende allgemeine Regeln zu beachten:

a) Das Management-Informationssystem stellt den Führungskräften an Stelle

   – der kunden- und bestandsorientierten Einzelinformationen pro Geschäftsvorfall für das tägliche Geschäft
   – Summen-Informationen pro Geschäftsbereich für die Steuerung und Kontrolle

   bereit.

b) Das Management-Informationssystem bildet ein einheitliches, sowohl aus der vertikalen Sicht der verschiedenen Managementebenen als auch aus der horizontalen Sicht der nebeneinander bestehenden zentralen Abteilungen, Filialen und Zweigstellen aufeinander abgestimmtes Ganzes. Die Summen-Informationen auf einer bestimmten Ebene der Managementhierarchie ergeben sich stets aus der Zusammenfassung der Informationen aus der direkt darunterliegenden Führungsebene. Somit lassen sich Änderungen in einzelnen Geschäftsbereichen von der Unternehmensspitze bis hinunter zum Sachbearbeiter verfolgen und umgekehrt. Schriftliche Erläuterungen der Ursachen von größeren Veränderungen und Vorschläge für Korrekturmaßnahmen verkürzen die Reaktionszeit bei neuen Marktsituationen.

c) Möglichst zu jeder Information im Management-Informationssystem gehört eine Vergleichszahl. Bei monatlicher Berichterstattung zeigt die Angabe des entsprechenden Vormonatswertes bzw. die entsprechende Veränderung die Entwicklung im laufenden Monat. Der Vergleich mit der entsprechenden Größe zum 31. 12. des vorangegangenen Jahres gibt die Entwicklung für einen längeren Zeitraum an und nivelliert zufällige Schwankungen während der einzelnen Monate.

Aus theoretischer Sicht ist stets der Vergleich mit einer Planzahl vorzuziehen. Die Ausrichtung an einer Planzahl ist jedoch nur sinnvoll, wenn sie mit einiger Treffsicherheit ermittelt werden kann. Das Arbeiten mit Planzahlen verkleinert die Masse der zu verarbeitenden Informationen pro Führungskraft wesentlich. So kann beispielsweise beim Vergleich mit einer Planzahl eine Berichterstattung stets unterbleiben, wenn sich die tatsächliche Entwicklung innerhalb bestimmter Toleranzgrenzen bewegt.

d) Die Informationsfrequenz einzelner Berichtsgrößen hängt von der Zeitspanne ab, innerhalb deren die berichteten Größen beeinflußbar sind und davon, welcher Zeitraum verstreicht, bis sich einzelne Maßnahmen auf die Berichtsgrößen auswirken. Grundsätzlich ist davon auszugehen, daß die Volumenszahlen und Konditionen im Aktiv- und Passivgeschäft, die Umsätze und Erträge des Auslands- und Wertpapiergeschäftes und die Anzahl der Kunden und Konten relativ kurzfristig steuerbar sind. Für diese Größen empfiehlt sich auch auf Grund zu ergreifender Korrekturmaßnahmen eine monatliche Berichterstattung. Vierteljährlich oder in einem noch größeren Abstand sollen zusätzliche Erfolgsbeiträge (Erträge abzüglich zurechenbarer Aufwendungen) einzelner Geschäftssparten und Marktanteilzahlen analysiert werden.

Durch den Aufbau und Einsatz von Informationssystemen lassen sich die Risiken im Bankbetrieb besser lokalisieren und auch vermindern. Gleichwohl können noch so gute Informationen die Ungewißheit nicht völlig ausschließen. Das gilt nicht nur für Informationen über die zukünftigen, sondern auch für solche über die gegenwärtigen Verhältnisse. Auf diesen verbleibenden Rest an Ungewißheit müssen daher alle weiteren sicherheitspolitischen Bemühungen der Kreditinstitute gerichtet sein.

Als zweite Gruppe von Risikobekämpfungsmöglichkeiten ist deshalb eine Reihe von Erfahrungsregeln zu nennen, die häufig als "Prinzipien der Risikopolitik" bezeichnet werden, nämlich die Risikoverteilung, Risikokompensation und Risikoabwälzung. Eine Risikoverteilung (Diversifikation) kann in zeitlicher, örtlicher, sachlicher und personeller Hinsicht erfolgen. Dabei kommt es darauf an, durch möglichst breite Streuung zu verhindern, daß Risiken in zu starkem Maße wirksam werden. Risikokompensation (Hedging) bedeutet eine Neutralisierung des Risikos, indem möglicherweise entstehende Verluste durch gleichzeitig vorgenommene sogenannte Gegengeschäfte, die entsprechende Gewinnchancen enthalten, ausgeschaltet werden sollen. Die Risikoüberwälzung umfaßt einmal die unentgeltliche, stillschweigende Form der Risikoüberwälzung auf das wirtschaftlich schwächere Unternehmen auf Grund der eigenen wirtschaftlich stärkeren Position. Zum anderen ist eine Risikoüberwälzung durch die entgeltliche Übertragung bestimmter Risiken auf entsprechende Versicherungsgesellschaften möglich. Als Beispiel dafür sei die Kreditversicherung angeführt.

Vorbeugende Maßnahmen allgemeiner Art bilden die dritte Gruppe von Risikobekämpfungsmöglichkeiten. Sie werden am besten dadurch erreicht, daß stets auf ein in jeder Hinsicht einwandfreies Geschäftsgebaren, aufgebaut auf sorgsam abgewogenen Dispositionen, Wert gelegt wird.

1. Risiken im Geschäftsbereich

a) Kreditrisiko

Das größte und charakteristischste Risiko der Geschäftstätigkeit der Kreditinstitute ist das aktive und passive Kreditrisiko.

Das aktive Kreditrisiko entsteht bei der Gewährung von Krediten durch die Kreditinstitute, weil die Kreditnehmer die erhaltenen Kreditbeiträge u. U. nicht oder nicht fristgerecht zurückzahlen oder die vereinbarten Zinsen, Provisionen und Gebühren nicht oder nicht fristgerecht begleichen. Ein unmittelbar damit zusammenhängendes Risiko liegt darin, daß die Absicherungen der Kredite sich teilweise oder vollständig als mangelhaft erweisen. Als vorbeugende Sicherheitsmaßnahmen gegen die Risiken des aktiven Kreditgeschäfts der Kreditinstitute kommen solche in Frage, die auf das Kreditgeschäft in seiner Gesamtheit abgestellt sind und solche, die sich auf die Gewährung eines einzelnen Kredits beziehen. Im ersteren Fall handelt es sich um allgemeine Maßnahmen der Geschäftspolitik, im letzteren im wesentlichen um die Kreditwürdigkeitsprüfung, die Stellung von Sicherheiten und die Kreditüberwachung.

Die allgemeinen Maßnahmen im Rahmen der vorbeugenden Sicherheitspolitik gegen das aktive Kreditrisiko umfassen alle grundsätzlichen Erwägungen, welche die Geschäftsleitung eines Kreditinstituts bei der Gewährung von Krediten anzustellen hat, um von dem Kreditgeschäft in seiner Gesamtheit Risiken möglichst fernzuhalten. Dazu gehört einmal die Beachtung der bestehenden gesetzlichen und halbgesetzlichen Vorschriften, Anhaltspunkte und Empfehlungen für das Kreditgeschäft der Kreditinstitute und zum anderen das Handeln nach den „Prinzipien der Risikopolitik", von denen hier allerdings nur die Grundsätze der Risikoverteilung und der Risikoabwälzung in Frage kommen.

Für das Kreditgeschäft bestehen Vorschriften im Kreditwesengesetz und in den „Grundsätzen" des Bundesaufsichtsamtes. Darüber hinaus haben die Sparkassen die Bestimmungen ihrer Mustersatzung, die Kreditgenossenschaften die Empfehlungen des Deutschen Genossenschaftsverbandes zu beachten.

Die Vorschriften und Empfehlungen für das Kreditgeschäft der Kreditinstitute sind als Grundlage für ihre aktive Risikopolitik anzusehen. Da es sich aber immer nur um Höchst-, Richt- oder Mindestsätze handelt, die eine Mindestvorsorge gewährleisten sollen, bleibt für die individuelle Entscheidung der Kreditinstitute noch Spielraum.

Eine Risikoverteilung kann beim Kreditgeschäft in zeitlicher, örtlicher, sachlicher und personeller Hinsicht erfolgen.

Die Risikoverteilung in zeitlicher Hinsicht umfaßt die sorgfältige Abstimmung der Kreditfristen im Hinblick auf die Gewährung kurz-,mittel- und langfristiger Kredite. Eine örtliche Verteilung des Kreditrisikos wird dadurch vorgenommen, daß bei der Kreditgewährung nicht bestimmte Orte, Kreise oder Bezirke bevorzugt werden. Eine Risikoverteilung in sachlicher Hinsicht kommt beim Kreditgeschäft dadurch zustande, daß hinsichtlich der Art und Größe der Kredite sowie der Art der Kreditnehmer seitens der Kreditinstitute variiert wird. Die Kreditinstitute streben eine solide Mischung zwischen kleinen, mittleren und großen Krediten an, um einerseits die Auswirkungen des Risikos der Großkredite zu begrenzen, andererseits die große Arbeitsbelastung durch kleine Kredite zu kompensieren. Wie mit der Größe verhält es sich mit der Art des zu gewährenden Kredits. Deshalb ist es im Interesse der Risikominderung vorteilhaft, die verschiedenen Kreditarten möglichst breit zu streuen. Hinsichtlich der Art des Kreditnehmers ist bei der Kreditgewährung einmal seine Branchenzugehörigkeit und zum anderen seine Betriebsgröße und -struktur entscheidend.

Risikoverteilung in personeller Hinsicht ist möglich, wenn sich zwei oder mehrere Kreditinstitute an der Gewährung eines Kredits beteiligen, damit jedes Institut nur mit einem Teil des Risikos aus diesem Geschäft belastet wird. In Frage kommt dies z. B. bei großen Kontokorrentkrediten, Bürgschafts- oder Garantieübernahmen. Die für derartige Konsortialgeschäfte gebildeten Konsortien werden in der Regel für jedes Geschäft formell neu konstituiert, bestehen aber nicht selten immer wieder aus den gleichen Instituten. Auch mit Hilfe von Metageschäften kann das Kreditrisiko auf mehrere Institute verteilt werden.

Bei der Risikoabwälzung als vorbeugende Risikobekämpfungsmaßnahme kommt es darauf an, die Risiken des Kreditgeschäfts teilweise oder ganz von anderen Wirtschaftseinheiten, z. B. den Kreditnehmern oder Versicherungen, tragen zu lassen.

Die Übernahme des Kreditrisikos durch den Kreditnehmer, die vielfach als Risikoabwälzung bezeichnet wird, erfolgt unentgeltlich und häufig unter Ausnutzung der wirtschaftlich stärkeren Position des Kreditgebers.

Im Gegensatz zur unentgeltlichen Risikoabwälzung auf den Kreditnehmer ist die Risikoabwälzung auf eine Versicherung entgeltlich. In erster Linie ist die sogenannte Kreditversicherung zu nennen. Sie besteht darin, daß der Kreditgeber seine Forderung an einen Kreditnehmer gegen mögliche Ausfälle durch Zahlung einer Prämie absichert. Versichert werden entweder nur einzelne Forderungen bzw. alle Forderungen an bestimmte Kunden (Einzelversicherung) oder pauschal Forderungen gegen verschiedene Kunden, eventuell bis zu einer bestimmten Höhe und getrennt nach verschiedenen Ländern (Mantelversicherung). Zur Zeit befassen sich in der Bundesrepublik Deutschland nur wenige Versicherungsunternehmen mit der Kreditversicherung, insbesondere die Hermes Kreditversicherungs-AG, Hamburg, die Allgemeine Kreditversicherungs-

AG, Mainz, die Gerling-Konzern Speziale Kreditversicherungs-AG, Köln, und die Zürich Versicherungs-Gesellschaft, Direktion für Deutschland, Frankfurt am Main.

Die Kreditwürdigkeitsprüfung umfaßt alle Untersuchungen, die ein Kreditinstitut vor Einräumung eines Kredits an einen Kreditnehmer vorzunehmen hat. Diese Prüfungen besitzen für die Minderung des aktiven Kreditrisikos eine erhebliche Bedeutung und erstrecken sich auf die persönlichen, rechtlichen und wirtschaftlichen Verhältnisse des Kreditnehmers.

Die Prüfung der persönlichen Verhältnisse des Inhabers bzw. verantwortlichen Leiters eines kreditsuchenden Unternehmens erfordert Erfahrung und Beurteilungsvermögen. Auskünfte von Geschäftsfreunden, anderen Kreditinstituten, Auskunfteien oder öffentlichen Einrichtungen (wie z. B. Registergerichten, Wirtschaftsorganisationen, Konsulaten usw.) müssen zu diesem Zweck eingeholt werden.

Die Prüfung der rechtlichen Verhältnisse des Kreditnehmers erstreckt sich vor allem auf den Namen, die Firma, den Wohnsitz und die Geschäftsfähigkeit des oder der Antragsteller sowie das Ausmaß ihrer Haftung. Klar ermittelt werden muß, wer zur Erfüllung des Kreditvertrages verpflichtet ist. Wichtig ist deshalb z. B. bei Einzelkaufleuten und persönlich haftenden Gesellschaftern von Personalgesellschaften die Frage des Güterstandes, bei Genossenschaften die Höhe und Realisierbarkeit der Haftsummenverpflichtung und bei Gesellschaften mit beschränkter Haftung die evtl. Nachschußpflicht. Im allgemeinen sind diese Tatbestände bei den Registergerichten zu ermitteln. Das gleiche gilt für die Feststellung bereits bestehender Belastungen soweit sie Immobilien betreffen und im Grundbuch eingetragen sind.

Die Prüfung der wirtschaftlichen Verhältnisse des Kreditnehmers ist der wichtigste und umfangreichste Teil der Kreditwürdigkeitsprüfung. Im allgemeinen erfolgt die Prüfung der wirtschaftlichen Verhältnisse an Hand der eingereichten Unterlagen, insbesondere einer Bilanz einschließlich Gewinn- und Verlustrechnung, eines eigens für diesen Zweck erstellten Status nach neuestem Stand und einer Umsatzstatistik. Für die Beurteilung der zukünftigen wirtschaftlichen Entwicklung des Unternehmens müssen außerdem Unterlagen über den Auftragsbestand, die Entwicklung der Branche und unter Umständen der gesamten Volkswirtschaft herangezogen werden. Zur Ergänzung der zahlenmäßigen Unterlagen kann an Ort und Stelle eine Betriebsbesichtigung stattfinden, die den Sachbearbeitern ein anschauliches Bild des Betriebes vermitteln soll. Allerdings wird teilweise von seiten der Praxis die Auffassung vertreten, daß bei Betriebsbesichtigungen im Gegensatz zur Kontrolle der Zahlenwerte der Betriebe die Objektivität der Beurteilung verlorengehen könne und infolgedessen darauf verzichtet werden solle.

Den Abschluß der Kreditwürdigkeitsprüfung bildet die Prüfung des Zweckes sowie der Möglichkeiten zur Rückzahlung des beantragten Kredits.

Sie erfolgt vielfach an Hand eines von dem Kreditsuchenden aufgestellten Finanzplanes, der die zu erwartenden Zahlungseingänge und Zahlungsausgänge für den in Frage kommenden Zeitraum enthält und die Höhe des beantragten Kredits sowie seinen Verwendungszweck und seine Dauer deutlich erkennen läßt.

Während der Dauer der Kreditgewährung können sich sowohl die Verhältnisse des Kreditnehmers zum Nachteil des Kreditgebers verändern als auch die gestellten Sicherheiten in ihrem Werte mindern. Trotz günstiger Ergebnisse der Kreditwürdigkeitsprüfung vor der Krediträumung und guter Sicherheiten muß daher damit gerechnet werden, daß im Laufe der Zeit Risiken bei den gewährten Krediten auftreten. Die Wahrscheinlichkeit hierfür ist unter sonst gleichen Umständen um so größer, je länger die Laufzeit eines Kredits ist und je unstabiler sich die gesamtwirtschaftliche Entwicklung vollzieht. Infolgedessen ist eine Kreditüberwachnung während der gesamten Laufzeit aller Kredite notwendig. Die Kreditüberwachung hat sich grundsätzlich auf die Einhaltung der Kreditbedingungen, die Entwicklung der persönlichen, rechtlichen und wirtschaftlichen Verhältnisse des Kreditnehmers und die Überprüfung der Kreditsicherheiten zu erstrecken.

Das geschäftspolitische Problem der Kreditüberwachung liegt ebenso wie das der Kreditwürdigkeitsprüfung und der Bemessung von Sicherheiten darin, das richtige Ausmaß zu finden. Stellt sich heraus, daß die Kreditbedingungen nicht eingehalten wurden, die Kreditwürdigkeit sich verschlechtert hat oder die Sicherheiten sich im Werte minderten, so müssen unverzüglich geeignete Maßnahmen ergriffen werden, um größere Schäden zu verhüten. Je nach Lage der Dinge reichen diese Maßnahmen von der Mahnung über die Anforderung zusätzlicher Sicherheiten oder die Kürzung der gewährten Kredite bis zur Eröffnung eines Zwangsvollstreckungs- oder Konkursverfahrens.

Das passive Kreditrisiko resultiert einmal daraus, daß die bei der Aufnahme von Krediten durch die Kreditinstitute eingegangenen Bedingungen sich später als nachteilig erweisen, und zum anderen daraus, daß Kredite früher als normalerweise zu erwarten war zurückgefordert werden. Die Ursachen dafür können in Zahlungsschwierigkeiten eines Gläubigerinstituts oder in einer sich speziell gegen das Schuldnerinstitut richtende Vertrauenskrise liegen, sind aber nicht selten auch in einer Änderung der gesamtwirtschaftlichen Verhältnisse, sei es infolge konjunktureller Schwankungen, politischer Spannungen oder sonstiger unvorhersehbarer Einflüsse, zu suchen. Bei einer allgemeinen Zinssenkung z. B. stellt ein zu einem relativ hohen Zinssatz aufgenommener langfristiger Kredit eine Belastung für das Kreditinstitut dar. Das gleiche ist der Fall, wenn bei einer allgemeinen Erhöhung des Zinsniveaus ein kurzfristig aufgenommener relativ billiger Kredit durch einen mit höherem Zinssatz ersetzt werden muß oder der Kreditgeber für einen langfristig aufgenommenen relativ billigen Kredit durch Konvertierung einen höheren Zinssatz zu erreichen sucht. Die plötzliche Rückforderung von Krediten ist ebenfalls als ein mit der Kreditaufnahme verbundenes Risiko anzusehen; doch sind die Wirkungen, die davon ausgehen, ausschließlich liquiditätsmäßig von Bedeutung, so daß ebensogut von einem Liquiditätsrisiko gesprochen werden kann. Das gilt auch für die unvermutete Rückforderung von Einlagen, die als passives Kreditrisiko bezeichnet wird.

Die Bekämpfung des passiven Kreditrisikos ist relativ schwierig, weil es in starkem Maße auf Änderungen der gesamtwirtschaftlichen Verhältnisse beruht. Soweit dieses Risiko durch intensive Wirtschaftsbeobachtungen ungefähr vorhergesehen werden kann, werden sich die Kreditinstitute durch entsprechende Dispositionen dagegen zu schützen versuchen, ohne allerdings genaue Ansatzpunkte dafür zu haben. Sie werden also z. B. bei erwarteten Zinssenkungen möglichst wenig oder keine langfristigen Kredite aufnehmen und bei erwarteten Zinserhöhungen in starkem Maße billige Kredite für längere Fristen zu erhalten versuchen. Bei den Einlagen stellt sich grundsätzlich das gleiche Problem. Seit der Aufhebung der Zinsreglementierung können die Zinsen im Einlagengeschäft frei vereinbart werden.

Das passive Kreditrisiko hat zur Folge, daß die Kreditinstitute bezüglich ihrer Aktivgeschäfte eine gewisse Vorsicht walten lassen, damit sich nicht durch feste und zu lange Bindungen die Bruttozinsspanne verschlechtert. Im Hinblick auf die Möglichkeit der Rückforderungen von Einlagen und Krediten werden die Kreditinstitute Liquiditätsreserven in Form liquider Mittel, leicht realisierbarer Vermögensteile oder nicht ausgenutzter Kreditspielräume halten.

Kann der Eintritt des passiven Kreditrisikos nicht vorhergesehen werden, so besteht keine konkrete Möglichkeit zum Schutze gegen dieses Risiko. Nur im Rahmen des allgemeinen geschäftspolitischen Prinzips der Sicherheit kann versucht werden, Kapital- und Vermögensstruktur so aufeinander abzustimmen, daß das passive Kreditrisiko aufgefangen werden kann, solange es sich in mäßigen Grenzen hält. Starke Einlagen- und Kreditrückforderungen im Verlauf einer Vertrauenskrise können damit allerdings nicht abgesichert werden.

b) Risiken im Effektengeschäft

Neben den Kreditrisiken sind die Risiken des Effektengeschäfts für die Kreditinstitute von besonderer Bedeutung. Wegen der Verschiedenartigkeit dieser Risiken ist zu unterscheiden zwischen Risiken, die aus dem Effektenemissionsgeschäft resultieren und Risiken, die mit dem Effektenkommissionsgeschäft verbunden sind.

Die Risiken bei den Eigenbeständen an Effekten liegen darin, daß Wertpapiere keinen oder einen geringeren Ertrag als erwartet erbringen, die in den Wertpapieren verbrieften Forderungen und Anteile einen Wertverfall erleiden bzw. Kurseinbußen entstehen. Allerdings sind diese Risiken bei den verschiedenen Arten von Effekten in unterschiedlichem Umfang vorhanden. Das Risiko der Ertragsminderung oder des Ertragsausfalles tritt grundsätzlich nur bei Dividendenpapieren auf, während bei festverzinslichen Wertpapieren ein bestimmter Betrag garantiert wird.

Das Risiko, daß bei einem Wertpapier ein Verlust eintritt, wird wirksam, wenn der Effektenschuldner in Konkurs geht und die Konkursmasse nicht ausreicht, um die Eigentümer der Effekten voll oder teilweise zu entschädigen, oder wenn kriegerische Ereignisse oder ungünstige politische Verhältnisse eintreten. Normalerweise ist das Verlustrisiko nur mit den Anteilspapieren verbunden. Auf Grund außerordentlicher Vorgänge, z. B. einer Währungsreform, eines Staatsbankrotts oder totaler Sozialisierung, kann jedoch auch bei festverzinslichen Werten ein Ausfall entstehen.

Das Risiko des Kursverlustes ist neben dem Kreditrisiko das bedeutendste Risiko der bankbetrieblichen Geschäftstätigkeit. Grundsätzlich ist es darin zu erblicken, daß die Kurse der Effekten sich ständig den Schwankungen von Angebot und Nachfrage entsprechend verändern, so daß die Effektenbesitzer bei sinkenden Kursen im Falle eines Verkaufs der Papiere echte Verluste erleiden oder Buchverluste in Kauf nehmen müssen, wenn sie sich entschließen, die Papiere zu behalten.

Die Kurse der Anteilspapiere pflegen grundsätzlich erheblich stärker zu schwanken als diejenigen der Rentenpapiere; innerhalb der Gruppe der Anteilspapiere wiederum treten unterschiedliche Kursschwankungen auf, die von den individuellen Unternehmensrisiken, den individuellen Ertragsschwankungen und vor allem von den subjektiven Anlageentscheidungen der Aktionäre beeinflußt werden.

Das Risiko des Effektenemissionsgeschäfts liegt darin, daß die zu emittierenden Papiere nicht oder nicht völlig untergebracht werden können. Wird das Emissionsgeschäft von den Kreditinstituten nur kommissionsweise betrieben, so besteht lediglich die Gefahr, daß dabei eine Minderung der erwarteten Erträge in Form der Provision oder Bonifikation für die abgesetzten Stücke eintritt. Führen die Kreditinstitute das Emissionsgeschäft in eigener Regie durch, indem sie die Effekten zu einem bestimmten Kurs übernehmen und den Gegenwert dafür sofort entrichten, so entsteht nicht nur die Gefahr einer Ertragsminderung in Höhe der Differenz zwischen Übernahme- und Ausgabekurs für die verkauften Stücke, sondern auch die der Liquiditätseinbuße für die Dauer der Kapitalbindung. Ergibt sich aus Gründen der Kurspflege die Notwendigkeit zum Rückkauf bereits abgesetzter Effekten, so sind auch Kursverluste möglich.

Die beste Sicherung gegen das Emissionsrisiko ist die sorgfältige Prüfung der wirtschaftlichen Verhältnisse der Emittenten und die Auswahl eines möglichst günstigen Emissionszeitpunktes durch intensive Beobachtung der Wirtschaftsentwicklung. Daneben kommt der Möglichkeit der überbetrieblichen Risikoteilung durch den Zusammenschluß mehrerer Kreditinstitute zu einem Emissionskonsortium eine erhebliche Bedeutung für die Risikominderung im Effektenemissionsgeschäft zu. Schließlich stellt die Kurspflege ein wirksames Mittel zur Bekämpfung des Emissionsrisikos dar, gelingt es doch damit häufig, eine Beunruhigung des Marktes durch spekulative Kursentwicklungen zu vermeiden. Die Kreditinstitute betreiben deshalb im allgemeinen auch dann Kurspflege, wenn sie nicht ausdrücklich vereinbart wurde.

Im Vergleich zu den Risiken des Wertpapierbesitzes und des Effektenemissionsgeschäfts sind die Risiken des Effektenkommissionsgeschäfts gering. Sie bestehen darin, daß Kommisionsgeschäfte von den Kreditinstituten falsch ausgeführt werden oder die Kunden der Kreditinstitute auf Grund schlechter oder falsch verstandener Beratung nicht richtig disponieren.

Aus Kulanzgründen können die Banken unter Umständen nicht umhin, einem Kunden seinen Schaden zu ersetzen. Ein Schutz gegen diese Risiken ist infolgedessen grundsätzlich nur durch qualifizierte Arbeitskräfte, welche die Beratung der Kunden am Bankschalter mit der erforderlichen Sachkenntnis und Verantwortung vornehmen, möglich.

c) Sonstige Risiken

Im Wertaufbewahrungs- und Wertverwaltungsgeschäft sind die Risiken im Vergleich zu denen anderer Bankgeschäfte gering. Sie liegen im wesentlichen darin, daß seitens der Kreditinstitute die mit den Kunden geschlossenen Verträge nicht oder nur mangelhaft erfüllt werden. Z. B. können im Depotgeschäft Verpflichtungen der Kreditinstitute zur Abtrennung der Zins- und Dividendenscheine sowie zur Besorgung neuer Bögen, zur Absonderung ausgeloster Wertpapapiere, zur Wahrnehmung eines Bezugsrechtes oder zur Ausübung des Stimmrechtes in Hauptversammlungen versäumt werden. Im Tresorgeschäft können sich die aufbewahrten Gegenstände in ihrem Wert mindern, weil z. B. der Tresor zeitweilig unter Hochwasser steht oder durch Diebstahl bzw. Veruntreuung Werte abhanden kommen. Die Kreditinstitute sind in derartigen Fällen bei schuldhaftem Handeln zum Ersatz des unmittelbar entstandenen Schadens verpflichtet. Die Haftung für Fahrlässigkeit sowie für mittelbare Vermögensschäden, z. B. infolge entgangener Gewinne, pflegen sie in ihren Allgemeinen Geschäftsbedingungen auszuschließen. Allerdings besteht immer die Gefahr, Kunden zu verlieren. Die Risikobekämpfung muß vor allem durch sorgfältige Auswahl und Arbeitsweise des Personals und bautechnisch einwandfreie Erstellung der Tresore erfolgen.

Im Zahlungsverkehrs- und Inkassogeschäft sind ebenfalls nur geringe Risiken vorhanden. Sie liegen auch hier hauptsächlich in der Nicht- oder Schlechterfüllung von Verträgen und Aufträgen. Der beste Risikoschutz ist auch hier die sorgfältige Arbeitsweise qualifizierter Arbeitskräfte.

Im Auslandsgeschäft der Kreditinstitute ist das Risiko im allgemeinen höher als bei vergleichbaren Inlandsgeschäften. Die Gründe dafür liegen in den meist größeren räumlichen Entfernungen der Geschäftspartner, den vielfach anderen rechtlichen Gepflogenheiten, Sprachunterschieden und den Möglichkeiten zwischenstaatlicher Verwicklungen sowie dem immer vorhandenen ausländischen Geldwertrisiko. Im aktiven Kreditgeschäft besteht das spezielle Risiko des Ausfalls der Erträge und des Einfrierens oder der Beschlagnahmung der Forderungen auf Grund staatlicher Anordnungen, z. B. bei Devisenschwierigkeiten,im Falle eines Regierungswechsels oder eines Krieges. Dieses Risiko kann die Kreditinstitute sowohl unmittelbar als auch mittelbar über die kreditnehmenden Importeure oder Exporteure treffen, die in Zahlungsschwierigkeiten geraten. Im passiven Kreditgeschäft liegt die besondere Gefahr in der Möglichkeit des plötzlichen Abzuges der Gelder wegen ungünstiger Zinsentwicklung und Verschlechterung des Geldwertes, vor allem aber wegen politischer Ereignisse. Einer erhöhten Gefahr des Ertragsausfalles und des Kapitalverlustes sind auch der Eigenbesitz der Kreditinstitute an ausländischen Effekten sowie die Durchführung von Effektenemissionsgeschäften für ausländische Geschäftspartner unterworfen. Im Wertaufbewahrungs- und Wertverwaltungsgeschäft sowie im Zahlungsverkehrs- und Inkassogeschäft mit dem Ausland entstehen vor allem dadurch erhöhte Risiken, daß infolge der größeren Entfernungen und Sprachunterschiede Transportverluste oder falsche Auftragsausführungen möglich sind. Ein hohes Risiko beinhaltet schließlich der Handel mit Devisen, da hierbei erhebliche Kursverluste auftreten können.

Die Kreditinstitute müssen wegen des erhöhten Risikos bei Auslandsgeschäften besondere Vorsicht walten lassen. Da es sich aber in vielen Fällen um unvorhersehbare Risiken handelt, kann über die Sicherungsmöglichkeiten nur wenig Konkretes ausgesagt werden. Wichtig ist, daß die Konditionen dafür unter Berücksichtigung der ausländischen Verhältnisse möglichst präzise formuliert und Kreditwürdigkeitsprüfungen bzw. Prüfungen bei der Emission von Wertpapieren besonders gründlich vorgenommen werden. Eine spezielle Sicherungsmöglichkeit zur Verminderung des Risikos aus der Kreditgewährung an Exporteure oder Importeure besteht in der Abtretung der Kreditversicherungsansprüche der Kreditnehmer an die Kreditinstitute, obgleich entstandene Schäden dadurch nicht völlig gedeckt werden. Schließlich müssen sich die Kreditinstitute gegen die Gefahren des ausländischen Geldwertrisikos zu sichern versuchen.

Neben den bisher erörterten Risiken, die speziell mit den einzelnen Bankgeschäften verbunden sind, gibt es einige Risiken, die allgemeineren Charakter haben und mehr oder weniger alle Bankgeschäfte bedrohen.

Das ausländische Geldwertrisiko oder Auslandswährungsrisiko resultiert aus den Schwankungen des Austauschverhältnisses zwischen der inländischen und der ausländischen Währung und erstreckt sich auf alle in ausländischen Währungen getätigten Bankgeschäfte. Insbesondere betrifft es die Kreditgeschäfte mit ausländischen Partnern sowie die Bestände an ausländischen Wertpapieren und Devisen. Durch das Schwanken der Wechselkurse muß für die Rückzahlung eines Geldbetrages entweder mehr oder weniger Geld aufgewendet werden als ursprünglich erhalten wurde. Auf diese Weise entstehen Verluste bzw. Gewinne an den geldwerten Aktiva und Passiva in ausländischer Währung. Im Gegensatz zum inländischen Geldwertrisiko kompensieren sich derartige Gewinne bzw. Verluste auf der Aktiv- und Passivseite jedoch so lang nicht, als es sich bei den zugrunde liegenden Geschäften nicht um die gleiche Währung handelt, denn die Schwankungen des Austauschverhältnisses pflegen bei den verschiedenen Währungen unterschiedlich zu sein. Die Bekämpfung des ausländischen Geldwertrisikos kann infolgedessen nur dann mit Erfolg durchgeführt werden, wenn für jedes Geschäft in ausländischer Währung ein entsprechendes Gegengeschäft vorgenommen wird, so daß die aktiven und passiven Geldwerte der einzelnen Währungen einander jeweils entsprechen. Allerdings werden derartige „Glattstellungen“ nicht immer möglich sein, vor allem nicht bei längerfristigen Geschäften. Ein wichtiges Mittel der Risikobekämpfung ist in solchen Fällen der Abschluß von Devisentermingeschäften.

Weiterhin können die Kreditinstitute versuchen, das ausländische Geldwertrisiko abzuwälzen, indem sie z. B. den inländischen Kreditnehmer das Risiko für einen aufgenommenen Auslandskredit tragen lassen oder vom inländischen Exporteur bzw. Importeur den Abschluß einer Kreditversicherung verlangen. Schließlich übernehmen unter Umständen auch staatliche Institutionen Garantien für das ausländische Währungsrisiko. Darüber hinaus muß eine sorgfältige Beobachtung des Marktgeschehens sowie der politischen Entwicklung im In- und Ausland erfolgen, damit das ausländische Währungsrisiko bereits bei Abschluß der Geschäfte so gering wie möglich gehalten werden kann. Das ausländische Währungsrisiko gehört zu den bedeutendsten Risiken der bankbetrieblichen Betätigung.

Das Prozeßrisiko resultiert aus der Ungewißheit über den Ausgang von Prozessen, die geführt werden müssen. Die beste Möglichkeit zur Absicherung gegen das Prozeßrisiko besteht in der Vermeidung von Prozessen durch sorgfältige Ausführung aller übertragenen Geschäfte bzw. im Streitfall durch den Versuch der gütlichen Einigung.

2. Risiken im Betriebsbereich

Bei den Risiken im Betriebsbereich der Kreditinstitute soll unterschieden werden zwischen Risiken, die mit der Beschaffung und dem Einsatz einzelner produktiver Faktoren, nämlich der Arbeitskräfte und Betriebsmittel, verbunden sind und Risiken, die sich aus dem Zusammenwirken der produktiven Faktoren im Betriebsablauf insgesamt ergeben. Auf diese Weise sollen die im Betriebsbereich auftretenden spezifischen Risiken und ihre Bekämpfungsmöglichkeiten besonders deutlich werden.

Die Risiken der Beschaffung und des Einsatzes von Arbeitskräften im Bankbetrieb stehen in engem Zusammenhang mit den für die Betriebstätigkeit der Kreditinstitute charakteristischen Tatbeständen. Sie sind teils qualitativer Art und reichen von normaler menschlicher Unzulänglichkeit über Nachlässigkeit und Pflichtvergessenheit bis zu beabsichtigten Delikten.

Die Bekämpfung dieser Risiken muß sowohl bei der Qualität als auch bei der Quantität der Arbeitskräfte ansetzen. Grundsatz für die Auswahl und Ausbildung der Arbeitskräfte in qualitativer Hinsicht muß sein, die richtige Arbeitskraft an den richtigen Platz zu stellen. Letzteres gilt insbesondere für Vertrauensstellungen sowie für alle Positionen, bei denen in großem Umfang Geld und Wertpapiere zu verwalten sind. In bezug auf die Quantität der Arbeitskräfte ist bedeutsam, daß körperliche und geistige Überbeanspruchungen, insbesondere während langer Zeiträume, vermieden werden. Zu viele Arbeitskräfte sind allerdings genauso nachteilig wie zu wenige, weil sie sich aus Arbeitsmangel und Langeweile gegenseitig von der Arbeit abhalten können.

Neben den einzelnen Elementarfaktoren bildet der bankbetriebliche Arbeitsablauf eine Quelle verschiedener Risiken. Diese Risiken entstehen im wesentlichen dadurch, daß sich bei der Kombination der Produktivfaktoren Spannungsfelder ergeben. Im Zuge der technischen Rationalisierung müssen sich die Kreditinstitute immer wieder mit den Problemen der Substitution menschlicher Arbeitskräfte durch maschinelle Hilfsmittel auseinandersetzen, um zu entscheiden, ob die Notwendigkeit der Kostensenkung mit dem Risiko, durch den zunehmenden Einsatz maschineller Hilfsmittel den persönlichen Kontakt mit den Kunden zu verlieren, in Einklang gebracht werden kann. Bei der Zusammenfassung der bankbetrieblichen Tätigkeiten zu Sachgebieten und Abteilungen können Abgrenzungsschwierigkeiten auftreten, die nicht nur Kompetenzstreitigkeiten und Unklarheiten über die Verantwortung, sondern auch Arbeitshäufung an einer und Leerlauf an einer anderen Stelle verursachen können. In engem Zusammenhang mit der Abteilungsbildung im Bankbetrieb stehen die Probleme der personellen Führung. Risikofaktor ist hierbei neben der Auswahl geeigneter Führungskräfte insbesondere der Verlauf der Befehlslinien, denn sowohl unklare als auch unzweckmäßig verteilte Anordnungs- und Weisungsbefugnisse bilden nicht zu unterschätzende Arbeitshemmnisse. Dies gilt vor allem dann, wenn nicht nur die Schnelligkeit des Arbeitsablaufs, sondern auch die Zusammenarbeit der einzelnen Arbeitskräfte darunter leidet. Ein weites Feld für Risiken des Arbeitsablaufs eröffnet das Problem der Ermessensfreiheit. Je größer der Ermessensspielraum der Arbeitskräfte ist, um so mehr Möglichkeiten für Fehlentscheidungen sind gegeben; je kleiner er ist, um so größer ist die Gefahr der bürokratischen Kundenabfertigung.

Die Möglichkeiten zur Sicherung gegen die Risiken des Arbeitsablaufs bestehen im wesentlichen darin, das Zusammenwirken von Arbeitskräften und Betriebsmitteln im Hinblick auf den Betriebszweck in bestmöglicher Weise zu organisieren, d. h. die optimale Kombination der produktiven Faktoren unter Berücksichtigung der bankbetrieblichen Arteigenheiten zu verwirklichen.

Das Problem der Ermessensfreiheit ist so zu lösen, daß individuelle Regelungen in dem erforderlichen Maße möglich sind, der Ermessensspielraum der Arbeitskraft jedoch streng abgegrenzt ist, damit das Risiko eine bestimmte Höhe nicht überschreiten kann. Bei allen diesen Entscheidungen ist zu berücksichtigen, daß die den bankbetrieblichen Arbeitsablauf bestimmenden Tatbestände sich in ständiger Veränderung befinden. An den getroffenen Maßnahmen darf infolgedessen nur so lange festgehalten werden, als sie den Gegebenheiten entsprechen und zweckmäßig sind. Das bedeutet nicht, daß bei jedem einmaligen bzw. mehr oder weniger zufälligen Vorkommnis eine Änderung der bestehenden Anordnungen vorgenommen werden muß, denn dies würde Unsicherheit in die Gestaltung des Arbeitsablaufes bringen und damit neue Risiken verursachen. Eine Anpassung an Veränderungen der bankbetrieblichen Verhältnisse muß aber immer dann erfolgen, wenn sie sich als nachhaltig oder besonders bedeutsam erweisen.

3. Abschirmen gegen unvermeidliche Risiken

Obwohl den Kreditinstituten zahlreiche Risikobekämpfungsmöglichkeiten zur Verfügung stehen, können sie nicht alle Risiken ausschalten. Gegen die unvermeidlichen Risiken vermögen sich die Kreditinstitute nur dadurch zu schützen, daß sie die Auswirkungen eingetretener Risiken möglichst weitgehend abzuschwächen versuchen, damit keine ernsthaften Bedrohungen ihrer Existenz daraus erwachsen. Die Möglichkeiten, die den Kreditinstituten für diese abschirmende Sicherheitspolitik zur Verfügung stehen, sind bei weitem nicht so vielfältig wie diejenigen der vorbeugenden Sicherheitspolitik. Im wesentlichen handelt es sich dabei um die Schaffung von „Polstern", die das unmittelbare Durchschlagen der Risikoauswirkungen auf lebenswichtige Teile der Institute verhindern sollen. Derartige Polster sind einmal die stillen und offenen Rücklagen und zum anderen die Reserven an Arbeitskräften und Betriebsmitteln.

Die Bildung von Wertberichtigungen und Rückstellungen erfolgt grundsätzlich zu dem Zweck, bereits eingetretene tatsächliche Wertminderungen, Verluste oder Verbindlichkeiten in der Jahresabschlußrechnung zu berücksichtigen, damit nicht infolge zu hoher Aktiva oder zu niedriger Passiva ein zu großer Gewinn ausgewiesen wird. Insoweit stellen die Abschreibungen, Wertberichtigungen und Rückstellungen lediglich ein Instrument der Jahresabschlußrechnung dar. Als Mittel zur Abschirmung gegen unvorhergesehene Risiken können sie dagegen nur dienen, wenn sie in einem größeren als dem unbedingt zum Ausweis der bereits eingetretenen tatsächlichen Wertminderungen, Verluste oder Verbindlichkeiten erforderlichen Ausmaß gebildet werden, wenn also stille Rücklagen in ihnen enthalten sind.

Sowohl die Bewertung von Vermögensteilen als auch die Bemessung der Rückstellungen sind ein diffiziles Problem, denn häufig lassen sich die effektiven Wertminderungen, Verluste und Verbindlichkeiten nicht oder nur ungenau feststellen. Der Gesetzgeber hat dieser Tatsache dadurch Rechnung getragen, daß er dem Grundsatz der Vorsicht bei der Bilanzierung weitgehend Geltung verschafft. Das Niederstwertprinzip besagt, daß von den Anschaffungs- oder Herstellungskosten und dem Börsen- oder Marktpreis eines Gegenstandes des Umlaufvermögens jeweils der niedrigere Wert anzusetzen ist. Ähnlich verhält es sich mit der Bemessung der Rückstellungen, die entsprechend dem Grundsatz der Vorsicht in Höhe des Betrages, der nach vernünftiger kaufmännischer Beurteilung notwendig ist, anzusetzen sind. Die Kreditinstitute haben darüber hinaus die Möglichkeit, nach ihrem Ermessen stille Rücklagen zu bilden, mehr, als diese bereits durch das Niederst- bzw. Höchstswertprinzip vom Gesetzgeber erzwungen werden; denn sie können Forderungen und Wertpapiere des Umlaufvermögens mit einem niedrigeren Wert ansetzen, soweit dies nach vernünftiger kaufmännischer Beurteilung zur Sicherung gegen die besonderen Risiken des Geschäftszweigs der Kreditinstitute notwendig ist.

Die stillen Rücklagen dienen in erster Linie der Abschirmung der Kreditinstitute gegen die in den einzelnen Vermögensteilen und ungewissen Verbindlichkeiten enthaltenen und zumindest dem Ausmaß nach nicht vorhersehbaren Risiken. Darüber hinaus ist die Bildung von stillen Rücklagen auch insofern als Instrument der Sicherheitspolitik der Kreditinstitute anzusehen, als durch die Möglichkeit der stillen Auflösung dieser Rücklagen im Bedarfsfalle eine Beunruhigung der Öffentlichkeit über wirksam gewordene

Risiken vermieden werden kann. Weiterhin ist es den Kreditinstituten durch die Bildung von stillen Rücklagen möglich, ihren Gewinn zu beeinflussen.

Der für die Stärkung der inneren Sicherheit der Kreditinstitute mit offenen Rücklagen zu erzielende Effekt ist weitgehend der gleiche wie bei stillen Rücklagen. Für die Aktiengesellschaften ist die Bildung von offenen Rücklagen im Aktiengesetz vorgeschrieben. Sie hat in Höhe von mindestens 10 % des Grundkapitals zu erfolgen, indem jährlich mindestens 5 % des um einen eventuellen Verlustvortrag gekürzten Jahresüberschusses dafür abgezweigt werden, falls die Dotierung nicht aus anderen Quellen vorgenommen werden kann. Neben diesen gesetzlichen Rücklagen bilden die Kreditinstitute in der Regel freie Rücklagen. Beide Rücklagenarten stellen Sicherheitsrücklagen zur Abschirmung des Eigenkapitals gegen die Auswirkungen unvermeidlicher Risiken dar.

B. Bankpolitik in neuerer Sicht

I. Zur Methodologie

Stand die traditionelle Sicht der Bankpolitik auf dem Boden der Ziel- und Zielkonfliktbeschreibung „Gewinn“ versus „Sicherheit“, so betont die neuere Sicht die Sektoren, die einzelnen Politiken (Partial-Modelle): eine systematische Gesamtschau einer „Bankpolitik“ existiert bisher nicht.

Bei dem Versuch, diese Politiken, die einzelnen Sektoren der Bankpolitik darzustellen, muß formal und materiell zwischen Strategie und Politik unterschieden werden. Dabei besteht folgende Problem-Hierarchie:[10]

1. Stufe: Strategische Konzeption einer Bank
= Gesamtheit der qualitativen und quantitativen Zielsetzungen einer Bank auf der Ebene der Bankleitung

2. Stufe: Strategische Planung einer Bank
= die Ableitung der optimalen Allocation der knappen Ressourcen innerhalb der kritischen und miteinander konkurrierenden Wachstumsbereiche der Bank

3. Stufe: Operative Planung einer Bank
= Umsetzung entscheidungsbezogener, quantifizierter Planziele in (steuerungsrelevante) Handlungsanweisungen.

Diese dritte Stufe deckt sich in etwa mit dem Begriffsinhalt „Bankpolitik“ in der Definition von Süchting:[11] „Unter Bankpolitik wird ... die Gesamtheit der Maßnahmen verstanden, die in einem Kreditinstitut ergriffen werden, um unter Beachtung von externen und internen Beschränkungen die gesetzten Ziele zu erreichen.“

Die Partial-Modelle der Bankpolitik beziehen sich im wesentlichen auf die 3. Stufe. Insoweit werden im folgenden die Stufen 1 und 2 als gegeben vorausgesetzt;sie sind nicht Gegenstand der Darstellung.

Die Partial-Modelle lassen sich in drei Sektoren zusammenfassen:

1) Bilanzpolitik,
2) Absatzpolitik,
3) Beschaffungspolitik im engeren Sinne
= Personalpolitik.

Eine Strukturierung versucht Abbildung 1.

[10] vgl. Jacob, A.-F.: Strategische Planung in Banken, Frankfurt 1986, S. 14 f.
[11] Süchting, J.: Bankmanagement, a. a. O., S. 253

Abbildung 1: Sektoren der Bankpolitik

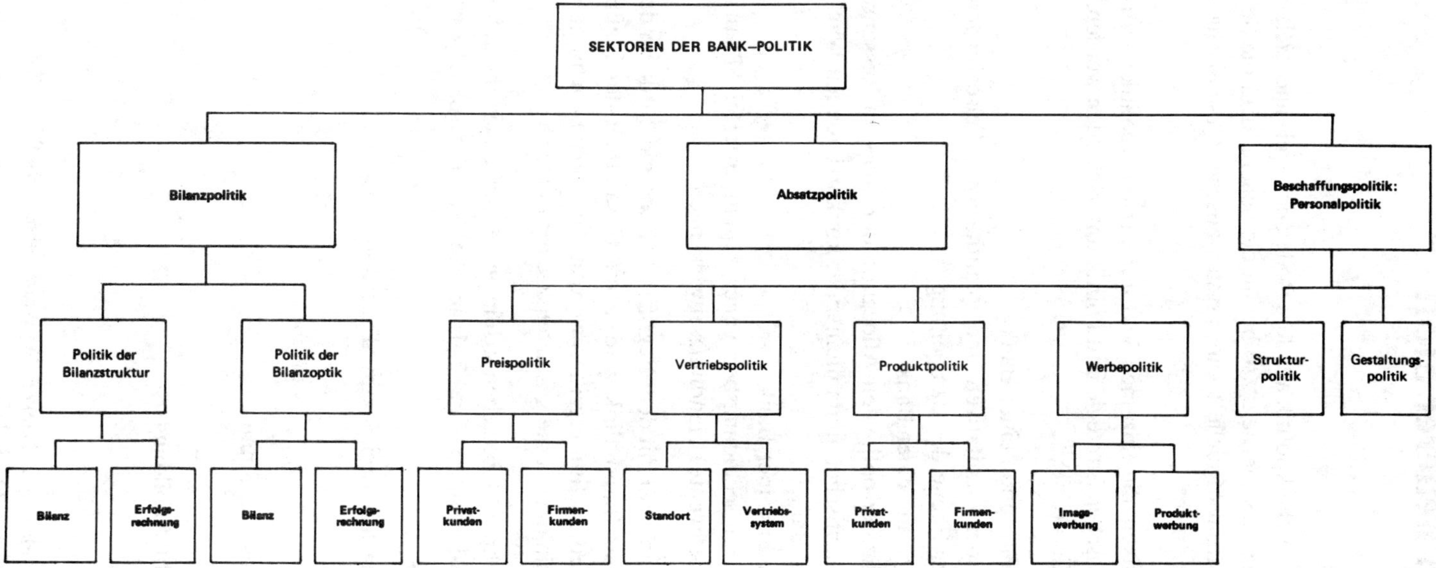

II. Bilanzpolitik

Die in der umfangreichen Literatur zur Bilanzpolitik der Banken anzutreffenden Definitionen traditioneller und moderner Art systematisiert Meyer (Tabelle 1 und 2):[12]

Tabelle 1: Traditionelle Gliederung der Bilanzpolitik

Teilpolitik / Umschreibung	Strukturpolitik	Erfolgsausweispolitik
Unterscheidungskriterium:	– bilanzorientiert	– erfolgsrechungsorientiert
Charakter der Bilanzpolitik:	– zeitpunktbezogen – erfolgsneutral	– zeitraumbezogen – erfolgswirksam
Primärer Zweck der Bilanzpolitik:	– Steuerung der Struktur der Bilanz (wie auch der Erfolgsrechnung)	– Steuerung des Erfolgsausweises
Beispiele zu den Teilpolitiken:	– formelle Gestaltung der Bilanz und und Erfolgsrechnung – Liquiditätsausweis inkl. damit zusammenhängende Entscheidungen – Steuerung des Bilanzvolumens	– Politik der stillen Reserven und der damit zusammenhängenden Ausschüttungspolitik – Regulierung des steuerlichen Erfolges

Tabelle 2: Moderne Gliederung der Bilanzpolitik

Teilpolitik	Charakterisierung
Rechnungslegung und Publizität	– formelle und materielle Gestaltung von Bilanz, Erfolgsrechnung und Geschäftsbericht – Politik der stillen Reserven
Liquidität	– innerbetriebliche und aufsichtsrechtliche Steuerung der Liquidität
Kapitalstruktur	– innerbetriebliche und aufsichtsrechtliche Steuerung der Kapitalstruktur
Bilanz als Gesamtbetrachtung	– Streben nach optimaler Bilanzstruktur – Steuerung des Bilanzvolumens – allgemeine Risikopolitik

[12] Meyer, C.: Die Bankbilanz als finanzielles Führungsinstrument, Bern und Stuttgart 1986, S. 10 f.

Die in diesem Kapitel gewählte Form der Darstellung verbindet traditionelle und moderne Elemente, indem sie einerseits der traditionellen Richtung weitgehend folgt, zwischen Strukturpolitik und Ausweispolitik unterscheidet, andererseits, der modernen Sicht folgend, die Bilanz als Gesamtbetrachtung in der Optimierung der Bilanzstruktur, der Steuerung des Volumens und der Risikopolitik sieht.

1. Struktur-Politik

Die Strukturpolitik bezieht sich auf die Optimierung der Bilanz und der Erfolgsrechnung einer Bank.

a) Optimierung der Bilanz

Die Optimierung der Bilanz unterscheidet quantitative und qualitative Elemente.

Die quantitativen Elemente werden in Optimierungsmodellen (Optimierung von Struktur und Volumen) erfaßt und abgebildet.

Die qualitativen Elemente, die sich ex definitione nicht quantifizieren lassen, gehen in die Modelle als Erwartungsparameter oder Restriktionen ein; es handelt sich dabei im wesentlichen um den Komplex „der Risiken im Aktivgeschäft" und „der zu haltenden Mindestliquiditäten".[13]

Innerhalb der Strukturpolitik sind daher hier zu subsumieren: Bonitätsrisiko – Kunden, Kundengruppen, Regionen – und Liquiditätsrisiko.

aa) Optimierung der quantitativen Elemente

Die von der Wissenschaft erarbeiteten Modelle der Optimierung der quantitativen Elemente der Bilanzstruktur haben im Kern die optimale Liquiditäts-Struktur zum Inhalt.[14] Ihre Vertreter sind Deppe, Krümmel, Meyer zu Selhausen, Lippmann, Benner, Sunderland, Zinken, Küllmer sowie in neuerer Zeit Mülhaupt zusammen mit Schierenbeck und Flechsig.[15]

[13] Meyer, C.: a. a.- O., S. 600

[14] vgl. Jacob, A.-F.: Prognose- und Planbilanzen, in: Der Bankbetrieb zwischen Theorie und Praxis, (Hrsg.) Süchting, J., Wiesbaden 1977, S. 17 f.

[15] Deppe, H.-D.: Bankbetriebliches Wachstum, Stuttgart 1969; Krümmel, H.-J.: Liquiditätssicherung als Teil der Unternehmenspolitik der Banken, in: Kredit und Kapital, 2. Jg. 1969, S. 60-110; Meyer zu Selhausen, H.: Die Optimalplanung von Kapitalbeschaffung und Kapitalverwendung einer Kreditbank mit den Methoden der Unternehmensforschung, Band 14 der Bankwirtschaftlichen Sonderveröffentlichungen des Instituts für Bankwirtschaft und Bankrecht an der Universität zu Köln, 1970; Lippmann, H.: Die dynamische Planung des finanziellen Bereichs von Banken an Hand von Modellen, Diss. Münster 1970; Benner, W.: Planspiele für Kreditinstitute, Konzeption eines Simulationsmodells und Gestaltung des Spielrahmens, Göttingen 1971; Sunderland, N. V.: Bank Planing Models, Bern - Stuttgart 1974; Zinken, R.: Die Planung im Bankbetrieb unter besonderer Berücksichtigung operationsanalytischer Lösungsversuche zur Optimalplanung des Aktiv- und Passivge-

Die Modelle stimmen in einer Nebenbedingung überein: der Steuerung der Ein- und Auszahlungen dergestalt, daß das Institut in jeder Periode des Optimierungszeitraumes zahlungsfähig bleibt; darüber hinaus gilt für alle Modelle, daß sie zeitpunktbezogene Plandaten bereitstellen, die (als Mindestlösung) die Entscheidungen so absichern, daß sich das Geschäftsvolumen und dessen Struktur unter Beachtung der üblicherweise gegebenen Refinanzierungsmittel und -möglichkeiten entwickeln.

Als *Unterscheidungskriterien* der Modelle lassen sich vier finden:

1) *Strom- oder Bestandsgrößen*

Formal sind die rechnerischen Lösungen in beiden Fällen gleichwertig, denn die Stromgrößen werden als Differenz der an den jeweils benachbarten Planungszeitpunkten ermittelten Bestandsgrößen bestimmt; die Bestandsgrößen andererseits werden durch Akkumulation der Stromgrößen im Zeitverlauf und ihrer Verbindung mit dem Anfangsbestand einer Bilanzposition zu Beginn des Planungszeitraumes ermittelt. Die Unterschiede sind materiell jedoch gravierend: Bestandsgrößen basieren auf schichtenbilanzmäßigen Überlegungen, Stromgrößen auf Verrechnungsfaktoren zwischen den Zahlungsströmen.

Für ein Institut, das Bestandsgrößen als Basis der Planung verwendet, ist das Vorhandensein einer Schichtenbilanz Voraussetzung der Anwendung; für ein Institut, das Stromgrößen verwendet, müssen die Zahlungsströme bekannt sein und analysiert werden. Stromgrößen sind Gegenstand der Modelle von Deppe, Krümmel, Benner, Lippmann, Küllmer und Mülhaupt/Schierenbeck/Flechsig. Bestandsgrößen sind Gegenstand der Modelle von Meyer zu Selhausen und Sunderland.

2) *Fixe oder dispositive Entscheidungen*

Die geschäftspolitischen Entscheidungen hinsichtlich Volumen und Zeitpunkt der internen und externen Zahlungsvorgänge sind entweder fix oder dispositiv.

Als nicht beeinflußbar oder fix können alle Vorgänge definiert werden, bei denen

- der Entscheidungsprozeß vor dem Planungszeitraum abgeschlossen wurde,
- vor Beginn der Planungsperiode von der Unternehmensleitung Daten gesetzt wurden,
- innerhalb der Planungszeitspanne Kunden über Einlagen verfügen oder noch nicht ausgenutzte Kreditlinien in Anspruch nehmen.

schäfts, Band 24 der Bankwirtschaftlichen Sonderveröffentlichungen des Instituts für Bankwirtschaft und Bankrecht an der Universität zu Köln 1975; Küllmer, H.: Bankbetriebliche Programmplanung unter Unsicherheit, in: Schriftenreihe des Instituts für Kreditwesen der Westfälischen Wilhelms-Universität Münster, Wiesbaden 1975; Mülhaupt, L./Schierenbeck, H./Flechsig, R.: Die Planung des optimalen Kreditportefeuilles einer Universalbank, in: Kredit und Kapital, 15. Jg. 1982, S. 1-46, S. 188-206

Diese fixen Zahlungsvorgänge haben entweder die Eigenschaft selbstauslösender Vorgänge („self liquidating") oder müssen auf unsicheren Erwartungen über das Zahlungsverhalten der Kunden zurückgeführt werden. Sie bilden eine Erwartungsstruktur, die Eigenschaften einer subjektiv begründbaren Wahrscheinlichkeitsverteilung haben kann. Lediglich das Modell von Mülhaupt/Schierenbeck/Flechsig ist deterministisch.

Als beeinflußbar oder dispositiv werden alle Vorgänge definiert, bei denen die Unternehmensleitung einen Handlungs- und damit Entscheidungsspielraum besitzt.

Die Differenzierung der Entscheidungen in fix und dispositiv setzt einen Modellansatz voraus, der die Bilanzgleichung von Aktiva und Passiva über die Regeln der Doppik sichert. Dies ist bei Deppe, Krümmel, Benner, Lippmann, Küllmer sowie bei Mülhaupt/Schierenbeck/Flechsig der Fall.

Werden die Entscheidungen generell als dispositiv definiert, muß die Bilanzidentität mit Hilfe von Restriktionen erreicht werden, da die einzelnen Bilanzpositionen unabhängig voneinander geschätzt (= geplant) werden. Dies ist bei Meyer zu Selhausen und Sunderland gegeben.

Diese Restriktionen führen folgerichtig zu schichtenbilanzmäßigen Zuordnungen. Dabei gilt: Je höher die Anzahl der Restriktionen ist, um so geringer der schichtenspezifische Zwang, desto kleiner der Raum der mathematisch möglichen Lösungen und damit der effektive Entscheidungsspielraum innerhalb des Modells.

Mülhaupt/Dolff[16] machen zu Recht darauf aufmerksam, daß dieser Modellansatz die Planung bei längerfristig stärker schwankenden Marktzinssätzen inflexibel macht.

3) *Integrierte oder nicht-integrierte Erfolgsrechnung*

Die Bilanz in Volumen und Struktur ist eine zwar wesentliche, aber eben doch nur eine Teilgröße der Planung. Der Wert der Modelle für die Praxis wird wesentlich von den durch die Bilanzpositionen ausgelösten Effekten in der Erfolgsrechnung determiniert. Lediglich das von Mülhaupt/Schierenbeck/Flechsig vorgestellte Modell umfaßt eine integrierte Erfolgsrechnung.

Die Zinserträge und Zinsaufwendungen sind nicht nur Inhalt der Erfolgsrechnung, sie schlagen sich vielmehr, auch unterjährig, in den Gegenkonten der Bestände nieder, wo sie im Zeitverlauf weitere volumens- und zinsmäßige Folgewirkungen haben. Es sei nur auf die bestandsmäßigen Auswirkungen der Zinskapitalisierung der Sparkonten hingewiesen, um das Ausmaß dieser Wechselwirkungen zu verdeutlichen.

[16] Mülhaupt, L./Dolff, P.: Grundprobleme der Bankplanung unter besonderer Berücksichtigung der Institute des langfristigen Kredits (II), in: Kredit und Kapital, 7. Jg. 1974; S. 451-473

Die von der Erfolgsrechnung ausgehenden Zahlungsströme können in ihrem Ausmaß die Veränderungen der Bilanzsumme übersteigen, so daß in den Modellen ohne Integration dieser Wirkungen ein Entscheidungsspielraum angegeben wird, der unter Optimierungsgesichtspunkten keineswegs realisationsfähig ist.

4) *Nominal- oder Effektivzinsen*

Für die Verwertbarkeit der Modelle spielt die zeitliche Dimension eine gewichtige Rolle, und damit ist zugleich die Frage der Nominalzins- oder Effektivzins-Verwendung angesprochen; insbesondere bei einer mittelfristigen Planungsrechnung führt der Nominalzins-Ansatz zu verzerrten Ergebnissen.

Die Modelle können in der zeitlichen Dimension flexibel ausgelegt werden, zu fordern ist allerdings, daß die Planungszeitspanne und die Anzahl der Planperioden in einem pragmatisch sinnvollen Verhältnis zueinander stehen. Werden die Planperioden als Banktage definiert, dann wird die Optimierungsrechnung zu einem Hilfsinstrument der Gelddisposition degradiert. Dies könnte für Deppe und Krümmel gelten, würde man nicht das didaktische Ziel der Modelle entsprechend würdigen. Mülhaupt/Schierenbeck/Flechsig umgehen dies durch die Annahme, daß jeder Plantag im Planjahr identisch ist.

Die zweite Variante, insbesondere der Modellansatz von Meyer zu Selhausen, geht von einer Verkettung verschiedener Teilmodelle mit abweichendem Planhorizont aus. Der Praxis wird man zugute halten müssen, daß kurz-, mittel- und langfristige Überlegungen nicht nur infolge des Zeitfaktors, sondern auch strukturell-unternehmenspolitisch ein unterschiedliches Niveau der Steuerung besitzen.

Die Praxis, zur Entscheidung zwischen zwei angebotenen Modelltypen herausgefordert, wird von beiden teils überfordert, teils nicht befriedigt.

Die Bestandsgrößenmodelle erfordern zur Praktikabilität neben der schichtenspezifischen Zuordnung eine derart große Anzahl von Restriktionen, daß der Entscheidungsspielraum unbefriedigend ist. Das Modell wird inflexibel.

Die Stromgrößenmodelle erfordern zur Praktikabilität neben der Kenntnis der Verrechnungsfaktoren eine akzeptierbare stochastische oder deterministische Annahme über die Verteilung der entscheidungsfixen Zahlungsvorgänge. Das Modell wird unrealistisch.

Insoweit könnte die Praxis zu der Meinung neigen, daß eine von der exakten Theorie geforderte simultane Planung kaum Aussicht hat, praktikabel zu werden. Die Modelle bleiben didaktisch.

Zu einer im Tenor ähnlichen Aussage kommen Meyer und Süchting. Süchting formuliert:[17]

[17] Süchting, J.: Bankmanagement, a. a. O., S. 329

„Der bankwissenschaftlichen Forschung ist es in den vergangenen zwanzig Jahren gelungen, den finanziellen Bereich der Bank durch die Überführung von Asset Management Modellen in Bilanzmodelle umfassend abzubilden, in diesem Rahmen eine Isolierung des disponierbaren Geschäfts vorzunehmen und das Risiko unter Beachtung von Effekten der Risikostreuung formal zu berücksichtigen. Dennoch ist man von der Anwendbarkeit bankbetrieblicher Gesamtmodelle weit entfernt. Das liegt weniger an der im Umgang mit Geld begründeten Sonderstellung der Kreditwirtschaft in der Volkswirtschaft, aus der eine Vielzahl von Restriktionen für bankbetriebliche Entscheidungsmodelle resultiert. Bankspezifisch *gewichtige Schwierigkeiten* der Konstruktion von Bilanzmodellen bestehen vielmehr

- in der Problematik einer *Zurechnung sprungfixer Kapazitätskosten,* die deshalb so bedeutend sind, weil abstrakte Bankleistungen nicht auf Lager gefertigt werden können;
- in der Problematik einer *Erfassung von Verbundeffekten infolge des Angebots von Leistungsbündeln* einschließlich der Dienstleistungen;
- in der Problematik der *Vorherbestimmung von Kundendispositionen,* die aufgrund der Konten- und Absatzbeziehungen in der Zeit nur in dynamischen Mehrperiodenmodellen erfolgen kann.

Unter den gegebenen Umständen nicht hinreichend leistungsfähiger Optimierungsmodelle für den finanziellen Bereich bleibt nur, ausgehend von den bestehenden Prognosemodellen durch Simulierung unterschiedlicher Handlungsmöglichkeiten ‚befriedigende' Lösungen zu suchen."

Meyer faßt seine Würdigung der quantitativen Modelle in 6 Thesen zusammen[18]:

„1) Die Einführung eines Gesamtmodells bedingt ein ausgebautes und äußerst komplexes Informationssystem. Es gilt, praktisch den gesamten Geschäftsverlauf vergangener Perioden datenmäßig zu erfassen. ...

2) Darüber hinaus erfordert die Anwendung eines Gesamtmodelles die Erarbeitung einer riesigen Fülle *zukünftiger* Daten. Das damit verbundene Problem unsicherer Erwartungen wird von vielen Praktikern als unlösbar beurteilt. Dabei gilt zu unterscheiden, daß die Frage der Prognose zukünftiger Daten – sei es aufgrund systematischer Verfahren oder auf der Basis subjektiver Schätzungen – tatsächlich große Schwierigkeiten bereitet.

3) Der Einbau sämtlicher Komponenten der Bilanzsteuerung bei gleichzeitiger Erfassung der Struktur der Bank (Filialen, Tochtergesellschaften) und erst noch einem Planungshorizont über mehrere Perioden bewirkt zwangsläufig, daß ein Gesamtmodell äußerst vielschichtig, dementsprechend kompliziert und nicht zuletzt auch kostspielig werden muß. ...

4) Ein Gesamtmodell kann aus wissenschaftlicher Sicht nicht besser sein, als deren Elemente es zu sein vermögen. Nachdem .... ausführlich gezeigt und begründet

[18] Meyer, C.: Die Bankbilanz als finanzielles Führungsinstrument, a. a. O., S. 600 f.

worden ist, daß eine Quantifizierung – zum Beispiel der Risiken im Aktivgeschäft, der zu haltenden Mindestliquidität usw. – aufgrund theoretischer Erwägungen nicht gelingt, darf nicht überraschen, daß die gleichen Vorbehalte – allerdings in noch grundsätzlicherer Art – gegenüber Gesamtmodellen angebracht werden müssen.

5) Es stellt sich die Frage, ob die theoretische Bankbetriebslehre bei der Gestaltung der Systeme den Bedürfnissen der Praxis – zumindest bei für eine spätere konkrete Anwendung vorgesehenen Modellen – nicht besser Rechnung tragen könnte. So bevorzugt die Praxis heute unbestritten Simulationsverfahren gegenüber Optimierungsmodellen. Dies vor allem deshalb, weil sich – abgesehen von der leichteren EDV-Anwendung – diese Ansätze zur Lösung der praktischen Probleme in der Regel besser eignen.

6) Schließlich dürfte für eine allfällige Anwendung von Gesamtmodellen die konkrete Implementierung entscheidende Bedeutung haben. Das heißt nichts anderes, als daß zum Beispiel zunächst auf der obersten Management-Ebene ein maßgeschneidertes Grundmodell eingeführt und getestet würde. Erst später, nach einer Phase der Bewährung und Anpassung, könnten etappenweise weitere Elemente realisiert werden."

bb) Bilanzstruktur-Risiken

„Im Rahmen des Ausbaus von Forschung und Lehre sind Fragen des Risikos und seiner Begrenzung zu einem bedeutenden Schwerpunkt der Bankbetriebslehre geworden. ... Es gibt ... eine Vielzahl von neuen, methodisch anspruchsvollen Einzelansätzen zur Darstellung und zur unternehmenspolitischen Behandlung von Teilrisiken ... Eine geschlossene und umfassende Gesamtabhandlung ist u. E. bisher nicht geleistet worden."[19]

Eine geschlossene und umfassende Gesamtabhandlung wird auch an dieser Stelle nicht erfolgen können. Behandelt werden zunächst die Teilrisiken „Bonitätsrisiko" und „Liquiditätsrisiko".

Das Bonitätsrisiko ist „jenes Teilrisiko, das darin besteht, daß möglicherweise ein Kredit bis zur Fälligkeit nicht pünktlich verzinst und am (bis zum) Fälligkeitstermin nicht oder nur zum Teil zurückgeführt wird."[20]

In der Risikowirkung schlägt sich das *Verzinsungsrisiko* in der Betriebsergebnisrechnung in einer Minderung des Zinsertrages nieder, ist also insoweit erfolgswirksam, und zugleich in der Ertragsstruktur der Bilanz, indem die Durchschnittsverzinsung der Aktiva sinkt.

[19] Berger, K. H.: Standing-Risiken und stille Rücklagen der Bank, in: Beiträge aus dem Bankseminar der Universität Hannover, Nr. 5 1986, S. 6

[20] Krümmel, H.-J.: Bankzinsen, Köln–Berlin–Bonn–München 1964, S. 174

Das *Rückführungsrisiko* hat einen Bilanzstruktureffekt insoweit, als es bei seinem Eintritt die Spielräume in den Grundsätzen I, II und III belastet.[21] Während Schierenbeck das Bonitätsrisiko zu den banktypischen Erfolgsrisiken zählt,[22] wird es hier als Bilanzstruktur-Risiko interpretiert; dabei wird größeres Gewicht auf die Tatsache gelegt, daß bei Totaleintritt des Risikos und damit Ausbuchung des Kredites der „Umfang der durch den Risikoträger repräsentierten Haftungsmasse“ [23] reduziert wird: effektiv, wenn diese Haftungsmasse angegriffen werden muß; potentiell, wenn lediglich eine Zuführung zur Haftungsmasse in Höhe des Kapitalverlustes verhindert wird.

(1) Das Bonitätsrisiko

Die Steuerung des Ausfallrisikos erfolgt nach der traditionellen Sicht im Rahmen der Kreditwürdigkeitsprüfung[24] mit Hilfe eines Steuerungs- und Kontrollsystems mit zwei Ausgangsbasen:[25]

- System der institutsspezifischen Risikoeinschätzung in quantitativer und qualitativer Sicht. Basis sind Erfahrungswissen jedes Instituts und Risiko-Erwartungshorizont.
- System der Analyse des aktuellen Risikogehaltes als Frühwarnsystem: mit Kontrolle der Einhaltung des Risikorahmens und der Risikovirulenz.

Diese Steuerungsgrößen sind in traditioneller Sicht an dieser Stelle nochmals zusammengefaßt:

- Größenklassengliederung des Portefeuilles,
- Laufzeitengliederung des Portefeuilles,
- Regionalgliederung des Portefeuilles,
- Branchengliederung des Portefeuilles,
- Kreditnehmer-Analysen,
- Kreditnehmerkategorien-Strukturierung,
- Sicherheitenanalyse mit Werthaltigkeitsüberwachungssystematik,
- Verwendungszweckkontrolle.

Im Hinblick auf die Sicherheiten hat in der Literatur eine interessante Auseinandersetzung zwischen Oswald Hahn[26] und Bernd Rudolph[27] stattgefunden, unter dem Motto Oswald Hahns:

[21] vgl. Steiner, J.: Kosten- und preisorientierte Bemessung des Verzugsschadens bei Krediten, in: Der Betrieb 1986, S. 1557 ff.

[22] Schierenbeck, H.: Ertragsorientiertes Bankmanagement, 2. Aufl. 1987, S. 296

[23] Süchting, J.: Bankmanagement, a. a. O., S. 279

[24] vgl. Wächtershäuser, M.: Kreditrisiko und Kreditentscheidung im Bankbetrieb, Wiesbaden 1971, S. 65 ff.; Müller, H.: Aktuelle Entwicklung in der praktischen Kreditprüfung, in: (Hrsg.) Süchting, J.: Der Bankbetrieb zwischen Theorie und Praxis, a. a. O., S. 117-130

[25] Jacob, A. F.: Gedanken zur Risikosteuerung im Bankbetrieb, in: vbo-Nachrichten, März 1987

[26] Hahn, O.: Wandlungen des Sicherheitsdenkens im bankmäßigen Kreditgeschäft, in: (Hrsg.) Rühli, E.; Thommen, J.-P.: Unternehmensführung aus finanz- und bankwirtschaftlicher Sicht, Stuttgart 1981, S. 211-223

[27] Rudolph, B.: Können die Banken ihre Kreditsicherheiten „vergessen“?, in: Kredit und Kapital, 15. Jg. (1982), S. 317-339

„Die klassischen, auf den Einzelkredit ausgerichteten Sicherheiten kann man getrost ‚vergessen'."

So sehr dem Argument Oswald Hahns zuzustimmen ist: Der Wert einer Sicherheit im Verwertungsfalle entspricht nicht dem Ausgangsbestand bei der Bestellung, die Funktion der Sicherheitenbestellung liegt in der Begrenzung der Verschuldensfähigkeit des Kreditnehmers (S. 221), so sehr hat, vom Transaktionskostenansatz argumentierend = Kreditrationierung durch Sicherheitenstellung, Bernd Rudolph recht mit dem Ergebnis, „daß die durch Sicherheitenbestellung erhöhten Kosten der Zahlungseinstellung für den Kreditnehmer die Unsicherheit der Bank über die Kreditrückzahlung reduzieren; die Bank wird also c. p. zum gleichen Zinssatz einem Kreditnehmer, der Sicherheiten stellt, mehr Kredit gewähren können als einem Kreditnehmer, der solche Sicherheiten nicht anbietet." (S. 339)

Diesem Ansatz entspricht die Einbeziehung der Risikokosten in die Deckungsbeitragsrechnung eines Marktbereiches der Bank, wie sie von Flechsig/Rolfes vorgeschlagen wird.[28]

Die neuere Sicht des Bonitätsrisikos, ausgehend von Diversifikationsüberlegungen für die Solvenzsicherung bei Stützel[29], versucht, unter Anwendung portfolio-theoretischer Ansätze, zu einer optimalen Vermögensstruktur zu gelangen und das Bonitätsrisiko zu minimieren.

Ein Entscheidungsmodell für den Einzelkredit diskutiert Wächtershäuser [30] und kommt zu dem Ergebnis, daß deduktiv abgeleitete Modelle die Realität nur höchst unvollkommen abbilden, die Voraussetzung einer konsistenten Nutzenfunktion nicht gegeben sei und eine „Sicherheitsschranke" für die Fernhaltung solvenzgefährdeter Kredite fehle[31].

Ein Entscheidungsmodell auf Basis optimaler Diversifikation des Kreditportefeuilles diskutiert Büschgen[32]. Als grundlegende Schwäche eines derartigen Ansatzes sieht Büschgen die statische Orientierung des Modells, d. h. die nicht systemimmanente Möglichkeit einer sich im Zeitverlauf ändernden Risikoneigung einer Bank.[33]

[28] Flechsig, R./Rolfes, B.: Risikokosten in der Deckungsbeitragsrechnung, in: Die Bank 7/87, S. 373-377. Auf die behandelten Zielkonflikte im Internen Rechnungswesen sei hingewiesen.

[29] Stützel, W.: Bankpolitik – Heute und morgen, Frankfurt/Main 1964, S. 19 ff.

[30] Wächtershäuser, M.: a. a. O., S. 314 ff.

[31] ebenda, S. 317, S. 325 f.

[32] vgl. Büschgen, H. E.: Geschäftspolitik der Banken und Konjunkturverlauf, in: (Hrsg.) Süchting, J.: Der Bankbetrieb zwischen Theorie und Praxis, a. a. O., S. 47 f.

[33] ebenda, S. 47 f.

(2) Das Liquiditätsrisiko

Der Begriff der Liquidität hat in der Geschichte der geldtheoretischen und bankbetriebswirtschaftlichen Reflektionen Wandlungen seines Inhalts erfahren. Meyer systematisiert 3 Gruppen von Autoren, wobei die ersten beiden Gruppen die älteren, die dritte Gruppe die neueren Definitionen vertreten[34]:

- Bezeichnung von Vermögensobjekten, denen die Zahlungsmittel-Verwendungsfähigkeit zukommt,
- Deckungsverhältnis zwischen fälligen Vermögensteilen und Verbindlichkeiten,
- Eigenschaft einer Bank, alle Zahlungsansprüche fristgerecht erfüllen zu können.

Insoweit ist die Unterscheidung in objektbezogene und subjektbezogene Betrachtungsweise[35] hilfreich:

- *objektbezogene* Betrachtungsweise meint die Verwendungsfähigkeit eines Vermögensgegenstandes für Zahlungszwecke
- *subjektbezogene* Betrachtungsweise meint die Fähigkeit der Bank, Auszahlungsansprüche jederzeit befriedigen zu können.

In der traditionellen Sicht, die lediglich ansatzweise bisher fortentwickelt worden ist, werden die Konzeptionen einer *Liquiditäts-Theorie* unterschieden.[36]

1) Die goldene Bankregel,
2) die Bodensatztheorie,
3) die Maximalbelastungstheorie.

Die „*goldene Bankregel*", die im engeren Sinne keine „Theorie", sondern eine Verhaltensregel ist, wurde in ihrer klassischen Form von Hübner[37] definiert:

„Der Credit, welchen eine Bank geben kann, ohne Gefahr zu laufen, ihre Verbindlichkeiten nicht erfüllen zu können, muß nicht nur im Betrage, sondern auch in der Qualität dem Credite entsprechen, welchen sie genießt."

Damit ist im objektiven Bereich die Kongruenz von Betrag und juristischer Laufzeit der Aktiv- und Passivgeschäfte, im subjektiven Bereich die Identität der Bonität der Kreditgeber und Kreditnehmer gefordert. Die Fristentransformationsfunktion einer Bank ist damit nicht erfüllbar. Süchting weist knapp nach, daß diese Verhaltensforderung „weder hinreichend noch notwendig für die Liquiditätssicherung der Bank ist."[38]

[34] Meyer, C.: a. a. O., S. 253 ff.
[35] Süchting, J.: Bankmanagement, a. a. O., S. 263
[36] Meyer, C.: a. a. O., S. 259 ff.; Süchting, J.: Bankmanagement, a. a. O., S. 264 ff.
[37] Hübner, O.: Die Banken, Leipzig 1854, S. 28
[38] Süchting, J.: Bankmanagement, a. a. O., S. 265

Die *Bodensatztheorie* wurde in ihrer klassischen Form von Wagner auf dem Boden der Hübnerschen Verhaltensregel entwickelt[39].In der Bodensatztheorie wird die juristische Laufzeitenbindung der Sichteinlagen durch die tatsächlichen Fälligkeiten ersetzt: gesehen wurde von Wagner, daß die juristisch kurzfristig angelegten Gelder einen Bodensatz bilden, der langfristig angelegt werden kann.

Dieser Ansatz wurde in der Literatur fortentwickelt. Knies bezieht die Kündigungsgelder mit in den Bodensatz ein[40], differenziert also die Passivseite stärker.

Der Übergang auf die Aktivseite – im Kontokorrentkredit – erfolgt durch die Shiftability-Theorie von Moulton[41], die davon ausgeht, daß zur Liquiditätsbeschaffung die Banken Aktiva „abtreten" können, die Aktiva der Sekundär-Reserve: „verzinsliche Anlagen, die sich im Bedarfsfalle ohne zeitliche Verzögerung und ohne bzw. mit nur ‚geringfügigen' Verlusten in Primär-Reserven umwandeln lassen[42], mit in die Liquiditätsbeschaffung der Bank einzurechnen sind.

Damit ist der Übergang zur *Maximalbelastungstheorie* gegeben: Stützel[43] stellt auf den Fall einer Maximalbelastung einer Bank durch Abzug der Einlagen durch die Einleger zum Fälligkeitszeitpunkt ab; dies entspricht einer fälligkeitsstrukturierten Run-Situation.

Die Bank ist nun in den Fristigkeiten, der Bonität, der Größenklasse der Aktiva so zu strukturieren, daß die Summe der Realisierungs-(Abtretungs-) Verluste das Eigenkapital nicht übersteigt. Solange dies nicht geschieht, ist die Existenzbedrohung einer Bank aus der Ursache der Überschuldung ausgeschlossen.

Auf dieser Basis entwickelt Stützel seine „Einlegerschutzbilanz", auf die im Zusammenhang mit der Bilanzoptik einzugehen sein wird.

Einen bemerkenswerten Ansatz einer Weiterentwicklung auf Basis der Liquiditätsnormen des Bundesaufsichtsamtes für das Kreditwesen und der Kassenhaltungstheorie bietet Süchting mit seiner Varianztheorie.[44]

Er differenziert auf der Passivseite den gesamten Block an Finanzierungsmitteln als für die Liquiditätshaltung stabil oder im Zeitverlauf instabil, fragt nach dem die Liquidität belastenden Bodensatz auf der Aktivseite und kommt zur Differenz der instabilen Bereiche der Einlagen und Kredite von Nichtbanken, die die Entwicklung der Liquiditätssalden im Zeitverlauf bildet. Die Instabilität dieser Differenz wird mit Hilfe der Varianz gemessen:

[39] Wagner, A.: Beiträge zur Lehre von Banken, Leipzig 1857, S. 162 ff.

[40] Knies, K.: Geld und Credit, Leipzig 1931

[41] Moulton, H.: Commercial banking and capital formation, in: Journal of Political Economy, vol. 26, 1918, S. 484-508, 638-663, 705-731, insbesondere S. 849-881

[42] Süchting, J., Bankmanagement, a. a. O., S. 271

[43] Stützel, W.: a. a. O., S. 45 ff.

[44] Süchting, J.: Bankmanagement, a. a. O., S. 294 ff.

„Die Varianz, versehen mit einem Korrekturfaktor für die durchschnittliche Höhe der Liquiditätssalden, müßte dann den entscheidenden Hinweis auf die Bemessung der Liquiditätsreserven geben, die unter Inanspruchnahme der Geld- und Kapitalmärkte (im Unterschied zu den Kundeneinlagen und -krediten) *zu halten wären.“* [45]

Eine umfassende Darstellung steht noch aus.

b) Erfolgsrechnung

In der geschäftspolitischen Gestaltung der Erfolgsrechnung sind zwei Teilbereiche zu unterscheiden:

- Gewinnbedarfsrechnung,
- Erfolgsrisiken.

aa) Gewinnbedarfsrechnung

Zu den Eigentümlichkeiten der Erfolgsrechnung der Geschäftsbanken, hier: Aktienbanken, gehört es, daß der Saldo der Gewinn- und Verlustrechnung dem Ausschüttungsbetrag an die Aktionäre und dem Zuführungsbetrag zu den Offenen Rücklagen – Andere Gewinnrücklagen – entspricht.

Bestimmungsfaktoren der strukturellen Gestaltung sind nach Birck/Meyer[46]

- das Stabilitätsziel – individueller Standard,
- das Konformitätsziel – Gruppenstandard.

Hinzu kommt das Standingziel[47], die Erzielung und den Ausweis eines Jahrsüberschusses, der dem Standing entspricht. Stabilitäts- und Standingziel ergänzen einander.

Diese drei Ziele führen zu einem strukturellen Saldo der Erfolgsrechnung, der durch eine spezifische Gewinnbedarfsrechnung realisiert wird.

An dieser Stelle verknüpfen sich daher strukturelle Gestaltung (Strukturpolitik) und Politik der Optik von Bilanz und Erfolgsrechnung.

Die Entscheidung über die strukturelle Gestaltung erfolgt in drei Schritten:

1. Höhe des Teilbetriebsergebnisses als Stabilitätsbasis,
2. Höhe der Handelsgewinne als fluktuierende Gewinnbasis,
3. bewertungsneutraler Saldo der a. o. Rechnung, also vor Gestaltungseinfluß.

[45] ebenda, S. 296
[46] Birck, H./Meyer, H.: Die Bankbilanz, 3. Aufl. 3. Teillieferung, Wiesbaden 1979, S. VII/14
[47] Berger, K. H.: Standing-Risiken und stille Rücklagen der Banken, a. a. O., S. 8

Diese drei Größen bilden die Entscheidungsbasis für Stabilität, Konformität und Standing. Als gesetzliches Rahmenlimit der Verwendung des Jahrsüberschusses tritt § 58 AktG (neue Fassung) hinzu, der eine Dotierung der Anderen Gewinnrücklagen nur bis höchstens zur Hälfte des Jahresüberschusses zuläßt. Dies kann die Höhe des Ausschüttungsbetrages beeinflussen.

Gemessen an dem geschäftspolitisch gewollten Jahresüberschuß kann das Unternehmensergebnis vor Gewinnverwendungsrechnung:

1) höher als notwendig,
2) niedriger als notwendig,
3) deckungsgleich

sein; in den Fällen (1) und (2) muß eine Bewertungskorrektur erfolgen, die neben den Bewertungsmöglichkeiten der a.o. Rechnung auch Gestaltungen in der Sphäre der Stillen Reserven nach § 26 a KWG berühren kann.

Bei den Bewertungen insgesamt sind Elemente zu unterscheiden, die internen Charakter haben und solche, die im Geschäftsbericht als Änderungen des Bewertungsansatzes erläutert werden müssen. Auch hier verknüpft sich die strukturelle Gewinnbedarfsrechnung mit der Politik der Bilanzoptik.

bb) Die Erfolgsrisiken

Als Erfolgsrisiken werden im folgenden behandelt:

- das Zinsänderungsrisiko
- das Länderrisiko
- das Verwaltungskostenrisiko.

(1) Das Zinsänderungsrisiko

Das Risiko einer auf die Zinsspanne durchschlagenden Zinsänderung am Markt der Einlagen und/oder Kredite folgt aus der Höhe des Volumens an Zinslaufzeit-Inkongruenzen zwischen Aktiven und Passiven.

Im Gegensatz zum Liquiditätsrisiko, dem Kapitalbindungslaufzeiten-Inkongruenzen zugrunde liegen, haben potentielle Auswirkungen aus der Fristentransformation nur dann auch ein Zinsänderungsrisiko zum Inhalt, wenn die Inkongruenzen aus Fristentransformation und Zinslaufzeit identisch sind. Dies ist heute bei den Geschäftsbanken nicht mehr die Regel.

Hinsichtlich der theoretischen oder pragmatischen Modelle zur Messung des Zinsänderungsrisikos sind Primär- und Sekundär-Ansätze zu trennen. Die Primäransätze beziehen sich auf das Festzinssatz-Risiko:

– Zinsänderungs-Bilanz von Scholz,
– Finanzflußrechnung des Bundesaufsichtsamtes für das Kreditwesen,
– Einlegerschutz-Bilanz von Stützel, Krümmel,
– Durationsansätze von Lohmann, Rudolph und Hartmut Schmidt.

Die Sekundäransätze ergeben sich als systemnotwendige Folge des Einsatzes der Marktzinsmethode; sie sind diesem System immanent und erfassen auch ein variables Zinsänderungsrisiko.

Die in der Literatur vorfindbaren Definitionen dessen, was „Zinsänderungs-Risiko" meint, hat Rolfes katalogisiert und systematisiert (Tabelle 3)[48]

Tabelle 3: Definition des Zinsänderungsrisikos

Zinsänderungsrisiko / Ausprägung hinsichtl.	Erfolgsmaßstab	Zielgröße	Ursachenabgrenzung
(1) als negative Abweichung des Zinsüberschusses (der Bruttozinsspanne) vom bislang erzielten Ergebgebnis, bedingt durch **Festzinsgeschäfte**	Zinsüberschuß bzw. Bruttozinsspanne	bislang erzielte Bruttozinsspanne	Zinsänderungsrisiko = Festzinsrisiko
(2) als negativer Zinsüberschuß bzw. als negative Bruttozinsspanne, bedingt durch **Festzinsgeschäfte**	Zinsüberschuß bzw. Bruttozinsspanne	Nullergebnis	Zinsänderungsrisiko = Festzinsrisiko
(3) als negative Abweichung des Zinsüberschusses (der Bruttozinsspanne) vom bislang erzielten Ergebnis, bedingt durch **variabel verzinsliche und Festzinsgeschäfte**	Zinsüberschuß bzw. Bruttozinsspanne	bislang erzielte Bruttozinsspanne	Zinsänderungsrisiko = variables Zinsänderungs- + Festzinsrisiko
(4) als negative Abweichung des Reinvermögenswertes vom gegenwärtigen Reinvermögenswert der Festzinsposition	Reinvermögenswert	Erhaltung des Reinvermögenswertes	Zinsänderungsrisiko = Festzinsrisiko

[48] Rolfes, B.: Die Steuerung von Zinsänderungsrisiken in Kreditinstituten, Frankfurt am Main 1985, S. 11

Die Fälle (1), (2) und (4) sind Primäransätze. Der Fall (3) folgt aus der Marktzinsmethode. Die Darstellung und kritische Würdigung der Primäransätze (traditionelle Kalkulationsansätze nach Rolfes) sind beispielhaft (Seiten 51 bis 127 der Monographie).

Der Ansatz für die neuere Theorie im Sinne Rolfes findet sich in zusammengefaßter Form in dem Aufsatz „Ansätze zur Steuerung von Zinsänderungsrisiken" des Verfassers[49], das als Konzept der Zinserfolgselastizität verstanden werden kann: Die Zinserfolgselastizität definiert als das Verhältnis zwischen der Zinserfolgsänderung, ausgedrückt in der Gesamtzinsmarge, und der Zinsniveauänderung, ausgedrückt – im System der Marktzinsmethode – als Änderung des Tagesgeldzinses am Bankengeldmarkt (S. 546).

Auf Basis der Zinserfolgselastizitäten leitet Rolfes eine Bruttozinsspannenelastizität ab als Abhängigkeit der Brutto-Gesamtzinsspanne von Zinsniveauänderungen, die als Summe der Einzelelastizitäten der Geschäftsarten nach ihrem jeweiligen Geschäftsstrukturanteil definiert ist (S. 548). Auf dieser Grundlage entwickelt Rolfes dann die Ableitung einer zinsänderungs-optimalen Geschäftsstruktur einer Bank, im Dritten Teil seiner oben zitierten Monographie (S. 156–298).

(2) Länderrisiken

Unter die wirtschaftspolitischen Risiken des Außenhandels – und damit zugleich des Bankgeschäftes dieses Sektors – werden subsumiert:

- ZM-Risiken = Transfer-Risiken im engeren Sinne
  - Zahlungsverbote der Regierung des Schuldnerlandes
  - Moratorien (Zahlungsaufschub für alle Währungsverbindlichkeiten)
- KT-Risiken = Transfer-Risiken im weiteren Sinne
  - Konvertierungsrisiken
    Die Zentralbank des Schuldnerlandes ist wegen Zahlungsbilanzschwierigkeiten nicht in der Lage, Landeswährung in Devisen zu konvertieren
  - Transferrisiken
    mangels Devisen kann der Kaufpreis in der fakturierten Währung nicht überwiesen werden.

Das *Länderrisiko* entspricht dem Konvertierungsrisiko als Zahlungsunfähigkeit des Schuldnerlandes; zusätzlich umfaßt es die Zahlungsunwilligkeit des Schuldnerlandes[50].

[49] Rolfes, B.: Ansätze zur Steuerung von Zinsänderungs-Risiken, in: Kredit und Kapital 18. Jg. (1985), S. 529-552

[50] vgl. Büschgen, H. E.: Internationales Finanzmanagement, a. a. O., S. 148

Bankenspezifisch definiert die Association of Reserve City Bankers (ARCB)[51]:

„Country risk ‚refers to a spectrum of risks arising from the economic, social and political environments of a given country (including government policies framed in response to trends in these environments) having potential favorable or adverse consequences for foreigners' debt and/or equity investments in that country'."

Eine umfassende Darstellung von Bedeutung, Komponenten, Wirkungen, Verfahren, Problemen der Bewertung und Instrumente der Sicherung sowie die Implementierung im Entscheidungsprozeß bietet Büschgen[52].

Wesentlich ist, daß dieses Länderrisiko als Außenhandelsrisiko, das auch als Sonderfall des Währungsrisikos gesehen werden kann, den bonitätsmäßig intakten Schuldner voraussetzt, während es in Form des government-finance, also der Staatsfinanzierung, ein spezifisches Bonitätsrisiko ist.

Eine Systematik des Währungsrisikos liefert Meyer (Abbildung 2)[53].

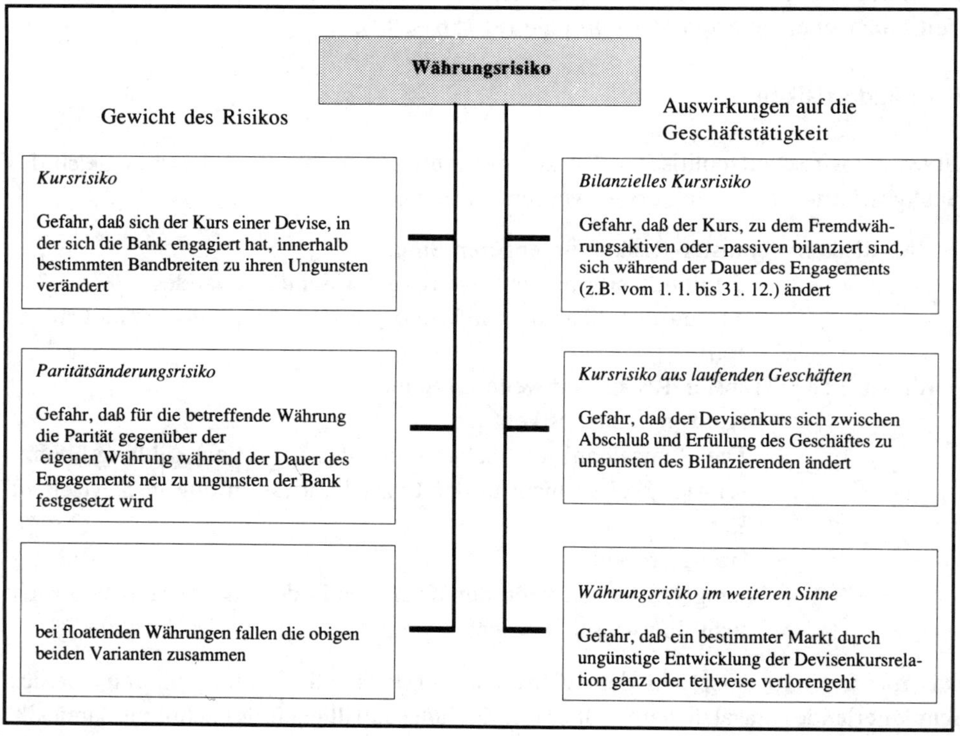

Abbildung 2: Systematik des Währungsrisikos

[51] zitiert bei: Cataquet, H.: Country Risk Analysis: Art, Science and Sorcery?, in: Beihefte zu Kredit und Kapital, Heft 8: Internationales Bankgeschäft, 1985, S. 78

[52] Büschgen, H. E.: Internationales Finanzmanagement, a. a. O., S. 148-167

[53] Meyer, C.: a. a. O., S. 196

Das Währungsrisiko als Risiko aus *Währungsparitäts*änderungen ist für die *Erfolgsrechnung* nur relevant, soweit es offene Positionen betrifft. In der Bilanz schlägt es sich in Volumensänderungen nieder: In Form des Translationsrisikos[54]. Dabei sei darauf aufmerksam gemacht, daß in der Konzernrechnung die Anwendung der Einheitstheorie für die Jahresbilanz eine Aufhebung des Nominalwertprinzips bedeutet, das nur bei Anwendung der Theorie der rechtlichen Selbständigkeit erhalten bleibt.

Für die Bilanzpolitik ist die Bewertungsproblematik von besonderer Bedeutung, wie sie in den Aufsätzen von Mertin und neuerlich Luckey[55] behandelt worden ist.

Wesentlich ist in diesem Zusammenhang:

- Bildung von Einzelwertberichtigungen in pauschalierter Form
  - auf den Gesamtstand an Forderungen gegen Schuldner in einem bestimmten Land
    – nach Abzug hinreichend gesicherter Forderungen einerseits und Adressenrisiken andererseits –
  - in konservativer Form
    Das Bundesaufsichtsamt hat „einen vernünftigen Weg zwischen bankaufsichtsmäßig Wünschbarem und ertragsmäßig Darstellbarem gewiesen[56]"
  - und steuerlich zumeist anerkannter Form
- nach dem Kriterium der Rückzahlungserfahrung und/oder der Rückzahlungserwartung.

Der Rückzahlungserwartung liegen entweder institutsspezifische oder externe Rating-Systeme zugrunde. Einen Überblick über die bekanntesten Konzepte und der bei der Expertenbefragung verwendeten, grundlegenden Urteilsdimensionen für die Faktorenbildung bieten Köglmayr/Müller (Tabelle 4 und 5)[57]:

(3) Gewinnrisiken aus Verwaltungskosten

Die „Gewinnrisiken unter besonderer Beachtung der aus den Verwaltungskosten folgenden Belastungen"[58] sind für eine geschäftspolitische Abwägung von besonderer Bedeutung. Sie folgen aus zwei zukünftig stark an Gewicht gewinnenden Sektoren[59]:

[54] vgl. Lerbinger, P./Maier, A.: Translations-Riskmanagement im Unternehmen, in: Die Bank 3/87, S. 146-152, insbes. S. 147

[55] vgl. Mertin, K.: Auslandsrisiken, in: ZfgK, 31. Jg. (1978), S. 100-104; Luckey, E.-R.: Bewertung von Länderrisiken in der Bankbilanz, in: (Hrsg.) Krumnow, J./Metz, M.: Rechnungswesen im Dienste der Bankpolitik, a. a. O., S. 287-296

[56] Luckey, E.-R..: ebenda, S. 292

[57] Köglmayr, H.G./Müller, St.: Bewertung von Länderrisiken, in: Die Bank 7/87, S. 378, hier S. 379/381

[58] Süchting, J.: Bankmanagement, a. a. O., S. 288

[59] vgl. Jacob, A.-F.: Gedanken zur Risikosteuerung im Bankbetrieb, a. a. O.

Tabelle 4: Ausgewählte Länderrisiko-Konzepte

Konzept	Zielgruppe	Untersuchungszeitraum	Prognosezeitraum	Inhalt	Methodik
BERI-Informationssysteme (Business Environment Risk Information-Institut, BERI-Institut)	Investoren	3 x jährlich – ORI seit 1972 – PRI seit 1978 – R-F seit 1973 – POR seit 1978	1-Jahres-Prognosen, 5-Jahres-Prognosen	Oberkriterien: • Operation Risk Index • Political Risk Index • R-Factor • Profit Opportunity Recommendation 48 Länder	Scoring-Modell: • 31 qualitative Kriterien (Expertenbefragung) • 9 quantitative Kriterien (statistische Daten) → 40 Unterkriterien
BI-Country Ratings (Business International Corporation, Marktforschungsinstitut	Exporteure und Investoren	1 x jährlich seit 1976	Gegenwarts- und zukunftsbezogen	Oberkriterien: • politische, gesetzliche und soziale Entwicklung • Wirtschafts-, Finanz- und Währungssituation • Energieversorgung → Gesamturteil 57 Länder	Scoring-Modell: • qualitative Kriterien (Expertenbefragung) • quantitative Kriterien (statistische Daten) → 34 Unterkriterien
Konzept der Commerzbank (Commerzbank)	Commerzbank selbst	1 x jährlich seit 1978	Zukunftsbezogen	Oberkriterien: • Wirtschaft • Management-Qualität • Politische STabilität → Gesamturteil	Scoring-Modell: • qualitative Kriterien (Expertenbefragung) • quantitative Kriterien (statistische Daten)
Economic System International (IFO-Institut für Wirtschaftsforschung)	Unternehmen	2 x jährlich seit 1981	Gegenwartsbezogen	Keine Gesamtbeurteilung pro Land, sondern Aggregation der Länderwerte pro Kriterium 50 Länder	• 8 qualitative Kriterien (Expertenbefragung)
Euromoney-Index (Euromoney-Magazine)	Banken	2 x jährlich seit 1979	Gegenwartsbezogen	Ab 1979: 1 Kriterium (weighted average Spread) ab 1982: 3 Oberkriterien 66-117 Länder	Ab 1979: Formel mit quantitativen Größen ab 1982: Scoring-Modell mit anderen Kriterien
FORELEND-Informationssysteme (BERI-Institut)	Banken	3 x jährlich seit 1978	1-Jahres-Prognosen, 5-Jahres-Prognosen	Oberkriterien: • LRquant • LRqual • LRenvir → Recommended Lender Action 50 Länder	Scoring-Modell: • 29 qualitative Kriterien (Expertenbefragung) • 20 quantitative Kriterien (statistische Daten) → 49 Unterkriterien
Institutional Investor-Country Rating (Institutional Investor Magazine)	Banken	2 x jährlich seit 1979	Gegenwartsbezogen	1 Kriterium (Bonität) 105-109 Länder	• Qualitatives Kriterium (Expertenbefragung; 75-100 Banken)
mm-Ländertest (Manager Magazin und Institut zur Erforschung techn. Entwicklungslinien)	Exporteure und Investoren	1 x jährlich (1980/81/82)	Gegenwarts- und zukunftsbezogen	Oberkriterien: • Politische Stabilität • Binnenwirtschaft • Außenwirtschaft → mm-Ländertest 53-55 Länder	Scoring-Modell: • 23 qualitative Kriterien (Expertenbefragung) • 7 quantitative Kriterien (statistische Daten) → 30 Unterkriterien
World Political Risk Forecast (Frost & Sullivan, Incorporation)	Investoren	1 x jährlich seit 1979	18-Monats-Prognosen, 5-Jahres Prognosen	Das Modell baut auf dem Prince-Modell von Choplin und O'Reary auf. 60 Länder	• Qualitative Kriterien Experten beurteilen politische Personen und Gruppen) • Quantitative Kriterien

Tabelle 5: Grundlegende Urteilsdimensionen bei der Risikobewertung von Ländern durch Experten

Faktor (Varianzerklärung in %)	Kriterium (Subindex)	Faktor-ladung
1. Unternehmerische Freiheit bei der grenzüberschreitenden Geschäftstätigkeit (75,1)	Begrenzungen für Auslandsinvestoren (III)	0,82
	Freiheit der Wirtschaftsordnung (I)	0,74
	Zugänglichkeit des inländischen Kapitalmarktes für Ausländer (II)	0,72
	Liberalität der Transferbestimmungen (III)	0,72
	Beteiligungsauflagen (III)	0,71
	Beschäftigungsmöglichkeiten für ausländische Arbeitskräfte (II)	0,70
	Exportmöglichkeiten des Landes (III)	0,69
2. Grundvoraussetzungen für ein Engagement (18,0)	Arbeitsklima/Sozialer Friede (I)	0,76
	Verkehrs- und Kommunikationssystem (II)	0,69
	Pro-Kopf-Einkommen (II)	0,67
	Stabilität des politischen Systems (I)	0,65
	Verfügbarkeit von Energie (II)	0,63
	Umweltschutzauflagen (II)	– 0,60
3. Volkswirtschaftliche Situation und Entwicklungstendenzen (6,9)	Inflation in den vergangenen zwei Jahren (II)	0,79
	Tendenzen in der Zahlungsbilanz (III)	0,67
	Wachstum in den vergangenen fünf Jahren (II)	0,67
	Außenwirtschaftliche Belastung durch öl- und Energieimporte (III)	0,51
Legende: I = Politische und wirtschaftliche Rahmenbedingungen; II = Binnenwirtschaft; III = Außenwirtschaft		

- die absolute und relative Zunahme der Aufwendungen aus Investitionen in die Beratungs- und Abwicklungstechnik (Mieten und/oder Abschreibungen)
- die personalwirtschaftliche Dimension aus demographischer Entwicklung einerseits und den Aufwendungen aus Investitionen in das Personalwesen andererseits.

Beide Sektoren führen zu Kostenblöcken mit ausgeprägter Remanenz.

c) Ein pragmatisches, integratives Modell: Bilanzstruktur-Management

Die bereits in zweiter Auflage vorliegende, umfangreiche Monographie von Schierenbeck: Ertragsorientiertes Bankmanagement[60] ist der Versuch, Bankcontrolling als integratives System von drei Managementbereichen zu beschreiben[61]:

- Portfolio-Management
- Bilanzstruktur-Management
- Budget-Management.

Unter *Portfolio-Management* wird „die Gestaltung des strategischen Marktleistungsprogramms einer Bank nach Maßgabe der marktlichen Risiken und Chancen" verstanden. (II/S. 183)

Unter *Bilanzstruktur-Management* wird die Aufgabe verstanden, „die Geschäftsstruktur unter Berücksichtigung der Bilanzstrukturrisiken und des strukturellen Gewinnbe-

[60] Schierenbeck, H.: Ertragsorientiertes Bankmanagement, 2. Aufl., Wiesbaden 1987 (zit. mit I/S.)

[61] vgl. Schierenbeck, H.: Das Bilanzstruktur-Management als integrativer Bestandteil des Bank-Controlling, in: (Hrsg.) Krumnow, J./Metz, M.: Rechnungswesen im Dienste der Bankpolitik, a. a. O., S. 183-196 (zit. mit II/S.)

darfs so zu steuern, daß ein strukturelles finanzielles Gleichgewicht und damit die dauerhafte Existenz der Bank gesichert ist." (II/S. 183f.)

Unter *Budget-Management* wird „die Feinsteuerung der Banken-Rentabilität mit Hilfe aufeinander abgestimmter Volumens-, Kosten- und Ergebnisbudgets und Sicherstellung eines integrierten Regelkreises von Planung und Kontrolle" verstanden (II/S. 184).

In diesem Zusammenhang interessiert das Bilanzstruktur-Management. In einem Schaubild stellt Schierenbeck die Analyse- und Abstimmungsmaßnahmen zur Formulierung und Kontrolle konsistenter Rentabilitäts- und Risikostrategien dar (Abbildung 3) (I/S. 292).

Abbildung 3: Prozeßstufen im Bilanzstruktur-Management

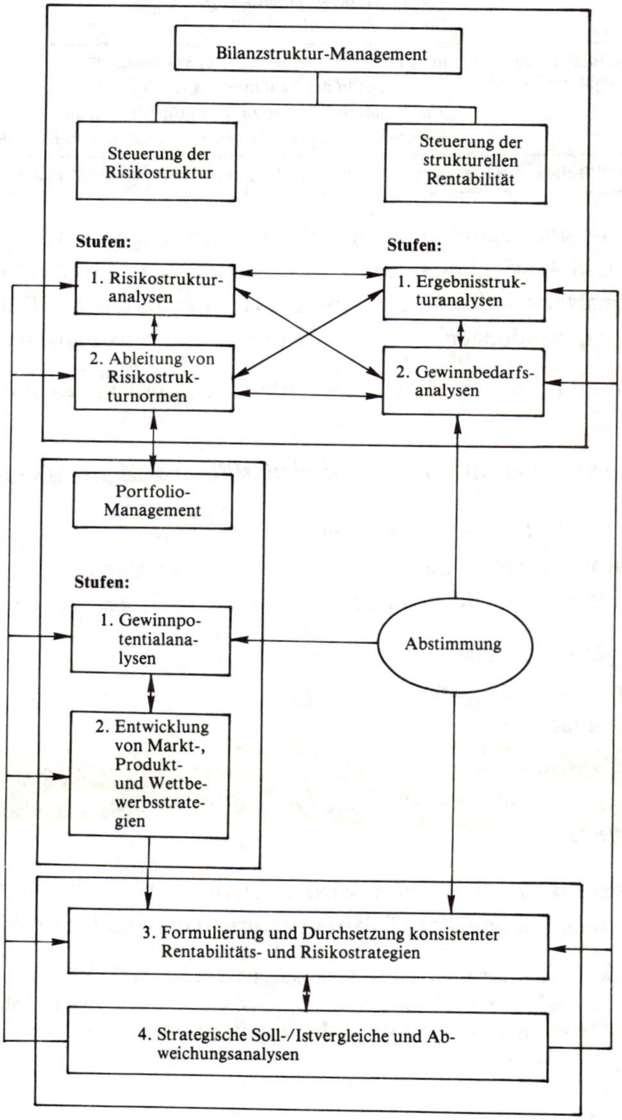

Das Bilanzstruktur-Management hat drei Zielbereiche (II/S. 184):

1) Formulierung von Risikonormen und Sicherstellung der Einhaltung,
2) Bewertung der Risikospielräume unter Ertragsgesichtspunkten zum Zwecke der Bilanzstruktur-Optimierung,
3) die Planung des strukturellen Gewinnbedarfs und dessen Durchsetzung.

Die *Risikosteuerung* erfolgt mit einem System von Kennzahlen aus Risiko-Strukturanalysen (Tabelle 6) (I/S. 337):

Tabelle 6: System von Risikostruktur-Kennzahlen

	Erfolgsrisiken	Liquiditätsrisiken
Risiko-struktur-Kennzahlen Typ A	(1) Eigenkapitalquote (2) GR-I-Auslastung (3) Quote der Risikoaktiva (4) Risikoanrechnungsquote (5) Effektive Risikobelastungs-quote (6) Realkredit-/Kommunalkredit-quote (7) Quote der formell ungesicherten Kredite	(16) GR-II-Auslastung (17) GR-III-Auslastung (18) Kapitaldeckung der Risiko-aktiva (19) Offene Kundengeschäftsquote (20) Spar-, Termin-, Sichteinlagenquote (21) Kundengeschäftsanteil (Aktiv) (22) Liquiditätsreservequote (23) Kundengeschäftsanteil (Passiv) (24) Interbankenquote (Passiv) (25) Offene Geld- und Kapital-marktquote
Risiko-struktur-Kennzahlen Typ B	(8) Haftungsquote (9) Größenstruktur der Kredite (10) Länder-/Branchen-/Kredit-nehmeranteilsquoten (11) Bonitätsklassenanteils-quoten (12) Offene Festzinsquoten (13) Zinserfolgselastizitäten (14) Anteilsquote des nicht-zinsreagiblen Aktiv-/Passivvolumens (15) GR-Ia-Auslastung	(26) Rückstandsquote (27) Größenstruktur der Kunden-einlagen (28) Liquiditätsindex

wobei folgende „banktypischen Erfolgsrisiken" unterschieden werden (Abbildung 4) (I/S. 296).

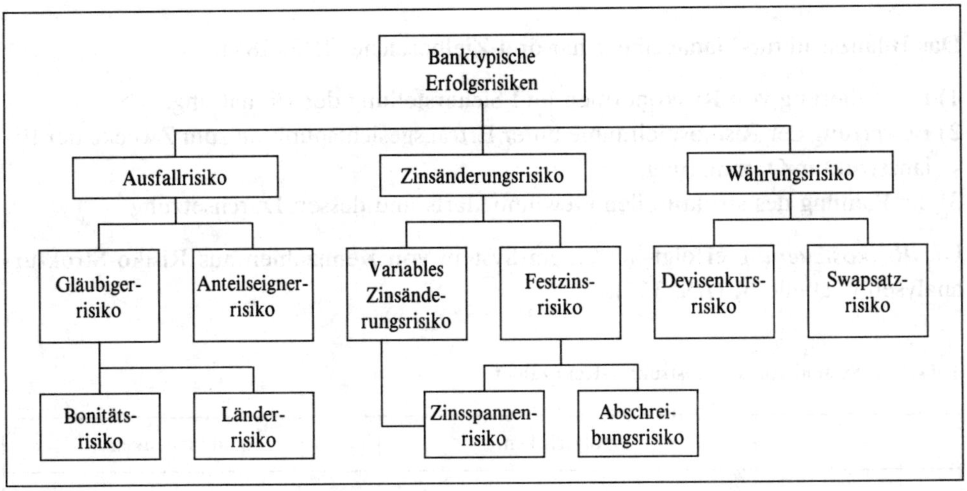

Abbildung 4: Banktypische Erfolgsrisiken

Eine wesentliche Aufgabe des Bilanzstruktur-Managements liegt darin, auf der zweiten Stufe „Risikostrukturnormen" zu entwickeln, die zugleich Rentabilitätsgesichtspunkte berücksichtigen (I/S. 291).

Die *Steuerung der strukturellen Rentabilität* erfolgt auf Basis einer Ergebnisstrukturanalyse (1. Stufe), einer Gewinnbedarfsanalyse (2.Stufe) und führt zur „Mindestreingewinnspanne" (Abbildung 5) (I/S. 391).

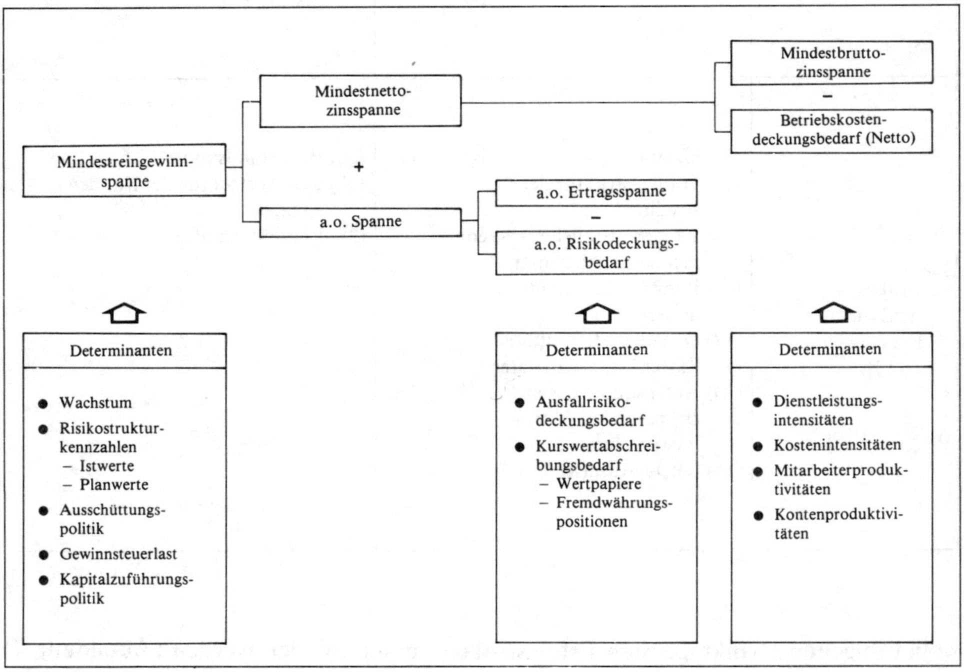

Abbildung 5: Determinanten des Gewinnbedarfs (im Sinne von Mindestbruttozinsspanne)

Die Integration von Risiko- und Ertragsmanagement erfolgt auf der Basis eines ROI-Schemas. Dieses integrative Modell zeigt die folgende schematische Darstellung (Abbildung 6, nächste Seite) (I/S. 359)

Die Aufteilung der Risikospanne in die Konditions- und Strukturmarge verdeutlicht zugleich, daß dieses Modell auf der Marktzinsmethode aufbaut.

2. Politik der Bilanzoptik

Die von Birck/Meyer entwickelte Strukturierung in der Darstellung der Bilanzoptik-Politik ist allgemein in der Literatur übernommen worden.[62] Das folgende, in Anlehnung an Schierenbeck entwickelte Schaubild (Abbildung 7) versucht, die Zusammenhänge der Gestaltungsmöglichkeiten zu systematisieren:

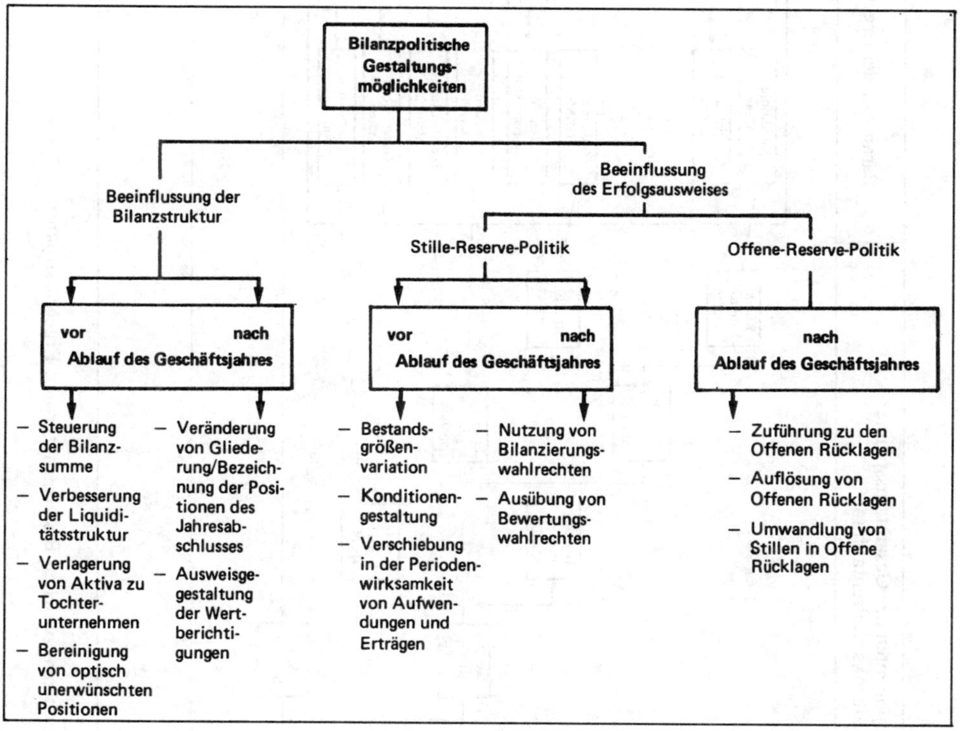

Abbildung 17: Strukturierung der Bilanzpolitik

[62] vgl. Birck, H./Meyer, H.: Die Bankbilanz, 3. Aufl., 3. Teillieferung, Wiesbaden 1970, S. VII/19-VII/121; so auch Schierenbeck, H.: Ertragsorientiertes Bankmanagement, a. a. O., S. 368 (Schaubild); Süchting, J.: Bankmanagement, a. a. O., S. 139 f.

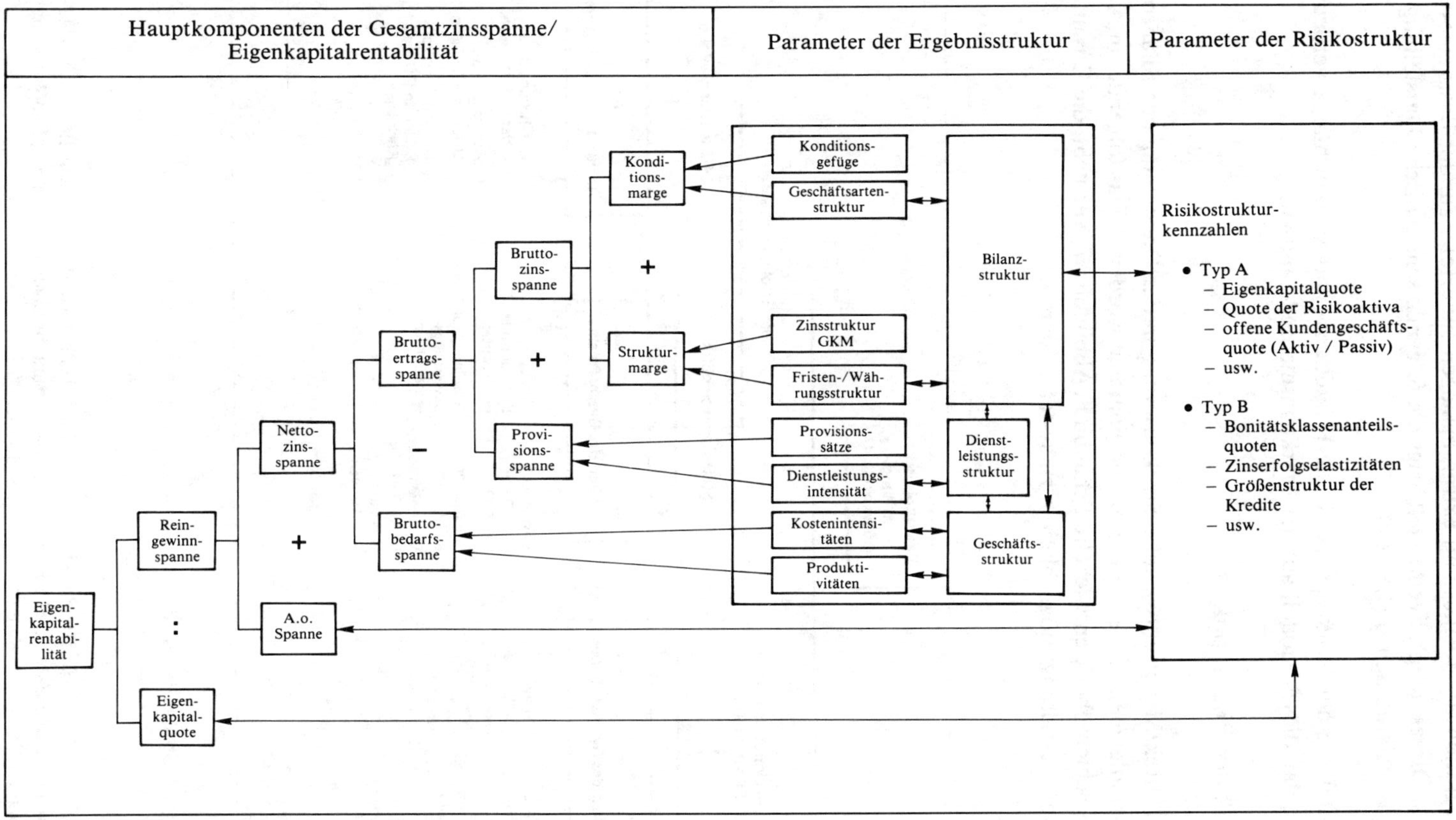

Abbildung 6: Zusammenhänge zwischen Risikostruktur und Ergebnisstruktur

a) Gestaltungsmöglichkeiten des Bilanzausweises

aa) Steuerung der Bilanzsumme

Die Grenzen der Steuerung der Bilanzsumme im Rahmen der Gestaltungsmöglichkeit werden durch die zweifach limitierende Wirkung der Eigenmittel gezogen:

1) Soweit es sich um Grundsatz-I-relevante Aktiva handelt, bildet der Freiheitsraum im Grundsatz I den dispositiven Gestaltungsrahmen.

2) Soweit es sich um Grundsatz-I-freie Aktiva handelt, bildet die Imagefunktion der Relation „Eigenmittel ivH Bilanzsumme" bzw. „Eigenmittel ivH des Geschäftsvolumens" die Obergrenze.

Das bedeutet, daß die Grenzen der Gestaltungsfähigkeit von der Eigenmittelbasis gezogen und die Maßnahmen von der Struktur der Aktivseite der Bilanz determiniert werden.

Weiterhin kommt bei den Großbanken in neuerer Zeit hinzu, daß jeweils der Gruppengesichtspunkt im Vordergrund steht, so daß eine innerhalb der Bankgruppe austauschbare „Bilanzsummenpolitik" den Primat bekommt.

Die Tendenz, daß die Konzernmutter relativ unter die 50 %-Anteilsquote am Geschäftsvolumen der Gruppe sinkt, bedeutet für die Bilanzstruktur:

1) Hoher Spielraum des Grundsatz-I-Volumens bei der Mutter bei optimaler Gestaltung in der Gruppe,
2) ständige Anhebung der Image-Relation der Mutter bei Nivellierung in der konsolidierten Gruppenbilanz.

Diese Entwicklung wird daher auch begleitet von einer gruppenspezifischen Eigenkapitalvorhaltung bei der Mutterbank für die Tochterbanken im Rahmen des konsolidierten Grundsatzes I.

Vor diesem Hintergrund sind die Aussagen von Birck/Meyer „Die Bilanzsumme einer Bank spielt in allen Bilanzbetrachtungen ebenso wie in Werbeanzeigen verschiedener Art eine hervorragende Rolle, denn sie gilt als Ausdruck der Größe, Bedeutung und Leistungsfähigkeit ..."[63] für die Großbanken zu relativieren und im Blick auf die Gruppenphilosophie zu transformieren.

Im einzelnen gehören zu diesen Maßnahmen:

- Geldaufnahme am Bankenmarkt ohne oder mit Inkaufnahme eines Überhangs der Bankenverbindlichkeiten über die Bankenforderungen,
- Lombardierung über Ultimo,
- Dreiecksgeschäfte mit Tages- und Termingeld.

[63] Birck, H./Meyer, H.: a. a. O., S. VII/22

Diese Aufnahmen bewirken originär ein Bilanzwachstum; werden sie im Folgejahr nicht angewandt, können sie als – derivative – Maßnahme der Bilanzverkürzung auf ein limitiertes, ausgewiesenes Wachstum angewandt werden.

bb) Verbesserung der Liquiditätsstruktur

Die Liquiditätsstruktur kann originär und derivativ gesteuert werden.

- originär ist eine Verbesserung, die von der Passivseite gesteuert wird,
- derivativ ist eine Verbesserung, die als Aktivtausch realisiert wird.

Eine typische Maßnahme originärer Verbesserung ist die Hereinnahme von Tages- oder Termingeld über den Jahresultimo und die Konzentration der Mindestreservehaltung Dezember auf die letzten Monatstage.

Derivative Maßnahmen sind Lombardierung von Wechseln oder Wertpapieren, Rediskontierung, Tausch von Kundenforderungen in Wechselforderungen oder Wertpapiere sowie Durchführung von Pensionsgeschäften.

cc) Verlagerung von Aktiva zu Tochterunternehmen

Auch hier muß zwischen originären und derivativen Transaktionen unterschieden werden:

- originär im bankgeschäftlichen Aktivitätenbereich
  - Auslagerung von Krediten
- derivativ im Sachanlagen- und Finanzanlagenbereich
  - Gründung von Grundstücksgesellschaften, Vermögensanlagegesellschaften, Holdinggesellschaften (Gestaltung des § 12 KWG).

dd) Bereinigung von optisch unerwünschten Positionen

Zu den sogenannten unerwünschten Positionen zählen:

- Bestände an Schuldverschreibungen eigener Emissionen
  meist: Pensionierung über Jahresultimo;
- Forderungen an verbundene Unternehmen und Organkredite
  meist: Pensionierung an nicht verbundene Unternehmen oder Forderungstausch;
- Eigene Akzepte und Solawechsel im Umlauf
  meist: Ankauf zum Bilanzstichtag.
  Neuerdings steigt das Volumen im Gefolge der Internationalisierung an und wird wie folgt kommentiert (Geschäftsbericht 1986 der Dresdner Bank AG, S. 92):

  „Verbindlichkeiten aus Eigenen Akzepten und Solawechsel im Umlauf stiegen um 333 Mill. DM auf 1452 Mill. DM. Hierin sind überwiegend Refinanzierungen unserer Niederlassungen im Ausland an den lokalen Geldmärkten enthalten. 93 Mill.DM entfallen auf Refinanzierungen unserer Niederlassung Tokio, sie entsprechen dortigen Usancen."

ee) Gliederung und Bezeichnung der Positionen des Jahresabschlusses

Zu den ausweispolitischen Gestaltungsmöglichkeiten zählen

- Zusatzgliederung,
- Einstellung von Leerpositionen,
- Herausheben des Geschäftsvolumens gegenüber der Bilanzsumme.

Die *Zusatzgliederung* dient einer genaueren Bestimmung und Differenzierung der Pflichtpositionen. Als Beispiel nennen Birck/Meyer[64]: „Zum Beispiel kann bei den Wertpapierpositionen durch weitere Untergliederung oder Ausgliederung der Betrag der Wertpapierpensionsbestände ersichtlich gemacht werden, um die ungünstige Wirkung eines übergroßen Wertpapierbestandes allgemein abzuschwächen bzw. um speziell auf diesem indirekten Wege auf die Verringerung der Kursrisiken hinzuweisen."

Die *Einstellung von Leerpositionen* dient dem Hinweis, daß bestimmte Aktiva oder Passiva, die unter einer Bilanzposition subsumiert sind, nicht existieren. Birck/Meyer nennen[65]

Bilanzposition	**Leerposition als freiwillige Ausgliederung**
Forderungen an Kunden mit vereinbarter Laufzeit oder Kündigungsfrist von weniger als vier Jahren	darunter: Forderungen aus Teilzahlungsgeschäften DM –,–
Sonstige Vermögensgegenstände	darunter: Barrengold DM –,–
Verbindlichkeiten gegenüber Kreditinstituten	davon: Lombarddarlehen DM –,–
Verbindlichkeiten im Falle der Rücknahme von in Pension gegebenen Gegenständen, sofern ...	darunter: innerhalb eines Jahres fällig DM –,–

Das optische *Herausstellen des Geschäftsvolumens* gegenüber der Bilanzsumme ist eine notwendige Folge der Interpretationsgewohnheiten der Bankbilanz im internen Vergleich und in der externen Analyse. Sämtliche Kennzahlen – von der Zinsmarge bis zum Geschäftsvolumen pro Mitarbeiter – beziehen sich auf das Geschäftsvolumen als der gegenüber der Bilanzsumme aussagefähigeren Größe.

64 Birck, H./Meyer, H.: a. a. O., S. VII/29
65 ebenda, S. VII/33

ff) Ausweisgestaltung der Wertberichtigungen

Bei den *Sammelwertberichtigungen* ist es den Banken freigestellt, sie aktivisch abzusetzen oder sie passivisch zu zeigen. Das Wahlrecht stellt eine Möglichkeit der Ausweispolitik dar; bilanzpolitische Konsequenzen hat die Ausweisform nicht: die Sätze sind vorgegeben und von den bilanzierenden Instituten nicht gestaltbar.

Eine Wahl zwischen aktivischer Absetzung oder passivischem Ausweis besteht für die *Einzelwertberichtigungen* lediglich bei den Abschreibungen auf Sachanlagen, Beteiligungen und Wertpapieren des Anlagevermögens. Direkt aktivisch abgesetzt werden müssen hingegen die Einzelwertberichtigungen auf Kreditforderungen und Wertpapiere des Umlaufvermögens.

Damit ist der Übergang zur ausweispolitischen Bildungsmöglichkeit von *Globalabsetzungen* gegeben, die mit der Bildung stiller Reserven verbunden ist. Birck/Meyer fassen diese Möglichkeiten tabellarisch zusammen (Tabelle 7)[66].

Hinzuweisen ist, daß durch das EG-Bilanzrecht eine Einschränkung im Bereich der Wertpapiere eintritt: der Wertpapierhandelsbestand ist von der Möglichkeit der Bildung Stiller Reserven ausgenommen.

b) Gestaltungsmöglichkeiten des Erfolgsausweises

Die Gestaltungsmöglichkeiten beziehen sich auf die Politik Stiller Reserven und die Wahl der Bildung und Auflösung Offener Reserven.

aa) Die Politik Stiller Reserven

Zunächst sollen die fünf grundsätzlich gegebenen Möglichkeiten kurz dargestellt werden.

(1) Bestandsgrößenvariation

Hierzu zählen:

- Realisierung von Kursgewinnen im Wertpapierportefeuille und Wiedereindeckung
- Tilgung von Schuldverschreibungen eigener Emission
- Veräußerung von Beteiligungen zum Zweck der Gewinnrealisation
- Realisierung von Buchgewinnen in Grundstücken, Gebäuden, Betriebs- und Geschäftsausstattung und lease back.

[66] Birck, H./Meyer, H.: a. a. O., S. VII/45 f.

Tabelle 7: Zulässigkeit der Plazierung stiller Reserven bei den einzelnen Aktiva

Vermögensgegenstand	Gruppe der nach Aktienrecht bilanzierenden Banken	Alle sonstigen Banken	Bemerkungen
Umlaufvermögen			
Barreserve (Kassenbestand, Bundesbank- und Postscheckguthaben)	nein	nein	absolut nicht reservefähig
Wechsel	ja	ja	–
Forderungen an Kunden	ja	ja	–
Forderungen an Kreditinstitute	ja	ja	reservefähig, aber Reservenbildung in aller Regel nicht zweckmäßig
Durchlaufende Kredite (Treuhandkredite)	nein	nein	nicht reservefähig, weil Ausweisbetrag mit der korrespondierenden Verbindlichkeit übereinstimmen muß
Ausgleichs- und Deckungsforderungen gegen die öffentliche Hand	nein	nein	nicht reservefähig, da selbst echte Wertberichtigungen unzulässig (§ 11 Abs. 4 UG)
Bankgeschäftliche Rückgriffsforderungen	ja	ja	Reservenbildung u. U. auch in Form von Rückstellungen möglich
alle anderen Forderungen	nein	ja	auf solche nichtbankgeschäftlichen Forderungen ist § 26 a KWG nicht anwendbar
Wertpapiere	ja	ja	einschließlich derjenigen mit konsortialer Bindung
Rechnungsabgrenzungsposten	ja	ja	nicht nur die Abgrenzung der Bagatellposten und der in regelmäßig etwa gleichbleibender Höhe wiederkehrenden Posten, sondern auch die Aktivierung des bei der Eingehung von Verbindlichkeiten anfallenden Disagio- oder Diskontbetrages darf unterbleiben; sonst nein
Sonstige Aktiven, wie Edelmetalle, Kasinobestände, sonstige Materialbestände	nein	ja	außer Goldmünzen als gesetzliche Zahlungsmittel
Anlagevermögen			
Wertpapiere	nein	ja }	einschließlich der Finanzanlagen mit konsortialer Bindung
Beteiligungen	nein	ja }	
Sachanlagen	nein	ja	–
Immaterielle Werte	ja	ja	Reservenbildung durch Unterlassung des Ansatzes aktivierbarer Werte

(2) Konditionengestaltung

Darunter fallen:

- Umschichtung im Wertpapierportefeuille
- Kauf von Emissionen mit hohem Disagio
- Tausch von Inhaberschuldverschreibungen in Namensschuldverschreibungen: Ausweis dann unter Kundenforderungen und Vermeidung von Wertberichtigungen bei sinkendem Kurs.

(3) Verschiebung in der Periodenwirksamkeit von Aufwendungen und Erträgen

Neben der Aufwandverschiebung im Sachanlagenbereich, die nicht bankenspezifisch, sondern generell Gestaltungsmerkmal der Erfolgsrechnung ist, tritt die Gestaltung der Erfolge aus Devisengeschäften (und Wertpapierhandelsbeständen) in Form von Kursreserven, sofern es sich um geschlossene Positionen im Devisengeschäft handelt. Dadurch können Erfolge aus zwischenzeitlich erfolgten Kursveränderungen der Währung in das folgende Geschäftsjahr transportiert werden.

(4) Nutzung von Bilanzierungswahlrechten

Hierzu zählen:

- Dotierung der Pensionsrückstellungen
- Aktivierung eines Disagio
- Vereinnahmung der Erträge aus Mehrheitsbeteiligungen.

(5) Ausübung von Bewertungswahlrechten

Meyer systematisiert diese Wahlrechte (Tabelle 8)[67].

Die Frage nach der Notwendigkeit Stiller Reserven und nach der Abschaffung des Bewertungsprivilegs der Banken ist in Geschichte und Gegenwart ein heiß diskutiertes Problemfeld. Der jüngste aktuelle Anlaß war das EG-Bilanzrecht, ein Anlaß, der aber mit einer Zulässigkeit der § 26 a-Reservenbildung – wenn auch mit gewissen, bereits dargestellten Beschränkungen – endete. In der bankbetriebswirtschaftlichen Literatur werden die Extrempositionen von Süchting, der die Abschaffung fordert[68], und Berger eingenommen, der folgert: „Gäbe es den § 26 a KWG noch nicht, dann müßte er schleunigst erfunden werden".[69]

[67] Meyer, C.: Die Bankbilanz als finanzielles Führungsinstrument, a. a. O., S. 143
[68] vgl. Süchting, J.: Bankmanagement, a. a. O., S. 138
[69] Berger, K.-H.: Standing-Risiken und stille Rücklagen der Bank, a. a. O., S. 23

Tabelle 8: Systematisierung von Bewertungswahlrechten

Art der Reserve		Definition	Entstehung	Beispiel
Zwangs-reserven	Aktiven	Ist-Wert abzüglich gesetzlichem Höchstwert	Der Geschäftswert von Aktiven liegt über gesetzlichem Höchstwert	*Wertschriften* Ø-Kurswert Dezember 100 Kurs am 31. 12. 102
	Passiven	Ist-Wert abzüglich gesetzlichem Tiefswert	Der Wert von Passiven liegt unter gesetzlichem Tiefstwert	*Obligationenanleihen* Nominalwert 100 Kapitalisierter Schuldwert 98
Ermessens-reserven	Aktiven	Gesetzlicher Höchstwert abzüglich Vorsichtswert	Unsicherheit bei der Bewertung (Risiko) bringt vorsichtige tiefere Bewertung als ges. Höchstwert	*Vorräte* Tageswert (Anschaff. wert 102) 100 Vorsichtswert 98
	Passiven	Gesetzlicher Tiefstwert abzüglich (höherem) Vorsichtswert	Unsicherheit bringt vorsichtige höhere Bewertung als gesetzlicher Tiefstwert	*Fremdwährungsschulden* Wert zum Tageskurs 100 Vorsichtswert 102
Zweck-reserven	Aktiven	Vorsichtswert abzüglich Buchwert	Sachlich nicht gerechtfertigte „willkürliche" Tieferbewertung von Aktiven	*Bankgebäude* Vorsichtsvert 100 Buchwert (Pro Memoria) 1
	Passiven	Vorsichtswert abzüglich (höherem) Buchwert	Sachlich nicht gerechtfertigte „willkürliche" Höherbewertung von Passiven	*Rückstellung für allgemeine Risiken* Vorsichtswert 0 Buchwert 10

Einen Überblick der Argumentenvielfalt liefert Meyer (Tabelle 9)[70].

bb) Die Bildung und Auflösung Offener Reserven

(1) Zuführung zu den Offenen Rücklagen

Eine Gestaltungsfrage kann die Zuführung zu den Offenen Rücklagen nur dann sein, wenn es eine Wahlmöglichkeit zwischen der Bildung Offener und Stiller Reserven gibt. Diese tritt dann ein, wenn die Gewinnhöhe nach beabsichtigter Kapitalbedienung innerhalb der Zulässigkeitsgrenzen nach § 58 AktG liegt und die Auflagen zur gesetzlichen Rücklagenbildung erfüllt sind.

[70] Meyer, C.: a. a. O., S. 179

Tabelle 9: Argumente pro und kontra Stille Reserven

Argumente „Kontra" stille Reserven	
Falsche Rechnungslegung	– Verstoß gegen Grundsatz der formellen und materiellen Bilanzwahrheit – unwahre Rechenschaftsablage – Bilanz und Buchführungsrecht wird aus den Angeln gehoben – Reingewinn ist manipulierte Größe – Bilanzkontinuität und Vergleichbarkeit sind nicht gewährleistet – Schätzung des Aktienwertes wird unmöglich
Stärkung der Stellung der Verwaltung	– Gesetzlich vorgesehene Kompetenzverteilung Verwaltung/GV wird aufgehoben – Verwaltung entscheidet über Höhe des Gewinnes – Macht über stille Reserven bringt Beherrschung der Gesellschaft durch die Verwaltung – Auskunftsrecht der Aktionäre wird beschränkt – Informationsrecht der Belegschaft
Vertuschung von Fehlern	– Verwaltung kann Verluste verdecken ohne Information der GV – Gefahr der Selbsttäuschung der Verwaltung
Bereicherung der Wissenden	– Ausnützung von Insider-Informationen durch die Wissenden
Argumente „Pro" stille Reserven	
Verbesserung der Selbstfinanzierung durch Schutz vor Aktionärsansprüchen	– für Selbstfinanzierung unerlässlich – Ausweise der effektiven Gewinne bringt zu hohe Lohn- und Dividendenforderungen – Verhinderung des Ausweises von Scheingewinnen (Substanzerhaltung bei Inflation) – Steuerverschiebungen und Steuereinsparungen – Anlageaktionär ist am Wertzuwachs der Aktie und nicht an der Dividende interessiert
Schutz der Geheimsphäre	– keine öffentliche Begründung der für die komplexen und umfangreichen Unterneh - mungsrisiken erforderlichen Rücklagen – Stellung im internationalen Konkurrenzkampf erfordert stille Reserven – Verhinderung diskriminierender Maßnahmen des Auslandes (Steuern, Devisenrestrik- tionen, Transferbeschränkungen, Nationalisierungen)
richtigen Gewinn gibt es gar nicht	– Grenzen zwischen Ermessens- und Willkürreserven sind fließend – richtiger Gewinn läßt sich nicht ermitteln, da keine allg. anerkannten Grundsätze beste- hen
Vermeidung unnötiger Kursschwankungen	– Vermeidung falscher Spekulationen durch ausgeglichene Gewinne

Da die Zuweisung zur Offenen Rücklage die Kapazität des Grundsatzes I erhöht, wird die so definierte Wahlmöglichkeit stets zugunsten eines offenen Ausweises erfolgen.

(2) Auflösung von Offenen Rücklagen

Die Auflösung Offener Rücklagen außerhalb eines „Katastrophenfalls" wird nur bei Kapitalerhöhung aus eigenen Mitteln erfolgen, wobei in der Regel eine vorherige Umwandlung Stiller in Offene Rücklagen erfolgt.

(3) Umwandlung von Stillen in Offene Rücklagen

Hierbei sind zwei Möglichkeiten zu unterscheiden:

Entweder wird die Umwandlung nötig, weil der Unternehmensgewinn nach Dividendenerfordernis nicht ausreichend ist für eine institutsspezifische Standing-Zuführung oder aber, um die Eigenkapitalquote zu erhöhen *nach und neben* einer Standingzuführung (z. B. bei frei werdender Länderrisiko-Vorsorge).

Exkurs 10:
Stützels Einlegerschutzbilanz

Im Jahre 1964, also noch in einer Zeit der Geltung der Zinsabkommen, hat Wolfgang Stützel ein Gutachten über „Die Aufgaben der Banken in der Wirtschaftsordnung der Bundesrepublik und die demgemäß anzustrebende Organisation des Bankenapparates" veröffentlicht unter dem Titel „Bankpolitik – heute und morgen"; in dieser Veröffentlichung ist nicht nur die bereits behandelte Liquiditätstheorie, die Maximalbelastungstheorie entwickelt worden, sondern auch eine spezifische Art der Bilanzierung, eine Bilanzoptik unter dem Gesichtspunkt des Einlegerschutzes: „Einlegerschutzbilanz".

Dabei ist zu berücksichtigen, daß diese Einlegerschutzbilanz zugleich die vom Gutachten-Auftraggeber formulierte Einzelfrage beantworten sollte: „Welche Möglichkeiten gibt es, eine ausreichende Kreditstreuung bei den einzelnen Kreditinstituten zu gewährleisten?"; es ging zugleich um die Frage eines Kreditportefeuilles in Rücksicht auf den Einlegerschutz.[71]

Insoweit stellt – und dies ist eine grundlegende Aussage zum Verständnis des Modells – die Tz 86 auch auf das Risiko des Großkredits, „dessen Ausfall bereits die Einleger gefährdet" und auf das „Risiko von Kursverlusten bei kursempfindlichen Aktien" ab. (Eine Reihe von Überlegungen Stützel's haben ihren Niederschlag in der KWG-Novellierung und in den Sicherheitsnormen des Bundesaufsichtsamtes für das Kreditwesen gefunden.)

So muten die Ausführungen über das Eigenkapital als Kontingent einsetzbarer Haftungsreserven (Tz 94) und seine Differenzierung (Tz 95): „Die Relation ‚Eigenkapital zu höchstzulässigem Geschäftsvolumen' ist je nach den bevorzugten Anlagearten sehr unterschiedlich; sie ist sachgerecht nach Maßgabe der übernommenen Ausfall- und Kursänderungsrisiken sowie der zur Verfügung stehenden Nettohaftsumme differenziert." ausgesprochen „modern" an.

[71] Stützel, W.: a. a. O., S. 41; im folgenden wird nach den Teilziffern (Tz), nicht nach Seitenzahlen zitiert.

Das Grundmodell ist in Tz 87 enthalten:

„Angemessen erschiene für die besonderen Zwecke einer Einlegerschutzbilanz etwa folgende Regelung:

1. Die Einlegerschutzbilanz ist aus der Handelsbilanz durch Hinzufügungen und Absetzungen in geeigneten Spalten zu entwickeln. Sie wird nicht veröffentlicht.
2. Unsicherheiten wird nicht durch Rückstellungen, sondern durch Absetzungen auf der Aktivseite in einer Zwischenspalte (Vorsichtsabschreibungen) Rechnung getragen. Das erleichtert die Übersicht.
3. Nettohaftungsreserve ist der Überschuß des gesamten den Einlegern und anderen Inhabern unbesicherter Forderungen haftenden Vermögens über die Summe der Verbindlichkeiten gegenüber diesen beiden Gläubigergruppen. Zu ihrer Bestimmung ist der Wert nicht bilanzierter Haftungsansprüche den in der Handelsbilanz aktivierten Beträgen hinzuzufügen; der Wert der Dritten verpfändeten Gegenstände ist abzusetzen (Sonderrechnung zur Bestimmung der Nettohaftungsreserve außerhalb der Einlegerschutzbilanz).
4. In die Einlegerschutzbilanz selbst sind nur die in der Handelsbilanz aktivierten Vermögensgegenstände aufzunehmen.
5. In der Einlegerschutzbilanz sind Vorsichtsabschreibungen für Ausfallrisiken und Kursrisiken vorzunehmen.“

Als Sonderabschreibungssätze sind vorgesehen (Tz 88):

„– bei einer Kreditgröße von ‚20 % der Nettohaftungsreserve‘: 10 %
– bei einer Kreditgröße von ‚40 % der Nettohaftungsreserve‘: 20 %
– bei einer Kreditgröße von ‚60 % der Nettohaftungsreserve‘: 30 %

Er ist allgemein gleich der Hälfte der ‚Kreditgröße in Prozenten der Nettohaftungsreserve.“

Für Kursrisiken gilt nach Tz 89:

„Alle Forderungen, verbrieft oder unverbrieft, deren Restlaufzeit über ein halbes Jahr beträgt, sind vorsichtshalber auf den Wert abzuschreiben, der sich bei finanzmathematisch korrekter Bewertung unter Berücksichtigung ihres Eigenzinses (Nominalzinses), ihrer Restlaufzeit und des vereinbarten Rückzahlungskurses bei einem Diskontierungszinssatz von 9 % ergibt (diese Werte können in jedem Rentenrechner abgelesen werden). Dies gilt auch für verbriefte und unverbriefte Forderungen an öffentliche Stellen. Ausgenommen sind jedoch Forderungen mit längerer Restlaufzeit nach Wahl des Instituts, soweit ihnen Einlagen, aufgenommene Darlehen oder emittierte Schuldverschreibungen mit gleicher oder längerer Restlaufzeit gegenüberstehen.

Alle Beteilungstitel sind, falls sie in der Handelsbilanz höher zu Buche stehen, vorsichtshalber auf die Hälfte ihres Zeitwertes abzuschreiben.“

Die Einlegerschutzbilanz, die als Restriktionsbilanz für Größenrisiken im Kreditportefeuille und Kursrisiken in Wertpapieren definiert ist, kann nicht aus Stützels Liquiditätstheorie der Maximalbelastungsrechnung abgeleitet werden. Eine aus der Maximalbelastungstheorie abgeleitete Bilanz, wie sie Süchting als „Einlegerschutzbilanz" vorstellt,[72] ist also ein Aliud:

Aktiva	**Passiva**
ohne Liquidationsverluste verwertbare Anlagen (Primär- und Sekundärreserven)	fällige Verbindlichkeiten
sowie	sowie
um Liquidationsverluste berichtigte Anlagen (Investments und Anlagen der Betriebswirtschaft)	noch nicht fällige Verbindlichkeiten
Liquidationsverluste	**Eigenkapital**

* * *

III. Absatzpolitik

Die betriebswirtschaftliche Absatzpolitik, in ihrer klassichen Form von Erich Gutenberg formuliert,[73] wird durch das „absatzpolitische Instrumentarium" realisiert:

- Absatzmethoden,
- Preispolitik,
- Produktgestaltung,
- Werbung.

Eine umfassende bankbetriebswirtschaftliche Absatzpolitik liegt bisher ebenso wenig vor wie eine geschlossene Darstellung der je einzelnen Bestandteile des absatzpolitischen Instrumentariums. Daher können auch im folgenden lediglich Elemente und Sektoren dargestellt werden in der gebotenen Kürze des zur Verfügung stehenden Raumes.

1. Preispolitik

Die folgende Darstellung wird in drei Abschnitte und einen Exkurs gegliedert: in einem ersten Teil werden die Elemente einer Preistheorie für Banken dargestellt, der zweite Abschnitt erläutert die Preispolitik mit den privaten Kunden, der dritte Abschnitt ist der Preispolitik im Firmenkundengeschäft gewidmet, d. h. die Preispolitik

[72] Süchting, J.: Bankmanagement, a. a. O., S. 273

[73] vgl. Gutenberg, E.: Grundlagen der Betriebswirtschaftslehre, Zweiter Band: Der Absatz, 1. Aufl., Berlin – Heidelberg 1955 (in folgenden wird aus der 13. Aufl., 1971, zitiert)

wird zielgruppenorientiert interpretiert. Sie wäre sachentsprechend auch nach Produkten, Sortimenten oder Geschäftssparten innerhalb dieser sachbezogenen Gruppierungen nach Zielgruppen darstellbar, doch hat bei dem Versuch, eine problemadäquate Gliederung zu finden, die Zielgruppenorientierung größere Vorteile gebracht.

Der Exkurs schließlich soll einen Ausblick auf die Trends geben, die in wichtigen Teilbereichen des Bankgeschäftes zu einem vollkommenen Markt zu führen scheinen, und die daraus ableitbaren Konsequenzen andeuten.

a) Elemente einer Preistheorie für Banken

„Es bedarf keiner näheren Begründung, daß im Kreditgewerbe eine oligopolistische Marktstruktur vorherrscht, die sich durch verhältnismäßig starre Preise bei gleichzeitig lebhaftem Qualitätswettbewerb auszeichnet.“[74]

Diesem oligopolistischen Markt als Konkurrenzsituation zwischen den Banken als Anbietern von Marktleistungen entspricht auf der Seite der Abnehmer von Bankleistungen eine polypolistische Marktstruktur; die Banken versuchen daher, preispolitische Autonomie durch Schaffung eines „Firmenmarktes“ zu erreichen.[75]

Unter dieser General-Aussage sind folgende Elemente einer Preistheorie darzustellen:

1) Theorie der Preislage und des akquisitorischen Potentials bei Gutenberg,
2) Theorie der Trägheitsfaktoren bei v. Stackelberg,
3) Bestimmungsfaktoren preispolitischer Autonomie bei Hagenmüller,
4) Preispolitik der „kleinen Mittel“ bei Krümmel,
5) Theorie der rechtfertigungsfähigen Preise bei Süchting,
6) Theorie der Bankloyalität bei Süchting,
7) Lästigkeits- und Image-Ansatz bei Krümmel/Gladen,
8) Theorie der betriebswirtschaftlichen Preisrechnung bei Lehmann/Schmidt.

Die verbindende Klammer aller dieser Elemente einer bankbetrieblichen Preistheorie ist die Theorie Gutenberg‘s, die gleichsam monolithisch den Rahmen der Ansätze bildet.

aa) Theorie der Preislage und des akquisitorischen Potentials

Ein Markt mit ausschließlich fungiblen Gütern, ohne personelle Präferenzen, ohne räumliche (Punktmarkt) und zeitliche Differenzierung ist „ein Markt, auf den die sach-

[74] Hagenmüller, K. F.: Die Bestimmungsfaktoren preispolitischer Autonomie bei Kreditinstituten, in: (Hrsg.) Büschgen, H.E.: Geld, Kapital und Kredit, Stuttgart 1968, S. 159
[75] ebenda, unter Hinweis auf Gutenberg, a. a. O., S. 297

lichen, personellen, räumlichen und zeitlichen Bedingungen des Prinzips der Unterschiedslosigkeit erfüllt sind“[76], ist ein vollkommener Markt. Die Nichterfüllung auch nur einer dieser Bedingungen führt zum unvollkommenen Markt.

Daher besteht auf Seiten der Nachfrage nach Bankleistungen ein polypolistischer unvollkommener Markt, auf Seiten der Anbieter von Bankleistungen ein oligopolistischer unvollkommener Markt.

Auf polypolistischen, unvollkommenen Märkten ergibt sich ein preispolitischer autonomer Bereich nach Gutenberg‘s Theorie der Preislage: als „Preislage“ definiert Gutenberg: „Nur Waren, die dem gleichen Verwendungszweck zu dienen in der Lage sind, und die Eigenschaften aufweisen, wie sie füglich bei diesem Preise oder etwa bei diesen Preisen (einem oberen und einem unteren Preis) verlangt werden können, gehören zur gleichen ‚Preisklasse‘ oder ‚Preislage‘.“ (S. 235)

Innerhalb dieses produktspezifischen Intervalls zwischen oberem und unterem Preis einer Preislage befindet sich der „monopolistische Abschnitt der polypolistischen Absatzkurve“. (S. 240)

Diesem monopolistischen Abschnitt der polypolistischen Absatzkurse entspricht das „preisautonome Intervall“ bei oligopolistischen Anbietern: „Der Abstand zwischen den beiden Grenzpreisen des preisautonomen Intervalls bei Oligopolunternehmen hängt von den gleichen Faktoren ab, die die Lage des oberen und unteren Grenzpreises des monopolistischen Kurvenabschnittes im Falle polypolistischer Konkurrenz bestimmen.“ (S. 283)

Im Kreditgewerbe sind diese beiden Intervalle, die von den gleichen Faktoren abhängen, aufgrund der banktypischen Verhaltensstruktur der Kunden keinesfalls identisch; („Die oligopolistische Absatzkurve stimmt *insofern* mit der polypolistischen Kurve überein, *als* im monopolistischen Bereich der polypolistischen Kurve und im reaktionsfreien Bereich der oligopolistischen Kurve (unter der Bedingung unvollkommener Märkte) *die Konkurrenzunternehmen auf Preisänderungen nicht reagieren*“ (S. 285) (kursiv nicht im Original), dies wird im Zusammenhang mit der Theorie der Bankloyalität besonders deutlich werden.

Diese Bestimmungsfaktoren des preisautonomen Intervalls nennt Gutenberg das „akquisitorische Potential“, das die unternehmensspezifische Präferenzstruktur abbildet (S. 283); für den Absatz von Bankkrediten hat Süchting eine graphische Darstellung entwickelt (Abbildung 8)[77].

[76] v. Stackelberg, H.: Grundlagen der theoretischen Volkswirtschaftslehre, 2. Aufl., Tübingen – Zürich 1951, S. 221

[77] Süchting, J.: Bankmanagement, a. a. O., S. 351

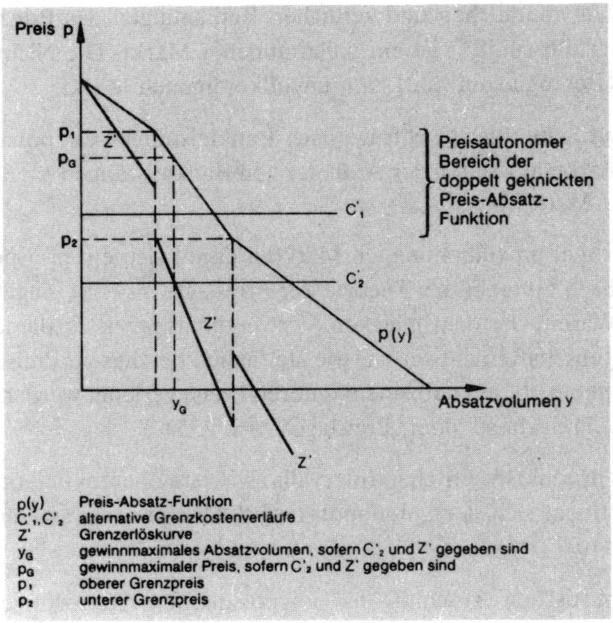

Abbildung 8: Preisautonomer Bereich beim Absatz von Bankkrediten

bb) Theorie der Trägheitsfaktoren

Für die polypolistische Marktstruktur – also dem Absatzmarkt für Bankleistungen – wird die subjektive Annahme des Unternehmens über die Größe des monopolistischen Abschnitts der Absatzkurve durch die „Trägheitsfaktoren" oder „Trägheitsmomente" nach v. Stackelberg[78] erweitert und damit die Verhaltensweise quasi manipuliert.

Diese Trägheitsfaktoren bilden, zusammen mit der betriebswirtschaftlichen Marktstruktur-Analyse Erich Gutenbergs die Grundlage für eine bankbetriebswirtschaftliche Preistheorie.

v. Stackelberg unterscheidet drei Faktoren:

1) Die *Ungenauigkeit der Marktanalyse*
Da „das Marktverhalten des Produzenten ... auf seinen *Vorstellungen* über die Marktlage seiner Produkte und Produktionsmittel" beruht (S. 248), wird der monopolistische Bereich „durch die Ungenauigkeit der Marktanalyse erheblich erweitert" (S. 249).

[78] v. Stackelberg, H.: a. a. O., S. 248 ff.

2) *Die Ungenauigkeit der Kostenermittlung*

Obwohl für die Preisbildung im monopolistischen Bereich die Grenzkosten exakt ermittelt werden müssen, begnügen sich die Produzenten mangels exakter Kostenermittlung mit einem Zuschlag eines Gewinnanteils zu den Stückkosten. „Dieser Gewinnanteil ist innerhalb der Kalkulation eine statistische Größe" – v. Stackelberg zitiert hier Schmalenbach – , „mit der sich der Kalkulator an den erreichbaren Marktpreis heranfühlt". (S. 251)

3) *Die Stabilisierung festgesetzter Preise*

„Bei einem bestimmten Kreis von Produkten, insbesondere bei Massenfertigung für den letzten Konsumenten und bei Markenartikeln, treten innerhalb der Sphäre der *Preissetzung* selbst sehr charakteristische Faktoren auf, die alle auf eine gewisse Stabilität des einmal gesetzten Preises hinwirken. Zunächst ist es überhaupt eine Eigentümlichkeit der modernen Marktstruktur, daß vielfach nicht etwa bestimmte Mengen des Produktes auf den Markt gelangen, so daß der Preis von den Nachfragern auskonkurriert werden würde – wie etwa auf der Börse oder auf Auktionen –, sondern daß im Gegenteil die Produzenten ihre Preisforderungen mitteilen und sich die Absatzmengen durch die Reaktion der Nachfrager auf diese Preisforderungen bestimmen. Wir wissen bereits, daß die autonome Setzung von Preisen als Form der Marktpolitik immer dann möglich ist, wenn der Markt unvollkommen ist. Die Gewohnheiten der Anbieter und Nachfrager machen diese Möglichkeit auf vielen Märkten zur Wirklichkeit." (S. 252)

v. Stackelberg stellt fest, daß eine Tendenz besteht, den einmal festgesetzten Preis nach Möglichkeit zu halten, auch im Hinblick darauf, daß die Stabilität des Preises eine wichtige absatzsichernde Eigenschaft des Produktes sein könne und der Preis eine „öffentliche Größe", die der Information des Konkurrenten zugänglich sei. (S. 253)

Diese Aussagen beziehen sich auf den Absatzmarkt der Bankleistungen, auf die Marktbeziehung zwischen der Bank und ihren Kunden. Auf dem Konkurrenzmarkt zwischen den Banken innerhalb der oligopolistischen Marktstruktur geht es um die Optimierung von Präferenzen.

cc) Bestimmungsfaktoren preispolitischer Autonomie

In seinem Aufsatz „Die Bestimmungsfaktoren ..." hat Hagenmüller den Versuch unternommen, die betriebswirtschaftliche Preistheorie Gutenberg's auf die bankbetriebswirtschaftliche Problematik zu übertragen. Der Aufsatz bildet eine der wesentlichen Grundlagen für eine noch zu entwickelnde bankbetriebswirtschaftliche Preistheorie.

Hagenmüller untersucht die oligopolistische Marktstruktur und beschreibt die Bestimmungsgründe für die preispolitische Autonomie zwischen den Anbietern von Bankleistungen.

Er sieht diese Bestimmungsfaktoren in zwei Bereichen:

1) Präferenzen der Nachfrager,
2) mangelnde Markttransparenz für den Nachfrager und heterogene Produktqualität.

Die *Präferenzen* der Nachfrager werden in räumliche, zeitliche, persönliche und sachliche Präferenzen, wie es der Preistheorie üblicherweise entspricht, unterteilt.

Die *räumlichen Präferenzen* beziehen sich auf den Standort des Bankinstituts, der für die Wahl der Bankverbindung bestimmend ist. Dies führte zur Expansion des Bankstellennetzes mit der Folge einer „Verkürzung des Radius des Präferenzbereichs für das einzelne Institut und damit verbunden eine (r) Einengung des autonomen Bereichs seiner individuellen Preis-Absatz-Funktion". (S. 161).

Die *zeitliche Präferenz* folgt aus dem Wunsch des Leistungsabnehmers nach einer Minimierung des Zeitaufwandes in der „Leistungsabwicklung" (S. 162). Typisches Beispiel sind die in der Öffentlichkeit immer wieder auftretenden Diskussionen über Überweisungslaufzeiten.

Die *persönlichen Präferenzen* basieren auf dem Vertrauen, das die Bankkunden dem Schalterpersonal entgegenbringen: „Die Erzeugung persönlicher Präferenzen dürfte ... eine der schwierigsten unternehmenspolitischen Maßnahmen zur Erweiterung des preisautonomen Bereiches sein". (S. 164)

Die *sachlichen Präferenzen* beziehen sich auf ein Konglomerat unterschiedlichster Präferenzfelder: Gestaltung der Werbung, Ausgestaltung der Bankgebäude, allgemeine Beratungsqualität, Serviceleistungen, Mündelsicherheit und Zugeständnisse in den Kreditverträgen außerhalb der Preiskomponente.

Die *mangelnde Markttransparenz* bezieht sich auf den Informations- und Kommunikationssektor, der im modernen Bankgeschäft eine immer wichtiger werdende Funktion erfüllt. Hierzu gehören nach Hagenmüller die präferenzenbildenden Komponenten (S. 166 f.):

- Schwierigkeiten in der technischen Informationsgewinnung,
- Unwirtschaftlichkeit der Informationsgewinnung,
- Schwierigkeiten im Informationszugang über Bankpreise,
- mangelnde zeitliche Verfügbarkeit der Informationen,
- Selektionsschwierigkeiten nach der Wesentlichkeit aus dem Informationsangebot,

für den einzelnen Bankkunden.

Die *heterogene Produktqualität* führt zu einer mangelnden, subjektiven Substituierbarkeit unter den objektiv vorhandenen Substitutionsmöglichkeiten der einzelnen Bankleistungen untereinander und von Bankleistungen mit anderen Finanzierungsmitteln und Anlagearten (S. 169).

Hagenmüller resümiert in der Abgrenzung beider Marktstrukturen im Kreditgewerbe (S. 170): „Noch wesentlicher für die Preispolitik der Banken ist aber die Tatsache, daß im Gegensatz zur polypolistischen Angebotsstruktur das Oligopolunternehmen nach Verlassen des autonomen Bereichs mit Reaktionen der Konkurrenz rechnen muß, da Preissenkungen für Kredite bzw. -erhöhungen für Einlagen über Umsatzzunahme beim preisverändernden Institut zu so starken Umsatzeinbußen bei den Konkurrenten führen, daß diese zu Gegenmaßnahmen gezwungen sind."

dd) Preispolitik der kleinen Mittel

Die Kernaussage, die zur Ableitung der Theorie der kleinen Mittel führt, lautet[79]: „In der Bankabsatzpolitik bestimmen jene Instanzen den Inhalt des Bankleistungsbegriffes, deren faktischer Entscheidungsmacht die Absatzpolitik selbst unterliegt: Die Banken und ihre Kunden."

Der Leistungsbegriff umfaßt dann (S. 37 f.):

1) nichtabsatzfähige Leistungselemente;
2) absatzfähige Einzelleistungen;
3) „Ob Einzelleistungen tatsächlich je einzeln oder ob sie zu mehreren in einer größeren Einheit verbunden absatzfähig werden, bestimmt die Marktseite, die sich jeweils in der stärkeren Verhandlungsposition befindet ... im Verbund absatzfähige Einzelleistungen seien als Leistungskonglomerate bezeichnet" (S. 37), später (S. 122) differenziert nach „Leistungskonglomeraten" bei zwangsläufigem Leistungsverbund und „Leistungsbündel" bei Leistungsverbund nach Wahl des Kunden.
4) Der Inhalt der Bankabsatzleistungen ist ein „wandelbares Korrelat historischer Verhandlungsmachtkonstellationen". (S. 38)

Damit ist der Begriff der Verhandlungsmacht, der historischen Verhandlungsmachtkonstellation der Marktpartner in die bankbetriebswirtschaftliche Preistheorie eingeführt worden; er bezieht sich auf den polypolistischen Markt zwischen der Bank und ihren Kunden und definiert den autonomen Bereich der Preispolitik.

Als zweiten Schritt führt Krümmel den Begriff der bankbetrieblichen Preisbezugsbasis ein: „Jede der von der Bank angebotenen Bankabsatzleistungen hat eine Reihe von Merkmalen. In ihrer Gesamtheit konstituieren die Ausprägungen dieser Merkmale jeweils den Typ der angebotenen Leistung. Sie sind es, die die stärkere Marktseite ... im einzelnen festlegt ..., wenn sie den Inhalt der Bankleistung durch Einsatz ihrer Verhandlungsmacht bestimmt". (S. 45)

Diese Merkmale werden von Krümmel, soweit sie preisbestimmend sind, als *Preisbezugsbasis* bezeichnet. Theoretisch völlig unerheblich ist, daß Krümmel für die Definition und Diskussion noch die Preisstellungen und Preisbestandteile kennt, wie sie vor Zinsfreigabe galten. Die Preisbezugsbasen selbst können in ihrem historischen Inhalt Wandlungen unterworfen sein, ohne daß die theoretische Ableitung leidet.

[79] Krümmel, H.-J.: Bankzinsen, a. a. O., S. 36 f.

Als Grundlage der gesamten Preisabsatzpolitik der Universalbanken definiert Krümmel „das Sortimentsangebot zu festen sortimentsstrategischen Teilpreisen" (S. 122) und unterscheidet folgende Merkmale typischer Angebotsformen (Tabelle 10) (S. 127):

Tabelle 10: **Übersicht über die wesentlichen Merkmale banktypischer Angebotsformen**

	Angebotspreise	**Angebotene Bankabsatzleistungen**
A. *Spezialbanktypische Angebotsformen*		
1. Einzelangebot	Spezifische Preise	*Eine* Bankabsatzleistung (Einzelleistung oder Leistungskonglomerat)
2. Sortiments-Einzelangebot	Spezifische Preise	*Mehrere* separate Bankabsatzleistungen (Einzelleistungen und/oder Leistungskonglomerate)
B. *Universalbanktypische Angebotsformen*		
1. Sortimentsangebot	Feste sortimentsstrategische Teilpreise (Listenpreise)	Sortimentsleistungen, als Einzelleistungen oder Leistungskonglomerate wahlweise angeboten
2. Kundenindividuelles Bündelangebot		
Stufe 1:	(wie Sortimentsangebot)	(wie Sortimentsangebot)
Stufe 2:	Kundenindividuelle bündeltaktische Teilpreise	Sortimentsleistungen, als kundenindividuelle Leistungsbündel angeboten
Stufe 3:	Kundenindividuelle bündeltaktische Teilpreise	Sortiments- und Sonderleistungen, als kundenindividuelle Leistungsbündel angeboten (Leistungsinhalte werden in Verhandlung der Marktseiten frei bestimmt)

Unter der Prämisse, daß bei Universalbanken „die Personal- und Sachkosten als (über alle hier erheblichen Toleranzen) fixe Kosten der Betriebskapazität einzelnen Leistungsarten nicht zugerechnet werden können und daß auch die Geldbeschaffungskosten, obschon wir sie als variable Kosten behandeln, den Leistungsarten nicht zurechenbar sind ... besteht bei den Universalbanken lediglich eine ‚Gesamterlös-Untergrenze' " (S. 225 f.). Daher bleibt den Banken nichts anderes, als (S. 228):

„– durch genaue Planung der nach den Erwartungen über die Gesamtleistungsabnahme der Kunden in der Planungsperiode erforderlichen Betriebskapazitäten die fixen Personal- und Sachkosten zu minimieren. Genaue Kapazitätsplanung heißt dabei:
  Die Kapazitäten so zu proportionieren und so elastisch zu halten, daß bei gegebener Gesamtleistungsabnahme der Kunden möglichst wenig Leerkosten, möglichst viel Nutzkosten entstehen.
– Die Geldbeschaffungskosten zu minimieren
– und unabhängig von den Kosten ihren *Gesamterlös bei der erwarteten Gesamtleistungsabnahme der Kunden zu maximieren.*"

Daraus folgt:

„Die besondere Schwierigkeit einer solchen Preispolitik besteht darin, daß die Bank sich ohne genaue Vorstellungen über die mit der Leistungserstellung und dem Leistungsabsatz der kundenindividuellen Leistungsbündel verbundenen Kosten in zwei Richtungen vortasten muß:

- Sie muß versuchen, mit ihrem Entgegenkommen im Preis (bei sonst gleichen Konditionen) möglichst genau an jener Preisschwelle haltzumachen, von der an der Kunde die Preisofferte auf sein individuelles Leistungsbündel gerade anzunehmen bereit ist.
- Sie darf andererseits ihre Preise nicht über jener Grenze ansetzen, von der an die Gesamtbelastung des Leistungsbündels den Kunden zur Abwanderung zu einer anderen Bank oder – was hier auf das gleiche hinausläuft – zum Verzicht auf die Abnahme von Bankleistungen überhaupt veranlaßt." (S. 228 f.)

Zwei Komponenten verleihen den Abnehmern potentielle Verhandlungsmacht: (S. 230)

- Bonität und erstklassige Sicherheiten,
- hohe erwartete Gesamtleistungsabnahme,

die sich in drei Ausformungen kundengruppenspezifisch darstellt: (S. 233)

„Die Universalbanken stehen drei trotz ihrer auf den ersten Blick unscharfen Abgrenzung verhandlungstaktisch unterschiedlich behandelten Kundengruppen gegenüber:

1) Kunden ohne Verhandlungsmacht
2) Kunden mit mäßiger Verhandlungsmacht
3) Kunden mit überragender Verhandlungsmacht."

Auf dieser theoretischen Grundlage ergibt sich das verhandlungstaktische System der Preisbildung der Banken nach dem „Prinzip der kleinen Mittel": (S. 136)

„Es ist für die Absatzpolitik der Universalbanken typisch, daß sie, wo immer angängig, anstatt bei einem absatzpolitischen Instrument relativ viel, lieber bei einer größeren Zahl von Instrumenten relativ wenig entgegenkommen. Wir nennen dieses universalbanktypische Verhaltensmuster das ‚Prinzip der kleinen Mittel'. Die Banken entschließen sich zu einem solchen absatzpolitischen Verhalten nicht nur wegen der offensichtlichen verhandlungstaktischen Vorzüge, die es mit sich führt. Es ist ihnen auch durch die Besonderheiten universalbanktypischen Leistungsabsatzes bis zu einem gewissen Grade vorgezeichnet. ‚Kleine Mittel' werden auch in anderen Wirtschaftszweigen eingesetzt, jedoch sind die Möglichkeiten dazu erheblich begrenzter als bei den Banken. Zunächst gibt es keinen Wirtschaftszweig, in dem der verbundene Leistungsabsatz so sehr dominiert und vor allem aus so heterogenen Sortimenten (Kredite, Risikoübernahme, Verwahrleistungen, verschiedenste Verkehrsleistungen, Verkäufe von Sach- und Geldvermögensgegenständen) vor sich geht wie bei den Banken. Schon die Vielzahl der Leistungen legt es nahe, nicht nur bei einer, sondern gleichzeitig bei mehreren Leistungen den verhandlungsstarken Kunden entgegenzukommen. Kommt hinzu, daß insbesondere die Hauptleistung der Banken, der Bankkredit, als Bestandshaltung vielfältige Möglichkeiten bietet, Teilpreise mit Preisbezugsbasen aus fingierten Größen einzuführen, d. h. schon allein bei einer Einzelleistung im Leistungsbündel einen Fächer von *kleinen preispolitischen Mitteln'* zur Hand zu haben. Ganz ähnlich liegen die Dinge bei einigen anderen Bankabsatzleistungen".

ee) Theorie der rechtfertigungsfähigen Preise

Aufbauend auf dem Konzept der Verhandlungsmacht und gleichsam als eine Weiterentwicklung der von Krümmel vorgelegten Preistheorie leitet Süchting die Forderung ab:[80] „Unter Verhandlungsdruck darf deshab auch von Kreditinstituten nicht im ‚luftleeren Raum' argumentiert werden, sondern es ist mit dem Kunden ein kostenorientierter und deshalb rechtfertigungsfähiger Ansatzpunkt für eine Preisbasis zu geben, unter die die Bank nicht herunterzugehen vermag."

Diese Ableitung eines rechtfertigungsfähigen Preises wird von einer zweiten Perspektive, aus den Preisen im Zahlungsverkehr, abgeleitet, indem nach Süchting als notwendiges Korrelat zu den als „politisch" angesehenen Preisen „nur ein in der Öffentlichkeit rechtfertigungsfähiger Preis verstanden werden" kann (S. 356).

[80] Süchting, J.: Bankmanagement, a. a. O., S. 354

In der Öffentlichkeit rechtfertigungsfähig ist jedoch nur ein Preis, der an den Selbstkosten ausgerichtet ist (S. 357). Dabei sieht Süchting zwar das Dilemma, daß die Preise im Zahlungsverkehr erheblich höher sein müßten als das heute der Fall ist – immerhin liegt der Deckungsgrad der Selbstkosten zwischen 30 % und 40 %, je nach Kundengruppe –, er unterstellt aber offenbar, daß in der Öffentlichkeit die Höhe der Selbstkosten akzeptiert wird, was in den noch immer vorherrschenden, und von den Anhängern der Teilkostenrechnung indirekt zugestandenen Vorbehalten gegen eine „richtige" oder zumindest plausible Höhe wohl unrealistisch sein mag.

Das Dilemma einer notwendigen Preiserhöhung im Zahlungsverkehr löst Süchting, indem er den Kunden an dem Nutzen der Bank aus dem Sichtguthaben profitieren lassen will; ein Schaubild erläutert diesen Gedanken (Abbildung 9) (S. 357).

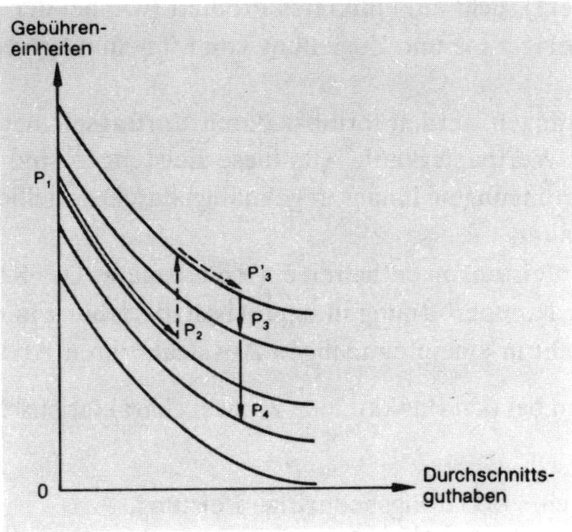

Abbildung 9: Ermittlung des Gesamtpreises der Kontoführung in Abhängigkeit vom Durchschnittsguthaben

Damit wird auf dem Boden einer Rechtfertigung aber auch die Frage nach dem Gesamtnutzen aus Sichteinlagen und der Angemessenheit des Profitieren-lassens beantwortet werden müssen. Die Probleme werden dadurch in der Praxis um ein Vielfaches komplexer.

ff) Theorie der Bankloyalität

In jüngster Zeit hat Süchting eine Überprüfung seiner 1972 erstmals vorgelegten Theorie der Bankloyalität vorgenommen[81]; als Grundlage einer Marketing-Philosophie sieht er sie weiterhin bestätigt; sie wird, so soll zu zeigen versucht werden, darüber hinaus besondere Bedeutung als Element einer bankbetriebswirtschaftlichen Preistheorie

[81] Süchting, J.: Die Theorie der Bankloyalität – (noch) eine Basis zum Verständnis der Absatzbeziehungen von Kreditinstituten?, in: (Hrsg.) Süchting, J./van Hooven, E.: Handbuch des Bankmarketing, a. a. O., S. 23-36

gewinnen. Die Theorie der Bankloyalität kommt von einem verhaltenswissenschaftlichen Ansatz her und überträgt die Theorie der Markentreue auf die Kunde–Bank–Beziehung, insbesondere den lerntheoretischen Ansatz: zunehmende Erfahrung mit einem Produkt (Markenartikel) führt zu wachsender Treue zum Hersteller. Träger dieses Lernvorganges ist der Bankangestellte (unabhängig von seiner Hierarchiestufe). (S. 27)

Zunächst definiert Süchting die branchentypischen Eigenschaften der Bankleistungen, die zu Marktwiderständen führen: (S. 26)

„1 Wie andere Dienstleistungen auch, so sind Bankleistungen grundsätzlich abstrakt, entbehren also der Substanz.
2. Im Unterschied zu vielen anderen Dienstleistungen ist Gegenstand der Bankleistung (Leistungsobjekt) nicht ein konkretes Produkt (wie bei der Vermietung von Wohnungen, der Einlagerung und Zustellung von Möbeln durch einen Spediteur), sondern das Geld.
3. Abstrakte Bankleistungen werden formbar durch Vertragselemente. Kredite, das Prämiensparen, der Wertpapierkauf: Alle diese Leistungen sind über die Allgemeinen Geschäftsbedingungen hinaus regelmäßig durch detaillierte vertragliche Bestimmungen gestaltet.
4. Einlagen- und Kreditleistungen enthalten ein Zeitelement. Der Käufer dieser Leistungen tritt mit der Kontoeröffnung in eine Absatzbeziehung in der Zeit ein; die Geschäfte finden nicht in einem einmaligen Absatzakt ihren Abschluß."

Die Eigenschaften führen bei den Bankkunden zu zwei charakteristischen Werthaltungen:

1. Die Bankleistung ist eine erklärungsbedürftige Leistung,
2. Die Bankleistung („Leistungsobjekt ‚Geld' ") ist eine vertrauensempfindliche Leistung.

Erklärungsfähigkeit und Vertrauensweckung sind Merkmale des Bankangestellten, der damit zum Träger des Lernprozesses „Verständlichkeit der Leistung" und „Vertrauensbindung an die Bank" wird.

Zwei Prämissen liegen dem Lernprozeß einer zunehmenden Bankloyalität zugrunde: (S. 28)

„1. Es wird unterstellt, daß der Nachfrager bei der Leistungsabnahme in seinen Erwartungen hinsichtlich der Person des Bankangestellten nicht enttäuscht wird. Der Lernprozeß verläuft insofern störungsfrei.
2. Die Bereitschaft des Kunden, Wiederholungskäufe bei demselben Kreditinstitut zu tätigen (N), hängt außer von der Bankloyalität (BL) sowie der Dringlichkeit seines Bedürfnisses (etwa nach einem Auto und deshalb einem Kredit, B) auch von den anderen absatzpolitischen Äußerungen der Bank (I) und seiner Reaktionsbereitschaft (IR) hierauf ab, die durch die Bemühungen der Konkurrenz mit beeinflußt wird: N = f (BL, B, I, IR)."

Die Bankloyalität (S. 30 f.)

- wirkt generell der Preisempfindlichkeit entgegen,
- wirkt vergrößernd auf den monopolistischen Bereich der Absatzkurve,
- wirkt attraktivitätsmindernd auf die Preise konkurrierender Institute (sollten diese attraktiv sein),
- nimmt ab mit der Zahl der unterhaltenen Bankverbindungen und wirkt daher verkleinernd auf den monopolistischen Bereich im Großkundengeschäft.

Von besonderer Bedeutung ist die Frage nach dem Verhältnis von Loyalität und Präferenz. Süchting weist lediglich auf die Stärkung der Loyalität durch räumliche Präferenzen hin (S. 31). Es wird jedoch gefolgert werden können, daß in einem vollkommenen Markt, der ex definitione keine Präferenzen kennt, die Bankloyalität die einzige Komponente ist, die einen, wenn auch noch so geringen, monopolistischen Bereich in der Absatzkurve gewährleistet. Damit würde erklärbar, daß auf vollkommenen Märkten Preisautonomie theoretisch und praktisch möglich wird. Darauf wird im Exkurs 11 einzugehen sein.

gg) Lästigkeits- und Image-Ansatz

Zu der Theorie der Bankloyalität gehören ursächlich die Lästigkeits- und Image-Ansätze von Krümmel und Gladen.

Bereits Krümmel hat auf eine Besonderheit des Universalbankwesens aufmerksam gemacht, die eine Erklärung für eine mangelnde Reaktion von Kunden auf Belastungswirkungen von Teilpreisen sein kann:[82]

„Reichen Kompliziertheit der Preisberechnung, Unsicherheit über die eigene zukünftige Leistungsabnahme oder räumliche Präferenzen in bezug auf eine bestimmte Bank nicht aus, so wird häufig die Reaktion des Kunden auf eine Veränderung bestimmter Teilpreise durch folgende Heterogenitätsbedingungen verhindert:
- durch die Kosten des Wechsels der Bankverbindung,
- durch die Lästigkeit des Wechsels der Bankverbindung,
- durch die mit dem Wechsel der Bankverbindung einhergehenden Unsicherheiten.“

Nicht nur Erklärungsfähigkeit und Vertrauensweckung im Verhältnis Bankkunde – Bankangestellte führen zu Bankloyalität, sondern auch Lästigkeitsfaktoren treten neben die Unvollkommenheit des Marktes durch Präferenzen als Heterogenitätsbedingungen.

Zu diesen Lästigkeitsfaktoren tritt bei Gladen das Image einer Bank[83], das er allerdings als Einflußfaktor auf die Verteilung der Präferenzenintensitäten sieht. (S. 123)

[82] Krümmel, H.-J.: Bankzinsen, a. a. O., S. 249
[83] Gladen, W.: Gebührenpolitik im Privatgiroverkehr der Kreditinstitute, Berlin 1985, S. 121 ff.

„Das Image zeichnet sich durch ein gewisses Beharrungsvermögen aus. Die Funktion des Image liegt bei der einzelnen Person darin, daß

- unübersichtliche Gegenstände klar werden,
- trotz mangelnder Information ein prägnantes Bild vom Meinungsgegenstand und somit klare Entscheidungen möglich werden,
- seelische Spannungen vermieden werden,
- es eine selektive Wahrnehmung ermöglicht.“

Von wesentlicher Bedeutung ist eine Unterscheidung in Real- und Idealimage, die von Gladen aus der Literatur psychologischer Marktmodelle übernommen wurde: (S. 123) „Für unsere Fragestellung genügt es nun nicht festzustellen, wie ein Kreditinstitut in den Augen des Kunden gesehen wird (Realimage). Will man feststellen, ob eine Bank infolge ihres Realimages einen autonomen Preisspielraum hat, so muß man das Realimage an einer Referenzgröße messen. Diese Maßgröße ist das Idealimage. Es gibt an, wie ein Kunde sich seine Bank wünscht. Was der Kunde von der Bank erwartet, hängt unter anderem von demographischen Faktoren (Alter, Ausbildung, Geschlecht) und Umwelteinflüssen (soziale Referenzgruppe des Kunden) ab. ...Bei gleichem Preis wird eine Bank A besser abschneiden, wenn ihre Distanz zwischen Real- und Idealimage kleiner als bei Bank B ist.“

Die Lästigkeiten im Wechsel einer Bankverbindung und der Grad der Deckung von Real- und Idealimage sind neben der Lernfähigkeit und damit über den Bereich Bankkunde – Bankangestellte hinaus wesentliche Bestimmungsfaktoren der Bankloyalität.

hh) Theorie der betriebswirtschaftlichen Preisrechnung

Einen neuartigen Ansatz bankbetriebswirtschaftlicher Preistheorie bieten Lehmann/Schmidt mit der Theorie der betriebswirtschaftlichen Preisrechnung [84].

Dieser Ansatz versucht simultan die Kalkulation, die Preisfestsetzung, den Sortimentsverbund sowie die Anreiz- und Lenkungswirkungen von Preisen und Preisdifferenzen zu erfassen. Zugleich sollen die Gegensätze „zwischen der theoretisch richtigen Teilkostenrechnung und der angeblich praktisch unvermeidbaren Vollkostenrechnung“ aufgelöst werden. (S. 362 f.)

Die Autoren gehen von der These aus, daß die Preisstellung bei gegebener Kapazität im Rahmen der Absatzplanung erfolgt, während die Kostenrechnung das Ziel hat, die „Leistungsbereitschaft und die Leistungserstellung mit den geringsten Kosten zu realisieren“. (S. 257) Ein Zusammenhang zwischen Kosten und Preisen fehlt also.

Preise haben nun allerdings nicht nur Bedeutung als Erlösdeterminante. Die Autoren legen ihnen vielmehr Anreiz- und Steuerungsfunktionen (nota bene: im Massengeschäft) zu, die sich originär auf ein Nachfrageverhalten und erst derivativ „auf die Kosten der Leistungserstellung *insgesamt* auswirken“. (S. 357 f., kursiv nicht im Original)

[84] Lehmann, M./Schmidt, R. H.: Bankkosten und Bankpreise im Massengeschäft, in: Kredit und Kapital, 15. Jg. (1982), S. 341-365

Das Modell (Abbildung 10) zeigt die Wirkungen: (S. 358) „Preise und Preisstrukturen (PSt) im Sortiment beeinflussen Nachfragestrukturen (NSt), und diese beeinflussen Erlöse (E) und Kosten (K), deren Differenz, der Deckungsbeitrag (DB), die Zielgröße bildet."

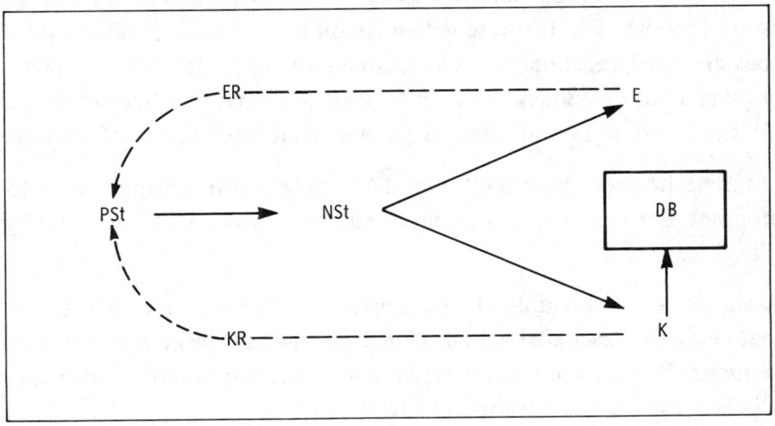

Abbildung 10: Betriebswirtschaftliche Preisrechnung nach Lehmann/Schmidt

Diese Art der Berechnung bezeichnen die Verfasser als „betriebswirtschaftliche Preisrechnung" und resümieren: (S. 363) „Wenn Banken (und andere Unternehmungen) aufgrund ihrer Marktstellung generelle Offerten machen müssen, sind die dabei relevanten Kosten nicht die der individuellen Leistung, sondern die der Gesamtheit aller abgesetzten Leistungen. Damit löst sich der Gegensatz zwischen Voll- und Teilkostenrechnung auf: Einzelkosten müssen nicht für Einzelleistungen, sondern für die generelle Offerte ermittelt und berücksichtigt werden. Und weil die Kosten- und Erlöswirkungen der Preissetzung für eine Art von Leistungen häufig davon abhängen, welche vergleichbaren Leistungen von demselben Anbieter zu welchen Preisen angeboten werden, muß der Sortimentsverbund explizit berücksichtigt werden: Die Preise für alle (Zahlungsverkehrs-)Leistungen müssen simultan so gesetzt werden, daß die Preise des ganzen Sortiments die gewünschten kostensenkenden Kundenreaktionen auslösen."

b) Preispolitik im Privatkundengeschäft

Im Privatkundengeschäft bieten die Banken zielgruppenspezifische individuelle Offerten und generelle Offerten an: Der Ansatz von Lehmann/Schmidt, wie ihn auch Gladen fortführt[85], ist für ein Erklärungsmodell bankbetrieblicher Preispolitik im Privatkundengeschäft hilfreich. Es ist zutreffend, daß sich einer Preisentscheidung keine Kosten zurechnen lassen, die Entscheidung über eine Preissetzung nicht auf Basis einer Kostenkalkulation fällt. Weiterhin gilt, daß in der Preisfestsetzung in Form der generellen Offerte – und dies bezieht sich auf das Gesamtsortiment oder auf alle Einzelsor-

[85] Gladen, W.: Gebührenpolitik im Privatgiroverkehr der Kreditinstitute, a. a. O., S. 167 ff.

timente oder auf Teilleistungen im Sortiment im Wert- und Dienstleistungserlös-Bereich – der autonome Bereich aufgrund der Institutsbindung der Kunden auszuschöpfen versucht wird, zunächst unabhängig von den Teil- oder Vollkosten.

Dabei existieren institutsgruppenspezifische Teilmärkte sowohl im Wert- wie im Dienstleistungsbereich. Die Institute gehen davon aus, daß eine Teilmarktbindung der Kunden besteht, daß regelmäßig Fluktuationen zwischen Institutsgruppen: von der Teilzahlungsbank zur Großbank, von der Sparkasse zur Genossenschaftsbank etc. selten sind. Wir haben es daher mit zwei autonomen Bereichen in der Absatzkurve zu tun

- der autonome Bereich einer Bank innerhalb ihrer Institutsgruppe (Bankloyalität),
- der autonome Bereich zwischen unterschiedlichen Institutsgruppen (Bankgruppenloyalität).

Nur so lassen sich die unreagiblen bemerkenswerten Preisunterschiede zwischen Teilzahlungsbanken und Geschäftsbanken oder Bankensektor insgesamt erklären, die auf unterschiedlicher Produktionstechnik und damit – vordergründig – auch unterschiedlicher Kalkulationsmethode beruhen (Tabelle 11)[86].

Tabelle 11: Erklärungsmodell für Preisunterschiede zwischen Teilzahlungsbanken und Geschäftsbanken

Banken / Sparkassen	**Teilzahlungsbanken**
Verbundproduktion Fondsfinanzierung	Einzelproduktion Direktfinanzierung
→ Grenzkostenkalkulation → Spartensubventionierung	Vollkostenkalkulation Produktsubventionierung
Gemeinkostenschlüsselung Kundenkalkulation	Gemeinkostenzurechnung Produktkalkulation
Rentabilitätsanalyse **vor** a. o. Rechnung und Kapitalkosten	Rentabilitätsanalyse **nach** a. o. Rechnung und Kapitalkosten

Losgrößenstruktur
Laufzeitenstruktur
Validität / Bonität
Waren- / Kredit-Finanzierung

[86] vgl. Jacob, A.-F.: Kalkulatorische Fragen zum Teilzahlungskredit, in: bank und markt, 14. Jg. (8/1985), S. 5

Die Grenzkostenkalkulation ist eine ex-post-Kalkulation bei Offerten: sie prüft im nachhinein ob ein/der positive/angestrebter Deckungsbeitrag erwirtschaftet wurde.

Über eine in der Verträglichkeit bestimmte Spartensubventionierung wird bei Nichterreichen des Deckungsbeitrages das Sortiment oder die Teilleistung im Sortiment in der Angebotspalette belassen. Lassen sich die Kostenblöcke im Rahmen eines sortimentsbezogenen Kostenmanagements nicht nachhaltig günstiger gestalten, erfolgt eine Sortiments-/Teilsortiments-/Produkt-Substitution.

Ein typisches Beispiel ist die Einführung eines Überziehungskredites für Privatkunden als generelle Offerte zu Beginn der 70er Jahre und die Herausnahme des Produktes „Kleinkredit" (Produktsubstitution) aus dem Sortiment und die Anhebung der Überziehungsmöglichkeit im Verlaufe der Losgrößenanhebung im Privatdarlehen.

Bei der Substitution des Kleinkredites durch den Überziehungskredit wurde eine erhebliche Minderung des Zinserlöses realisiert, der eine überproportionale Abnahme der Kosten der technischen Abwicklung gegenüberstand. Um diese Substitutionsentscheidung treffen zu können, ist ein ausgebautes, in den Ergebnissen von den Entscheidungsträgern akzeptiertes Internes Rechnungswesen notwendig.

Daraus folgt: bei generellen Offerten werden

1) die autonomen Bereiche der Preispolitik ausgeschöpft
   und
2) Kostenmanagement betrieben
   sowie
3) bei negativem Deckungsbeitrag Produktsubstitution angestrebt.

Bei individuellen Offerten im Privatkundengeschäft tritt bei identischer Preispolitik an die Stelle des sortimentsindividuellen Deckungsbeitrages der kundenindividuelle Deckungsbeitrag.

Wenn Gladen ableitet, die generellen Offerten würden nur gemacht, „wenn die der optimalen Preisstruktur entsprechenden Erlöse über dem kritischen Erlös ... liegen[87]", so ist diese Ableitung in zweifacher Weise zu ergänzen:

1. berücksichtigt diese Aussage die Spartensubvention nicht,
2. ist ein Institut in seiner Sortimentspolitik im breiten Geschäft (polypolistischer Nachfragemarkt) nicht autonom.

Ein Institut muß ein institutsgruppenspezifisches Sortiment, ein Institut muß eine generelle Offerte anbieten. Ein Institut hat nur die Wahl, durch Produktsubstitution bei Funktionsidentität für den Kunden die Verträglichkeit der Offerte zu erreichen.

[87] Gladen, W.: a. a. O., S. 169

Innerhalb einer Offerte können jedoch – hier ist Lehmann/Schmidt in ihrer theoretischen Ableitung in der Praxis uneingeschränkt zu folgen – Anreiz- und Lenkungspreise innerhalb des offertenpreisautonomen Bereichs zur kostenoptimalen Steuerung der Nachfrage eingebaut werden. Wenn Lehmann/Schmidt in der Zusammenfassung vermuten, die neue Gebührenpolitik der Dresdner Bank ziele darauf ab, die Preise innerhalb der generellen Offerte „Girokontoführung" simultan so zu setzen, „daß die Preise des ganzen Sortiments die gewünschten kostensenkenden Kundenreaktionen auslösen[88]", so haben sie mit dieser Vermutung recht.

c) Preispolitik im Firmenkundengeschäft

Im Firmenkundengeschäft sind mindestens zwei Kundengruppen zu trennen:

- kleine und mittlere
  mit maximal zwei Bankverbindungen und dominierender Hausbank,
- große und multinationale
  mit Mehrfach-Bankverbindung und Produktdominanz der einzuschaltenden Bank.

In der ersteren Gruppe ist die Bankverbindung durch Präferenzen gefügt, die auch und insbesondere in der Tiefe, Breite und Qualität des Leistungssortiments begründet ist und durch eine doppelseitige Loyalität – Loyalität der Bank dem Kunden gegenüber und Loyalität des Kunden zur Bank –.

Diese Gruppe wird in der Preispolitik mit gruppenspezifischen Offerten gesteuert, deren Teilpreise in der relativen Höhe von der Verhandlungsmacht des Kunden abhängen.

Für die zweite Gruppe ist der Präferenzenabbau und der Abbau der doppelseitigen Loyalität konstitutiv, Loyalität wird regelmäßig nur noch von der Bankverbindung erwartet. In dieser Gruppe tritt an die Stelle des Sortiments- und Teilsortimentsangebots die individualisierte Einzelleistung. Die Preisstellung erfolgt hier regelmäßig auf Basis einer Mindestmargen-, Mindestdienstleistungspreis-Rechnung.

In diesem Sonderfall zielgruppenspezifischer, individueller „maßgeschneiderter" Einzelleistungsangebote werden diese zu Grenzkostenpreisen angeboten und im Verbund mit Folge-Einzelleistungen, die auf der Grundleistung aufbauen, kalkuliert: Einzelkredit plus Swap, Zinsmarge null, Erlös des Kredites = Swaperlös als Extrem.

[88] Lehmann, M./Schmidt, R.H.: a. a. O., S. 363

Zu diesem preispolitischen Bereich der Mindestmargenkalkulation sind eine Anzahl von Veröffentlichungen erschienen, so zum Beispiel von Krümmel, Schierenbeck, Bühler, Lammerskitten, Droste u. a., Flechsig, Süchting und Jacob[89].

Exkurs 11:
Trend zu vollkommenen Märkten

„Ein Markt, auf dem die sachlichen, personellen, räumlichen und zeitlichen Bedingungen des Prinzips der Unterschiedslosigkeit erfüllt sind, heißt vollkommener Markt[90]."

Im folgenden wird zu zeigen sein, daß diese Bedingungen des Prinzips der Unterschiedslosigkeit auf dem Nachfragemarkt, auf dem Markt zwischen der einzelnen Bank und ihren Kunden und auf dem Markt zwischen den Banken erfüllbar werden: das Kreditgewerbe sieht sich in Teilbereichen vollkommenen Märkten gegenüber.

Ursachen dieser Entwicklung sind:

- Informations-und Kommunikationstechnik und -systeme,
- Entwicklung der Elektronik,
- Globalisierung der Märkte,
- Mangel an Patentschutz für Innovationen.

In diesem Zusammenhang sollen 3 Sektoren betrachtet werden:

- Handelsaktivitäten im Interbankenbereich,
- Globalisierung der Bank und der multinationalen Unternehmen,
- der bankenunabhängige selbständige Portfoliomanager im Firmen- und Privatkundenbereich.

I. Der vollkommene Markt im Interbankenhandel

Die Entwicklung der Informations- und Kommunikationssysteme sowie der Elektronik haben auf dem Interbankenmarkt im Devisen- und Wertpapierhandel den Zustand vollkommener Markttransparenz erzeugt. Damit verbunden ist der Abbau von Wettbewerbsvorteilen und der ohnehin typische Mangel an Präferenzen.

[89] Krümmel, H. J.: Zur Rentabilitätspolitik der Kreditinstitute, in: Kredit und Kapital, 5. Jg. (1972), S. 1-27; Schierenbeck, H.: Ertragsorientiertes Bankmanagement, a. a. O., S. 448-459; Bühler, W.: Zur Ermittlung von Mindestmargen im Zinsgeschäft der Kreditinstitute, in: Österreichisches Bankarchiv 2/83, S. 37 - 57; Lammerskitten, P.: Preispolitik im festrefinanzierten langfristigen Geschäft der Banken, in: (Hrsg.) Mülhaupt, L./Schierenbeck, H./Wielens, H.: Controlling in Banken und Sparkassen, a. a. O., S. 145-160; Droste, D. und andere: Falsche Ergebnisinformationen, a. a. O., S. 313-323; Flechsig, R.: Die Kalkulation von Zinsobergrenzen im Passivgeschäft mit Nichtbanken, in: Die Bank, 8/82, S. 356-360; Süchting, J.: Überlegungen zu einer flexiblen Preispolitik der Kreditinstitute im Firmenkundengeschäft, in: bank und markt, 14. Jg. (3/85), S. 5 - 9; Jacob, A.-F.: Planung und Steuerung der Zinsspanne in Banken, in: DBW, 38. Jg. (1978), S. 341-350

[90] v. Stackelberg, H.: a. a. O., S. 221

Informationsvorsprünge fehlen, Vorteile aus einer schnelleren Kalkulation gibt es nicht mehr: Der Markt ist zum Punktmarkt geworden („rund um die Uhr“ und „rund um den Globus“), Marktarbitrage gehört der Vergangenheit an.

Der klassische Devisen-Eigenhandel auf Basis geschlossener Positionen ist damit unergiebig geworden: auf einem vollkommenen Markt gehen Kursgewinne gegen Null, die Zahl der „Stellen“ steigt, das Volumen, das umgeschlagen werden muß, um einen betragsmäßig interessanten Handelsgewinn zu realisieren, wird immer höher. Gewinne entstehen letztlich nur noch durch menschliches Versagen eines Marktpartners: durch Fehler. Da das Halten offener Positionen unter Risiko-Verträglichkeits-Gesichtspunkten reglementiert ist, kommt das klassische Devisen-Eigengeschäft auf vollkommenen Märkten zum Erliegen. Ausgewichen wird auf Innovationen: Swaps, Futures etc., die allerdings von den Marktpartnern sofort übernommen oder imitiert werden; Patentschutz und Innovationsrente sind nicht vorhanden.

II. Globalisierung und multinationale Unternehmen

Die ohnehin geringen Präferenzen multinationaler Unternehmen gegenüber ihren Bankadressen werden durch vollkommene Markttransparenz und den Abbau von Wettbewerbsvorteilen durch Fortfall subjektiv empfundener oder objektiv vorhandener Qualitäts-Heterogenität vollends abgebaut.

Das Ausweichen auf neue Formen des Kredits (securitisation) hat zu einem weiteren Abbau von Präferenzen und Erlösen geführt: die zu erzielenden Preise „Libor +“ werden nahezu zu „Libor“. Damit verschwinden die Marktlagengewinne.

Weltweit einsetzbare Cash-Management-Systeme im on-line-Zugriff auf das jeweilige Stammkonto „rund um die Uhr“ und die an den Grundsystemen baukastenförmig anzuhängenden Folgesysteme (Devisennetting etc.) führen zu Preisgestaltungen, die von dem Marktführer mit der c. p. günstigsten Kostenstruktur und/oder höchsten einsetzbaren Substanz an Reserve diktiert werden. Die Folge ist ein Verdrängungswettbewerb auf dem oligopolistischen Bankenmarkt, der im Extrem zu Teilmonopolisierung oder Monopolisierung schlechthin führen kann. Die Ansätze sind in der Praxis erkennbar.

Die Ausweichtendenzen sind auf diesen Märkten:

- Innovationszwang zur quasi-Heterogenisierung der Produkte (mit Kurzzeiteffekt),
- Fusionen, Bildung von Finanzkonglomeraten um den Wettbewerb zu integrieren: Neu-Definition der Märkte,
- Neu-Definition von Sortimenten durch Integration von außerhalb des Sortiments nicht absetzbaren Teilleistungen (Merchantbanking).
- Verselbständigung integrationsfähiger Leistungen (Tochtergesellschaften mit dem Ziel des fees generating).
- Aufgabe von bisher besetzten Marktsegmenten (Rückzug aus dem retail banking).

Gebrochen werden können diese Trends auf Dauer nur, wenn den multinationalen Unternehmen mit extrem hoher Verhandlungsmacht-Position deutlich wird, daß sie auf Dauer ohne ein funktionierendes Bankensystem nicht existieren können und daher bereit sind, eine Loyalitätsrente zu gewähren.

III. Emanzipation des Portfoliomanagers

Die aus dem Lernbereich der Verständlichkeit der Bankleistungen resultierende Bankloyalität kann auf einer nächsten Stufe zur Emanzipation des Kunden von seiner Bank führen: der bankenunabhängige, selbständige Portfoliomanager; die Wahl der Bankverbindung oder die Einschaltung einer Bankadresse wird allein abhängig von der Höhe des Preises für die technische Ausführung der Dispositionen. Der einzige Faktor, der für die Bank einen Gestaltungsspielraum für die Preispolitik läßt, ist die Rente aus einer etwa vorhandenen Bankloyalität des Kunden.

Trendbrecher: die Integration der Informations- und Entscheidungshilfen des emanzipierten Kunden in die Bank zurück: Beispiel „Credit Suisse on line“[91] bestehend aus

– Anlage-Informationssystem der SKA,
– Marktinformationen der SKA,
– Investdata-System der Telekurs AG.

Das Anlage-Informationssystem verschafft dem Kunden einen Überblick über seine Portefeuille-Zusammensetzung über alle Konten hin und gibt ihm Simulationsmöglichkeiten von Umschichtungen, in die auch eine große Anzahl fiktiver Depots einbezogen werden können. Über das Marktinformationssystem werden dem Kunden alle wesentlichen Informationen des Finanzplatzes Schweiz zur Verfügung gestellt. Die Telekurs AG vermittelt den Direktzugriff zu der anerkanntermaßen umfassendsten Wertpapier-Datenbank der Welt.

Die Anschaffungskosten für den Kunden (Hard- und Software) liegen zwischen 6 bis 16 Tsd. sfr., die Jahresbenutzungsgebühr für das Gesamtpaket beträgt pauschal 30 Tsd. sfr.

Damit dürfte der SKA die Rückeinbindung emanzipierter oder emanzipationsfähiger Kunden gelungen sein. Die SKA bezeichnet dieses Dienstleistungspaket als „bisher noch von keiner anderen Großbank“ erbracht.

In diesem Exkurs sollten Trends dargestellt werden; eine theoretische Ableitung etwa im Sinne der dynamischen Theorie der Marktformen wäre von der Wissenschaft noch zu erbringen.

* * *

[91] SKA-Bulletin Nr. 5, 6/87, S. 39-40

2. Werbung

Grundsätzlich sind zwei Aufgabengebiete der Werbung zu unterscheiden:

Institutionelle Werbung oder Image-Werbung auf der einen Seite, Produktwerbung auf der anderen Seite [92].

„Für das Instrument der Werbung ergibt sich durch die Vertrauensempfindlichkeit von Bankleistungen ein gewisses Primat der institutionellen, imagebezogenen Werbung, was indirekt noch verstärkt wird durch die sich aus der Erklärungsbedürftigkeit pauschal ergebende Notwendigkeit, die betriebliche Leistungsfähigkeit und Zuverlässigkeit des Instituts als Ganzem herauszustellen, zumindest dann, wenn eine gezielte Produktwerbung nicht möglich erscheint. Letztere knüpft insbesondere an den Zweck-Mittel-Zusammenhang von Bankleistungen an, wobei die beschriebenen Schwierigkeiten zu überwinden sind.

Institutionelle Werbung wie Produktwerbung orientieren sich dabei gleichermaßen an der überragenden Bedeutung des menschlichen Elements der Bank-Kundenbeziehung."

Süchting fügt als drittes Aufgabengebiet hinzu[93]: „die Umworbenen zu einer Kontaktaufnahme zu veranlassen, die sich letztlich in der Inanspruchnahme von Bankleistungen niederschlagen soll."

Im folgenden werden unterschieden:

1) Das Instrument zur Schaffung und Erhaltung von *Bankloyalität:* Image-Werbung,
2) das Instrument zur Schaffung und Erhaltung von *Präferenzen:* Produktwerbung/ zielgruppenbezogene Produktwerbung.

Diese Unterscheidung ist idealtypisch. In der Realität überschneiden sich die Bereiche: in der Zielgruppenwerbung ist ein starker Imagebestandteil und Produktbezogenheit, in der Produktwerbung ist ein schwächerer Imagebestandteil mit Zielgruppenorientierung enthalten. Man kann daher analog zum Begriff des Marketing-Mix auch den Begriff des Werbe-Mix verwenden.

a) Die Image-Werbung

Unter „Image" ist ein von der Konkurrenz unterscheidbares, eigenständiges Profil eines Instituts zu verstehen, das von einem spezifischen institutsindividuellen Bündel

[92] Wünsche, G.: Grundlagen der Bankenwerbung aus verhaltenswissenschaftlicher Sicht, Wiesbaden 1982, S. 34

[93] Süchting, J.: Bankmanagement, a. a. O., S. 369

imageprägender Faktoren gestaltet wird (Banksicht)[94]; es ist „die Gesamtheit der bewußten und unbewußten Vorstellungen", die über das Institut bestehen (Kundensicht)[95].

Man kann daher zwischen einem institutionellen und einem psychologischen Image unterscheiden, je nach dem, ob die Werbestrategie – Strategie der Imagewerbung als optimaler Einsatz der imageprägenden Faktoren – oder der Werbeerfolg – die Vorstellungen über das Institut – betrachtet werden.

Innerhalb der Image-Werbung müssen zwei Bereiche unterschieden werden:

- institutsgruppenspezifisches Image zur Schaffung und Erhaltung der institutsgruppenbezogenen Bankloyalität,
- institutsspezifisches Image eines Instituts innerhalb der Institutsgruppe mit zielgruppenorientiertem Leistungs-Image als institutsbezogene Bankloyalität.

Die wesentlichen Faktoren der Imagebildung sind:

- einheitliches *Erscheinungsbild* durch Außen- und Innengestaltung der Gebäude und Geschäftslokale: „Corporate design",
- Formung eines spezifischen *Vorstellungsbildes,*
- *Profilierung und Differenzierung im Markt* der Wettbewerber.

Während die Image-Werbung im Sparkassen- und Genossenschaftssektor wegen des Regionalitätsprinzips die *gruppen*spezifische Loyalität vorrangig zum Ziel hat (die Verbandswerbung dominiert), ist die Image-Werbung im privaten Bankgewerbe vornehmlich auf die *instituts*spezifische Loyalität gerichtet (die Institutswerbung dominiert).

Unabhängig von der Zielrichtung sind typische Medien der Imagewerbung: [96]

- Fernsehen
- Film
- Zeitschriften.

Als Verdeutlichung und Träger der Image-Botschaft gelten Firmenzeichen, Logotypen und Hausfarben. Wünsche bietet als Beispiel Abbildung 11[97].

[94] vgl. Wünsche, G.: a. a. O., S. 111
[95] Süchting, J.: Bankmanagement, a. a. O., S. 370
[96] vgl. Wünsche, G., a. a. O., S. 175
[97] ebenda, S. 161

Zeichen	Logotypen	Hausfarben
	Sparkasse	ROT
	WestLB	–
	NORD/LB	–
	Volksbank-Raiffeisenbank	BLAU/ORANGE
	DG BANK	ORANGE
	Deutsche Bank	BLAU
	Dresdner Bank	GRÜN
	COMMERZBANK	GELB
	BfG:Die Bank für Gemeinwirtschaft.	–
	KKB	ORANGE
	Industriekreditbank AG Deutsche Industriebank	–

Abbildung 11: Bankenlogos

Das angestrebte Vorstellungsbild ist[98]:

Sparkassensektor: soziale Einstellung zum Kunden, spar- und jugendorientiert, örtliche Verbundenheit und Verantwortung

Genossenschaftssektor: schnell in der Entscheidung und von besonderer Individualität im Kundenkontakt

Commerzbank: unkonventionell, effizient und geschäftsorientiert

Deutsche Bank: exakt, administrativ, halböffentlich, modern und überaus leistungsfähig

Dresdner Bank: symphatisch, menschlich, liberal.

Innerhalb des *Zielgruppenbanking* bekommt die Werbung eine besondere Aufgabe: „Für jedes neue Geschäftsfeld muß ein differenziertes, positives Leistungsimage aufgebaut werden"[99].

[98] ebenda, S. 117

[99] Van Hooven, E.: Standortbestimmung und künftige Entwicklungslinien im Bankmarketing, in: (Hrsg.) Süchting, J./van Hooven, E.: a. a. O., S. 488

b) Zielgruppenorientierte Produktwerbung

Innerhalb des Zielgruppenbanking wird regelmäßig zwischen Firmen- und Privatkunden unterschieden, die aber nur einen Gattungsbegriff darstellen: „So ist der Privatkundenmarkt weit davon entfernt, ein in sich auch nur annähernd homogener Markt mit einer gleichen Bedürfnisstruktur zu sein."[100]. Die Kunden sind demzufolge in einem ersten Schritt so zusammenzufassen, daß die aggregierten Gruppen in sich möglichst homogen und untereinander möglichst heterogen sind[101].

Für das *Firmenkundengeschäft* sind die „gängigen Kriterien

- Größe,
- Branche,
- Rechtsform,
- Region/Inland/Ausland,
- Kunden-Nichtkunden",

wobei in der Produktwerbung der „Nutzen und die Ausgestaltung" die Segmentierung vorgeben[102].

Für das *Privatkundengeschäft* bieten Weber/Wilsdorf zwei interessante Typisierungsbeispiele (Abbildungen 12 und 13)[103]:

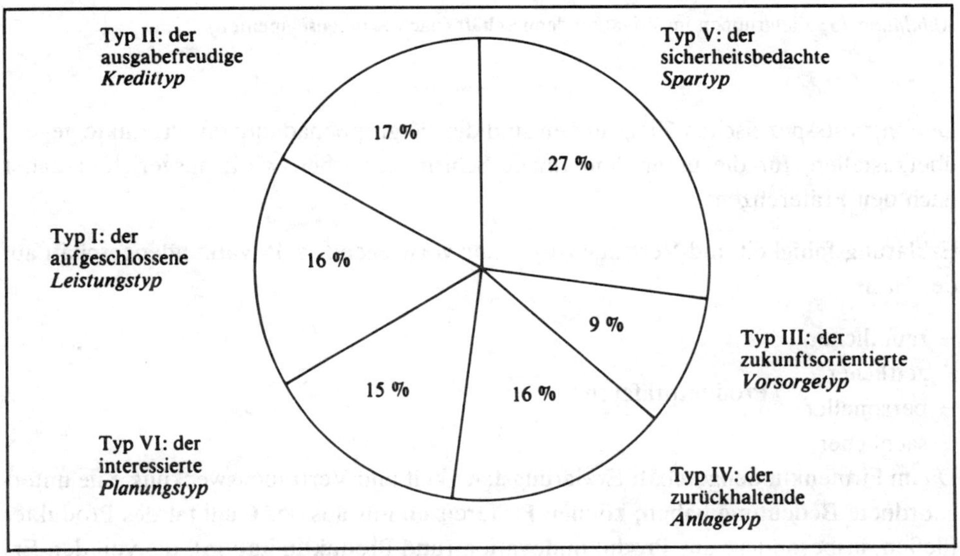

Abbildung 12: Zielgruppen im Privatkundengeschäft (nach Geldtypen)

[100] Karsten, E.: Zielgruppenorientierte Produktgestaltung im Bereich des Kreditgeschäfts und der Vermögensanlage, in: (Hrsg.) Süchting, J./van Hooven, E.: a. a. O., S. 132

[101] vgl. Wünsche, G.: a. a. O., S. 134

[102] Burda, W. A.: Institutswerbung im Privatkundengeschäft, in: (Hrsg.) Süchting, J./van Hooven, E.: a. a. O., S. 315 f.

[103] Weber, B./Wilsdorf, M.: Produktwerbung und Verkaufsförderung im Privatkundengeschäft, in: (Hrsg.) Süchting, J./van Hooven, E.: a. a. O., S. 212 f.

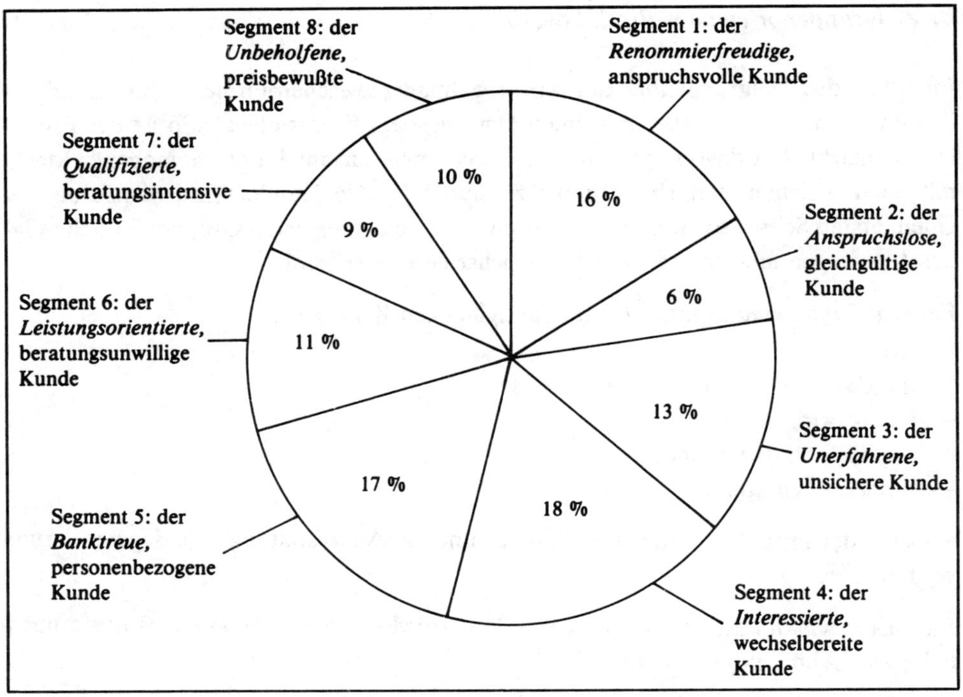

Abbildung 13: Zielgruppen im Privatkundengeschäft (nach Kundensegmenten)

Den institutsspezifischen Zielgruppen sind die zielgruppenadäquaten Produkte gegenüberzustellen, für die unter dem Image-Schirm geworben wird; ausgerichtet daher nach den Präferenzen:

Erklärungsfähigkeit und Vertrauensweckung vorwiegend im Privatkundengeschäft auf der Basis

- räumlicher
- zeitlicher
- personeller
- sachlicher

Produktpräferenz

Da im Firmenkundengeschäft Erklärungsfähigkeit und Vertrauensweckung eine untergeordnete Bedeutung haben, können Präferenzen nur aus der Qualität des Produktes fließen, insbesondere aus Produktinnovation (und Produktimitation), die von den Erwartungen der (potentiellen) Kunden ausgehen.

3. Produktpolitik

Produktpolitik ist die zielgruppenadäquate Gestaltung des Leistungsangebotes = Politik der bankbetrieblichen Einzelleistung im Sinne Krümmels.

Die *Sortimentspolitik* hat das Ziel, das Gesamtprogramm für eine Zielgruppe/einen Einzelkunden kundenadäquat, vollständig, überschneidungsfrei sowie in der Komplementarität optimal zusammenzusetzen[104].

Die *Produktpolitik* umfaßt folgende „Entscheidungstatbestände“[105]:

– *Innovation:*
  Da es hier um produktpolitische Entscheidungen eines Instituts geht, trifft die Innovationsdefinition von Witte analog zu[106].

  „Für die Unternehmung ist eine Innovation dann zu konstatieren, wenn sie eine technische Neuerung erstmalig nutzt“ (Ein Produkt erstmalig anbietet), „unabhängig davon, ob andere Unternehmen den Schritt vorher getan haben oder nicht.“

  Eine Innovation in diesem Sinne kann also auch eine Imitation eines bereits marktgängigen Produktes sein.

– *Variationen:*
  Dabei handelt es sich um eine kunden- oder marktbezogene Veränderung eines bereits angebotenen Produktes eines Instituts aufgrund geänderter Produktions- oder Nachfrageverhältnisse, die auch in einer Neudefinition von Zielgruppen begründet sein können. Die drohende oder bereits eingetretene Marktferne eines Produktes wird durch Variation aufgehoben.

– *Substitution:*
  Die Herausnahme eines Produktes aus dem Leistungsangebot und Ersetzen durch ein produktions- und abwicklungskosten-günstigeres Produkt bei nahezu identischer Verwendbarkeit.

– *Elimination:*
  Sie „bezeichnet die geplante Reduzierung des Bankleistungsprogramms um einzelne Produkte oder Produktgruppen. Sie kann sich auf den Gesamtmarkt oder lediglich auf Marktsegmente beziehen.“[107]

Den Entscheidungstatbeständen folgt die Identifikation produktpolitischer Handlungsbedarfe[108]:

„– Strategische Umorientierung der Bank
– Veränderte Möglichkeiten der Leistungserstellung
– Nachhaltige Ungleichgewichte in der Bilanzstruktur

[104] Kilhey, U.: Die Beurteilung des Erfolges von Bankprodukten ..., a. a. O., S. 58
[105] ebenda, S. 59
[106] Witte, E.: Organisation für Innovationsentscheidungen, Göttingen 1973, S. 3
[107] Kilhey, U.: Die Beurteilung des Erfolges von Bankprodukten ..., a. a. O., S. 66
[108] ebenda, S. 221 f.

– Unausgelastete Kapazitäten
– negative Veränderung des Gesamtbankimages
– Unübersichtlichkeit des Sortiments
– ungünstige Entwicklung von produktionsspezifischen Kosten, Erlösen und Absatzzahlen."

Mit einer gewissen (für die Praxis überraschenden und nicht nachvollziehbaren) Apodiktik ist die Konklusion für eine erfolgreiche Produktpolitik[109]:

„Richtige Entscheidungen können nur getroffen werden, wenn sie auf richtigen Informationen beruhen. Bedingung hierfür ist die Existenz eines *aussagefähigen Management-Informationssystems* mit seinen zentralen Bestandteilen Rechnungssystem und Berichtswesen. Für die Produktbewertung bedeutet dies in bezug auf das Kalkulationsinstrumentarium, daß

– die Marktzinsmethode implementiert ist,
– Kostenrechnungsinformationen produktbezogen zur Verfügung stehen,
– Teilleistungen des Betriebsbereichs systematisch erhoben, mittels Arbeitsablaufstudien gemessen und verursachungsgerecht bewertet werden,
– Stückkosten auf Basis der Standardeinzelkostenrechnung ermittelt werden."

a) Beispiel: Privatkundengeschäft

Für die Produktgestaltung in der Praxis ist es nicht ausreichend, daß ein Produkt technisch nachfrageadäquat ist: „Bei den Bankdienstleistungen ist der Name das wesentliche Verpackungselement, und häufig ist es allein der Name, der die ansonsten gleichgestalteten Dienstleistungen unterscheidet"[110]: aus dem Normalangebot „langfristiges Darlehen" wird das zielgruppenorientierte Angebot „Ärztedarlehen".

Zu den zielgruppenorientierten Produkten treten Gestaltungen, die sich an eine nach sozio-ökonomischen Merkmalen inhomogene Zielgruppe bei homogenem Bankverhalten wenden; Karsten zeigt dies am Beispiel des revolvierenden Ratenkredites [111]:

„– Einräumung eines unbefristeten Rahmenlimits ohne bestimmten Verwendungszweck;
– Inanspruchnahme durch Abrufaufträge des Kunden;
– Möglichkeit der Wiederinanspruchnahme nach geringer Teilrückführung;
– Rückzahlung durch monatliche Abbuchung vom laufenden Konto.

Mit diesem Angebot wird dem wiederkehrenden Kreditbedarf der Wiederholer und Aufstocker in einer einfachen und kundenfreundlichen Weise Rechnung getragen. Der Kunde kann jederzeit auf sein Limit zurückgreifen, ohne besondere Formalitäten zu

[109] ebenda, S. 271
[110] Karsten, E.: a. a. O., S. 133
[111] ebenda, S. 134

erfüllen. Damit ist aber dieser Kredit auch für die Bank wesentlich rationeller und kostengünstiger."

b) Beispiel: Firmenkundengeschäft

Juncker zeigt am Beispiel unternehmensinterner Veränderungen die Auswirkungen auf Produktinnovation in der Leistungspalette einer Bank[112]. Gerade bei kleineren Firmen besteht ein Defizit in der Anwendung betriebswirtschaftlicher Methoden und eine Erwartungshaltung der Hausbank gegenüber. Dies ergab eine Marktanalyse der Deutschen Bank (Abbildung 14).

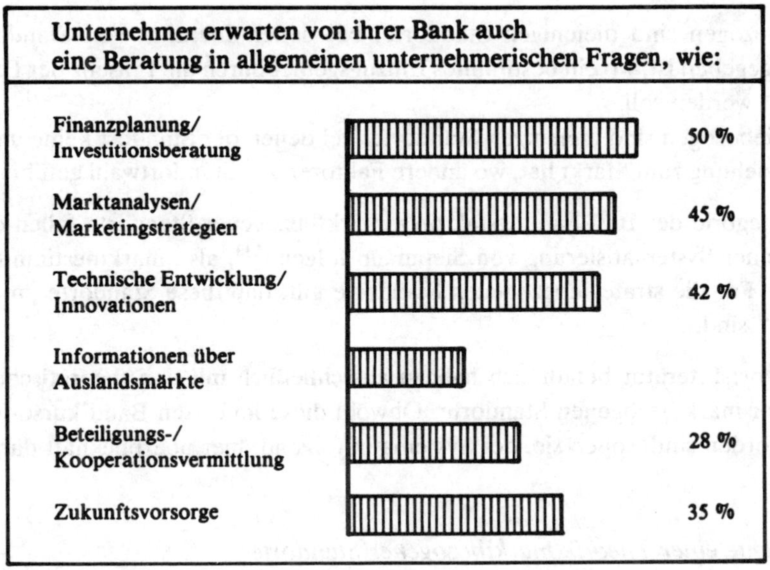

Abbildung 14: Erwartungen von Unternehmen an ihre Bank

Als Konsequenz hat sich die Deutsche Bank an der Roland Berger Verwaltungs GmbH in München mit 24 % beteiligt und wurde damit Teilhaber an der Unternehmensberatung Roland Berger & Partner.

4. Vertriebspolitik

Bestandteile der Vertriebspolitik sind
- Standortpolitik,
- Vertriebssysteme.

[112] Juncker, K.: Von der Marktsegmentierung zum strategischen Marketing im Firmenkundengeschäft, in: (Hrsg.) Süchting, J./van Hooven, E.: a. a. O., S. 230 f.

a) Standortpolitik

Die Standortfrage ist als Bestimmungsfaktor im ersten Band im Zusammenhang mit den *Strukturelementen* behandelt worden; sie hat ihren Niederschlag in der Darstellung des nationalen und internationalen *Zahlungsverkehrs,* der Internationalisierung und *Globalisierung* der Märkte im zweiten Band gefunden und war Gegenstand bei dem Aufriß der *Kalkulationsmethoden* in dem vorliegenden Band. Insofern ist die Standortfrage ein übergreifender Systembestandteil des Bankbetriebs.

Im Zusammenhang *standortpolitischer* Überlegungen soll eine Strukturierung aus dem ersten Band wieder aufgegriffen und weitergeführt werden: die Unterscheidung in marktbezogene und strategiebezogene Standorte:

- marktbezogen sind diejenigen Standorte, bei denen Identität von Standort und Markt gegeben ist, wo ein bestimmtes Einzugsgebiet durch die Präsenz der Bank abgedeckt werden soll,
- strategiebezogen sind diejenigen Standorte, bei denen der Standort keine unmittelbare Beziehung zum Markt hat, wo andere Faktoren zur Standortwahl geführt haben.

In die Kategorie der Bestimmungsfaktoren marktbezogener Standorte fallen diejenigen, die einer Systematisierung von Siepmann folgend[113], als „marktbestimmt" definiert sind. Für die strategiebezogenen Standorte gilt, daß diese Standorte „marktbestimmend" sind.

Die Standort-Literatur befaßt sich nahezu ausschließlich mit den theoretischen Elementen der marktbezogenen Standorte. Obwohl diese im ersten Band kursorisch behandelt worden sind, sollen sie, der Systematik folgend, hier überblickhaft dargestellt werden.

aa) Elemente einer Theorie marktbezogener Standorte

Die Elemente einer Theorie des marktbezogenen Standortes können wie folgt systematisiert werden:

1) Lokale/regionale/nationale Standorttheorien

- Einkaufswirtschaftlichkeit
- Auswahl des optimalen Standortes
- Systematisierungen der Standortfaktoren
- Bestimmungsfaktoren der Marktgrenzen/des Marktpotentials.

2) Internationale Standorttheorien

- auf Basis Internationalisierung
- Standortfaktoren.

[113] vgl. Siepmann, J. D.: Die Standortfrage bei Kreditinstituten, Berlin 1978, S. 22

(1) Lokale Standorttheorien

Im folgenden sollen die wichtigsten Ansätze einer Theorie des lokalen Bankstandortes dargestellt werden; für die bis Mitte der 60 er Jahre diskutierten standortpolitischen Überlegungen darf auf die umfassende Behandlung bei Siepmann – in der bereits oben genannten Monographie – verwiesen werden.

Von Süchting wurde die Theorie der *Einkaufswirtschaftlichkeit* entwickelt[114].

Ein sich rational verhaltender (präferenzenfreier) Nachfrager wird die Wahl seiner Bankverbindung aufgrund des Standortes unter Abwägung des Aufwandes an Überlegung und Zeit für die Befriedigung seiner nachgefragten Bankleistungen mit den möglichen Erträgen in Form von Preis- und Qualitätsfaktoren treffen. Das Vergleichsergebnis bezeichnet Süchting als „Einkaufswirtschaftlichkeit". (S. 278)

Bestimmungsgrund der Wahlhandlung ist die Unterscheidung von kontaktintensiven Problemleistungen und kontaktarmen Routineleistungen der Bank. Die Einkaufswirtschaftlichkeit wird formelmäßig wie folgt abgeleitet (S. 279):

„Die Einkaufswirtschaftlichkeit für eine bestimmte Leistung bei einer Bank X im Vergleich zu einer zweiten Bank Y läßt sich dann so formulieren:

$$W_E = \left[\frac{Q_x - Q_y}{(e_x - e_y) \cdot a} \right]^{t_{1-2}}$$

Dabei steht W_E für die Einkaufswirtschaftlichkeit, $Q_x - Q_y$ bezeichnet das Qualitätsgefälle zwischen Bank X und der Vergleichsbank Y (das im Zeitverlauf als konstant angenommen wird), und $e_x - e_y$ den Entfernungsunterschied zwischen den Banken, multipliziert mit der Anzahl der erwarteten Besuche a während der Dauer der Leistungsinanspruchnahme t_{1-2}.

Eine einheitliche Bezugsbasis für Zähler und Nenner des Bruchs kann nur allgemein in Präferenzeinheiten für den Nachfrager angegeben werden, da Leistungsqualität und Entfernung anders nicht vergleichbar gemacht werden können.

Der Nachfrager wird die nähergelegene Bank Y dann für die Leistungsabnahme auswählen, wenn

$$\left[(e_x - e_Y) \cdot a \right]^{t_{1-2}} \geqq (Q_x - Q_y)^{t_{1-2}}$$

[114] vgl. Süchting, J.: Die Einkaufswirtschaftlichkeit für Bankleistungen und die Zweigstellenpolitik, in: Bank-Betrieb, 8. Jg. (1968), S. 277-280

Die Einkaufswirtschaftlichkeit als Faktor einer rationalen Wahlentscheidung für die Zweigstellenorientierung des Kunden wird durch Bankloyalität und Präferenzen eingeschränkt oder aufgehoben, insbesondere, wenn es um den Wechsel von einer bestehenden zu einer neu eröffnenden einkaufswirtschaftlicheren Bankstelle geht.

Eine formale Ableitung des *optimalen Bankstandorts* bringt Büschgen durch die zu maximierende Funktion: [115]

$$(1)\quad S_P = \sum_{m=1}^{M} \left(\sum_{i=1}^{3} I_{im} w_{im} k_m \right) f(a_{P_m})$$

Es bedeutet:

S_P = die Gesamtheit (Summe) der auf einen bestimmten gesuchten Standort einwirkenden Potentiale der verschiedenen Ortsteile;

$\sum_{i=1}^{3} I_{im} w_{im} k_m$ = die Indikatoren der Potentiale – als Gewichte – der einzelnen Ortsteile. Da P = F (I, w, k) geschrieben werden kann (P = Potential, I = Intensität des Angebots an Zahlungsmitteln und der Nachfrage nach Bankleistungen, w = Wachstumsfaktor der Intensität I, k = Faktor der Konkurrenzintensität) oder bei Berücksichtigung von einzelnen (hier drei) Kundengruppen (i = 1 für Ortsbewohner, i = 2 für ortsansässige Betriebe, i = 3 für „Pendler") als

$$(2)\quad P_0 = \sum_{i=1}^{3} I_{i0} w_{i0} k_0$$

lassen sich die Angebots- und Nachfrageintensitäten dieser Gruppen z. B. ausdrücken als:

(3) $I_1 = EW \cdot \bar{E}$ (EW = Anzahl der Ortseinwohner, $\bar{E}$ = deren durchschnittliches Einkommen);

(4) $I_2 = Bj\,\bar{U}j$ (B = Anzahl der ortsansässigen Betriebe, $\bar{U}$ = deren durchschnittlicher Umsatz, j = 1, 2..., n = Branchen);

(5) $I_3 = PP \cdot \bar{E}_{pp}$ (PP = Anzahl der „pendelnden" Personen, $\bar{E}_{pp}$ = deren durchschnittliches Einkommen)

w_{i0} als Wachstumsfaktor für die künftigen erwarteten Angebots- und Nachfrageintensitäten-Entwicklungen kann gleich, kleiner oder größer als 1 sein, während der Faktor der Konkurrenzintensität k zwischen 0 und 1 liegen kann;

[115] vgl. Büschgen, H. E.: Bankbetriebslehre, Wiesbaden 1972, S. 43 f.

$f(ap_m)$ = eine Entfernungsfunktion zur Kennzeichnung der Wirkungsabnahme der Ortsteilpotentiale mit zunehmender Entfernung (a_{0m} = Entfernung – Abstand – vom Platz P zum Ortsteil m); P = mögliche Standplätze für die Niederlassung am betreffenden Ort O; m = Ortsteil 1, 2,...,M.

wobei er als Faktoren der Intensität die Anzahl der Wirtschaftssubjekte, deren Struktur, finanzielle Potenz und Kontrahierungswillen sowie die Konkurrenzverhältnisse nennt.

Innerhalb der Systematisierungen der *bankbetrieblichen Standortfaktoren* (Abbildung 15) ist auf Deppe[116] und Siepmann[117] hinzuweisen.

Siepmann unterscheidet

- produktionswirksame standortbeeinflussende Faktoren:
  - Boden,
  - Arbeitskraft,
- institutionelle, standortempfehlende Faktoren:
  - Verkehrspolitik,
  - Steuerpolitik,
  - Notenbankpolitik,
- geschäftsstrukturelle standortbestimmende Faktoren:
  - Bevölkerung,
  - Gewerbesektor,
  - Konkurrenzverhältnisse.

Im Gegensatz zu den beeinflussenden, empfehlenden und bestimmenden Standortfaktoren Siepmanns legt Deppe seiner Systematik Ertrags- und Kostenfaktoren zugrunde, auf deren Basis die Standortfaktoren entwickelt werden; im Schaubild stehen also „Wirkung der Faktorart auf den Erfolg einer Zweigstelle“ und „Faktorfunktion im Rahmen der lokalen Standortplanung“ vor den Standortfaktoren. (S. 323/324)

Mit den *Bestimmungsfaktoren der Marktgrenzen/des Marktpotentials* eines lokalen Standortes haben sich Weiss, Suding und Merl auseinandergesetzt[118].

[116] vgl. Deppe, H.-D.: Eine Konzeption wissenschaftlicher Bankbetriebslehre in drei Doppelstunden, in: (Hrsg.) Deppe, H.-D.: Bankbetriebliches Lesebuch, Stuttgart 1978, S. 78/79

[117] Siepmann, J. D.: a. a. O., S. 22-62

[118] vgl. Weiss, U.: Marktforschung der Kreditinstitute, Berlin 1966; Suding, Th.: Bankbetriebliche Zweigstellenplanung, Frankfurt-Bern 1983; Merl, G.: Die Bestimmung des Absatzpotentials im Rahmen der Zweigstellenplanung von Kreditinstituten, in: Kredit und Kapital, 7. Jg. (1974), S. 312-340

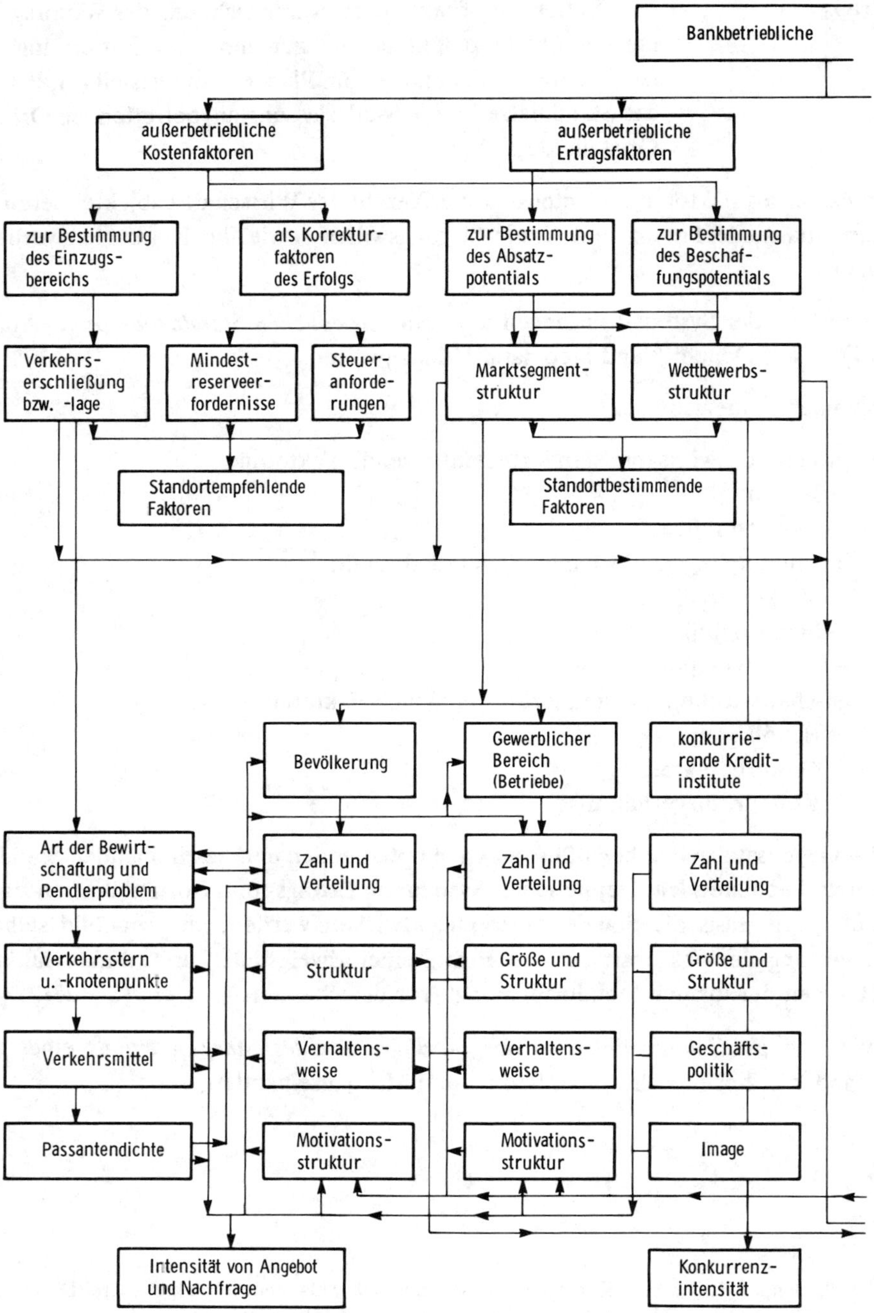

Abbildung 15: Bankbetriebliche Standortfaktoren

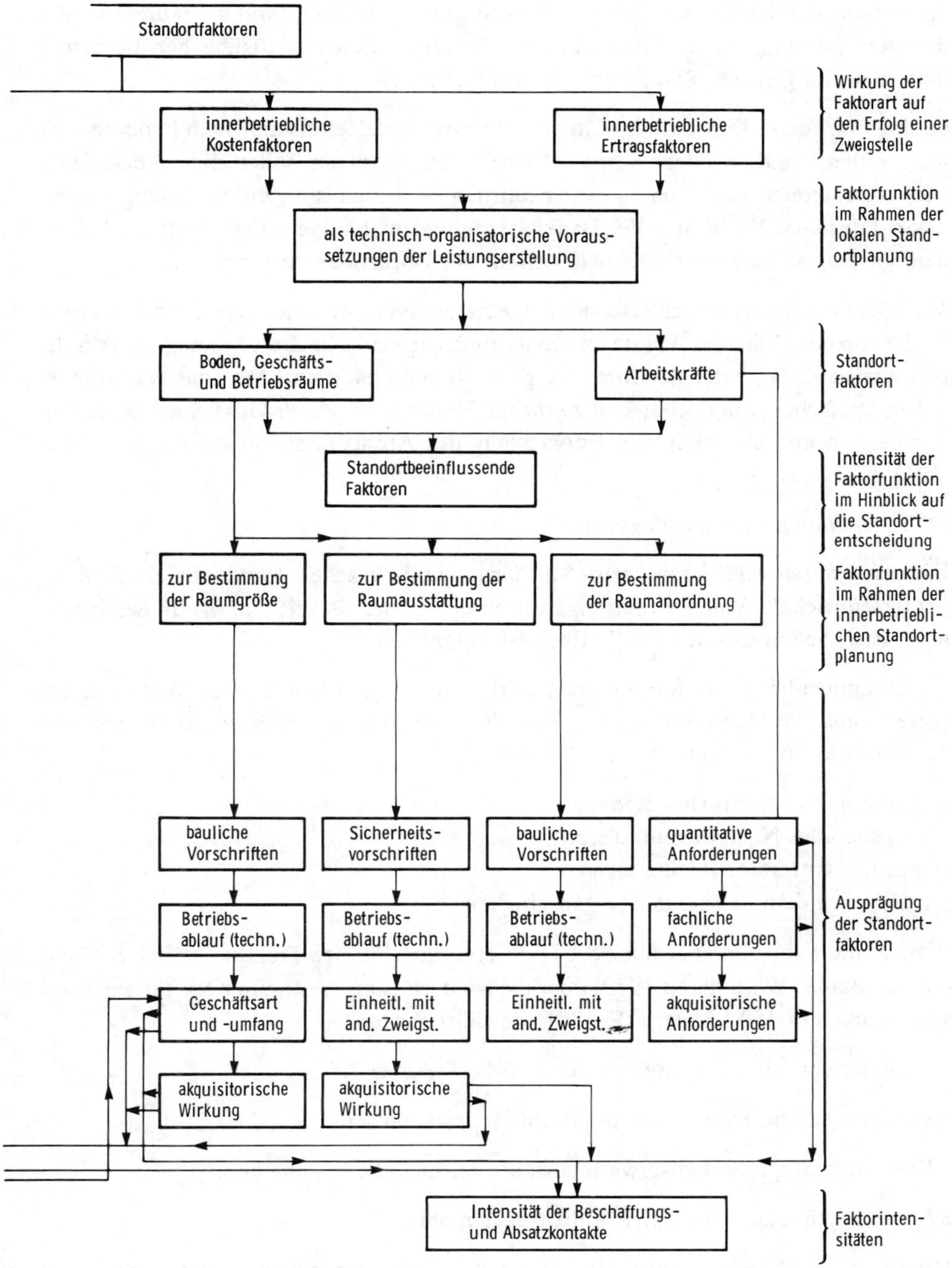
Standortfaktoren
innerbetriebliche Kostenfaktoren
innerbetriebliche Ertragsfaktoren
Wirkung der Faktorart auf den Erfolg einer Zweigstelle
als technisch-organisatorische Voraussetzungen der Leistungserstellung
Faktorfunktion im Rahmen der lokalen Standortplanung
Boden, Geschäfts- und Betriebsräume
Arbeitskräfte
Standort-faktoren
Standortbeeinflussende Faktoren
Intensität der Faktorfunktion im Hinblick auf die Standort-entscheidung
zur Bestimmung der Raumgröße
zur Bestimmung der Raumausstattung
zur Bestimmung der Raumanordnung
Faktorfunktion im Rahmen der innerbetrieblichen Standortplanung
bauliche Vorschriften
Sicherheits-vorschriften
bauliche Vorschriften
quantitative Anforderungen
Betriebs-ablauf (techn.)
Betriebs-ablauf (techn.)
Betriebs-ablauf (techn.)
fachliche Anforderungen
Ausprägung der Standort-faktoren
Geschäftsart und -umfang
Einheitl. mit and. Zweigst.
Einheitl. mit and. Zweigst.
akquisitorische Anforderungen
akquisitorische Wirkung
akquisitorische Wirkung
Intensität der Beschaffungs- und Absatzkontakte
Faktorinten-sitäten

Weiss führt den Begriff der „Bequemlichkeitsgrenze“ in die Literatur ein und versteht darunter „diejenige Linie, von der aus zwei Kreditinstitute mit ortsüblichen Verkehrsmitteln in der gleichen Zeit zu erreichen sind.“ (S. 88)

Suding führt diese Konzeption weiter zur Theorie der „Zeitdistanzlinien (Isochronen), die um den Standort gelegt werden. Diese Zeitdistanzlinien sollen der unterschiedlichen Absatzreichweite von unterschiedlichen Mengenleistungen Rechnung tragen, „wobei der vom Nachfrager der Bankleistung maximal aufgewandte Zeitaufwand mit dem jeweiligen Verkehrsmittel den Verlauf der Isochronen bestimmt.“ (S. 45)

Merl befaßt sich mit den zu erwartenden Erfolgsaussichten einer geplanten Zweigstelle, die von der Höhe des Absatzpotentials abhängig sind. Zur Bestimmung des Absatzpotentials und damit der standortabhängigen Rentabilität grenzt Merl das Marktpotential in sachlicher, räumlicher und zeitlicher Hinsicht ab, als Produkt/Sortiment, Einzugsbereich und als zukünftige Entwicklung des Absatzpotentials definiert. (S. 316-321)

(2) *Internationale Standorttheorien*

Für den *Internationalisierungsprozeß* als Grund und Ursache internationaler Standortpolitik entwickelt Walter Erklärungskonzepte[119] in drei Bereichen: Wettbewerbsvorteile, Erschließungsstrategien, Wettbewerbsschranken.

Im Zusammenhang mit der Standorttheorie interessieren lediglich die Wettbewerbsvorteile und die Wettbewerbsschranken. Bei den Marktzutrittsbeschränkungen sind zwei Formen zu unterscheiden (S. 187 ff.):

- Ausschluß ausländischer Banken
  = generelles Niederlassungsverbot,
- Marktzutritt unter Bedingungen
  z. B. nach dem Prinzip der Gegenseitigkeit.

Walter zitiert eine Untersuchung des U. S. Treasury (Foreign Treatment of U. S. Commercial Banks, Washington 1979) über die Niederlassungsbestimmungen für ausländische Banken in 150 Ländern (S. 188) und führt daraus an:

18 Länder verboten den Zutritt oder jegliche Präsenz,

23 Länder beschränkten die Präsenz auf Repräsentanzen,

3 verboten den Mehrheitserwerb bestehender inländischer Banken,

37 hatten keine ausdrücklichen Zutrittsbestimmungen.

Die Möglichkeit, sich in einem Gastland mit einer Niederlassung zu etablieren, hängt von den Wettbewerbsvorteilen, die in dem Image und der Qualität der präferenzbil-

[119] vgl. Walter, I.: Erklärungskonzepte zum Internationalisierungsprozeß der Banken, in: (Hrsg.) Krümmel, H.-J.: Internationales Bankgeschäft, Beihefte zu Kredit und Kapital, Heft 8, Berlin 1985

denden Faktoren im Gastland begründet sind, ab. Diese quasi komperativen Vorteile einer Auslandsbank im Gastland können sein (S. 170 ff.).

- Effizienz in der Geschäftsabwicklung,
- Informationsbeschaffung,
- Technologiestand,
- Führungsstil und Humankapital,
- Angebotspalette,
- Reaktionsgeschwindigkeit,
- Anpassungsfähigkeit,
- Kapital- und Ertragsbasis der Muttergesellschaft.

Standortfaktoren für eine internationale Standortpolitik analysieren v. Staudt, Müller, Baumanns und H. Walter [120].

V. Staudt übernimmt von Siepmann die Differenzierung in standortbestimmende, standortempfehlende und standortbeeinflussende Faktoren für den internationalen Bankenmarkt (S. 110–116) und fragt nach dem optimalen internationalen Standort. (S. 117)

Unter die *standortbestimmenden Faktoren* subsumiert v. Staudt:
- standortspezifisches Marktpotential, dessen Erfassung sich „recht problemlos" gestaltet: das Einzugsgebiet sei „durch die jeweiligen Landesgrenzen quasi vorgegeben (S. 110),
- Wettbewerbssituation zu der Konkurrenz,
  - Zahl,
  - Nationalität,
  - Größe und Leistungsfähigkeit,
  - Geschäftspolitik,
  - Image.

Zu den *standortempfehlenden Faktoren* zählt v. Staudt:

- Notenbankpolitik,
- Personalbeschaffung,
- Steuergesetzgebung.

Standortbeeinflussende Faktoren sind:

- Ausnutzung unterschiedlicher Zeitzonen,
- Datenqualität für die Prognosesicherheit bei Standortentscheidungen,
- Gesetzesvorlagen/Gesetzesvorhaben.

[120] v. Staudt, M.: Bankmarketing im internationalen Geschäft, Wiesbaden 1980; Müller, H. E.: Standortplanung und Rechtsformwahl im internationalen Bankgeschäft, Berlin 1981; Walter, H.: Standortpolitik multinationaler Banken, Frankfurt 1983; Baumanns, F.-J.: Faktoren einer Internationalisierungsentscheidung der Kreditinstitute, Thun-Frankfurt 1984

Bei der Diskussion des Problems des optimalen internationalen Standortes nähert sich v. Staudt einer strategiebezogenen Standortpolitik: „Bislang stellt sich die Optimierungsfrage hauptsächlich bei der Auswahl der wenigen standortabhängigen off-shore-centers.“ (S. 118)

In einem Modell (Kreditinstitut im Sinne § 1 KWG mit Hauptsitz in der Bundesrepublik Deutschland in der Rechtsform einer Aktiengesellschaft) untersucht Müller Ziel, potentielle Handlungsalternativen und Umweltkonstellationen der Standortplanung.

Bestimmend für die Standortplanung sind die Beziehungen zwischen *Umweltfaktoren* und Handlungsalternativen.

Als Umweltfaktoren definiert Müller (S. 85): „Das sozioökonomische Umfeld, das regionale bzw. zeitliche Präsenzerfordernis, Problem der (ausländischen) Bankengesetzgebung, insbesondere der bankenaufsichtlichen Regelungen, Probleme der Mindestreserve bzw. Einlagensicherung, Probleme der Besteuerung, Kundenstruktur und des Länder- und Debitorenrisikos.“

Weiterführend in der Faktorenanalyse sind die Hinweise auf die Risikofaktoren, das Präsenzerfordernis und der spezifischen bankenaufsichtsrechtlichen Bestimmungen.

Die Faktoren für die internationale Standortwahl, die zu einer Investitionsentscheidung führen, sind nach Baumanns in *Einflußfaktoren des Ertrages und des Risikos* zu differenzieren.

Als Determinanten des ausländischen Ertragspotentials definiert Baumanns a) das Marktpotential (S. 278) (Tabelle 12) und b) die Marktverfassung (S. 280) (Tabelle 13).

Der Zusammenhang zwischen den Ertragsfaktoren und dem Risikopotential wird von Baumanns auf der Stufe der Standortentscheidung „auf die Faktoren beschränkt, die das *Länderrisiko* determinieren“. (S. 283)

Nach (H.) Walter werden standortpolitische Entscheidungen durch Faktoren des Umsystems und des Insystems beeinflußt.

Als *Insystemeinflüsse* definiert er die inneren Einflußfaktoren (S. 73)

- Organisation und deren Struktur,
- Zielsetzungen,
- Entscheidungen und Entscheidungsprozesse.

Als *Umsystemeinflüsse* wird die Gesamtheit der externen Elemente definiert mit der Unterteilung in: (S. 89)

- ein globales Umsystem,
- dem aufgabenspezifischen Umsystem.

Tabelle 12: Determinanten des ausländischen Ertragspotentials: das Marktpotential

Beschaffung	**Produktion und Absatz**
– Interbankenmarkt	– Wettbewerbssituation
+ Volumen	+ Bankstellendichte
+ Wettbewerb	+ Wettbewerbsintensität
– Sparvolumen	– aufsichtsrechtliche Normen
+ Spargewohnheiten	+ Belastungen
+ Einkommensniveau	+ Eigenkapital
– Zahlungsbilanzsituation	– Zentralbankpolitik
+ Überschuß	+ Mindestreserve
+ Defizit	+ Geschäftsmöglichkeit
– Zentralbankpolitik	– Kundenstruktur
+ Geldschöpfungsmöglichkeit	
+ Einlagenzinsniveau	+ Nachfragepotentiale
+ Währungssituation	+ Gewohnheiten
– Anlageattraktivität	
+ Bankgeheimnis	
+ Steuern	
– Anlegerstruktur	
+ Private	
+ Firmenkunden	
+ Institutionelle	

Tabelle 13: Determinanten des ausländischen Ertragspotentials: die Marktverfassung

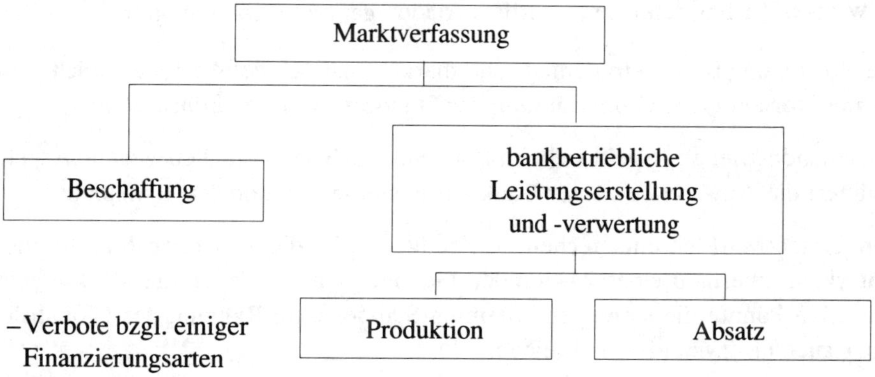

– Verbote bzgl. einiger Finanzierungsarten		
– Einengung des Wirtschaftsbereiches	– erhöhte Produktionskosten	– Verbot des Absatzes
– Verbote bestimmter Organisationsformen	– erhöhte Mindestreservebestimmungen	– protektionistische Maßnahmen zum Schutz der einheimischen Kreditinstitute
– Zinsreglementierungen	– verstärkte Einlegerschutzbestimmungen	
– Einlagenreglementierungen		

Unter das *globale* Umsystem werden als Komponenten subsumiert (S. 91) die

- ökonomischen,
- staatspolitischen,
- sozio-kulturellen,
- physischen

Komponenten.

Unter das *aufgabenspezifische* Umsystem fallen (S. 91):

- die Bankkundschaft,
- die Konkurrenten,
- die Anbieter nicht-finanzieller Einsatzfaktoren (menschliche Arbeitsleistung, Betriebsmittel und Informationen).

Die marktbezogene Seite der Standortpolitik in ihren theoretischen Elementen scheint umfassend und erschöpfend in der Literatur behandelt worden zu sein; neue Aspekte sind wohl – solange sich nicht die Bedingungen bankgeschäftlichen Handelns radikal verändern – nicht mehr zu erwarten.

bb) Elemente einer Theorie strategiebezogener Standorte

Für die Industrieunternehmen hat Ohmae die existentielle Notwendigkeit abgeleitet, in allen wichtigen Regionen der Welt zum quasi einheimischen Unternehmen und Insider zu werden. Er hat dafür den Begriff „Triade" geprägt (Abbildung 16)[121].

Die Vorstellung ist marktpotential- und marktdynamisch definiert, entspräche also einer marktorientierten Globalisierung der Standorte von Kreditinstituten.

Diesem industriellen Aspekt steht im Bankenbereich der strategiebezogene Aspekt gegenüber: die Anwesenheit einer Bank auf einem internationalen Bankplatz.

Den Triade-Märkten entsprechen im Kreditgewerbe die Zeitzonen-Märkte oder die Zeitzyklen innerhalb eines 24-Stunden-Gesamtzyklus, in denen die Märkte geöffnet sind. Man könnte die strategiebestimmten Standorte im Rahmen der Globalisierung daher auch als Zykloide beschreiben.

Damit ergibt sich die Frage, ob tatsächlich die internationalen Finanzzentren „die wichtigsten Standort*alternativen* für international tätige Banken sind": die Eurozentren, Asienzentren und off-shore-Zentren, Zentren, die unabhängig vom gesamtwirtschaftlichen Umfeld des Gastlandes existieren[122].

[121] Ohmae, K.: Macht der Triade, Wiesbaden 1985, S. 144
[122] Baumanns, F.-J.: a. a. O., S. 67 (kursiv nicht im Original)

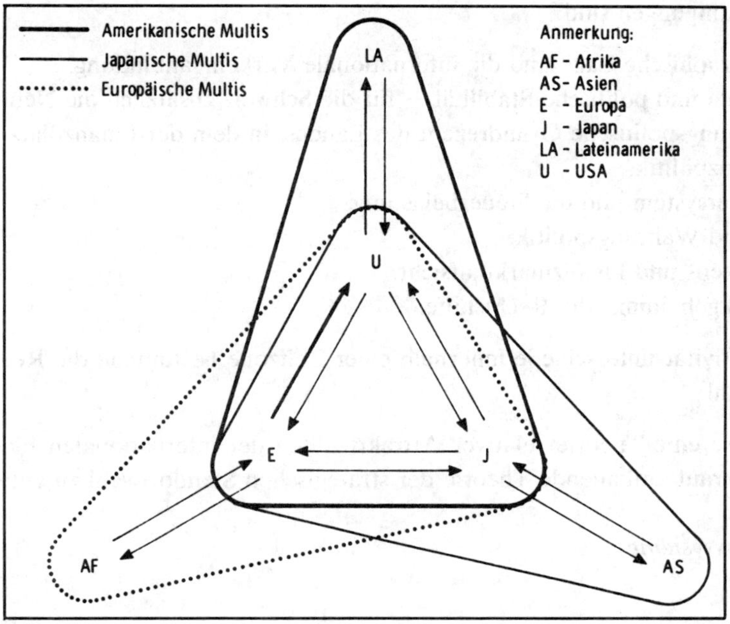

Abbildung 16: Triade nach Ohmae

Unter diesem Gesichtspunkt ist H. E. Müller zuzustimmen, der bei der gegenüberstellenden Analyse der Finanzzentren zu der Konklusion kommt: „nicht auf *einen* bestimmten Standort (kommt es) an, sondern auf ein bestimmtes Standort*netz,* welches dem Kreditinstitut einen möglichst umfangreichen Handlungsspielraum ... eröffnet".[123]

Innerhalb der bankgeschäftlichen globalen Zeitzonen gibt es unterschiedliche Finanzzentren, die innerhalb eines Zeitzyklus relative Standortdifferenzierungen bieten. Diesen Tatbestand umschreibt Lusser mit dem Begriff der Attraktivität.[124]

[123] Müller, H. E.: a. a. O., S. 262 (kursiv im Original)

[124] vgl. Lusser, M.: Rahmenbedingungen und ihre Bedeutung für die Attraktivität eines Finanzplatzes – einige Überlegungen am Beispiel der Schweiz, in: (Hrsg.) Süchting, J./van Hooven, E.: a. a. O., S. 37-58

Rahmenbedingungen sind:

- die geographische Lage und die internationale Verkehrsanbindung,
- die soziale und politische Stabilität – für die Schweiz zusätzlich die Neutralität –,
- das ordnungspolitische Grundrezept des Landes, in dem der Finanzplatz liegt,
- die Finanzpolitik,
- das Steuersystem und die Steuerbelastung,
- Geld- und Währungspolitik,
- die Banken- und Finanzmarktaufsicht,
- das Bankgeheimnis, die Rechtshilfe.

Die Attraktivitätsunterschiede innerhalb einer Zeitzone bestimmen die Relevanz der Standortwahl.

Daraus wäre eine Theorie relativer Attraktivitäten der internationalen Finanzplätze und eine darauf aufbauende Theorie der strategischen Standortwahl zu entwickeln.

b) Vertriebssysteme

Exkurs 12:
Endogene und exogene Herausforderungen an das Vertriebssystem im Kreditgewerbe

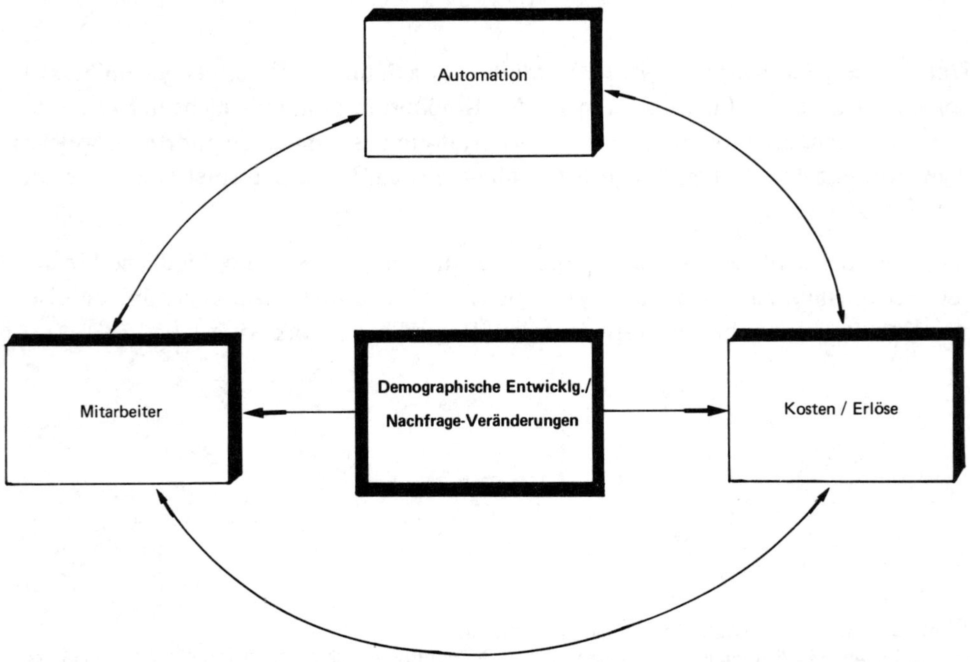

Der Mitautor hat für eine Kommission des Arbeitskreises „Planung in Banken" der Schmalenbachgesellschaft Thesen zum Bezugsfeld „endogene und exogene Herausforderungen an das Vertriebssystem im Kreditgewerbe" formuliert, die in dem Arbeitskreis diskutiert wurden. Von besonderer Bedeutung mag sein, daß ein Kreis von Praktikern aus allen Bereichen des Kreditgewerbes – Sparkassen, Genossenschaftsbanken, öffentlich-rechtliche und privatrechtliche Kreditinstitute – zur Meinungsbildung beigetragen hat.

Die folgenden Thesen und Formulierungen sind nicht Meinungsäußerungen des Arbeitskreises, sondern stehen allein und ausschließlich in der Verantwortung des Mitautors. Sie sollen in Form eines Essays aufgenommen werden.

I. Endogene Faktoren

- Automation/Kundenselbstbedienung,
- Marktsegmentierung/Kundengruppenpolitik,
- Internationalisierung und Globalisierung der Standorte,
- Joint venture im Vertriebssystem,
- Mitarbeiterqualifikation,
- Kostenstrukturen/Erlösentwicklungen/Investitionsfreiräume.

1. Automation/Kundenselbstbedienung

(1) Bei der Automation/Kundenselbstbedienung handelt es sich nicht um eine Produkt-, sondern um eine Vertriebsinnovation. Hierbei kann tendenziell die Veränderung der Servicequalität zu einer quantitativen Ausweitung der Geschäftsvorfälle führen.

(2) Automation/Kundenselbstbedienung haben bisher nicht zu erkennbaren Einschnitten in die Geschäftsstellennetze der Bankengruppen geführt. In der Tendenz besteht die Möglichkeit – im Zusammenhang mit allgemeinen Rationalisierungsbemühungen und der demographischen Entwicklung – einer Ausdünnung.

(3) Personelle Einsparungen in bemerkenswerter Form haben sich bisher nicht ergeben – vertikale und horizontale Strukturveränderungen in der Personalbesetzung sind feststellbar –, für die Zukunft kann jedoch von einer spürbaren Produktivitätssteigerung ausgegangen werden.

(4) Ohne Automation/Kundenselbstbedienung wäre der gestiegene Geschäftsumfang nur mit stark gestiegenem Personal zu bewältigen möglich gewesen: mittelbare Einsparungen.

(5) Für den Kunden hat sich eine Verbreiterung seiner Möglichkeiten der Dienstleistungs-Inanspruchnahme ergeben.

(6) Die Kosten der Vertriebssysteme sind gestiegen, ohne daß sich daraus eine Erlössteigerung ergeben hätte.

2. Marktsegmentierung/Kundengruppenpolitik

(1) Die bisher grob definierten Kundengruppen in der Zielgruppenorientierung der Vertriebssysteme sind durch Verfeinerung der Marktanalysen weit differenzierter geworden.
(2) Der Einsatz moderner Technologie hat jeweils vorübergehend zu Leerkapazitäten geführt, die Ursache für ein Angebot von Dienstleistungen zu Grenzkostenpreisen waren.
(3) Daraus erwächst die Gefahr von zielgruppenspezifischen Verteilungskämpfen im Kreditgewerbe.
(4) Daher ist bei vorübergehend auftretenden Leerkapazitäten dem Zeitfaktor besondere Aufmerksamkeit zu widmen.

3. Internationalisierung und Globalisierung der Standorte

(1) Deutsche Kreditinstitute haben in der Nachkriegszeit ihre internationale Präsenz sehr behutsam aufgebaut.
(2) Ausländische Kreditinstitute gingen sowohl mit Niederlassungen in Deutschland wie auch in der weltweiten Expansion aggressiver vor.
(3) Die nunmehr als stürmisch zu bezeichnende Entwicklung im supranationalen Banking erfordert besondere personelle und technische Kapazitäten an den internationalen Finanzzentren. Die hohen Betriebskosten stellen ein erhebliches Investitionsrisiko bei zunächst unsicheren Ertragserwartungen dar.
(4) Die Globalisierung verlangt die Einstellung auf ein 24-Stunden-Geschäft.
(5) Die Securitisation erfordert die strategische Gewichtsverlagerung vom klassischen Kreditgeschäft zum Investment-Banking.

4. Joint venture im Vertriebssystem

(1) Am Markt für Finanzdienstleistungen gibt es traditionell Institutsgruppen, die erfolgreich die Leistungsangebote Versicherungen und Bausparen integriert haben.
(2) Nach dem Markterfolg von Sears Roebuck haben auch deutsche Kaufhauskonzerne an Finanzdienstleistungen Interesse gezeigt.
(3) Organisatorisch sind unterschiedliche Formen eines Joint venture denkbar, sowohl als Vor- wie als Endstufe eines Zusammenwirkens von Banken, Versicherungskonzernen und anderen Finanzdienstleistungsgruppen.
(4) Ein gewisser Zwang zu Initiativen folgt aus dem kontinuierlich steigenden Marktanteil der Versicherungsunternehmen in der Geldvermögensbildung privater Haushalte.

5. Mitarbeiter-Qualifikation

(1) Die Mitarbeiter-Struktur – Abwicklungstechnik/Kundenbetreuung – hat sich gewandelt: Entwicklung zu administrativen und steuernden Funktionen.Sie wird sich verstärkt fortsetzen.
(2) Der relative Anteil technisch ausgebildeter und technologisch ausgerichteter Mitarbeiter wird wachsen.
(3) Denkbar erscheint die Entwicklung von zwei verschiedenen Berufsbildern: Bankkaufmann und Banktechniker.
(4) Der wachsende Beratungsbedarf und die Intensivierung des Wettbewerbs lassen auch für die Zukunft ein Anwachsen der Bankmitarbeiterzahl, auf höherem Qualifikationsniveau allerdings, erwarten.
(5) Die Kostensteigerung aus Höherqualifikation und die Kosten aus der Automatisierung werden nicht personalkostenstrukturell aufgefangen werden können.
(6) Der relative Anteil der Tarifmitarbeiter wird sinken.
(7) Von der qualitativen Anforderung her gesehen entsteht die Frage, ob das Profil des Full-Service-Betreuers durchgehalten werden kann.

6. Kostenstrukturen/Erlösentwicklungen/Investitionsfreiräume

(1) Electronic-Banking führt zu Kostenerhöhungen im Bereich der Abschreibungen und/oder der Abschreibungssurrogate.
(2) Zu den banktypischen Risiken tritt als neue Risikoform das Risiko aus Investitions-Fehlentscheidungen hinzu.
(3) Das Kreditgewerbe wird insoweit industrieähnlicher: als neue spürbare Kostenart gibt es Aufwendungen für Forschung und Entwicklung, und damit kommt ein typisches Element des Industriemanagements hinzu.
(4) Daraus ergibt sich ein Trend zu inflexibler Kostenstruktur, die als Herausforderung zu einer höheren Flexibilität auf der Erlösseite führt.
(5) Hinsichtlich der Investitionsvorhaben könnte § 12 KWG n. F. einen bemerkenswerten Einschnitt in die Investitionsfreiräume und einen Zwang zu legalem Ausweichen in Ausgliederungen zur Folge haben.

II. Exogene Faktoren – nachfrageorientiert

- demographische Entwicklungen,
- qualitative und quantitative Nachfrage-Veränderungen,
- Substitutions- und Konzentrationsprozesse von Produkten.

1. Demographische Entwicklungen

(1) Für die Entwicklung des Marktpotentials im Privatkundengeschäft sind die vorliegenden Prognosen der demographischen Institute von außerordentlicher Bedeutung:
- Abnahme der Bevölkerung bis zum Jahre 2 000 um rund 10 %, zur Hälfte ausgeglichen durch Zuwachs ausländischer Bevölkerung (relativ sichere Prognose),
- Beschleunigung des Bevölkerungsrückganges bis zum Jahr 2 030 (relativ unsichere Prognose).

(2) Für die Geldvermögensentwicklung der privaten Haushalte ergeben sich gravierende Veränderungen: bis zum Jahr 2 000 reale Verdoppelung der Geldvermögen.

(3) Die Relation Bankstellen/Bevölkerung zeigt eine starke Tendenz zum „overbanked", die aus der technologischen Entwicklung resultierenden Einflüsse werden durch die demographischen Trends verstärkt.

2. Qualitative und quantitative Nachfrageveränderungen

(1) Im Privatkundengeschäft wird die Nachfrage nach Finanzdienstleistungen weiter ansteigen.

(2) Parallel zu diesem Anstieg wird sich der Trend zu qualitativ höher entwickelten Produkten fortsetzen.

(3) Im Firmenkundengeschäft wird sich die Entwicklung zum „Käufermarkt" intensivieren.

(4) Diesem Trend wird durch Investitionen im technischen Bereich, insbesondere in der Informations- und Kommunikations-Technologie entgegenzuwirken versucht werden.

3. Substitutions- und Konzentrationsprozesse von Produkten und Dienstleistungen – Beispiele

(1) Im Anlagebereich:
- neue Anlagepläne,
- Produktkombinationen in Finanzdienstleistungspaketen,
- Anlageschwerpunkt Wertpapiersparen,
- Kombination mit Investment-Papieren.

(2) Auf der Kreditseite:
- Revolving-Kredite,
- Absatzfinanzierung (Automobile und in Kaufhäusern),
- Produktkombination mit Leasing.

(3) Im Zahlungsverkehr:

- Konzentrationsprozesse über die GZS,
- Produktveränderungen im Kreditkartengeschäft,
- Marktdurchsetzung POS,
- Verteilungskampf um das Girokonto.

(4) Beratungsleistungen mit EDV-Unterstützung:

- Portfoliomanagement at home,
- Baufinanzierungskreditservice at home,
- allgemeine Unternehmensberatung.

(5) Markteintritt externer Kommunikations- und Informationsanbieter:

- Broker-Gesellschaften,
- Informationsanbieter,
- Vermittler mit „neutralen" Preisvergleichen,
- angehängt an Kreditkartensysteme.

(6) Daraus werden sich gravierende Strukturverschiebungen ergeben, falls das Kreditgewerbe nicht „integrativ" tätig wird.

III. Exogene Faktoren – konkurrenzorientiert

- Neue Anbieter: near- und nonbanks,
- Abgrenzungswettbewerb.

1. <u>Neue Anbieter: near- und nonbanks</u>

(1) Als neue Anbieter sind bereits aktiv

- Bausparkassen,
- Versicherungen,
- Kreditkartengesellschaften.

(2) Daraus folgt die Alternative: Kooperation oder Konfrontation für das Kreditgewerbe.

(3) Als nonbanks werden zunehmend aktiv:

- Einzelhandelskonzerne,
- Mischkonzerne mit Interesse an financial services,
- Anbieter von Kommunikationssystemen.

(4) Der bereits jetzt erhebliche Konkurrenzdruck von seiten der „Postbank" wird sich verstärken.

2. Abgrenzungswettbewerb

Im Abgrenzungswettbewerb können Offensiv- und Defensiv-Strategien entwickelt werden; in personeller Hinsicht wird die Frage neuer flexibler Arbeitszeitregelungen an Bedeutung gewinnen.

* * *

aa) Vertriebswege

Vertriebswege als Element der Vertriebssysteme sind in nationale und internationale Formen zu differenzieren.

(1) *Nationale Vertriebswege*

Innerhalb der nationalen Vertriebswege sind zu behandeln:

- der kommunikationstheoretische Ansatz,
- mobile Formen: Außendienst und Kreditvermittler,
- technische Formen: Kundenselbstbedienung.

Einen bemerkenswerten Beitrag zur Systematisierung der Absatzwege der Universalbanken im Mengengeschäft bietet Gerckens: die Verfasserin wählt als Grundlage zur Systematisierung der Absatzwege einen kommunikationstheoretischen Ansatz in der Unterteilung nach Primär-, Sekundär- und Tertiärkommunikationen (Tabelle 14)[125].

Die Systematik der Absatzwege ergibt sich danach in folgender Form (S. 47 ff.):

Primärkommunikation: direkt	Zweigstelle fahrbare Zweigstelle Außendienst
Primärkommunikation: indirekt	Kreditvermittler Kooperation mit Dritten.
Sekundärkommunikation:	Postvertrieb („direct mail“)
Tertiärkommunikation:	Telefonvertrieb, Absatzwege mit Selbstbedienung – Geldausgabeautomat, – „Automated teller machine“, – POS-Terminal, – Btx.

[125] Gerckens, B.: Absatzpolitik im breiten Privatkundengeschäft, Frankfurt 1982

Tabelle 14: Charakterisierung der Primär-, Sekundär- und Tertiärkommunikationswege

	Primärkommunikation	Sekundärkommunikation	Tertiärkommunikation
apparative Bedingtheit	natürl. Übertragungssystem	künst. Übertragungssystem beim Kommunikator	künstl., d. h. elektronisches Übertragungssystem bei Kommunikator u. Rezipient
räumliche Bindung der Rezeption	räumlich ungebunden	räumlich ungebunden	räumlich gebunden
Art des Informationskontakts	persönlich	nichtpersönlich	(nicht)persönlich
zeitl. Bindung	zeitlich (un)gebunden	zeitlich ungebunden	zeitlich (un)gebunden
Informationsfluß, Art der Rückkoppelung	zweiseitig, verzögerungsfrei	zweiseitig, zeitversetzt, eingeschränkt	zweiseitig, verzögerungsfrei, (zeitversetzt)
Signalsystem	optisch/akustisch	optisch	akustisch, optisch/akustisch
Störungsanfälligkeit der Kommunikationsbeziehg.	störungsarm	störungsanfällig	störungsanfällig
Kontaktform	integrativ, kooperativ, stabil	selektiv, instabil	kooperativ, selektiv, (in)stabil
Speicherform	ungespeichert	materielle Speicherform	(un)gespeichert
Informationsträger	Personen/Schallwellen	Papier	Telefon, Kabel-TV, Bildschirm

Hinsichtlich des *Außendienstes* werden folgende Kommunikationseigenschaften analysiert: (S. 51 f.)

- persönlicher Kontakt zwischen Mitarbeiter und Kunden, durch familiäre Umgebung gefördert oder gehemmt;
- Angebotsmöglichkeit von Produkten, die der Kunde nicht originär nachgefragt hätte (cross selling);
- räumlich und zeitlich ungebundene Kommunikation: Einsparung der Wegzeit beim Kunden, zeitautonome Kontaktvereinbarung durch den Kunden.

Der Außendienst setzt nach Hauser [126] allerdings bankorganisatorisch im „Innenbetrieb" einer Bank eine administrativ-dispositive Einheit voraus: (S. 19) „Von einer Bankaußenorganisation ist nur dann zu sprechen, wenn eine organisatorische Einheit in einer Bank besteht, der neben der Wahrnehmung von Außenaufgaben auch die zu

[126] Hauser, R.: Bankaußenorganisation, Berlin 1979

deren Durchführung notwendigen administrativ-dispositiven Aufgaben übertragen werden. Bei diesen administrativ-dispositiven Aufgaben wird es sich in der Regel um Innenaufgaben handeln, d. h. um Aufgaben, die innerhalb der Bankräume anfallen."

Für den Außendienst sind nur diejenigen Leistungen vermarktbar, die außerhalb von Bankgebäuden produzierbar sind: etwa die Entgegennahme von Aufträgen, insbesondere aber: die Beratung als selbständiges Leistungsangebot (S. 30).

Obwohl wegen der autonomen Zeitfestlegung durch den Kunden die Nutzzeiten der Beratungskapazität des Außendienstes geringer sind als diejenigen eines stationären Kundenberaters (S. 82), zeigt sich, daß durch die mögliche intensivere Beratung nicht nur eine höhere Abschlußquote, sondern auch höhere Abschlußsummen im Außendienst anzutreffen sind (S. 85).

Die Effizienz des Außendienstes in der Realisierung von „echten" Zusatzgeschäften – Geschäfte, die ohne Einsatz des Außendienstes nicht zustande gekommen wären –, sieht Hauser allerdings bei verteiltem Markt und dem Wettbewerbsverhalten der konkurrierenden Institute als gering an. (S. 93 ff.)

Hinsichtlich der *Kreditvermittlung* werden folgende Kommunikationseigenschaften analysiert[127]:

- sie ist indirekt bis zum Zeitpunkt der Auszahlung des Kredites
- sie ist bei Anwesenheit des Vermittlers in der direkten Kommunikation eingeschränkt
- sie ist daher nichtpersönlich, nichtintegrativ und instabil, wäre also insofern in den Eigenschaften nicht als Primär-, sondern kommunikationsspezifisch als Sekundärkommunikation anzusehen.

In wirtschaftlicher Betrachtungsweise ist die Kreditvermittlung eine Sonderform des Außendienstes. Sie unterscheidet sich dadurch, daß der Kreditvermittler nicht Bankmitarbeiter, sondern freier Mitarbeiter ist, der auf Provisionsbasis arbeitet[128]:

„Ein solcher Außendienst läßt sich in unterschiedlichster Form realisieren. Es kann eine mehr oder weniger enge Anbindung des Vermittlers an das Institut vorliegen, die vom Angestellten über den selbständigen Handelsvertreter bis zum freien Makler reicht. Es können nebenberufliche Vermittler eingesetzt werden, wie die Anbieter von Waren oder Dienstleistungen, die im Verkaufsgespräch mit ihren Kunden vom Kreditbedarf erfahren und so eine Finanzierung vermitteln können. Auch bietet sich eine Kooperation mit dem Außendienst verwandter Branchen an. So können etwa Versi-

[127] Gerckens, B.: a. a. O., S. 55 f

[128] Mackenthun, Th. T.: Kreditvermittlung als Absatzweg der Kreditinstitute für Konsumentenratenkredite, Berlin 1985, S. 35; vgl. auch Hahn, O.: Der Finanzmakler als Banktyp, in: (Hrsg) Süchting, J.: Der Bankbetrieb zwischen Theorie und Praxis, a. a. O., S. 179-191

cherungs- oder Bausparkassenvertreter im Zusammenhang mit ihrer Tätigkeit auch Darlehensverträge mit Kreditinstituten vermitteln. Die Entscheidung für die Organisation und rechtliche Ausgestaltung der Kreditvermittlung durch das Kreditinstitut hängt von ihren übrigen Absatzwegen ab.“

Hinsichtlich der *technischen Formen* der Vertriebswege sind folgende Kommunikationseigenschaften nachzuweisen[129]:

Geldausgabeautomaten (GAA):
- räumlich gebunden, durch Poolung auflösbar,
- nichtpersönlich und instabil im Kontakt Kunde – Bank,
- stabilisierende Wirkung durch Diskretion der Bedienung möglich.

Automated teller machine (ATM):
- stabilere Beziehung zwischen Kunde und Bank als bei GAA, sonst gleiche kommunikative Wirkung.

Point-of-sale-Terminal (POS):
- räumliche Bindung,
- nichtpersönlicher Kontakt,
- instabile Beziehung,
- Störanfälligkeit der Kommunikationsbeziehungen.

Bildschirmtext (Btx):
- unbegrenzte Reichweite des Mediums, räumliche Begrenzung durch Standort des Fernsehers,
- Anonymität und Diskretion als positive Faktoren einer Kommunikationsbereitschaft,
- hohe Instabilität wegen der Möglichkeit, Konkurrenzangebote einzuholen.

In wirtschaftlicher Betrachtungsweise ergeben sich folgende Vorteile für die Beteiligten[130]:

„– Der Kunde, der Bankenselbstbedienungsgeräte bedient, ist von den Schalterzeiten nahezu unabhängig. Er kann seinen Zahlungsverkehr, seine Kontokontrolle, selbst Wertpapiergeschäfte von dem heimischen Bildschirm aus vornehmen und auch allgemeine Auskünfte abrufen. Sein unmittelbarer Kontakt mit Mitarbeitern der Bank verringert sich wesentlich. Beim Einkauf mit der Bankkarte wird er unabhängig von Bargeld und von der Notwendigkeit, Schecks auszustellen. Die Gefahr, größere Bargeldsummen zu verlieren oder beraubt zu werden, sinkt.

129 vgl. Gercken, B.: a. a. O., S. 75 ff.

130 Wielens, H.: Marktorientierte Bankorganisation, in: (Hrsg.) Süchting, J./van Hooven, E.: Handbuch des Bankmarketing, a. a. O.,S. 84, vgl. auch: Cordewener, K.-F.: Kundenbediente Datenstationen als marktpolitische Instrumente des Bankbetriebs, Göttingen 1982, S. 132-168

– Der gewerbliche Unternehmer erhält die Chance, mit Hilfe von Cash-Management-Systemen jederzeit einen aktuellen Überblick über seine Finanzlage zu gewinnen und seine liquiden Mittel kurzfristig zu disponieren. Im Kontakt mit dem Endverbraucher entfallen aufwendige Kassiervorgänge, Bonitätsüberprüfungen führt das System durch. Mit dem Vordringen intelligenter Bank- oder Kreditkarten geht die aufwendige Scheckbearbeitung zurück.
– Die Kreditinstitute können den personalintensiven Schalterverkehr für den reinen Zahlungsverkehr einschränken und sich stärker auf die Finanzberatung konzentrieren. Der Vormarsch des Electronic Banking wird die Massenflut zu verarbeitender Papierbelege (Schecks, Überweisungen, Kontoauszüge) zurückdrängen. Dagegen wird der Float (Zinsgewinn durch Verzögerung der Überweisung) im Zuge der elektronischen Überweisung geringer werden."

Die technischen Formen der Vertriebswege können allerdings auch als Determinanten einer Korrektur der Zweigstellenpolitik, wie sie sich seit Aufhebung der Bedürfnisprüfung vollzogen hat, gesehen werden.

So macht Schuster darauf aufmerksam[131], daß die Frage Redimensionierung oder Automatisierung falsch gestellt sei: die Lösung der Zweigstellenproblematik als „over banked" kann nur gelöst werden durch „radikale Redimensionierung des Zweigstellennetzes einerseits und fortschreitende Automation andererseits". (S. 160)

Einen vermittelnden Standpunkt nimmt hierzu Morgen ein[132], der ein abgestuftes Vertriebssystem präferiert, das sich an den unterschiedlichen Anforderungen des Kunden an die Leistungsabnahme und an seinen Präferenzen orientiert. Das abgestufte Distributionssystem setzt sich aus fünf Elementen zusammen: (S. 333 f.)

„1. Selbstbedienungs-Bankstellen
2. Bildschirmtext (und andere Kommunikationsverbindungen zu Wohnung/Arbeitsplatz des Kunden)
3. Kleinzweigstellen
4. Vollservice-Bankstellen
5. Außendienst.

SB-Bankstellen und Bildschirmtext könnten die Basisprodukte Kontokorrent, baren und unbaren Zahlungsverkehr sowie den Informationsbereich abdecken.

In kleinen Zweigstellen könnten leicht überschaubare Anlage- und Finanzierungsprodukte kostengünstig vorgehalten werden.

Vollservice-Bankstellen würden die gesamte Leistungspalette des jeweiligen Instituts bieten.

131 Schuster, L.: Optimale Zweigstellenpolitik: Redimensionierung oder Automatisierung, in: (Hrsg.) Muthesius, P./Schneider, H.: Terminals für Banken und Bankkunden, Frankfurt 1982, S. 155-160
132 vgl. Morgen, K.: Der Bankkunde bestimmt den Grad der Automation, in: Die Bank 7/85, S. 328-334

Der Außendienst könnte in ‚problematischen' geografischen Räumen und für besondere Produkte auch außerhalb der Schalterzeiten eingesetzt werden.
Ein solches Vertriebskonzept fände Analogien im Einzelhandel.
- Btx entspräche dem Versandhandel,
- der Außendienst dem Vertreter,
- die Vollservice-Stelle dem Fachgeschäft,
- die Selbstbedienungsbankstelle und limitierte Service-Zweigstelle den supermarktähnlichen Vertriebsformen.

Sicherlich ist dies nur ein grobes Konzept.
Wesentlich ist in erster Linie die Denkhaltung, die hinter diesem Versuch steht, die einzelnen Automationselemente wie Mitarbeiter-Terminalisierung, Kunden-Selbstbedienung und home-banking im Interesse der Kunden und der Bank zu einer verträglichen Gesamtkonzeption zusammenzufassen.

Der Selbstbedienungsbereich richtete sich gleichermaßen an alle Kundengruppen und würde die zeitliche Verfügbarkeit der dort angebotenen Leistungen deutlich erhöhen.

Die Klein-Zweigstelle richtete sich vorrangig an Kunden, deren Bedarf sich auf weniger komplexe Produkte im Bereich Anlage und Finanzierung beschränkt.
Die Vollservice-Zweigstelle wäre gedacht als Know-how-Zentrum, das auch komplexe Probleme bestimmter Kundengruppen zu lösen versucht."

(2) *Internationale Vertriebswege*

In dem hier zu erörternden Zusammenhang geht es allein um die Gestaltung der Vertriebswege, nicht um die Internationalisierungsentscheidung schlechthin: sie liegt *vor* der Entscheidung über die Wahl des Vertriebsweges. Insofern folgen wir hier Süchting in der Ableitung[133], die Baumanns in seiner Analyse als zu eng kritisiert[134].

Süchting unterscheidet zwischen der Politik des going it alone = Alleinvertrieb und des Gemeinschaftsvertriebes.
Nach dem Grad des Einflusses, den die Zentrale einer Bank auf ihre jeweilige Vertriebsform ausüben kann, ergibt sich:
- in der Form des Alleinvertriebs: - Repräsentanz,
  - Tochter,
  - Filiale.

[133] zuletzt in: Süchting, J.: Bankmanagement, a. a. O., S. 363 ff.
[134] vgl. Baumanns, F.-J.,: a. a. O., S. 113, FN 1)

– in der Form des Gemeinschaftsvertriebs: – Korrespondent,
– Kooperationspartner,
– Beteiligung an einem bestehenden Institut,
– Fusion.

Diese Systematisierung ist nicht in der Form des entweder – oder zu verstehen, sondern als sowohl – als auch:

„Vergegenwärtigt man sich in statischer Betrachtung – als Momentaufnahme – die Vertriebssysteme der großen Banken der Welt, so dürfte man feststellen, daß sie grundsätzlich über alle gezeigten Vertriebsformen verfügen. Das ist auch verständlich, da die Bedingungskonstellationen vor allem in den verschiedenen Wirtschaftsräumen des Auslandes unterschiedlich sind.“[135]

Keinesfalls kann es um eine Entelechie gehen: Korrespondenzbanken als Vorstufe einer eigenen Organisationsformalternative[136].

Zu fragen ist daher nach den Entscheidungskomponenten für die Wahl des Vertriebsweges. Diese Komponenten sind nach Sarrazin[137]:

Für das *Korrespondenzbankennetz:* das Kundenbedürfnis. Das „Kundeninteresse bestimmt Dichte und Ausdehnung des Korrespondenzbankennetzes“(S. 275 f.) insbesondere dort, wo die Kundschaft keine Kontoverbindung mit Auslandsbanken unterhält oder unterhalten kann. Die Kundschaft ist dort auf „die Bank – zu – Bank – Vermittlung zwischen sich und ihren ausländischen Geschäftspartnern“ angewiesen (S. 275). Dies gilt nicht für die Länder, in denen ein Institut selbst mit Filialen oder Töchtern vertreten ist.

Repräsentanzen sind Werbeträger und Geschäftsanbahner, sie bestehen an Plätzen, an denen die Bank eine Lobby benötigt oder andere Vertretungs- und Geschäftsmöglichkeiten nicht möglich sind (S. 276).

„Die Zeit von Joint ventures oder *Beteiligungen* mit dem Ziel, bisher unbekanntes Terrain im Ausland mit Geschäftsfreunden aktiv, aber mit geteiltem Risiko zu begehen, ist vorbei“ (S. 280). Als einzige Entscheidungskomponente verbleibt: wenn diese Investition vom Gastland vorgeschrieben wird.

Die Frage *„Tochter oder Filiale“* bestimmt sich nach Rechtsform, Größe, Eigenmittelerfordernis, betriebliche Ausstattung, Organisationsfragen sowie den Rahmenbedin-

[135] Süchting, J.: Bankmanagement, a. a. O., S. 364
[136] so Baumanns, F.-J.: a. a. O., S. 93
[137] Sarrazin, J.: Das Geschäft deutscher Banken im Ausland – Anmerkungen zu Bestimmungsfaktoren aus unternehmerischer Sicht, in: (Hrsg) Süchting, J./van Hooven, E.: Handbuch des Bankmarketing, a. a. O., S. 271-287

gungen, aber auch nach Fragen der Bankenaufsicht, „die im Ausland geltenden Grundsätze für prudent banking oder Stichworte wie Einlegerschutz und Bankgeheimnis“ (S. 280 f).

Auf dem Gebiet der internationalen Vertriebswege „muß aber auch die Bereitschaft und die Fähigkeit da sein, ursprüngliche Konzepte zu modifizieren“ (S. 284), in der Alternative: Kurskorrektur = Spezialisierung oder Rückzug.

bb) Verbundsysteme

Neben die traditionellen Verbundsysteme in der Kreditwirtschaft der Bundesrepublik Deutschland: horizontales Verbundsystem der Sparkassen mit Versicherung und Bausparkasse und der Genossenschaftsbanken mit Versicherung; vertikales Verbundsystem in der Dreistufigkeit des Genossenschaftswesens (in Bayern: Zweistufigkeit) und der Zweistufigkeit der Sparkassenorganisation tritt der *Verbund der Vertriebssysteme* als „Finanzkonglomerate“ unterschieden in den diskutierten, geplanten und realisierten Formen von

Banken *und*
- Handel:
  - Kaufhäuser,
  - Versandhäuser,
  - Supermarktketten,
- Versicherungen,
- Bausparkassen,
- Kreditkartengesellschaften,
- Finanzinformationsanbieter,
- Vermögens-„Händler“wie Broker,

ein Bild, das auch „gedreht“ werden kann, etwa in *Handel und,* Bausparkassen und, Versicherungen und, je nachdem, wo der integrierende Marktpartner steht.

Waren in der Vergangenheit auf dem Finanzdienstleistungsmarkt Unternehmen und Märkte getrennt (Marktteilung und Produktdifferenzierung), so verwischen sich die Teilmärkte inzwischen in den traditionellen Segmenten und Marktgrenzen; dies zeigt Abbildung 17 sehr deutlich.[138]

[138] Thies, S./Stracke, G.: Finanzdienstleistungen im Zeichen gesellschaftlichen Wertewandels, in: Die Bank 1/87, S. 21

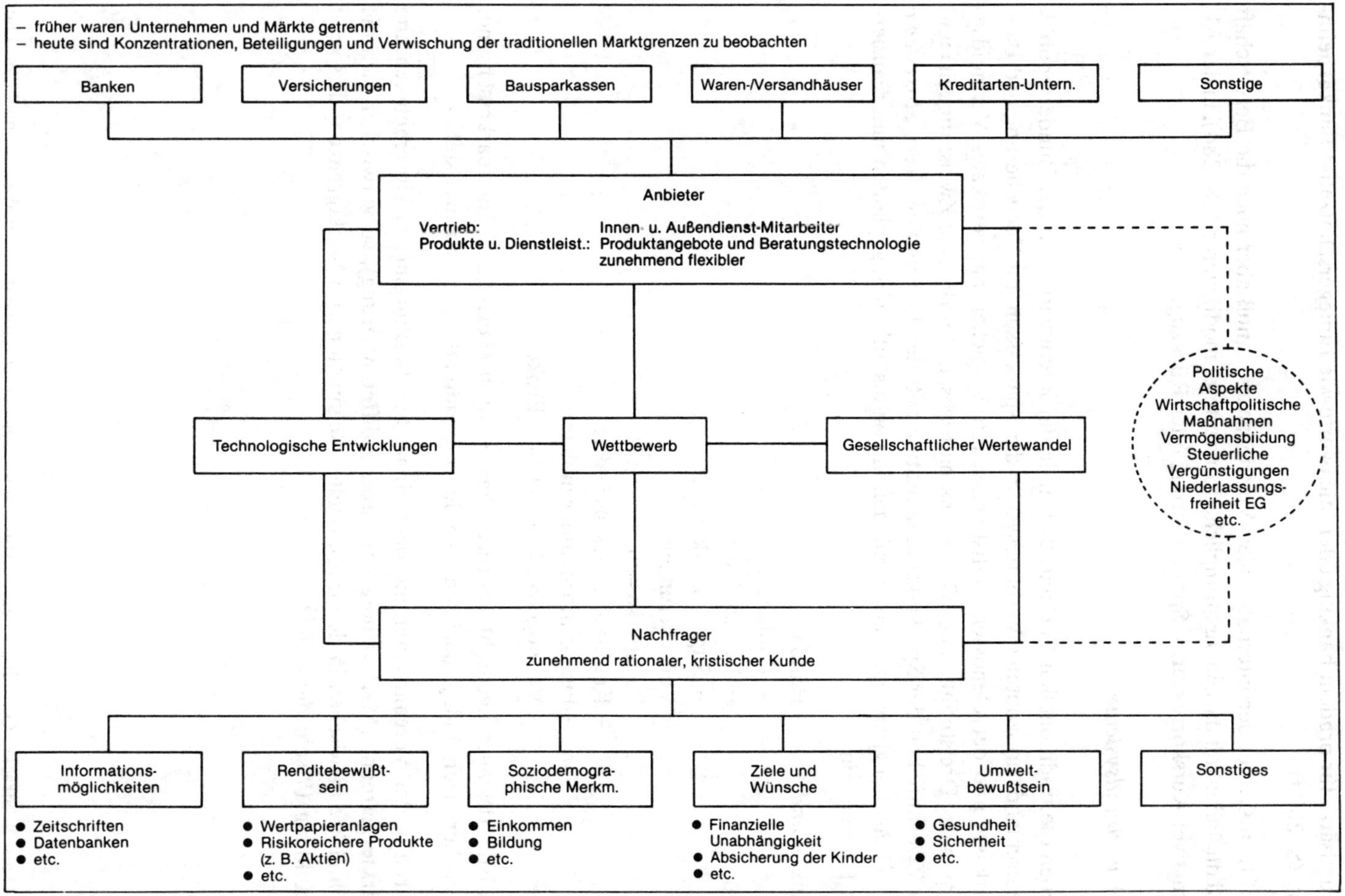

Abbildung 17: Systematische Darstellung des Finanzdienstleistungsmarktes in Deutschland

Den Anstoß zu dieser Entwicklung haben zwei unterschiedliche Komponenten gegeben: zum einen die höchst unterschiedlichen Expansionschancen der Anbieter bei den verschiedenen Kundenbedürfnissen und Leistungsprodukten (Abbildung 18)[139]; zum anderen die spektakulären Erfolge des US-amerikanischen Finanz-Supermarktes Sears, Roebuck & Co. (Tabelle 15).[140]

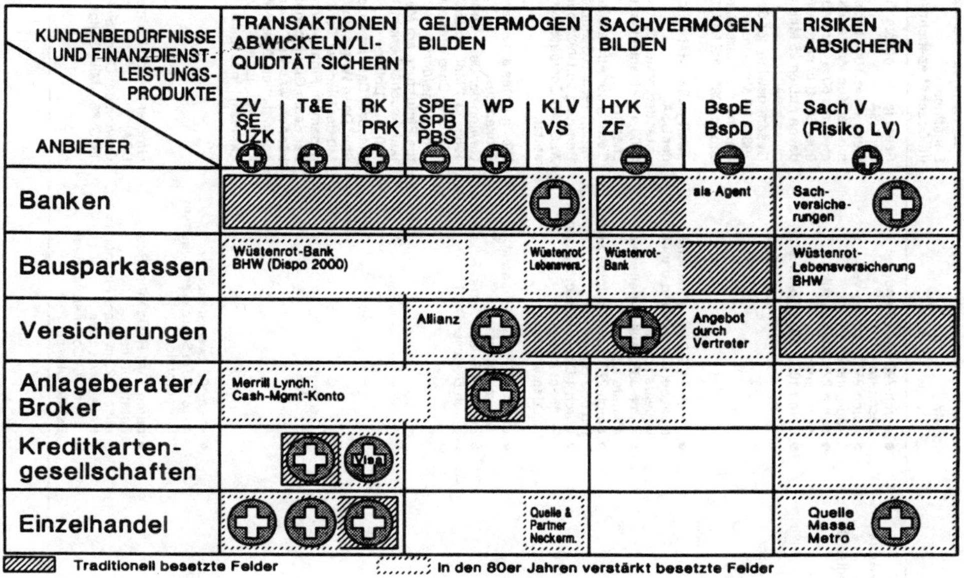

Abbildung 18: Expansionschancen der Anbieter auf dem Finanzdienstleistungsmarkt

Bekanntgeworden sind in diesem Zusammenhang:

Aachen-Münchener Versicherung	im Verbund mit	BfG
Gothaer-Versicherung	im Verbund mit	Berliner Bank
Allianz Versicherung	in Kooperation mit	Bankhaus Georg Hauck im Wertpapiergeschäft.

Daneben

Integration der Bankfunktion durch Wüstenrot
Integration von Versicherung und Bausparen durch Deutsche Bank AG
Integration von Versicherung durch KKB
Integration von (Teil-)Bankfunktionen durch Hertie, Kaufhof, Massa.

[139] Schlenzka, P. F.: Marktentwicklung und Ertragspotentiale der Anbieter von Finanzdienstleistungen, in: (Hrsg.) Engels, W.: Wettbewerb am Markt für Finanzdienstleistungen, Frankfurt 1987, S. 45

[140] Stracke, G./Pohl, M.: Aktivitäten von Waren- und Versandhäusern im Finanz-Dienstleistungsmarkt Europas, in: Die Bank 2/87, S. 96

Tabelle 15: Finanz-Supermarkt Sears, Roebuck & Co.

Finanz-Dienstleistungsunternehmen	angebotene Finanz-Dienstleistungen	Umsatz 1985	Absatz	Sonstiges (lt. Geschäftsbericht 1985)
• Sears Merchandise Group	• Kundenkreditkarte	40,7 Mrd. Dollar (gesamte Sears-Group) 26,5 Mrd. Dollar (Sears Merchandise Group)	• durch 799 Einzelhandelsgeschäfte • durch 2361 Katalog-Verkaufsstellen • durch 226 Spezialartikelgeschäfte • durch 160 andere Geschäfte	Sears ist der größte Einzelhändler der USA; mehr als 460 000 Mitarbeiter; mit der Kundenkreditkarte werden mehr als 60% der Käufe getätigt; über 60 Millionen Karteninhaber, davon nutzen 25 Millionen Kunden diese aktiv; Gesamtgewinn der Sears-Group 1985: 1,3 Mrd. Dollar; Gewinn der Sears Merchandise Group 1985: 766 Mill. Dollar.
• Allstate Insurance Group (seit 1931)	• Sach- und Unfallversicherungen • Lebensversicherungen • Hypothekengeschäft	10,37 Mrd. Dollar	• durch 1130 Sears Financial Network Centers und traditionelle Sears stores • durch 3630 Außenstellen von Allstate agents • durch 2770 unabhängige Agenten und Broker • durch 1 Direkt Marketing Center – direct mail – telemarketing	Zweitgrößter Haftpflichtversicherer der USA; unter den ersten 30 von mehr als 2000 amerikanischen Lebensversicherern; Gewinn der Allstate Insurance Group 1985: 605 Mill. Dollar1 Beratung seit 1985 durch ALSTAR Computersystem unterstützt.
• Dean Witter Reynolds Financial Services Group (seit Dezember 1981)	• Maklergeschäft • Wertpapierhandel • Pfandbriefe • Investmentbankgeschäft • Discover Card – Sparkonto mit hoher Verzinsung – Reise- und Unfallversicherung – Bargeldservice an über 13 000 Geldautomaten • Konsumentenkredite (Bestand von 14 Mrd. Dollar)	2,86 Mrd. Dollar	• durch 308 Sears Financial Network Centers • durch 375 Dean Witter Filialen • durch Discover Card	Viertgrößtes amerikanisches Brokerhaus; Gewinn der Dean Witter Group 1985: 13,1 Mill. Dollar; Discover Card wurde im Januar 1986 eingeführt; die Einführung am Markt kostet laut Geschäftbericht 1985 etwa 100 Mill. Dollar; Discover Card ist ausschließlich über Dean Witter erhältlich; Mit der Discover Card sollen die gesamten Finanz-Dienstleistungen der Sears Group genutzt werden können, was weit über den ursprünglichen Zweck einer Kreditkarte (vgl. auch Visa, American Express) hinausgeht.
• Sears Savings Bank Californien	• Spar- und Kreditgeschäft		• etwa 100 Zweigstellen, davon 30 in Sears Warenhäusern in Kalifornien	
• Coldwell Banker Real Estate Group (seit Dezember 1981)	• Grundstücks- und Immobilienmakler • Grundbesitzserviceanbieter	0,95 Mrd. Dollar	• durch 1544 Residential Real Estate Offices, davon 229 in Sears Financial Network Centers • durch 179 Commercial Real Estate Offices	Größter Immobilienmakler in den USA; Gewinn der Coldwell Banker Group 1985: 86,1 Mill. Dollar.

Diese Entwicklung zu einer Financial-Service-Industrie vollzieht sich in Form
- der Kooperation,
- der Beteiligung (Minder-/Mehrheits-),
- Integration durch Gründung von speziellen Töchtern.

Die daraus sich ergebenden Probleme aus der Sortiments- und Produktpolitik einerseits und der Standortpolitik andererseits (Präferenzenproblem), aus der Störung oder Schwächung, mindestens aber Veränderung des Images (Loyalitätsproblem) sind bisher weder in der Praxis gelöst noch in der wissenschaftlichen Diskussion ausführlich behandelt worden:

Die Praxis ist skeptisch und ohne einheitliche Meinungsbildung, so etwa Wolfgang Peiner, Vorstandsmitglied der Gothaer Lebensversicherung aG: „Einstieg bei Versicherungen ist für Großbanken riskant", in: Handelsblatt v. 6. .8. 1987.

Die Wissenschaft beginnt, sich dem Problem zuzuwenden, zunächst in der Diskussion mit der Praxis [141] oder im ersten Ansatz auf Basis der Diskussion in der Praxis[142].

IV. Beschaffungspolitik: Personalpolitik

Die Darstellung des Sektors „Personalpolitik" soll in zwei Abschnitten erfolgen: Strukturpolitik als die aus einer Strategie abgeleitete, also strategiebestimmte Personalpolitik und die Gestaltungspolitik als die sektoralbestimmende Politik der Personalbeschaffung und -entwicklung.

Die Notwendigkeit der Entwicklung einer strategiebestimmten Personalpolitik ergibt sich aus den relativ langen Vorlaufzeiten einer gezielten Personalstrukturierung im Gefolge von marktinduzierten und technologieinduzierten Wandlungen in den Umweltbedingungen der Banken. Diese Bestimmungsfaktoren sollen an zwei Schaubildern (Abbildungen 19, Seite 346 und 20, Seite 348 bis 349) verdeutlicht werden:

Diesen sachlichen Determinanten müssen zwei weitere Bestimmungsfaktoren hinzugefügt werden: die demographische Entwicklung und das Wertesystem.

Wesentliche Aspekte der demographischen Entwicklung sind von der interministeriellen „Arbeitsgruppe Bevölkerungsfragen" erarbeitet worden[144], die Auswirkungen auf die verschiedenen Bereiche von Staat und Gesellschaft darstellen. Insbesondere werden die Probleme einer globalen Tendenz zu Wachstumsengpässen durch Arbeitskräftemangel erörtert; es wird auf strukturelle wie qualitative Besonderheiten hingewiesen, die sich in sechs Aspekten zusammenfassen lassen[145]:

[141] (Hrsg.) Engels, W.: Wettbewerb am Markt für Finanzdienstleistungen, a. a. O.; (Hrsg.) Krümmel, H. J./Rudolph, B.: Bankmanagement für neue Märkte, Frankfurt 1987

[142] Süchting, J.: Die Theorie der Bankloyalität, in: (Hrsg.) Süchting, J./van Hooven, E., a. a. O., S. 34

[143] vgl. Jacob, A.-F.: Strategische Planung in Banken, a. a. O., S. 70/71

[144] Bundesminister des Innern: Bundestagsdrucksachen 8/4437 und 10/863

[145] vgl. Jacob, A.-F.: Wirtschaft und Gesellschaft, in: Der Langfristige Kredit, 38 Jg. (1987), S. 7

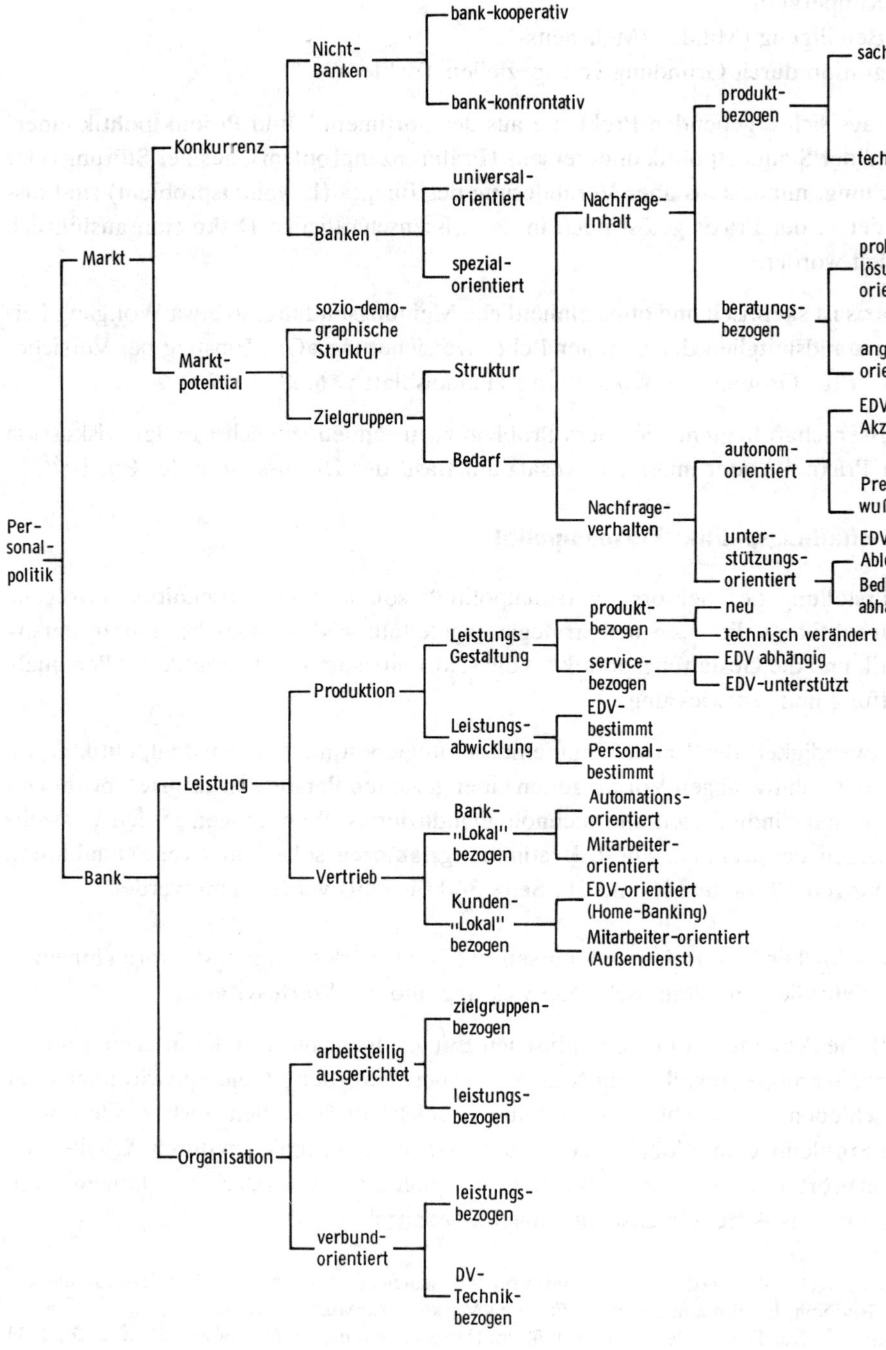

Abbildung 19: Komponenten marktinduzierter Wandlungen

1) Das Durchschnittsalter der Erwerbspersonen steigt bis zum Jahr 2 000 relativ stetig an.

	unter 30 jährige	30 bis unter 50 jährige	50 jährige ind älter
1980	33%	47%	20%
2000	23%	53%	24%

2) Der Anteil von Ausländern am Erwerbspersonenangebot wächst von rund 8 % in 1980 auf etwa 14 % im Jahr 2 000.

3) Mit der Bevölkerungsentwicklung direkt verbundene Berufe und Branchen müssen nach Durchlaufen der jeweiligen demographischen „Welle“ mit Minderbedarf rechnen. Entsprechend ist später zeitgleich mit dem Höhepunkt der neuen demographischen „Welle“ wieder mit einem relativen Mehrbedarf bei altersspezifisch besonders betroffenen Berufen und Branchen zu rechnen.

4) Der Beschäftigungsanteil spezieller Dienstleistungen wird tendenziell zunehmen.

5) Der gegenwärtige partielle Ausbildungsplatzmangel verwandelt sich möglicherweise in einen Auszubildendenmangel. Wenn auf der anderen Seite ein wachsender Bedarf an Fachkräften entsteht, könnten Strukturprobleme auftreten, die das Ungleichgewicht auf dem Arbeitsmarkt verstärken würden.

6) Diese Strukturprobleme der nächsten Jahre und Jahrzehnte sind Indikatoren für die Notwendigkeit langfristig orientierter Arbeitsmarktstrategien der politischen Entscheidungsträger, der Tarifpartner und der Unternehmen.

Davon auszugehen ist, daß bei sinkender Wohnbevölkerung und steigender Anzahl der privaten Haushalte die Durchschnittszahl der Personen pro Privathaushalt sinken wird und daß das Geldvermögen der privaten Haushalte sich bis zum Jahre 2 000 real mehr als verdoppeln wird.

Für die Finanzdienstleistungs-Unternehmen hat dies bemerkenswerte (wirtschaftliche) Konsequenzen. Im Bankensystem wird der Bevölkerungs-Rückgang eine Entlastung der Kundenkontakte ergeben. Betroffen sind primär die Betreuung der Privatkunden, die Anlageberatung und der Zahlungsverkehr. Im Bankensystem muß damit gerechnet werden, daß die Intensität und die Qualität der Kundenbetreuung gravierende Änderungen erfahren werden.

Die soziale Schichtung nach dem Vermögen der Wohnbevölkerung wird sich bis Mitte der neunziger Jahre verändern. Für die in das Erwerbsleben tretende zweite und dritte Nachkriegsgeneration kann eine gewisse Rentier-Struktur erwartet werden, wie sie für einen kleinen Teil der Bevölkerung 1910/1913 gegeben war.

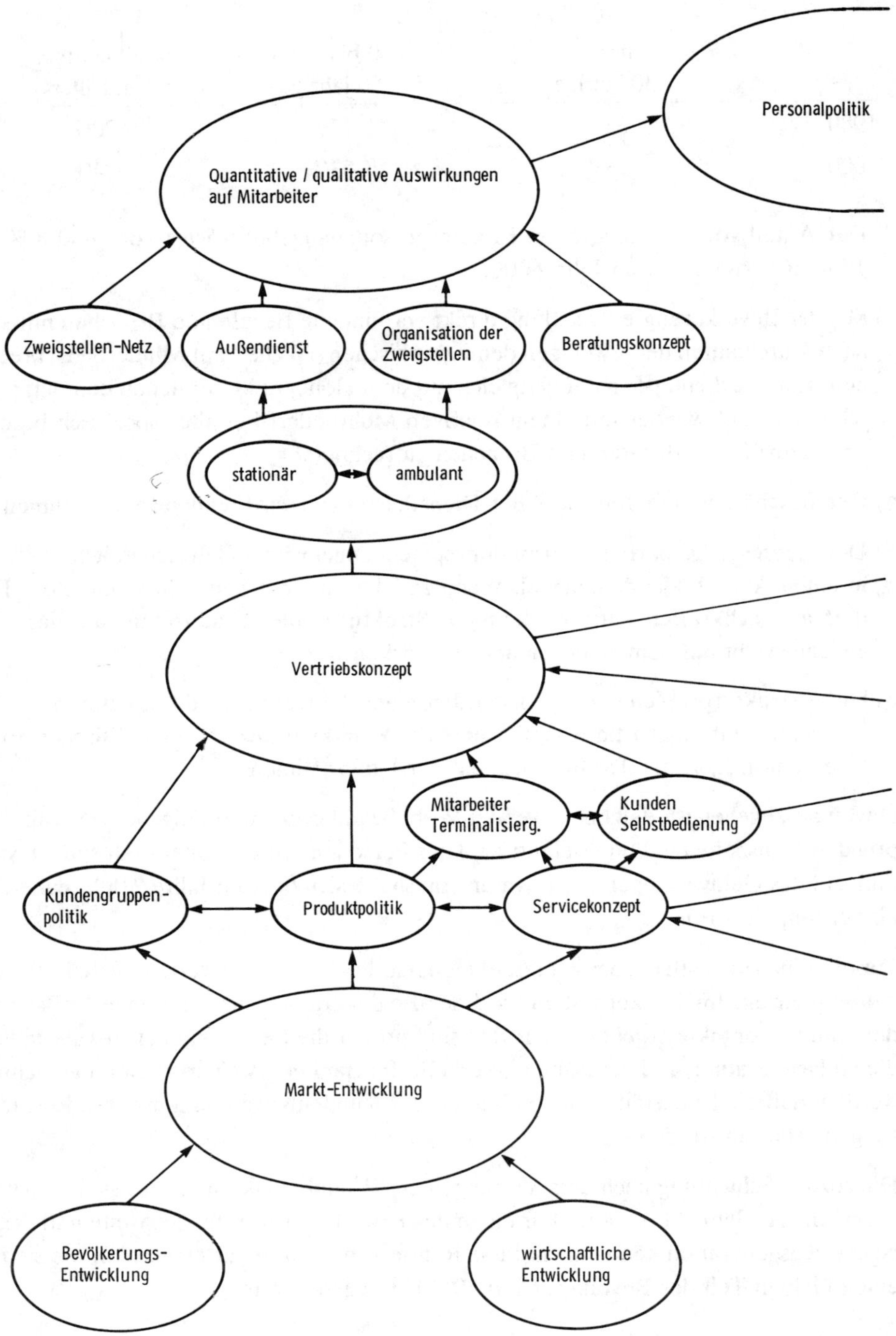

Abbildung 20: Komponenten technologiebestimmter Wandlungen

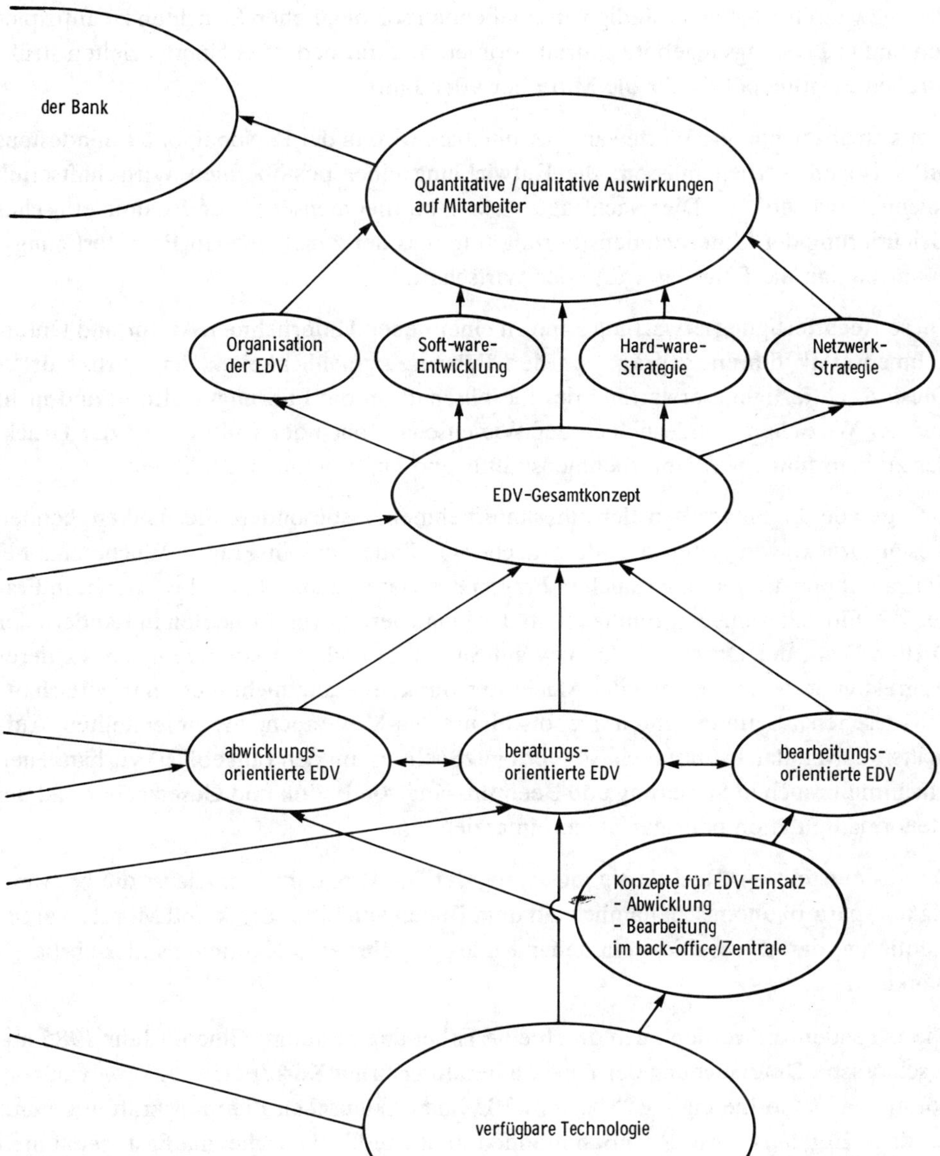
der Bank
Quantitative / qualitative Auswirkungen auf Mitarbeiter
Organisation der EDV
Soft-ware-Entwicklung
Hard-ware-Strategie
Netzwerk-Strategie
EDV-Gesamtkonzept
abwicklungs-orientierte EDV
beratungs-orientierte EDV
bearbeitungs-orientierte EDV
Konzepte für EDV-Einsatz
- Abwicklung
- Bearbeitung
im back-office/Zentrale
verfügbare Technologie

Bei zunehmender Markttransparenz, sinkenden Präferenzenschwellen und schwindender Bankloyalität wird das Image einer Bank von ihrer Fähigkeit bestimmt werden, die Anlagewünsche der sich ständig verschiebenden soziologischen Schichten zu antizipieren und in Leistungsangebote zu transformieren: dafür bedarf es einer gezielten strukturellen Personalpolitik für die Mitte der 90er Jahre.

Der sich abzeichnende Wertewandel schließlich wird in der Personalpolitik mindestens mitvollzogen werden müssen: die Entwicklung einer postliberalen Wirtschaftsethik zeichnet sich ab[146]: „Die Nachfrage nach Unternehmensethik und damit ethischer Orientierung der Unternehmensführung folgt aus der zunehmenden Rechtfertigungserwartung an die Führungskräfte der Wirtschaft."

Diese Rechtfertigungserwartung kann zu einer neuen Unternehmenskultur und Unternehmensethik führen, geprägt von den Führungspersönlichkeiten der Wirtschaft[147]: Diese Rechtfertigungserwartung der Gesellschaft an die Führungskräfte – und nicht nur der Wirtschaft, sondern auch der Wissenschaft, auch der Kultur – ist der Druck, der zu dem führt, was Unternehmenskultur und Unternehmensethik heißt.

Und gerade die Finanzdienstleistungsunternehmen, insbesondere die Banken, kennen diesen Druck: von seiten der Verbraucherverbände etwa in Fragen Wucherzins bei Teilzahlungsinstituten, aber auch in Fragen des Datenschutzes und der Schufa, in Fragen der Finanzierung von Bauhaien, in der Finanzierung von Projekten in Ländern der Dritten Welt, der Druck im Hinblick auf Südafrika und insbesondere mit besonderer Aggressivität die Frage nach der Macht der Banken – und nicht mehr nur wirtschaftlich gesehen als unterstellten Depotstimmrechts-Mißbrauch, als unterstellten Aufsichtsrats-Mandats-Mißbrauch, sondern jetzt geht es um den (angeblich) vorhandenen Machtmißbrauch in Steuerung und Beeinflussung von Politik und Gesetzgeber und um Steuermanipulation oder gar Steuerhinterziehung.

Daraus entsteht ein Rechtfertigungszwang der Banken, daraus erwächst die Notwendigkeit, para-ökonomisch, nämlich auf dem Boden von Sitte, Ethik und Moral zu argumentieren, daraus resultiert ein neuer Kodex des ehrbaren Kaufmanns, des ehrbaren Bankiers.

Diese Tendenzen werden auch durch eine Erhebung bestätigt: Eine im Jahr 1986 abgeschlossene Untersuchung der Personalberatungsfirma Korn/Ferry „A survey of corporate leaders in the eighties" bei 1362 US-amerikanischen Führungskräften kommt zu dem Ergebnis, daß Rechtschaffenheit und Redlichkeit die häufigst genannten Eigenschaften zum Erfolg im Wirtschaftsleben sind.

[146] Koslowski, P.: Sinnvolles Wirtschaften, in: FAZ Nr. 220/1986, S. 7
[147] Jacob, A.-F.: Wirtschaft und Gesellschaft, a. a. O., S. 6

Daraus ergeben sich insgesamt drei *Felder strategiebestimmter Personalpolitik:*

1) Personalbedarf,
2) Führungsstil,
3) Einfluß der Technik,

und drei (korrespondierende) *Felder der sektoralbestimmenden Politik:*

1) Personalbeschaffung,
2) Personalentwicklung,
3) Führungssysteme.

1. Strategiebestimmte Personalpolitik

a) Personalbedarf

Aufgabe der Personalbedarfspolitik ist es, „den für das Erreichen der Unternehmensziele notwendigen Personalbedarf in zeitlicher, örtlicher, quantitativer und qualitativer Hinsicht" zu befriedigen.[148].

Als Bestimmungsfaktoren des quantitativen Personalbedarfs gelten[149]:
- das angestrebte geschäftliche Wachstum (im Mengengeschäft),
- Zentralisierung und Dezentralisierungstendenzen im Bankstellennetz,
- Entwicklung der Arbeitsproduktivität (und der Technologie).

In diesem Zusammenhang kann von einem mengengerüstabhängigen Personalbedarf gesprochen werden.

Die Bestimmungsfaktoren des qualitativen Personalbedarfs sind[150]:
- qualitative Eigenschaften der geplanten Bankleistungen,
- Segmentierung des Absatzmarktes nach Kundensegmenten und regionalen/internationalen Teilmärkten,
- Anforderungsprofile der künftigen Mitarbeiter (Verkaufs- und Problemlösungsfunktionen einerseits, Fachexperten auf Managementebene und im Innenbetrieb: Produktspezialisten und Methodenspezialisten).[151]

Ein typisches Anforderungsprofil für Firmenkundenbetreuer auf Basis der Grundanforderungen bietet v. Schimmelmann[152].

[148] Büschgen, H. E.: Bank-Unternehmungs-Führung, Frankfurt 1981, S. 222

[149] Benölken, H.: Langfristige Personalplanung im Kreditinstitut, Berlin 1976, S. 56 ff.

[150] vgl. Benölken, H.: a. a. O., S. 71 ff.; Büschgen, H. E.: Bank-Unternehmungs-Führung, a. a. O., S. 223 ff.

[151] vgl. Fuchs, K.: Organisatorische Fragen im Personalwesen einer Geschäftsbank, in: (Hrsg.) Deppe, H.-D.: Bankbetriebliches Lesebuch, a. a. O., S. 516

[152] v. Schimmelmann, W.: Erfolgsorientierte Steuerung der Firmenkundenbetreuer, in: (Hrsg.) Süchting, J./van Hooven, E.: Handbuch des Bankmarketing, a. a. O., S. 292

„– Verkaufspsychologisches Geschick und akquisitorische Fähigkeiten;
- Zielgerichtete Initiative, Flexibilität und Kreativität;
- Analytisches und konzeptionelles Denkvermögen;
- Kontaktfreudigkeit, Kommunikations-, Überzeugungs- und Beharrungsvermögen;
- Solide Erfahrungen im Kreditgeschäft und darüber hinaus Abdeckung der gesamten Produktpalette der Bank (‚Cross-Seller' , ‚Brückenschlag zu den Spezialisten');
- Technisches Basiswissen im Hinblick auf elektronische Dienstleistungen;
- Beherrschung der Bankerfolgsrechnung und des Prinzips der Ausgleichskalkulation;
- Profunde Kenntnisse im modernen Bankmarketing (‚Primärinformant an der Kundenfront')."

b) Führungsstil

Zwei idealtypische Arten des Führungsstils werden unterschieden: autoritärer und kooperativer Führungsstil. Einen Überblick der Anforderungen und Auswirkungen autoritärer und kooperativer Führung gibt Stopp (Tabelle 16)[153].

Tabelle 16: Anforderungen und Auswirkungen autoritärer und kooperativer Führung

Kriterien	**Autoritäre Führung**	**Kooperative Führung**
1. Grundvoraussetzungen	a) Starkes Bildungsgefälle zwischen Vorgesetzten und Mitarbeitern	a) Annähernd gleiches oder gleiches Bildungsniveau zwischen Vorgesetzten und Mitarbeitern
	b) Vorwiegend materielle Motivationsstruktur der Mitarbeiter	b) Vorwiegend immaterielle Motivationsstruktur der Mitarbeiter
	c) Vorwiegend Routineaufgaben	c) Vorwiegend kreative Aufgaben
2. Anforderungen an den Vorgesetzten	a) Hohe Selbstverantwortung	a) Aufgeschlossenheit
	b) Hohe Selbstkontrolle	b) Vertrauen in die Mitarbeiter
	c) Weite Voraussicht	c) Verzicht auf persönliche Vorrechte
	d) Gute Entscheidungsfähigkeit	d) Delegationsfähigkeit- und -willigkeit
	e) Starkes Durchsetzungsvermögen	e) Sorgfältige Personalauslese, sorgfältiger Personaleinsatz, Information der Mitarbeiter, Vorgabe von Einzelzielen und Arbeitsschwerpunkten, Dienstaufsicht und Erfolgskontrolle

[153] Stopp, U.: Betriebliche Personalwirtschaft, 12. Aufl., Stuttgart 1986, S. 156-159

3. Anforderungen an den Mitarbeiter	a) Anerkennung des Vorgesetzten als alleinige Instanz b) Akzeptierung und Ausführung der Anweisungen des Vorgesetzten c) Keine Geltendmachung von Kontrollrechten	a) Verantwortungswille und Verantwortungsfähigkeit b) Hohe Selbstkontrolle c) Geltendmachung von Kontrollrechten gegenüber Vorgesetzten
4. Verhalten des Vorgesetzten	a) Der Vorgesetzte bestimmt Richtung, Ziel und Politik der Arbeitsgruppe b) Der Vorgesetzte schreibt Arbeitsablauf, Arbeitsmittel und Handlungstechniken vor c) Der Vorgesetzte legt die Funktionen des Mitarbeiters fest d) Der Vorgesetzte trifft alle Entscheidungen selbst e) Der Vorgesetzte duldet keine Kritik an seinen Handlungen	a) Gruppenkoordination durch Gruppenbesprechungen b) Arbeitsablauf, Arbeitsmittel und Handlungstechniken bestimmt im Rahmen seines Delegationsbereichs der Mitarbeiter c) Die Funktionen des Mitarbeiters werden nicht von Fall zu Fall festgelegt, sondern generell delegiert d) Die Entscheidungskompetenz für Aufgaben im Rahmen des Delegationsbereichs wird dem Mitarbeiter übertragen. Der Vorgesetzte entscheidet nur in Ausnahmefällen e) Der Vorgesetzte ist für Einwendungen und Kritik seiner Mitarbeiter offen f) Keine Einzelanweisungen des Vorgesetzten und nur periodische Erfolgskontrolle
5. Verhalten der Mitarbeiter	a) Unterordnung, Nivellierung individueller Verhaltensunterschiede b) Gefahr von Gruppenkonflikten, Aggressionsabbau bei Mitarbeitern c) Häufig geheime Opposition gegen den Vorgesetzten	a) Partnerschaftliches Denken und Handeln, große individuelle Verhaltensunterschiede b) Zumeist guter Gruppenzusammenhalt c) Kritik in offener Form gegenüber dem Vorgesetzten
6. Vorteile	a) Klarheit der Entscheidungsbefugnis b) Hohe Entscheidungsgeschwindigkeit c) Hohe Produktivität bei Routineaufgaben	a) Fachgerechte Entscheidungen b) Hohe Mitarbeitermotivation c) Krisenfestigkeit auch bei Abwesenheit des Vorgesetzten d) Natürliche Führungskräfteauslese

7. Nachteile	a) Häufige Fehlentscheidungen	a) Langsame Entscheidungen, vor allem bei komplizierten Entscheidungssituationen
	b) Häufiger Gruppenzerfall bei Abwesenheit des Vorgesetzten	b) Mitarbeiter ohne erforderliche Selbstdisziplin verzögern anstehende Entscheidungen
	c) Züchtung von abhängigen, unselbständigen Mitarbeitern	
	d) Unzufriedenheit der Mitarbeiter und geringe Motivation	
	e) Verminderte Entwicklung von Führungskräften aus den eigenen Reihen	

c) Der Einfluß der Technik

Der Trend zur informativen Datenverarbeitung hat sowohl auf den Personalbestand wie auf die Mitarbeiterstruktur Auswirkungen[154]:

„– Die naheliegende Vermutung, wonach der (aus Rationalisierungsgründen und Nutzung neuer Technologien resultierende) Produktivitätsfortschritt zur Freisetzung von Beschäftigten führt, hält der tatsächlichen Entwicklung nicht stand. Die Zahl der Beschäftigten im Bankensektor ist in den letzten Jahren bei stark expandierendem Geschäft und trotz wachsender Produktivität deutlich angestiegen. Der durch den Einsatz neuer Bank-Technologien vielfach befürchtete ‚rationalisierungsbedingte' Beschäftigungsabbau hat also bisher im Kreditgewerbe nicht stattgefunden. Ich meine, er wird auch in Zukunft allenfalls verhalten erfolgen.

– Dabei zeigt sich: Die technische Entwicklung, insbesondere die zunehmende Automatisierung, verändert die Inhalte vieler bestehender Arbeitsfunktionen und beschleunigt die Umgestaltung der Mitarbeiterstruktur in Richtung einer Höherqualifizierung: Einerseits nimmt der Bedarf an Arbeitskräften im kundenfernen Bereich ab, während der Anteil im kundennahen Bereich weiterhin deutlich zunimmt. Vor allem in der Kundenberatung und -akquisition müssen wir unser Personal überdurchschnittlich aufstocken. Andererseits nimmt im Routinegeschäft (ohne Kassen) sowie bei reinen Kassierertätigkeiten der Bedarf an Arbeitskräften wahrscheinlich ab."

[154] v. Spiegel, R.: Personalpolitik in Banken unter Einfluß der neuen Technologien, in: (Hrsg.) Kolbeck, R.: Bankinnovationen, Frankfurt 1986, S. 61 f.

Diese Thesen werden von den Ergebnissen einer Expertenbefragung durch die Europäische Vereinigung für Finanzmanagement (EFMA) von 380 leitenden Bankmitarbeitern in 140 Instituten aus 18 europäischen Ländern bestätigt (Januar/Februar 1987). Die wichtigsten Erkenntnisse im Bereich „Bank personnel on the future“ sind:

- 36 % der Befragten sind der Auffassung, daß die Mitarbeiterzahl im Bankgewerbe konstant bleibt, 20 % unterstellen ein Anwachsen,
- unterstellt wird ein Anstieg der Produktivität von 99 % der Befragten, aber die Befragten haben „more confidence in machines than in people“,
- in der Mitarbeiterstruktur wird es sehr einschneidende Veränderungen geben: um 13 % wird die Zahl der „ordinary employees“zurückgehen, Umschulungsaktivitäten werden an Gewicht gewinnen,
- Konklusion:
  „No, banking will not be the steel industry of tomorrow; but some people may well have to live through some difficult times.“

2. Sektoralbestimmende Personalpolitik

a) Personalbeschaffung

Grundsätzlich ist zwischen externer und interner Personalbeschaffung zu trennen: *extern* über den allgemeinen Arbeitsmarkt oder über Personalberater (head hunter), *intern* durch personalplanerische Instrumente (Mitarbeiterpotentialanalysen, Personalentwicklungsmanagement) oder durch innerbetriebliche Stellenausschreibung.

Wesentliches Element einer optimalen Stellenbesetzung ist „die Analyse, inwieweit das Eignungspotential der Bewerber den durch die Stellenanforderungen determinierten Vorstellungen der Bank und in welchem Umfang der potentielle Stelleninhaber bei gegebener Eignung in seinem Arbeitsverhalten den offiziellen Rollenerwartungen entspricht[155].“

Ein typisches Analyseverfahren zur optimalen Stellenbesetzung von Führungsnachwuchskräften ist das Assessment-Center-Verfahren (ACV): eine Kombination traditionell angewandter Auswahlverfahren, die um eignungsdiagnostische und gruppendynamische Verfahrenselemente ergänzt werden[156].

Typische Merkmale sind[157]:

„1) *Anforderungsbezogenheit.* Unter besonderer Berücksichtigung der unternehmensspezifischen Arbeitsplatz- und Führungsanforderungen werden die beim Bewerber zu prüfenden Eignungskriterien formuliert. Voraussetzung für dieses Vorgehen ist

[155] Büschgen, H.E.: a. a. O., S. 227

[156] vgl. Große Peclum, K.-H./Horoba, M. K.: Das Assessment-Center-Verfahren der Dresdner Bank AG, in: bank und markt, 16. Jg. (8/1987), S. 29-31

[157] ebenda, S. 29

es, die wesentlichen stellenbezogenen Anforderungsmerkmale zu kennen sowie sie möglichst umfassend und exakt in einem Anforderungsprofil zu definieren. Solche Anforderungskriterien können sein: Intelligenz, Analysevermögen, Kommunikation, Kooperation, Auftreten, Ausdrucksfähigkeit und Entscheidungsbereitschaft.

2) *Verhaltensorientierung*. Wie sich der Teilnehmer eines Assessment-Center-Verfahrens in möglichst praxisnah gestalteten Simulationsübungen verhält, soll beobachtet und bewertet werden. Ergebnis ist eine Aussage über das Potential des Bewerbers.

   Sowohl der Eigenschaftstheorie als auch der Situationstheorie – zwei wesentlichen Ausprägungen sozialwissenschaftlicher Führungsforschung – wird beim ACV Rechnung getragen. Das Verhalten eines Teilnehmers ergibt sich in Abhängigkeit des Wechselspiels aus Persönlichkeit, situativen Faktoren und gegebener Gruppenkonstellation.

3) *Methodenvielfalt*. Wegen seines vielfältigen methodischen Ansatzes hat das ACV große Vorteile. Fehlerquellen werden minimiert. Verschiedene aufeinander abgestimmte und erprobte Übungen gewährleisten eine umfassende und mehrmalige Beobachtung aller in der Anforderungsanalyse für eine angehende Führungskraft identifizierten Verhaltenskriterien.

   Die Teilnehmer haben einzeln oder in Gruppen Übungen zu absolvieren, die situationsabhängige, entscheidungsorientierte und gruppendynamische Prozesse in Gang setzen, zum Beispiel Postkorb-Übung, Planspiele und Gruppendiskussionen, aber auch Selbsteinschätzungen. Daneben gibt es nichtsituative Übungen wie Interviews und Tests.

4) *Mehrfachbeurteilung*. Zur Vermeidung individueller, subjektiver Fehlurteile beobachten mehrere geschulte Personen unabhängig voneinander gleichzeitig das gezeigte Verhalten und beurteilen dies anschließend.“

Die Verhaltensmerkmale der Bewerber fließen in eine Gesamtbeurteilung ein (Tabelle 17).[158]:

[158] ebenda, S. 30

Tabelle 17: Entscheidungskriterien beim Assessment-Center-Verfahren der Dresdner Bank AG

Anforderungskriterien	Vorstellungsgespräch	Gruppenübungen	Kurzreferat/ Rhetorische Übung	Übung zur Arbeitstechnik
Intellektuelle Fähigkeiten				
– analytisches und kombinatorisches Denkvermögen		X	X	X
– Kreativität		X		
– Auffassungsgabe	X	X	X	X
Kommunikative und kooperative Fähigkeiten				
– verbale Ausdrucksfähigk.	X	X	X	
– Überzeugungskraft	X	X	X	
– Bereitschaft zur Zusammenarbeit		X		
Führungsverhalten				
– Delegationsfähigkeit				X
– Information/Unterweisg.		X		
– Planung und Organisation		X		X

b) Personalentwicklung

Personalentwicklung umfaßt die Aus- und Fortbildung der Mitarbeiter; sie ist als „die Gesamtheit aller direkten und indirekten personalpolitischen Maßnahmen zu verstehen, mit deren Hilfe eine Erweiterung oder Veränderung der Fähigkeiten der Mitarbeiter bewirkt werden soll“[159] (Abbildung 21).

[159] Stopp, U.: a. a. O., S. 196, Schaubild: S. 197

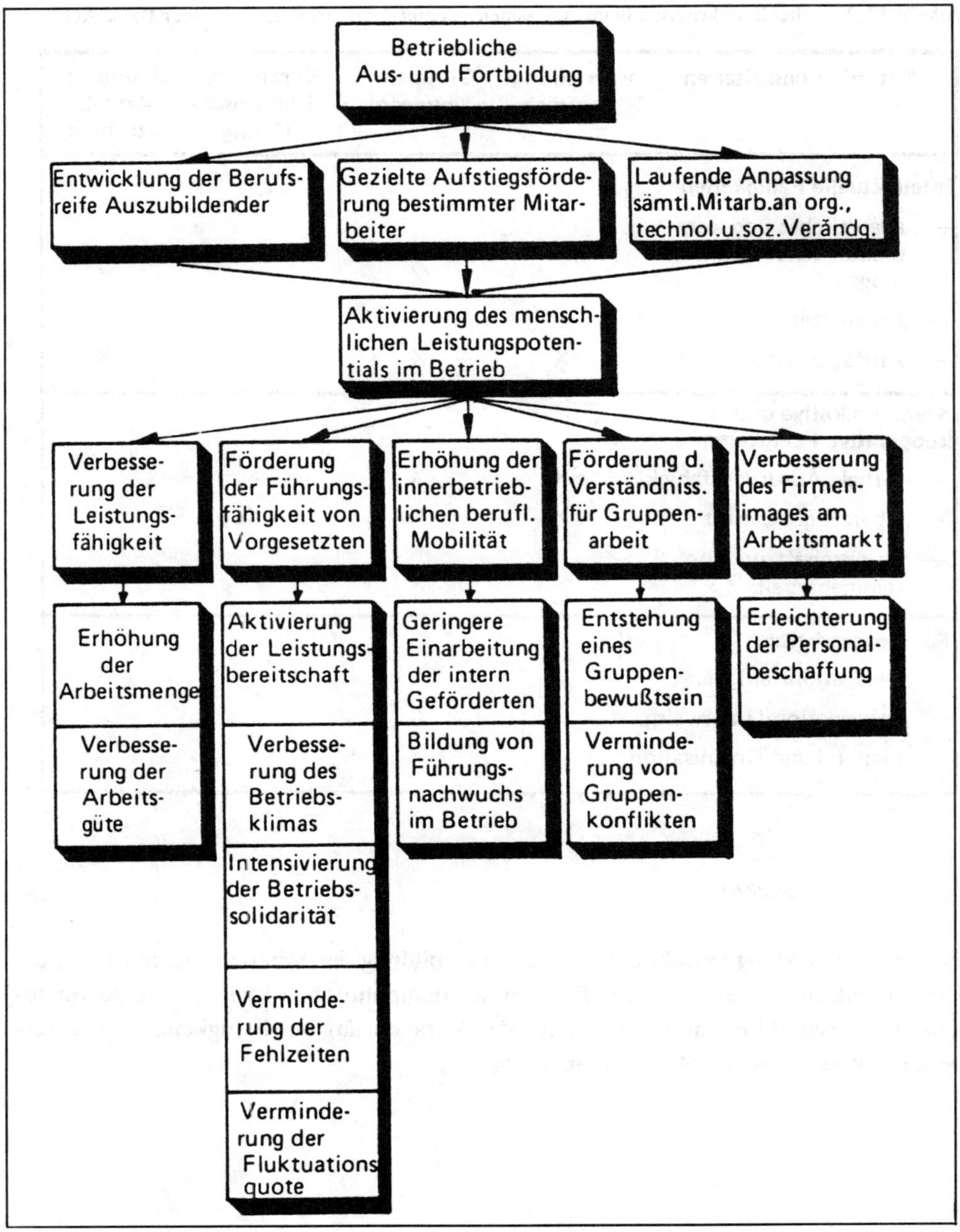

Abbildung 21: Maßnahmen zur Personalentwicklung

Die spezifische Fortbildung der Führungskräfte ist eine geschäftspolitisch-strategische Aufgabe, die von vier Entwicklungstrends geprägt wird[160]:

„1. Qualifizierte Mitarbeiter müssen kooperativ geführt werden.
2. Komplexere Bankgeschäfte und spezialisierte Tätigkeiten verlangen eine stärkere Integrationskraft und Koordinationsfähigkeit der Führungskräfte.
3. Neue Techniken verändern die Formen der Zusammenarbeit zwischen Führungskräften und Mitarbeitern grundlegend.
4. Veränderte gesellschafts- und wirtschaftspolitische Bedingungen, Einstellungen und Verhaltensweisen wirken sich unmittelbar im Unternehmen aus und stellen erhöhte Ansprüche an die Sensibilität und Sozialkompetenz der Führungskräfte."

Daraus folgt für Seidel:

- Die Fortbildung muß prozessual gesehen werden, sie kann nicht mehr punktuell erfolgen,
- ein Idealverhalten kann nicht angestrebt werden: aber die Einsicht der Führungskraft, daß Führen immer dreidimensional ist: Ziel, Mitarbeiter und Situation, kann gesteigert und gefestigt werden.
- Kommunikations- und Kooperationstraining sind notwendige Voraussetzungen für eine Formung der Führungspersönlichkeit: Kontrolle des Verhaltens und Einstellungsveränderungen sind Rückkoppelungs-Prozesse der Fortbildung.
- Berücksichtigung von Gesamtzusammenhängen ist unerläßlich geworden:

  „Im Vordergrund stehen Seminarveranstaltungen, die bei den geschäftlichen Zielsetzungen und der Unternehmensphilosophie ansetzen, sich bemühen, geschäftliche und personelle Zusammenhänge transparent und einsichtig zu machen und dabei auch auf die wirtschaftlichen, gesellschaftlichen und technologischen Rahmenbedingungen einzugehen.

  Qualifizierte Mitarbeiter verlangen heute kompetentere Führungskräfte und eine neue Qualität der Führungskräfte-Fortbildung."

c) Führungssysteme

Führungssysteme haben die Aufgabe, eine personalpolitische Corporate identity, ein institutsindividuelles Selbstverständnis zu schaffen, das sich nicht nur nach außen präferenzen- und loyalitätsbildend auswirkt, sondern auch nach innen zu einer spezifischen Loyalität (Mitarbeiterloyalität) der Bank gegenüber führt.

Als Bestandteile dieser Systeme gelten

- Führungsleitsätze,
- Beurteilungssysteme.

[160] Seidel, Chr.: Führungskräfte-Fortbildung, in: ZfgK, 39. Jg. (1986), Heft 18, S. 8-10

Als Beispiel seien die *Führungsleitsätze* der Dresdner Bank AG wiedergegeben:

Führungsleitsätze der Dresdner Bank

Die Führungsleitsätze sind Teil unserer zielorientierten, mitarbeiterbezogenen und situationsbestimmten Führungskonzeption, wie sie in der Präambel des Organisationshandbuches niedergelegt ist.

Der Vorgesetzte hat die Aufgabe

- ☐ seine Mitarbeiter zu führen
- ☐ den Arbeitsablauf in seinem Zuständigkeitsbereich zielgerichtet und sachgerecht zu leiten
- ☐ alle Sachaufgaben zu erledigen, die sich nicht für eine Delegation an seine Mitarbeiter eignen.

Seine mitarbeiter- und sachbezogenen Aufgaben sind gleichermaßen wichtig.

Der Vorgesetzte richtet die Arbeit seines Zuständigkeitsbereiches kosten- und ertragsbewußt nach den geschäftlichen Zielen aus und handelt im Gesamtinteresse der Bank. Im Rahmen der einschlägigen Richtlinien und Weisungen sowie seiner Kompetenz ist der Vorgesetzte frei in der Gestaltung und Durchführung seiner Aufgaben. Seine Mitarbeiter führt er so, daß deren Engagement, Leistung und Zufriedenheit bei der Arbeit gefördert werden; darin erweist sich die Führungsleistung eines Vorgesetzten.

Die nachstehenden Führungsleitsätze enthalten die generellen Aufgaben aller Vorgesetzten. Die spezifischen Aufgaben und Tätigkeiten ergeben sich aus gesonderten Stellenbeschreibungen oder anderen Arbeitsanweisungen.

Zielsetzung, Planung, Durchführung

Der Vorgesetzte wirkt mit bei der Zielsetzung für seinen Zuständigkeitsbereich. Dabei orientiert er sich an den ihm vorgegebenen geschäftlichen, organisatorischen und personellen Leitlinien. An dem Erarbeiten von Teilzielen und Arbeitsplänen beteiligt er seine Mitarbeiter soweit wie möglich.

Der Vorgesetzte sorgt für die Planung der notwendigen Maßnahmen, um die Ziele insbesondere in bezug auf

- ☐ Geschäftsvolumen und Marktanteil
- ☐ Personal-, Raum- und Sachbedarf
- ☐ Kosten und Erträge

zu erreichen. Er stellt sicher, daß die Teilpläne seines Zuständigkeitsbereiches aufeinander abgestimmt sind und sorgt für die notwendige Abstimmung mit anderen Stellen.

Der Vorgesetzte setzt sich für die Durchführung der geplanten Vorhaben ein, um die gesetzten Ziele konsequent zu verwirklichen. Er regelt den Personaleinsatz in seinem Zuständigkeitsbereich. Der Vorgesetzte stellt die ordnungsgemäße und termingerechte Bearbeitung von Geschäftsvorfällen und innerbetrieblichen Aufgaben sicher und hält seine Mitarbeiter zu kostenbewußtem Arbeiten an. Sind bei der Durchführung besondere Risiken oder Schwierigkeiten zu erkennen, unterrichtet er unverzüglich seinen direkten Vorgesetzten und, falls erforderlich, andere zuständige Stellen.

Delegation, Information

Der Vorgesetzte delegiert – soweit wie möglich und zulässig – Aufgaben und Befugnisse an seine Mitarbeiter. Dadurch entlastet sich der Vorgesetzte von Aufgaben, die auch von seinen Mitarbeitern erfüllt werden können und fördert gleichzeitig deren Selbständigkeit.

Bei der Delegation von Aufgaben und Befugnissen behält der Vorgesetzte die Führungsverantwortlichkeit. Er hat Sorge zu tragen für

- ☐ eine sorgfältige Auswahl der Mitarbeiter, an die delegiert werden soll
- ☐ eine gründliche Information über die zu erledigenden Aufgaben sowie die zu beachtenden Richtlinien und Vorschriften
- ☐ eine ordnungsgemäße Aufsicht und Kontrolle in führungsmäßiger und fachlicher Hinsicht.

Die Mitarbeiter tragen hingegen die Sachverantwortlichkeit für ihre Handlungen, Entscheidungen oder Unterlassungen im Rahmen der ihnen übertragenen Aufgaben und Befugnisse. Der Vorgesetzte sollte kritische Situationen rechtzeitig erkennen und seine Mitarbeiter bei deren Bewältigung unterstützen, aber nur bei besonderem Anlaß in delegierte Kompetenzen eingreifen. Andererseits darf der Vorgesetzte nicht zulassen, daß der Mitarbeiter ohne zwingenden Grund rückdelegiert.

Der Vorgesetzte sorgt für eine rechtzeitige und umfassende Information seiner Mitarbeiter in allen deren Arbeit betreffenden Fragen, insbesondere über die einschlägigen Richtlinien und Anweisungen der Bank. Er stellt sicher, daß seine Mitarbeiter über die Ziele und Arbeitspläne ihres Aufgabenbereiches und damit über Umfang und Güte der von jedem einzelnen erwarteten Leistung unterrichtet werden. Darüber hinaus weckt und fördert der Vorgesetzte das Verständnis für geschäftspolitische Zusammenhänge. Um zu überzeugen, muß er verständlich und wahrheitsgetreu informieren. Er soll durch sein Verhalten die Loyalität und Leistungsbereitschaft seiner Mitarbeiter fördern.

Zusammenarbeit, Kontrolle, Aufsicht

Der Vorgesetzte fördert die Zusammenarbeit seiner Mitarbeiter. Sofern unterschiedliche Sach- oder Zuständigkeitsauffassungen auftreten, entscheidet er unter Wahrung bestehender Kompetenzen. Mit anderen Stellen arbeitet er vertrauensvoll im Sinne gegenseitiger Unterstützung und Information zusammen und hält hierzu auch seine Mitarbeiter an.

Dem Vorgesetzten obliegt die Kontrolle der Arbeitsergebnisse, d.h., er überwacht das sach- und termingerechte Erreichen der gesetzten Ziele. Bei voraussichtlichen oder bereits eingetretenen Zielabweichungen untersucht er deren Ursachen, unterrichtet seinen Vorgesetzten und leitet erforderlichenfalls Korrekturmaßnahmen ein.

Im Rahmen der ihm obliegenden Aufsicht hat der Vorgesetzte die Pflicht, sich über das Verhalten seiner Mitarbeiter bei ihrer Arbeit zu informieren und, sofern notwendig, Maßnahmen zu ergreifen. Er sorgt dafür, daß die einschlägigen rechtlichen Bestimmungen sowie unter anderem

- ☐ die Sicherheitsbestimmungen für Personen, Betriebseinrichtungen, Werte und Geschäftsablauf
- ☐ die Betriebsordnung
- ☐ das Bankgeheimnis
- ☐ die allgemeine Verschwiegenheitspflicht

eingehalten bzw. gewahrt werden.

Der Vorgesetzte bemüht sich um eine ständige Verbesserung des Arbeitsablaufes. Er regt seine Mitarbeiter an, geeignete Vorschläge zu erarbeiten und setzt sich für deren Verwirklichung ein.

Förderung, Beurteilung

Eine weitere Aufgabe des Vorgesetzten ist die Förderung seiner Mitabeiter. Er steht ihnen zur Erörterung ihrer beruflichen Probleme zur Verfügung. Soweit er nicht selbst entscheiden darf, trägt er berechtigte Anliegen den zuständigen Stellen vor.

Der Vorgesetzte sorgt für die Ausbildung seiner Mitarbeiter am Arbeitsplatz und für ihre berufliche Fortbildung. Dabei nutzt er die von den dafür zuständigen Stellen entwickelten beruflichen Bildungsprogramme; er unterstützt die zielgerechte Anwendung der dort erworbenen Kenntnisse und Fähigkeiten.

Der Vorgesetzte wirkt mit bei Gehalts-, Gratifikations- und Beförderungsentscheidungen für seine Mitarbeiter unter Beachtung ihrer individuellen Leistungen.

Die Beurteilung der Mitarbeiter ist eine Führungshilfe. Als solche setzt sie engen Kontakt zu den zu beurteilenden Mitarbeitern voraus und erfordert individuelle Förderungsgespräche. Daraus entwickelt sich die periodische oder bei besonderem Anlaß zu erstellende offene, schriftliche Beurteilung über Leistung, Befähigung und Verhalten.

Vertretung, Nachfolge

Der Vorgesetzte sorgt dafür, daß er im Falle seiner Abwesenheit fachlich und führungsmäßig qualifiziert vertreten wird. Er hat seinen Vertreter umfassend zu informieren und einzuweisen. Für dessen Handlungen und Entscheidungen während der Vertretungszeit ist der Vorgesetzte nicht verantwortlich. Der Vertreter hat die Aufgaben des Stelleninhabers ordnungsgemäß fortzuführen; er handelt dabei in eigener Verantwortlichkeit im Rahmen der ihm für die Vertretung erteilten Befugnisse. Entscheidungen von grundsätzlicher Bedeutung – insbesondere personeller oder organisatorischer Art – sind, wenn möglich, erst nach Rückkehr des Vorgesetzten zu treffen.

Der Vorgesetzte gibt Anstoß, daß die Regelung seiner eigenen Nachfolge rechtzeitig in Angriff genommen wird. Er bemüht sich im Rahmen der Nachfolgeplanung um die Förderung eines geeigneten Nachfolgers.

Die *Personalbeurteilung* ist ein Verfahren, dessen Sinn darin liegt,[161]

„– daß die *Unternehmensleitung* einen umfassenden Überblick über den Eignungs- bzw. Leistungsgrad und die Einsatz- bzw. Entwicklungsmöglichkeiten der Mitarbeiter sowie den Ausbildungsbedarf, die zu treffenden Ausbildungsmaßnahmen und die Ausbildungserfolgskontrolle gewinnt.
– daß die *Personalabteilung* über ein wichtiges Hilfsmittel für die praktische Durchführung von Versetzungen, Beförderungen, Einkommensveränderungen, Entlassungen und Zeugniserteilungen verfügt.
– daß der *Fachvorgesetzte* zu einer konkreten, verantwortlichen Entscheidung über Leistungen und Verhaltensweisen seiner Mitarbeiter veranlaßt, ihm der Leistungsstand der gesamten Arbeitsgruppe sowie die Stärken und Schwächen einzelner Gruppenmitglieder verdeutlicht wird und er Anhaltspunkte zur Verbesserung der Leistung und Verhaltensweise gewinnt.
– daß der *Beurteilte* durch eine objektive Beurteilung über seinen Leistungsstand und seine Stärken bzw. Schwächen orientiert wird und die Möglichkeit besteht, den Beurteilten im Rahmen eines Beurteilungsgespräches durch Anerkennung und maßvolle Kritik zum Ausgleich festgestellter Mängel und besserer Leistung zu motivieren.“

Die Kriterien für die Beurteilung sind personalpolitisch-neutral, sie haben keinen bankspezifischen Hintergrund. Sie lassen sich in fünf Hauptkriterien zusammenfassen (Abbildungen 22 a-d):

- Fachwissen/fachliche Fähigkeiten,
- Geistiges Profil,
- Arbeitsleistung/Arbeitsstil,
- Kooperation/Erscheinungsbild,
- soweit stellenrelevant: Qualifikation in der Mitarbeiterführung.

In der Regel wird nach der relativen Bedeutung oder der relativen Ausprägung für den Arbeitsplatz gefragt: stark / mittel / schwach; ebenso können Beurteilungsformulierungen und Beurteilungsqualitäten vorgegeben sein; einen Kriterien-Baum von Hauptkriterien und Unterkriterien liefert Stopp[162].

[161] Stopp, U.: a. a. O., S. 169
[162] ebenda, S. 173-176

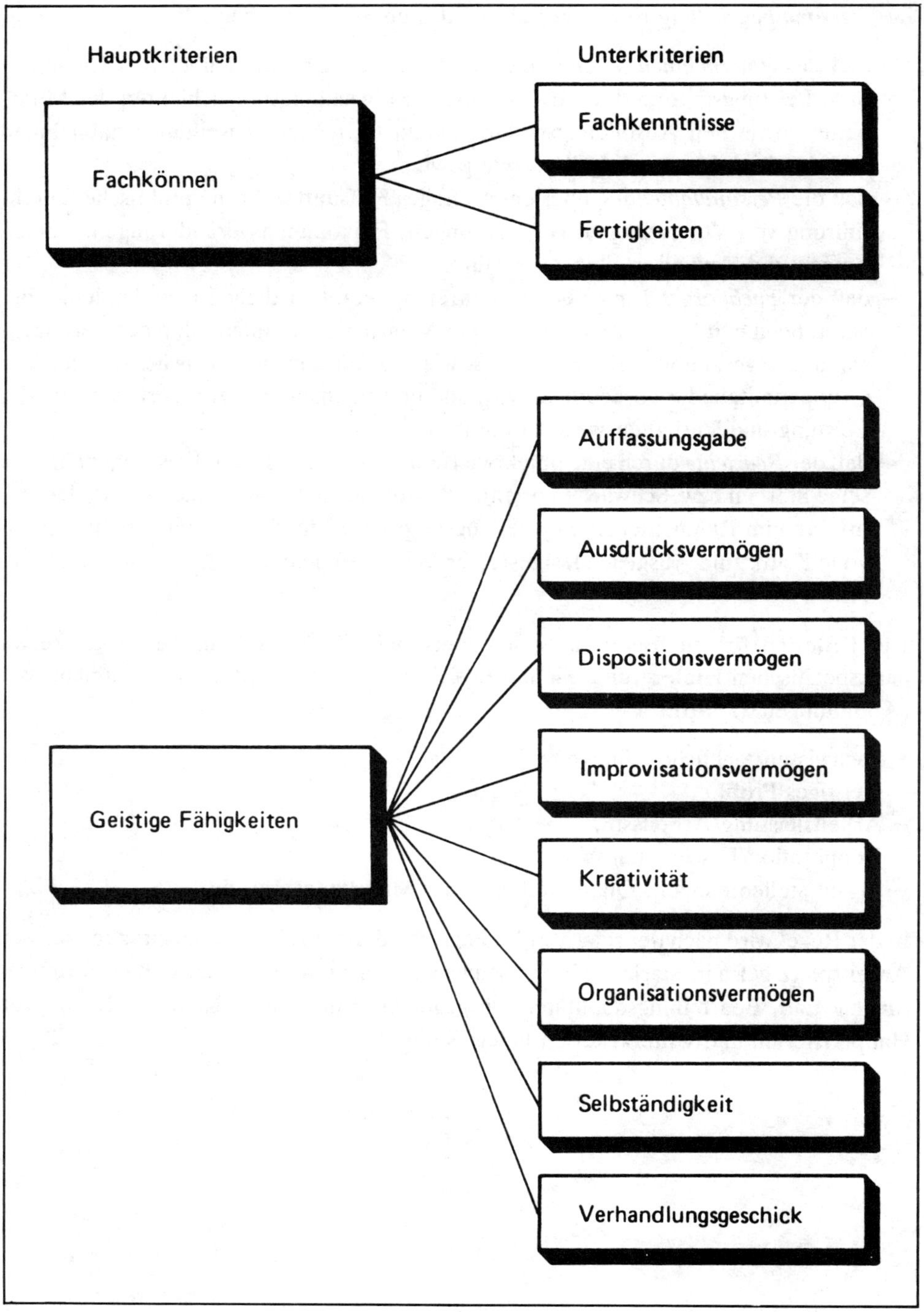

Abbildung 22: Kriterien für die Personalentwicklung
(a) Fachkönnen/geistige Fähigkeiten

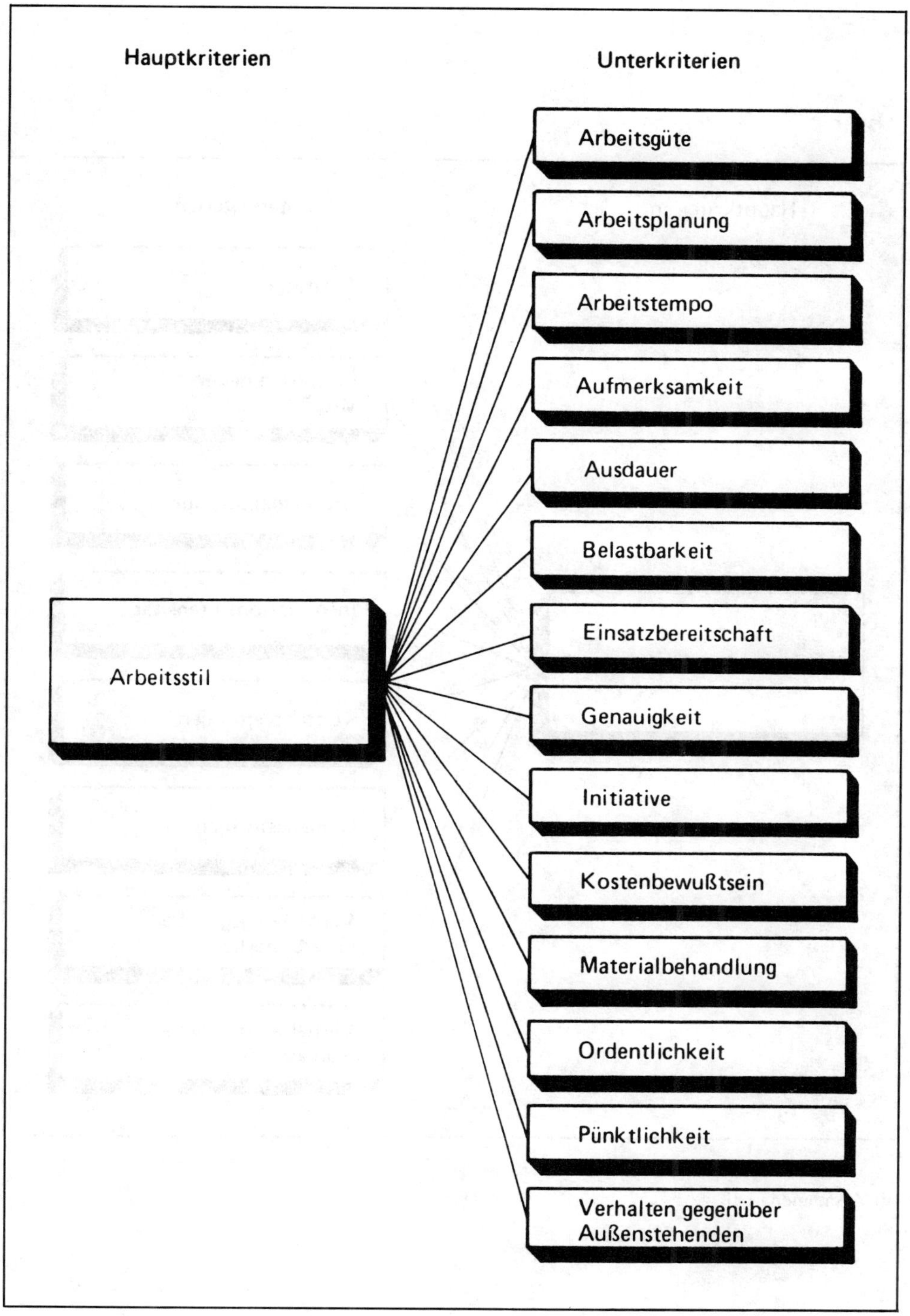

(b) Arbeitsstil

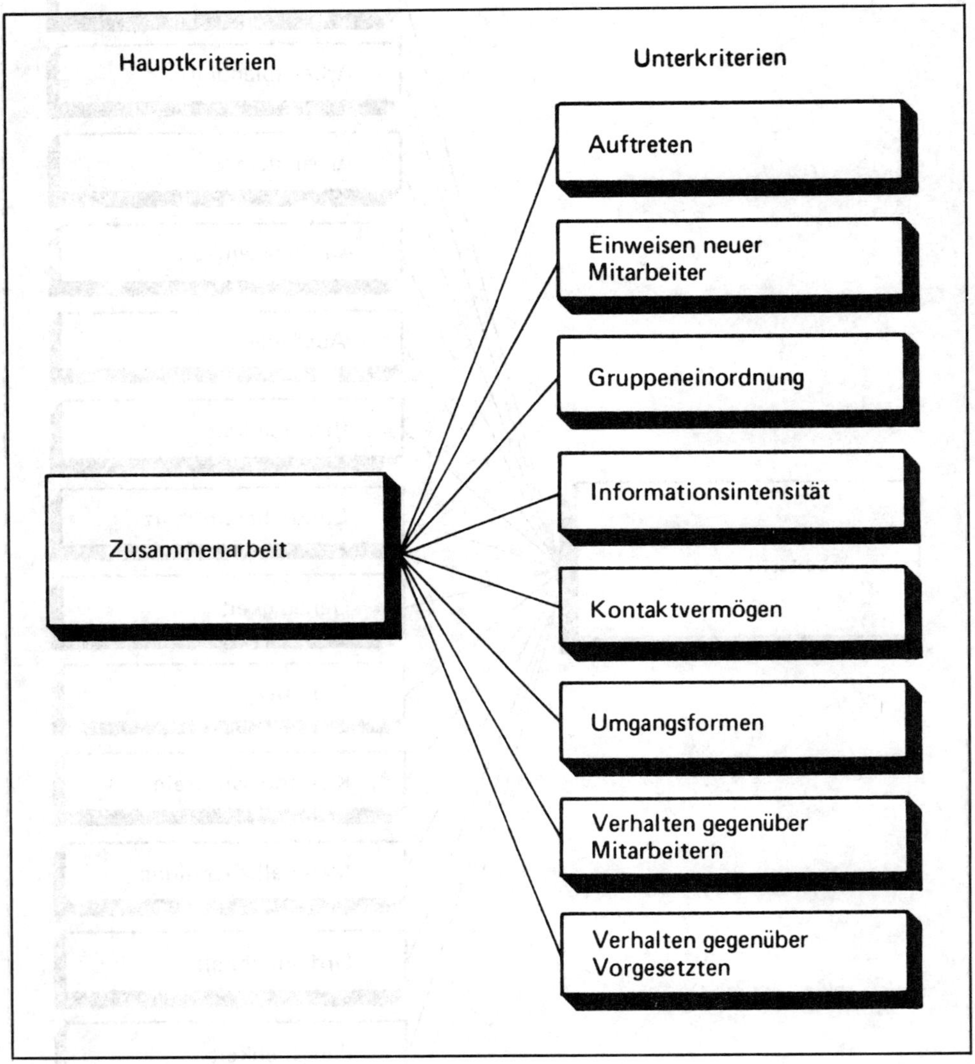

(c) Zusammenarbeit

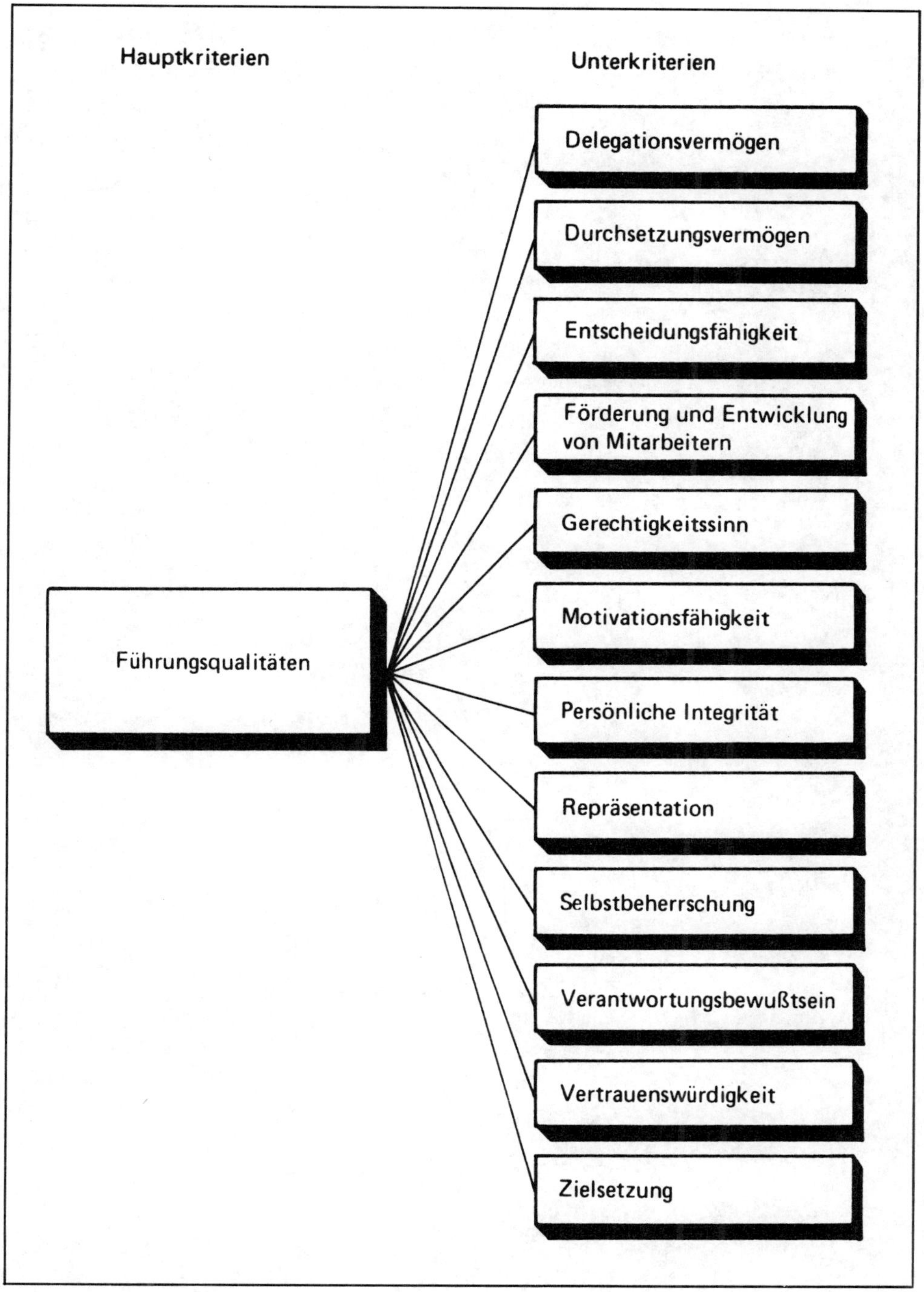

(d) Führungsqualitäten

Literaturverzeichnis*

a) Bücher

ABRAHAM, H. J.: Das Seerecht, Berlin 1956
ALSHEIMER, H.: Gewinnbesteuerung und Steuerbilanz der Kreditinstitute, Wiesbaden 1960
AULER, W.: Das Pfandbriefgeschäft als Kapitalquelle der deutschen Hypothekenbanken, Berlin–Wien 1926
BAROCKA, E.: Investment-Sparen und Investmentgesellschaften, Stuttgart 1956
BAUMANNS, F.-J.: Faktoren einer Internationalisierungsentscheidung der Kreditinstitute, Thun–Frankfurt 1984
BAUR, J.: Investmentgesetze, Kommentar, Berlin 1970
BECK, H.: Gesetz über die Deutsche Bundesbank, Mainz–Gonsenheim–Düsseldorf 1959
BECKER, D.: Bankbetriebliche Zweigstellenexpansion und Standortforschung, Göttingen 1975
BENÖLKEN, H.: Langfristige Personalplanung im Kreditinstitut, Berlin 1976
BENNER, W.: Planspiele für Kreditinstitute, Göttingen 1971
BIRCK, H./MEYER, H.: Die Bankbilanz, 3. Aufl., Wiesbaden 1976 ff.
BOSENICK, A.: Neudeutsche gemischte Bankwirtschaft, Band 1: Grundlegende Tatsachen: die entwicklungsgeschichtliche Analyse der großen Aktienbanken in Berlin, München und Berlin 1912
BÜSCHGEN, H. E.: Wertpapieranalyse, Stuttgart 1966
BÜSCHGEN, H. E.: Bankbetriebslehre, Wiesbaden 1972
BÜSCHGEN, H. E.: Bank-Unternehmungs-Führung, Frankfurt 1981
BÜSCHGEN, H. E.: Internationales Finanzmanagement, Frankfurt 1986
BUTZ, E.: Die Anpassung des technisch-organisatorischen Bereichs von Kreditinstituten. Ein Beitrag zu einer allgemeinen Theorie des Bankbetriebs, Wiesbaden 1969
CAPELLE, H.: Das Akkreditivgeschäft, Mannheim 1925
CASSIER, S. C.: Biographie einer Unternehmerbank, Frankfurt 1977
CHAPMAN, St.: The Rise of Merchant Banking, Boston & Sydney 1984
CLARKE, W. M.: Inside the City, Boston & Sydney 1983
CORDEWENER, K.-F.: Kundenbediente Datenstationen als marktpolitische Instrumente des Bankbetriebs, Göttingen 1982
COUBECK, N.: The Multinational Banking Industry, London & Sydney 1984
COUTRE, W. le: Grundzüge der Bilanzkunde, Teil I, 4. Aufl., Wolfenbüttel 1949
COX, A. N./MacKENZIE, J. A.: International Factoring, Euromoney Publication 1986
DEPPE, H.-D.: Bankbetriebliches Wachstum, Stuttgart 1969
DEPPE, H.-D.: Betriebswirtschaftliche Grundlagen der Geldwirtschaft, Band 1: Einführung und Zahlungsverkehr, Stuttgart 1973
DIERSCHKE, K./MÜLLER, F.: Die Notenbanken der Welt, Berlin 1926
DÜRINGER- HACHENBURG: Das Handelsgesetzbuch, 3. Aufl., Mannheim - Berlin - Leipzig 1932
EHLEN, J.: Die Filialgroßbanken, Stuttgart 1960
EISENMENGER, H.: Trustgeschäft und Vermögensverwaltung durch Kreditinstitute, Frankfurt 1966
ENGELS , W.: Mehr Markt, Stuttgart 1976
FASSBENDER, M.: Raiffeisen, Berlin 1902
FAYOL, H.: Allgemeine und industrielle Verwaltung, München und Berlin 1929
FERRIS, P.: Gentlemen of Fortune, London 1984
FISCHER, W.: Das Teilzahlungskreditgeschäft, Stuttgart und Köln 1952
FISCHER- ERLACH, P.: Handel und Kursbildung am Devisenmarkt, Stuttgart 1985
FLECHSIG, R.: Kundenkalkulation in Kreditinstituten, Frankfurt 1982
FÖRDERREUTHER, R.: Beschäftigungspolitik im Bankbetrieb, Berlin 1977
FÖRSTER, G.: Die Chipkarte als Bargeld der Zukunft, Frankfurt 1985
FRANK, V. C.: Zur Problematik der Investmenttrusts, Zürich 1961
FRIES, K.: Die Girozentralen, Stuttgart 1959
GAUGLER, E.: Instanzenbildung als Problem der betrieblichen Führungsorganisation, Berlin 1966
GERCKENS, B.: Absatzpolitik im breiten Privatkundengeschäft, Frankfurt 1982
GERGEN, K. H.: Die Bedeutung interner Verrechnungen für die Kreditkapazität einer Bank, Bern–Frankfurt 1976
GIERKE, J. v.: Das Recht der Wertpapiere, Köln– Berlin 1954
GIERKE, J. v.: Handels- und Schiffahrtsrecht, 7. Aufl., Berlin 1955

* ohne Literaturhinweise zu Exkurs 9, Seite 213 f.

GLADEN, W.: Gebührenpolitik im Privatgiroverkehr der Kreditinstitute, Berlin 1985
GRÜNFELD, E.: Handbuch des Genossenschaftswesens, Band I., Halberstadt 1928
GUTENBERG, E.: Grundlagen der Betriebswirtschaftslehre, Zweiter Band: Der Absatz, 1. Aufl., Berlin–Heidelberg–New York 1955
GUTENBERG, E.: Unternehmensführung, Wiesbaden 1962
GUTENBERG, E.: Grundlagen der Betriebswirtschaftslehre, Dritter Band: Die Finanzen, Berlin–Heidelberg–New York 1969
HAGENMÜLLER, K. F.: Bankbetrieb und Bankpolitik, Wiesbaden 1959
HAGENMÜLLER, K. F.: Organisation der Kreditinstitute, in: Bankwirtschaft – Unterrichts- und Nachschlagewerk der Bankakademie, Wiesbaden o.J.
HAHN, O.: Die Möglichkeiten einer Förderung des Scheckverkehrs, Frankfurt 1962
HAHN, O.: Die Postbank – Ihre Stellung in der Bankwirtschaft, Wiesbaden 1978
HAMMER, K./MONTAG, W.: Prüfungsrichtlinien für den Jahresabschluß der Kreditinstitute, Frankfurt 1969
HAUSCHILDT, J.: Der Controller in der Bank, Frankfurt 1981
HAUSER, R.: Bankaußenorganisation, Berlin 1979
HEFERMEHL, H.: Allgemeine Geschäftsbedingungen der Banken, Frankfurt 1984
HEINSIUS, Th./HORN, A./THAN, J.: Depotgesetz, Berlin– New York 1975
HINTERHUBER, H.-H.: Strategische Unternehmensführung, 2. Aufl., Berlin–New York 1980
HIPPEL, Th. v./KORD-RUWISCH, W./SCHMIDT, Fr.: Die öffentlich-rechtlichen Kreditinstitute, Berlin 1927
HOFFMANN, A.: Das Dokumentenakkreditiv als Zahlungsform im Ex- und Importgeschäft, Hamburg 1950
HOFFMANN, J.: Deutsche Sparkasseneinheit, Berlin 1931
HORNE, J. van: Financial Management and Policy, London 1972
HÜBNER, O.: Die Banken, Leipzig 1854
IRMLER, H.: Möglichkeiten und Grenzen der Kreditpolitik, Tübingen 1971
JACOB, A.-F.: Strategische Planung in Banken, Frankfurt 1986
JEIDELS, O.: Das Verhältnis der deutschen Großbanken zur Industrie, Leipzig 1905
JESSEN, H.: Das landwirtschaftliche Kreditwesen, Wiesbaden 1962
KAMINSKY, St.: Die Kosten- und Erfolgsrechnung der Kreditinstitute, Meisenheim/Glan 1955
KAMINSKY, W.: Die Teilzahlungsbanken, Frankfurt 1962
KERR, J. M.: History of the Eurobond Market The First 21 Years, Euromoney Publications 1984
KILGER, W.: Flexible Plankostenrechnung, Theorie und Praxis der Grenzplankostenrechnung und Deckungsbeitragsrechnung, 4. Aufl., Köln und Opladen 1970
KILHEY, U.: Die Bewertung des Erfolgs von Bankprodukten als Grundlage produktpolitischer Entscheidungen, Frankfurt 1987
KITTEL, H.: Marktstrategien im Hypothekarkreditgeschäft, Berlin 1974
KLINGE, K.-A.: Organisation des Bankbetriebs, Frankfurt 1967
KNIES, K.: Geld und Credit, Leipzig 1931
KÖHLER, C.: Geldwirtschaft, 1. Band, „Geldversorgung und Kreditpolitik", 2. Aufl., Berlin 1977
KÖPPEN, J. v.: Das Eigenkapital der Kreditinstitute, Wiesbaden 1966
KOLBECK, R.: Bankbetriebliche Planung, Wiesbaden 1971
KREWERTH, B.: Die Kostenrechnung als Steuerungsinstrument im Bankbetrieb, Frankfurt 1981
KÜLLMER, H.: Bankbetriebliche Programmplanung unter Unsicherheit, Wiesbaden 1975
KRÜMMEL, H.-J.: Bankzinsen – Untersuchungen über die Preispolitik von Universalbanken, Köln–Berlin–Bonn–München 1964
KUNZE, Ch.: Änderungen in Bankpolitik und Bankwesen als Teil der Wirtschaftsreformen der DDR, Berlin 1972
LAFFERTY, BUSINESS RESEARCH: Bankers Payments, London 1986
LANG, WEIDMÜLLER: Genossenschaftsgesetz, 31. Aufl., 1984
LANGE, L.: Expansion und volkswirtschaftliche Bedeutung deutscher Überseebanken, Karlsruhe 1962
LIPFERT, H.: Der deutsche Privatdiskontmarkt, Frankfurt 1959
LIPFERT, H.: Nationaler und internationaler Zahlungsverkehr, 2. Aufl., Wiesbaden 1970
LINHARDT, H.: Die Kontrolle im Bankbetrieb, Stuttgart 1926
LÖFFELHOLZ, J.: Die Geschichte der Banken, o. O., o. J.
LOHMANN, M.: Wandlungen in den Betriebs- und Finanzierungsformen des deutschen Außenhandels, Jena 1938
LUDEWIG, R.: Die Darstellung der wirtschaftlichen Lage im Bericht über die aktienrechtliche Jahresabschlußprüfung, Düsseldorf 1955

MACKENTHUN, Th. T.: Kreditvermittlung als Absatzweg der Kreditinstitute für Konsumentenratenkredite, Berlin 1985

MARQUARDT, H./PERDELWITZ, J.: Das preußische Sparkassenrecht, unveränderter Nachdruck der 2. Aufl., Köln 1955

MEYER, C.: Die Bankbilanz als finanzielles Führungsinstrument, Bern und Stuttgart 1986

MEYER zu SELHAUSEN, H.: Die Optimalplanung von Kapitalbeschaffung und Kapitalverwendung einer Kreditbank mit den Methoden der Unternehmensforschung, Köln 1970

MÖNNICH, H.-J.: Die genossenschaftlichen Teilzahlungsbanken, Marburg/Lahn 1962

MÖSSNER, K. E.: Das deutsche Bodenkreditsystem, Berlin 1934

MÜLHAUPT, L./FOX, U.: Das Bankwesen der Deutschen Demokratischen Republik, Wiesbaden 1971

MÜLHAUPT, L.: Einführung in die Betriebswirtschaftslehre der Banken, 3. Aufl., Wiesbaden 1980

MÜLLER, H. E.: Standortplanung und Rechtsformwahl im internationalen Bankgeschäft, Berlin 1981

OBERPARLEITER, K.: Das dokumentäre Akkreditiv, Leipzig - Wien 1922

OBRIST, K.: Das Warenakkreditiv, Zürich 1950

OHMAE, K.: Macht der Triade, Wiesbaden 1985

OTTEL, F.: Bankpolitik, Jena 1937

PALYI, M./QUITTNER, P. (Hrsg.): Handwörterbuch des Bankwesens, Berlin 1933

PLATZ, S.: Erfolgsrechnerische Bewertung von Bankzweigstellen, Göttingen 1978

RIEDESSER, A.: Deckungsbeitragsrechnung in Filialbankorganisationen, Wiesbaden 1977

RIEGER, K.: Die Hypothekarkredit- und Pfandbriefinstitute im Gebiet der Bundesrepublik Deutschland 1948 - 1959, Tübingen 1960

RITTERSHAUSEN, H.: Die Zentralnotenbank, Frankfurt 1962

RÖPER, B.: Die Wettbewerbsfunktion der deutschen Sparkassen und das Subsidiaritätsprinzip, Berlin 1973

ROLFES, B.: Die Steuerung von Zinsänderungsrisiken in Kreditinstituten, Frankfurt 1985

SAWITZKI, E.: Das Geld- und Kreditwesen in Mitteldeutschland, Frankfurt 1964

SCHÄCKER, H. E.: Entwicklung und System des Investmentsparens, Frankfurt 1961

SCHINNERER, E.: Bankverträge, II. Teil, 2. Aufl., Wien 1966

SCHIERENBECK, H.: Ertragsorientiertes Bankmanagement. Ein Lehrbuch zum Controlling in Kreditinstituten, Wiesbaden 1985

SCHIERENBECK, H.: Ertragsorientiertes Bankmanagement, 2. Aufl., Wiesbaden 1987

SCHMIDT, F.: Der nationale Zahlungsverkehr, 2. Aufl., Leipzig 1920

SCHNEIDER, J.: Akkreditive im gebundenen und freien Zahlungsverkehr mit dem Ausland, Mannheim - Feudenheim 1955

SCHÜTT, A.: Finanzierung des Hamburger Außenhandels, Hamburg 1926

SCHULTE, F.: Die Hypothekenbanken, München und Leipzig 1918

SCHULZE- GAEVERNITZ, G. v.: Die deutsche Kreditbank, Tübingen 1922

SEWERING, K.: Der Kreditverkehr, 2. Aufl., Essen 1955

SIEPMANN, J. D.: Die Standortfrage bei Kreditinstituten, Berlin 1968

SOMARY, F.: Bankpolitik, 3. Aufl., Tübingen 1934

SPINDLER, J./BECKER, W./STARKE, O.: Die Deutsche Bundesbank, 4. Aufl., Stuttgart 1973

STACKELBERG, H. v.: Grundlagen der theoretischen Volkswirtschaftslehre, 2. Aufl., Tübingen–Zürich 1951

STAUDT, M. v.: Bankmarketing im internationalen Geschäft, Wiesbaden 1980

STOLZENBURG, G.: Die rechtliche Sonderstellung der Freien Sparkassen im deutschen Sparkassenwesen, Hamburg 1956

STOPP, U.: Betriebliche Personalwirtschaft, 12. Aufl., Stuttgart 1986

STÜTZEL, W.: Bankpolitik – heute und morgen, Frankfurt 1964

SUDING, Th.: Bankbetriebliche Zweigsstellenplanung, Frankfurt–Bern 1983

SÜCHTING, J.: Kalkulation und Preisbildung der Kreditinstitute, Frankfurt 1963

SÜCHTING, J.: Finanzmanagement, Wiesbaden 1976

SÜCHTING, J.: Bankmanagement, Stuttgart 1982

SUNDERLAND, N. V.: Bank Planning Models, Bern– Stuttgart 1974

SZAGUNN, V./WOHLSCHIESS, K.: Kommentar zum Gesetz über das Kreditwesen in der Fassung vom 11.7. 1985, 4. Aufl., Stuttgart–Berlin–Köln–Mainz 1986

TAYLOR, F. W.: Die Grundsätze wissenschaftlicher Betriebsführung, München–Berlin 1917

TAYLOR, F. W.: Die Betriebsleitung, 3. Aufl., Berlin 1919
TORMANN, W.: The Investment Institutions, Frankfurt 1973
TRENDE, H.: Geschichte der Deutschen Sparkassen, Stuttgart 1957
VANDERHOEGHT, K.: Das Dokumenten-Akkreditiv, Frankfurt 1955
VEIT, O.: Grundriß der Währungspolitik, 3.Aufl., Frankfurt 1969
WÄCHTERSHÄUSER, M.: Kreditrisiko und Kreditentscheidung im Bankbetrieb, Wiesbaden 1971
WAGNER, A.: Beiträge zur Lehre von Banken, Leipzig 1857
WALTER, H.: Standortpolitik multinationaler Banken, Frankfurt 1983
WEBER, M.: Die „Objektivität" sozialwissenschaftlicher und sozialpolitischer Erkenntnisse, in: Gesammelte Aufsätze zur Wissenschaftslehre, 2. Aufl., Tübingen 1951
WEISS, U.: Marktforschung der Kreditinstitute, Berlin 1966
WIELE, G.: Das Dokumenten-Akkreditiv und der angloamerikanische Documentary Letter of Credit, Hamburg 1955
WITTE, E.: Die Liquiditätspolitik der Unternehmung, Tübingen 1963
WITTE, E.: Organisation für Innovationsentscheidungen,Göttingen 1973
WOHLFARTH, K.: Die Wertpapiere und ihre Technik, Stuttgart 1956
WÜNSCHE, G.: Grundlagen der Bankenwerbung aus verhaltenswissenschaftlicher Sicht, Wiesbaden 1982
WYGODZINSKI, W.: Das Genossenschaftswesen in Deutschland, 2. Aufl., Leipzig und Berlin 1929
ZAHN, J.: Zahlung und Zahlungssicherung im Außenhandel, 3. Aufl., Berlin 1964
ZINKEN, R.: Die Planung im Bankbetrieb, Köln 1975

b) Aufsätze in Sammelwerken/Festschriften

ANDROSCH, H.: Die Bedeutung der Marktforschung für die Geschäftspolitik eines österreichischen Kreditinstitutes, in: (Hrsg) Süchting, J./van Hooven, E.: Handbuch des Bankmarketing, Wiesbaden 1987
BAER, G. D.: Die längerfristige Bewältigung der Verschuldungsprobleme: planmäßige Lösungswege als Alternative zu pragmatischem Handeln, in: (Hrsg) Krümmel, H.-J.: Internationales Bankgeschäft, Beihefte zu Kredit und Kapital, Heft 8 (1985)
BÜSCHGEN, H. E.: Geschäftspolitik der Banken und Konjunkturverlauf, in: (Hrsg) Süchting, J.: Der Bankbetrieb zwischen Theorie und Praxis, Wiesbaden 1977
BURDA, W. A.: Institutswerbung im Privatkundengeschäft, in: (Hrsg) Süchting, J./van Hooven, E.: Handbuch des Bankmarketing, Wiesbaden 1987
CATAQUET, H.: Country Risk Analysis: Art, Science and Sorcery?, in: (Hrsg) Krümmel, H.-J.: Internationales Bankgeschäft, Beihefte zu Kredit und Kapital, Heft 8 (1985)
DEPPE, H.-D.: Die Ausdehnung des Zweigstellennetzes von Kreditinstituten als bankbetriebliches Führungsproblem, in: (Hrsg) Engeleiter, H.-J.: 'Gegenwartsfragen der Unternehmensführung, Herne– Berlin 1966
DEPPE, H.-D.: Eine Konzeption wissenschaftlicher Bankbetriebslehre in drei Doppelstunden, in: (Hrsg) Deppe, H.-D.: Bankbetriebliches Lesebuch, Stuttgart 1978
DUFEY, G.: Finanzinnovationen in den USA – Entwicklung und Bedeutung für das internationale Bankgeschäft, in: (Hrsg) Bruns, G./Häuser, K.: Innovationen auf Finanzmärkten, Frankfurt 1986
FANSELOW, K.-H.: Wagnisfinanzierung (Venture Capital) in: (Hrsg) Bruns, G./Häuser, K.: Innovationen auf Finanzmärkten, Frankfurt 1986
FROWEN, St. F.: Neuere Entwicklungen auf dem Londoner Euromarkt, in: (Hrsg) Bruns, G./Häuser, K.: Innovationen auf Finanzmärkten, Frankfurt 1986
FUCHS, K.: Organisatorische Fragen im Personalwesen einer Geschäftsbank, in: (Hrsg) Deppe, H.-D.: Bankbetriebliches Lesebuch, Stuttgart 1978
HAGENMÜLLER, K. F. (Hrsg): Leasing-Handbuch, 3. Aufl., Wiesbaden 1973
HAGENMÜLLER, K. F.: Leasing, Factoring, Beteiligungsfinanzierung, in: (Hrsg) Juncker, K./Schlegelmilch, K.: Die Kapitalbeteiligungsgesellschaft in Theorie und Praxis, Frankfurt 1976
HAGENMÜLLER, K. F.: Die Bestimmungsfaktoren preispolitischer Autonomie bei Kreditinstituten, in: (Hrsg) Büschgen, H. E.: Geld, Kapital und Kredit, Stuttgart 1968
HAHN, O.: Der Finanzmakler als Banktyp, in: (Hrsg) Süchting, J.: Der Bankbetrieb zwischen Theorie und Praxis, Wiesbaden 1977

HAHN, O.: Wandlungen des Sicherheitsdenkens im bankmäßigen Kreditgeschäft, in: (Hrsg) Rühli, E./Thommen, J.-P.: Unternehmensführung aus finanz- und bankwirtschaftlicher Sicht, Stuttgart 1981

HOOVEN, E. van: Standortbestimmung und künftige Entwicklungslinien im Bankmarketing, in: (Hrsg) Süchting, J./van Hooven, E.: Handbuch des Bankmarketing, Wiesbaden 1987

JACOB, A.-F.: Die Steuerung einer Universalbank mit einem System von Erfolgskomponenten, in: (Hrsg) Mülhaupt, L./Schierenbeck, H./Wielens, H.: Controlling in Banken und Sparkassen, Frankfurt 1981

JACOB, A.-F.: Prognose- und Planbilanzen, in: (Hrsg) Süchting, J.: Der Bankbetrieb zwischen Theorie und Praxis, Wiesbaden 1977

JUNCKER, K.: Von der Marktsegmentierung zum strategischen Marketing, in: (Hrsg) Süchting, J./van Hooven, E.: Handbuch des Bankmarketing, Wiesbaden 1987

KARSTEN, E.: Zielgruppenorientierte Produktgestaltung im Bereich des Kreditgeschäfts und der Vermögensanlage, in: (Hrsg) Süchting, J./van Hooven, E.: Handbuch des Bankmarketing, Wiesbaden 1987

KRÜMMEL, H.-J./RUDOLPH, B. (Hrsg): Bankmanagement für neue Märkte, Frankfurt 1987

KRUMNOW, J.: Operatives Controlling im Bankkonzern, in: (Hrsg) Krumnow, J./Metz, M.: Rechnungswesen im Dienste der Bankpolitik, Stuttgart 1987

KÜLLMER, H.: Probleme der Standortplanung von Kreditinstituten, in: (Hrsg) Mülhaupt, L.: Fragen der Bankplanung, Frankfurt 1975

KUNTZE, W.: Finanzinnovationen aus der Sicht der Bankenaufsicht, in: (Hrsg) Krumnow, J./Metz, M.: Rechnungswesen im Dienste der Bankpolitik, Stuttgart 1987

LAMMERSKITTEN, P.: Preispolitik im festrefinanzierten langfristigen Geschäft der Banken, in: (Hrsg) Mülhaupt, L./Schierenbeck, H./Wielens, H.: Controlling in Banken und Sparkassen, Frankfurt 1981

LANG, J.: Die städtischen Kreditgenossenshaften, in: (Hrsg) Kunze, W./Schippel, H./Scheele, O./Löffelholz, J.: Die Deutsche Bankwirtschaft, Berlin 1935–1938

LEEB W.: Führungsinformationssystem in Kreditinstituten, in: (Hrsg) Krumnow, J./Metz, M.: Rechnungswesen im Dienste der Bankpolitik, Stuttgart 1987

LUCKEY, E.-R.: Bewertung von Länderrisiken in der Bankbilanz, in: (Hrsg) Krumnow, J./Metz, M.: Rechnungswesen im Dienste der Bankpolitik, Stuttgart 1987

LUSSER, M.: Rahmenbedingungen und ihre Bedeutung für die Attraktivität eines Finanzplatzes – einige Überlegungen am Beispiel der Schweiz, in: (Hrsg) Süchting, J./van Hooven, E.: Handbuch des Bankmarketing, Wiesbaden 1987

MERTIN, K.: Profit-Center-Steuerung in Universalbanken, in: (Hrsg) Mülhaupt, L./Schierenbeck, H/Wielens, H.: Controlling in Banken und Sparkassen, Frankfurt 1981

MODIGLIANI, F./MILLER, M. H.: The Cost of Capital, Corporation Finance and the Theory of Investment, in: (Hrsg) Solomon: The Management of Corporation Capital, New York 1964

MÜHL, J.: Sparkassen, in: Enzyklopädisches Lexikon für das Geld, Bank- und Börsenwesen, 3. Aufl., Band 2, Frankfurt 1967/68

MÜLLER, H.: Aktuelle Entwicklung in der praktischen Kreditprüfung, in: (Hrsg) Süchting, J.: Der Bankbetrieb zwischen Theorie und Praxis, Wiesbaden 1977

PAERSCH, F.: Maßnahmen des Staates hinsichtlich einer Beaufsichtigung und Reglementierung des Bankwesens, in: Untersuchungen des Bankwesens 1933, Teil I, Bd 2, Berlin 1933

PILTZ, K.: Variationen der Aktienfinanzierung, in: (Hrsg) Bruns, G./Häuser, K.: Innovationen auf Finanzmärkten, Frankfurt 1986

REINHART, F.: Die Aktienbanken, in: (Hrsg) Kunze, W./Schippel, H./Scheele, O./Löffelholz, J.: Die Deutsche Bankwirtschaft, Berlin 1935–1938

RUMMEL, H.: Die Rentabilitätsfrage der Banken, ihre Unkosten und die Kalkulation. Die Versuche zur Unkostenersparnis und Ertragssteigerung, in: Untersuchung des Bankwesens 1933, I. Teil, Bd. 1, Berlin 1933

SARRAZIN, J.: Das Geschäft deutscher Banken im Ausland – Anmerkungen und Bestimmungsfaktoren aus unternehmerischer Sicht, in: (Hrsg) Süchting, J./van Hooven, E.: Handbuch des Bankmarketing, Wiesbaden 1987

SCHIERENBECK, H.: Das Bilanzstruktur-Management als integrativer Bestandteil des Bank-Controlling, in: (Hrsg) Krumnow, J./Metz, M.: Das Rechnungswesen im Dienste der Bankpolitik, Stuttgart 1987

SCHIMMELMANN, W. v.: Erfolgsorientierte Steuerung der Firmenkundenbetreuer, in: (Hrsg) Süchting, J./van Hooven, E.: Handbuch des Bankmarketing,Wiesbaden 1987

SCHLEGELMILCH, K.: Die Kapitalbeteiligungsgesellschaften in der Bundesrepublik Deutschland, in: (Hrsg) Junkker, K./Schlegelmilch, K.: Die Kapitalbeteiligungsgesellschaft in Theorie und Praxis, Frankfurt 1976

SCHLENZKA, P. F.: Marktentwicklung und Ertragspotential der Anbieter von Finanzdienstleistungen, in: (Hrsg) Engels, W.: Wettbewerb am Markt für Finanzdienstleistungen, Frankfurt 1987

SCHULZE, H.: Vorschußverein als Volksbanken, Leipzig 1855, abgedruckt in: Thorwart, F.: Hermann Schulze-Delitzsch's Schriften und Reden, I. Bd., Berlin 1909

SCHUSTER, F.: Der Rembourskredit und verwandte Geschäfte, in: Die Deutsche Bankwirtschaft, Bd. 3

SCHUSTER, L.: Optimale Zweigstellenpolitik: Redimensionierung oder Automatisierung, in: (Hrsg) Muthesius, P./ Schneider, H.: Terminals für Banken und Bankkunden, Frankfurt 1982

SPIEGEL, E. v.: Personalpolitik in Banken unter Einfluß der neuen Technologien, in: (Hrsg) Kolbeck, R.: Bankinnovationen, Frankfurt 1986

STEIN, J. H. v./KIRSCHNER, M.: Zum Problem der Berücksichtigung von bilanzunwirksamen Finanzinnovationen in der externen Rechnungslegung der Banken, in: (Hrsg) Krumnow, J./Metz, M.: Rechnungslegung im Dienste der Bankpolitik, Frankfurt 1987

SÜCHTING, J.: Elemente der Auslandsstrategie einer Bank, in: (Hrsg) Süchting, J.: Der Bankbetrieb zwischen Theorie und Praxis, Wiesbaden 1977

SÜCHTING, J.: Die Theorie der Bankloyalität – (noch) eine Basis zum Verständnis der Absatzbeziehungen von Kreditinstituten?, in: (Hrsg) Süchting, J./van Hooven, E.: Handbuch des Bankmarketing, Wiesbaden 1987

SZAGUNN, V.: Standesorganisation des privaten Bankgewerbes, in: Enzyklopädisches Lexikon für das Geld-, Bank- und Börsenwesen, 3.Aufl., Band 2, Frankfurt 1967/68

TACKE, R.: Plankostenrechnung im Bankbetrieb, (Hrsg) Deutsches Institut für Betriebswirtschaft e. V.: Berichte über die Sitzung der Arbeitsgemeinschaft „Kalkulation und interne Revision der Kreditinstitute", 1962

TRAUTH, P. J.: Das Verhältnis von Linien- und Stabsstellen, in: Organisation TFB (Handbuchreihe), 1. Bd., Berlin und Baden-Baden 1961

ULRICH, H.: Kontrollspanne und Instanzenaufbau, in: Organisation TFB (Handbuchreihe), 1. Bd., Berlin und Baden-Baden 1961

WALTER, I.: Erklärungskonzepte zum Internationalisierungsprozeß der Banken: in (Hrsg) Krümmel, H.-J.: Internationales Bankgeschäft, Beihefte zu Kredit und Kapital, Heft 8 (1985)

WEBER, B./WILSDORF, M.: Produktwerbung und Verkaufsförderung im Privatkundengeschäft, in: (Hrsg) Süchting, J./van Hooven, E.: Handbuch des Bankmarketing, Wiesbaden 1987

WIELENS, H.: Aufgabe und organisatorische Einordnung des Controlling in Banken, in: (Hrsg) Mülhaupt, L./Schierenbeck, H./Wielens, H.: Controlling in Banken und Sparkassen, Frankfurt 1981

WIELENS, H.: Marktorientierte Bankorganisation, in: (Hrsg) Süchting, J./van Hooven, E.: Handbuch des Bankmarketing, Wiesbaden 1987

c) Aufsätze

Benutzte Abkürzungen:

BuB	Bankrecht und Bankpraxis, Köln 1979 ff., (Loseblattwerk) in 4 Bänden
DBW	Die Betriebswirtschaft
BFuP	Betriebswirtschaftliche Forschung und Praxis
ZfB	Zeitschrift für Betriebswirtschaft
ZfbF	Zeitschrift für betriebswirtschaftliche Forschung
ZfgK	Zeitschrift für das gesamte Kreditwesen
ZfhF	Zeitschrift für handelswissenschaftliche Forschung
ZPF	Zeitschrift für das Post- und Fernmeldewesen

ALBACH, H.: Zur Theorie der Unternehmensorganisation,in: ZfhF, NF. 11. Jg. (1959)

ALBACH, H.: Innerbetriebliche Lenkpreise als Instrumente dezentraler Unternehmensführung, in: ZfbF, 26. Jg. (1974)

ASCHOFF, G./HENNINGSEN, E.: Das deutsche Genossenschaftswesen, Veröffentlichungen der Deutschen Genossenschaftsbanken AG, Bd. 15, Frankfurt 1985

BAETGE, J.: Die neuen Ansatz- und Bewertungsvorschriften, in: ZfbF, 39. Jg. (1987) Heft 3/4

BAUMANN, H.: Die Neuordnung der gewerblichen und ländlichen Genossenschaftsorganisation in Deutschland, in: Blätter für das Genossenschaftswesen, Mai 1973

BEINE, G.: Die deutschen Investmentgesellschaften und das Investmentsparen, in: Die Aktiengesellschaft, 1958

BERGER, K.-H.: Standing-Risiken und stille Rücklagen der Bank, Nr. 5 der Beiträge aus dem Bankseminar der Universität Hannover, April 1986
BUB, N.: Privates Sparen in der Bundesrepublik Deutschland, in: Der volkswirtschaftliche Sparprozeß, Beihefte zu Kredit und Kapital, Heft 9, Berlin 1985
BÜHLER, W.: Zur Ermittlung von Mindestmargen im Zinsgeschäft der Kreditinstitute, in: Österreichisches Bankarchiv, 31. Jg. (2/1983)
BÜSCHGEN, H. E./BÖHNER, W.: Controlling in Universalbanken, in: BFuP, 34. Jg. (1982)
BUSSE, v. COLBE, W.: Die neuen Rechnungslegungsvorschriften aus betriebswirtschaftlicher Sicht, in: ZfbF, 39. Jg. (1987) Heft 3/4
CAPELLE, H.: Das Akkreditiv-Geschäft, in: Überseestudien zum Handelsschiffahrts- und Versicherungsrecht, Heft 4/1925
CARSON- PARKER, J.: What makes Nomura really different?, Euromoney May 1986 (Supplement)
CARSTENSEN, M.: Finanzinnovationen in der praktischen Anwendung einer Großbank, in: Die Bank, 26. Jg. (7/1986)
CLEMENTS, J.: Caught off balance, Euromoney June 1986
DELORME, H.: Die Girosammelverwahrung von ausländischen Wertpapieren und der Effektengiroverkehr mit dem Ausland, in: Die Deutschen Wertpapiersammelbanken, Frankfurt 1974
DIBBERN, K.: Neue Effektivzinsformel, in: Börsenzeitung v. 10. 9. 1980
DROSTE, K.D./FASSBENDER, H./PAULUHN, B./SCHLENZKA, P. F./LÖHNEYSEN E. V.: Falsche Ergebnisinformationen – Häufige Ursache für Fehlentwicklungen in Banken, in: Die Bank, 23. Jg. (1983)
FEHR, B.: Wie man Aktien verkaufen kann, ohne sie zu besitzen, in: FAZ v. 7. 1. 1987
FLECHSIG, R.: Die Kalkulation von Zinsobergrenzen im Passivgeschäft mit Nichtbanken, in: Die Bank 22. Jg. (8/1982)
FLECHSIG, R./ROLFES, B.: Risikokosten in der Deckungsbeitragsrechnung, in: Die Bank, 27. Jg. (7/1987)
FRICKE, D.: Der Einfluß unerwarteter Einkommensveränderungen auf das Spar- und Anlageverhalten, in: Beihefte zu Kredit und Kapital, Heft 9, Berlin 1985
FUCHS, H.: Kreditgenossenschaftlicher Garantiefonds, in: Die Bank, Wochenschrift für Finanz- und Bankwesen, Berlin 1937
GERKE, W./OEHLER, A.: Quantifizierbare Wirkungen von Point-of-Sale-Systemen in der Kreditwirtschaft, in: bank und markt, 15. Jg. (1986)
GERKE, W./OEHLER, A.: Die Kosten eines POS-Banking-Systems für Einzelhandel und Kreditwirtschaft und ihre Verteilung, in: bank und markt, 15. Jg. (1986)
GEIST, M. N.: Konsumgütertheorie und Absatzpolitik, in ZfB, 30. Jg. (1960)
GLAUM, M.: Internationale Cash-Management-Systeme von Banken, in: bank und markt, 16. Jg. (1987)
GÖTTE, G.: Kreditanstalt für Wiederaufbau, in: Die öffentlichen Spezialbanken und ihre neuen Aufgaben, in: ZfgK, 39. Jg. (6/1986)
GROSSE PECLUM, K.-H./HOROBA, M. K.: Das Assessment-Center-Verfahren der Dresdner Bank AG, in: bank und markt, 16. Jg. (1987)
GRÜN, K.: Finanzplatz London, Abschied von teuren Idealen, in: Börsenzeitung v. 26. 9. 1986
HAGENMÜLLER, K. F.: Vom Grenzkostendenken zur Vollkostenkalkulation, in: ZfgK, 25. Jg. (1972)
HAMMER, K.: Die Deutsche Ausgleichsbank, in: Die öffentlichen Spezialbanken und ihre neuen Aufgaben, in: ZfgK, 39. Jg. (6/1986)
HARTMANN, W.: Die Deutsche Bundesbank und die Risiken im unbaren Zahlungsverkehr in der Bundesrepublik Deutschland, in: bank und markt, 14. Jg. (1985)
HAX, K.: Planung und Organisation als Instrumente der Unternehmensführung, in: ZfhF, NF. 11. Jg. (1959)
HERRHAUSEN, A.: Koordinierung und Steuerung des Konzerns, in: db-aktuell, Nr. 112 (2/1986)
HORNE, J. C. van: An inquiry into recent financial innovation, in: Kredit und Kapital, 19. Jg. (1986)
JACOB, A.-F.: Das Märchen von den Floatgewinnen, in: ZfgK, 31. Jg. (1978)
JACOB, A.-F.: Planung und Steuerung der Zinsspanne in Banken, in: DBW, 38. Jg. (1978)
JACOB, A.-F.: Kalkulatorische Fragen zum Teilzahlungskredit, in: bank und markt, 14. Jg. (1985)
JACOB, A.-F.: Zu Funktionswandel und Rentabilität von Spareinlagen, in: bank und markt, 15. Jg. (1986)
JACOB, A.-F.: Wirtschaft und Gesellschaft, in: Der Langfristige Kredit, 38. Jg. (1987)
JACOB, A.-F.: Gedanken zur Risikosteuerung im Bankbetrieb, in: vbo-Nachrichten, März 1987
JACOBY, A.: Das Akkreditiv, in: Bank-Archiv 1920

JACOBY, A.: Das Regulativ des Akkreditivgeschäfts der Berliner Stempelvereinigung, in: Bank-Archiv 1922
JANSSEN, R.: Die Postbank – Fragen und Antworten, in: ZPF, 3/1979
KÄSER, I.: Das Konsumentenakkreditiv in den USA, in: Zeitschrift für ausländisches und internationales Privatrecht, 21. Jg. Heft 1
KAVEN, I.-P.: Kooperation der Privatbankiers – ein Vorschl., in: ZfgK, 16. Jg. (1963)
KIMPEL, H.: Beteiligungsfinanzierung durch Kapitalbeteiligungsgesellschaften, in: ZfgK, 29. Jg. (1976)
KÖGLMAYR, H.-G./MÜLLER, St.: Bewertung von Länderrisiken, in: Die Bank, 27. Jg. (7/1987)
KOSLOWSKI, P.: Sinnvolles Wirtschaften, in: FAZ Nr. 220/1986
KREMKOW, K.-D.: Planung oder Selbst-Controlling?, Nr. 6 der Beiträge aus dem Bankseminar der Universität Hannover, April 1986
KRÜMMEL, H.-J.: Liquiditätssicherung als Teil der Unternehmenspolitik der Banken, in: Kredit und Kapital, 2. Jg. (1969)
KRÜMMEL, H.-J.: Zur Rentabilitätspolitik der Kreditinstitute, in: Kredit und Kapital, 5. Jg. (1972)
KÜMPEL, S.: Zur Termingeschäftsfähigkeit nach dem Börsengesetz, in: ZfgK, 39. Jg. (1986)
KUNZE, O.: Die Sammelwertberichtigungen der Kreditinstitute, in: Betriebsberater, 1963
KURZ, A.: Wesen und Technik der Kurssicherungstratte, in: Zahlungsverkehr und Bankbetrieb, 1936
LAUX, M.: Europäisches Investment-Recht setzt neue Maßstäbe, in: Die Bank, 26. Jg. (4/1986)
LEHMANN, M./SCHMIDT, R. H.: Bankkosten und Bankpreise im Massengeschäft, in: Kredit und Kapital, 15. Jg. (1982)
LERBINGER, P./MAIER, A.: Translations-Riskmanagement im Unternehmen, in: Die Bank, 27. Jg. (3/1987)
MERL, G.: Die Bestimmung des Absatzpotentials im Rahmen der Zweigstellenplanung von Kreditinstituten, in: Kredit und Kapital, 7. Jg. (1974)
MERTIN, K.: Auslandsrisiken, in: ZfgK, 31. Jg. (1978)
MORGEN, K.: Der Bankkunde bestimmt den Grad der Automation, in: Die Bank, 25. Jg. (7/1985)
MOULTON, H.: Commercial banking and capital formation, in: Journal of Political Economy , vol. 26 (1918)
MÜLHAUPT, L./DOLFF, P.: Grundprobleme der Bankplanung unter besonderer Berücksichtigung des langfristigen Kredits, in: Kredit und Kapital, 7. Jg. (1974)
MÜLHAUPT, L./SCHIERENBECK, H./FLECHSIG, R.: Die Planung des optimalen Kreditportefeuilles einer Universalbank, in: Kredit und Kapital, 15. Jg. (1982)
MÜLLER, A.: Istkosten, Normalkosten- und Plankostenrechnung in vergleichbarer Betrachtung, in: Der Betrieb 1952
MÜLLER, H.: Finanzanalyse und Finanzplanung als EDV-Service, in: Die Bank, 26. Jg. (4/1986)
REINTGES, H.: Die einheitliche Bewertung im Konzernabschluß, in: ZfbF, 39. Jg. (1987) Heft 3/4
RIXEN, H.-H.: EG-Bilanzrecht für Banken, in: Die Bank, 27. Jg. (2/1987)
RÖLLER, W.: Die Position der Hypothekenbanken in der deutschen Kreditwirtschaft, in: Der Langfristige Kredit, 37. Jg. (1986)
RÖLLER, W.: Neuorganisation des deutschen Börsenwesens, in: Die Bank, 26. Jg. (8/1986)
ROLFES, B.: Ansätze zur Steuerung von Zinsänderungs-Risiken, in: Kredit und Kapital, 18. Jg. (1985)
RUDOLPH, B.: Können die Banken ihre Kreditsicherheiten „vergessen"?, in: Kredit und Kapital, 15. Jg. (1982)
RUMMEL, H.: Die Möglichkeiten einer genauen Selbstkostenrechnung im Bankgewerbe und ihre Auswirkungen auf die Rentabilität, in: ZfhF, 28. Jg. (1934)
SARTORIUS, B.: Das Barakkreditiv und das Dokumentenakkreditiv, in: Bankwissenschaft, v. 1. 12. 1925
SCHEIDL, K./SCHOLZ, R.: Zur Rendite von Zerobonds nach Steuern, in: Die Bank, 26. Jg. (11/1986)
SCHEPERS, G.: Das Factoring im neuen KWG, in: ZfgK, 38. Jg. (1985)
SCHIERENBECK, H.: Bilanzstrukturmanagement in Kreditinstituten, in: ifK-Nachrichten aus dem Institut für Kreditwesen, 25 (1983)
SCHRÖTER, J.: Die neuen Allgemeinen Geschäftsbedingungen II, in: ZfgK, 39. Jg. (5/1986)
SCHÜLEN, W.: Die Aufstellung des Anhangs, in ZfbF, 39. Jg. (1987) Heft 3/4
SEIDEL Chr.: Führungskräfte-Fortbildung, in: ZfgK, 39. Jg. (1986)
STEPHANOPOULOS : Das dokumentäre Akkreditiv nach heutigem griechischen Recht, in: Hanseatische Rechtszeitschrift 1927
STEINER, J.: Kosten- und preisorientierte Bemessung des Verzugsschadens bei Krediten, in: Der Betrieb, 1986
STRACKE, G./POHL, M.: Aktivitäten von Waren- und Versandhäusern im Finanz-Dienstleistungsmarkt Europas, in: Die Bank, 27. Jg. (2/1987)

SÜCHTING, J.: Zur Kontroverse um die Bankkalkulation, in: ZfgK, 20. Jg. (1967)
SÜCHTING, J.: Die Einkaufswirtschaftlichkeit für Bankleistungen und die Zweigstellenpolitik, in: Bank-Betrieb, 8. Jg. (1968)
SÜCHTING, J.: Scheinargumente in der Diskussion um stille Reserven bei Kreditinstituten, in: DBW, 41. Jg. (1981)
SÜCHTING J.: Überlegungen zu einer flexiblen Preispolitik der Kreditinstitute im Firmenkundengeschäft, in: bank und markt, 14. Jg. (3/1985)
TANNHÄUSER, E.: Die Finanzierung des deutschen Einfuhrhandels, in: Weltwirtschaftliches Archiv, Band 31 (1930)
THIES, S./STRACKE, G.: Finanzdienstleistungen im Zeichen gesellschaftlichen Wertewandelns, in: Die Bank, 27. Jg. (1/1987)
TRILLER, P.: Gedanken zum Leasing über den Bankschalter, in: bank und markt, 15. Jg. (1986)
WASSERMANN, H.: Die Situation in der Bundesrepublik, in: Sonderbeilage „Leasing" des Handelsblattes v. 23. 4. 1985
WITT, F.J.: Bankloyalität – eine empirische Untersuchung, in: bank und markt, 15. Jg. (1986)
o. V.: Bank rate at home and abroad, The Economist, 7. 2. 1914
o. V.: Die genossenschaftlichen Zentralbanken im Jahr 1984, in: ZfgK, 39. Jg. (2/1986)
o. V.: Zentralbankratsbeschluß vor Gericht, in Börsenzeitung v. 19. .2. 1986
o. V.: Mindesreserve-Prozeß ums „grobe Instrument", in: Börsenzeitung v. 3. 4. 1986
o. V.: Die Sicherheit der Geldausgabeautomaten kann verbessert werden, in: FAZ v. 13. 12. 1986
o. V.: The lucrative world of management buyout, Euromoney and Corporate-Finance-Supplement, 1986
o. V.: Kreditgewerbe vor Änderung der Kartenstrategie, in: Börsenzeitung v. 4. 2. 1987
o. V.: Bald EG-Vorschläge für Finanzdienste, in: Börsenzeitung v. 15. 1. 1987
o. V.: Sparkassen für Haftungsbeschränkung, in: FAZ v. 30. 1. 1987
o. V.: Nur wenige Banken nutzen Bildschirmtext – eine Bestandsaufnahme, in: bank und markt, 16. Jg. (1987)

d) Dissertationen

BOHNHOFF, R.: Die deutschen Schiffspfandbriefbanken, Entwicklung und wirtschaftliche Bedeutung, Diss. Hamburg 1961
BRANNEKÄMPER, J. H.: Der Rembourskredit, Diss. Heidelberg 1931
DONATH, F.: Außenhandelsbetrieb und Bankwirtschaft, Diss. Berlin 1937
GROH, F.: Die Bedeutung der Privatbankiers in der heutigen Wirtschaft, Diss. Nürnberg 1957
HALBIG, J.: Finanzierung und Organisation der Teilzahlungskredit-Geschäfte, Diss. Coburg 1930
HEYNE, G.: Das Warenakkreditiv, Diss. Würzburg 1934
LEGER, W.: Zentralisation und Dezentralisation im Kreditgewerbe, Diss. Mannheim 1967
LIPPMANN, H.: Die dynamische Planung des finanziellen Bereichs von Banken an Hand von Modellen, Diss. Münster 1970
SCHOOR, V.: Das Accreditivgeschäft, Diss. Gießen 1922
SIECKMANN, H.: Das Akkreditiv, Diss. Jena 1925
THEISSING, G.: Zentralisation und Dezentralisation als Organisationsprinzipien der Großbanken, Diss. Freiburg/Schweiz 1959
WEGENER, H.: Bankakkreditive im kaufmännischen Verkehr, Diss. Würzburg 1935
WIMMER, E.: Die Finanzierung der deutschen Ausfuhr, Diss. Marburg 1932
WITZMANN, F.: Das Akkreditiv als Zahlungsmittel im internationalen Verkehr und seine Bedeutung für die Volkswirtschaft, Diss. München 1929

e) Sonstige Quellen

AKA Ausfuhrkredit-Gesellschaft mbH: Bericht über das 34 Geschäftsjahr (1985)
Ausfuhr-Kredit-AG: Geschäftsbericht 1952
Bank for international settlements (Bank für internationalen Zahlungsausgleich): Recent innovations in international banking, Basel 1986

Bankenfachverband Konsumenten- und gewerbliche Spezialkredite e. V.: Jahresbericht 1985
Banken-Ortslexikon, Darmstadt (Loseblattsammlung)
Die Berliner Handelsgesellschaft in einem Jahrhundert deutscher Wirtschaft 1956–1956, Berlin 1956
Bund-Länder-Kommission „Effektiver Jahreszins“: Grundsätze zur Berechnung des effektiven Jahreszinses nach der Preisangabenverordnung (PAngV), v. 29. 9. 1980
Bundesverband deutscher Banken: Jahresbericht 1983/85
Bundesverband deutscher Banken (Hrsg): Bankkostenrechnung, Grundsätze und Vordruckmuster für die kostenrechnung privater Banken (Graue Mappe)
Bundesverband deutscher Banken: Kommission für Kostenrechnung: Fragen der Bankkostenrechnung, Köln 1977–1980 (Rote Mappe)
Bundesverband deutscher Banken: Kommission für Bilanzierungsfragen: Bilanzrichtlinien-Gesetz, Arbeitsmaterialien zu den Auswirkungen des Bilanzrichtliniengesetzes auf die Rechnungslegung der Banken, Köln 1987
Bundesverband Deutscher Investment-Gesellschaften e. V.: Investment 74, Die deutschen Investmentgeselllschaften, Frankfurt
Commerzbank AG: Geschäftsbericht 1985
Commission of the European Communities, Banking Advisory Committee: The new strategy of the ec commission for the banking sector, XV/219/86 – EN, October 1986
Deutsche Bank AG: Geschäftsbericht 1985
Deutsche Bundesbank: Geschäftsberichte, Monatsberichte, Statistische Beihefte
Deutsche Bundesbank: Merkblatt über den innerdeutschen Wirtschafts- und Zahlungsverkehr – Stand Januar 1984
Deutsche Bundesbank: Bankenstatistik, Richtlinien Dezember 1985
Deutsche Bundesbank: Bankenstatistik, Kundensystematik, Frankfurt 1986
Deutsche Genossenschaftsbank: Die Genossenschaften in der Bundesrepublik Deutschland 1985, Statistischer Teil
Deutscher Auslandskassenverein AG: Geschäftsbericht 1972
Deutscher Genossenschaftsverband (Schulze-Delitsch) e. V. Jahrbuch 1971
Deutscher Raiffeisenverband e. V.: Jahrbuch 1971
Deutscher Sparkassen- und Giroverband: Jahrbuch 1984
Dresdner Bank AG: Geschäftsbericht 1985
Euromoney Year Book 84, London 1984
Industriekreditbank AG: Geschäftsbericht 1985
J. P. Morgan: Annual report 1986
OECD: The Internationalisation of Banking, OECD-Studie, Paris 1983
Saarländische Kreditbank AG (Hrsg): Das Dokumentenakkreditiv, Saarbrücken 1953
Schmalenbach-Gesellschaft: Arbeitsbericht Nr. 1 des Arbeitskreises „Planungsprobleme in Banken“, Köln 1976
Schweizerischer Bankverein: „Risikofinanzierung und Unternehmensberatung“ – Was wir für Unternehmen tun können (Werbebroschüre)
Schweizerische Kreditanstalt: SKA-Bulletin Nr. 5, 6/87
Verband deutscher Hypothekenbanken: Geschäftsbericht 1985
Wirtschaftsverband Teilzahlungsbanken: Jahresberichte 1950/1973 sowie Handbuch der Teilzahlungswirtschaft

Stichwortverzeichnis der Bände I, II, III*

*Vom Verlag erstellt